TROPIQUES AMERS

Virginie Brac et Myriam Cottias

TROPIQUES AMERS

Avec la collaboration de Céline Pouillon

Michel LAFON

Tous droits de traduction, d'adaptation
et de reproduction réservés pour tous pays.

CHAPITRE PREMIER

Olympe. Elle est sur le bateau. Derrière, la mer Caraïbe à perte de vue se fond encore avec le bleu d'un ciel azur et uniforme, en ce mois de février 1788. Devant elle, devant eux, la terre enfin, après quarante jours de navigation.

Saint-Pierre de la Martinique, carrefour des Antilles françaises, port prospère et florissant... Mais comme la ville paraît minuscule vue d'ici ! Rien qu'une fine bande colorée dominée par l'imposante montagne Pelée, rien qu'une fragile ondulation entre la mer et de larges aplats, les mornes et la forêt, mêlant différentes nuances de verts à des tons bruns et ocre.

On venait d'entrer dans la rade, et le capitaine dirigeait les ultimes manœuvres de mouillage, ordonnant à l'équipage d'affaler les voiles et de se tenir prêt à jeter l'ancre. Il s'agissait de trouver une place entre les nombreux bateaux, de majestueux voiliers amarrés ou de plus modestes embarcations en mouvement, des canots qui transportaient des cargaisons de sucre, de café ou de rhum vers des navires prêts à repartir pour l'Europe, des goélettes et des caboteurs qui se dandinaient le long des côtes, chargés de marchandises venant de la métropole qu'ils devaient acheminer vers les autres villes de l'île.

Le capitaine avait annoncé qu'on allait débarquer, et les passagers s'étaient regroupés sur le pont du galion battant le pavillon à fleurs de lys du roi de France.

À l'écart, la frêle silhouette d'une jeune femme se tenait immobile, appuyée sur le bastingage : une longue chevelure lisse, en partie dissimulée par un grand chapeau de paille qui la protégeait du soleil en cette pleine saison du carême, une robe de taffetas bleu clair ceinturée d'un ruban de velours noir, de petits souliers de satin assortis à sa robe.

François finit par trouver sa sœur.

Olympe de Rochant venait de fêter son dix-huitième anniversaire. Elle avait peu voyagé jusque-là et naviguait pour la première fois de sa vie. Un mois auparavant, elle avait quitté Paris, une adolescence choyée, le vaste hôtel particulier, les amis, Versailles et la cour, les bals, les leçons de clavecin et l'éducation dispensée par un professeur de bonnes manières, malgré des parents sans vraie fortune.

Avec la conscience de ce qu'elle avait laissé derrière elle, Olympe regardait l'île s'approcher, cette terre à laquelle son destin était désormais lié, puisqu'elle venait ici pour être mariée à un inconnu. En Martinique, quelle vie nouvelle l'attendait ?

François resta en arrière, à contempler la jeune femme dont le corps semblait comme tendu à la rencontre de ce monde inconnu. Il imagina que peut-être elle appréhendait le rendez-vous obligé ; il remarqua sa main gauche dont les doigts tapotaient une mélodie imaginaire ; il sourit car il pensa que c'était là un signe d'impatience plus que d'inquiétude. Comme Olympe lui tournait le dos, il ne voyait d'ailleurs pas l'expression de son visage, qui n'était pas vraiment préoccupée. Des yeux pétillants et curieux compensaient sa gravité, trahissant un caractère vif. On aurait dit ceux d'une enfant qui veut tout embrasser : ici, un trois-mâts en train d'appareiller ; là, un navire mouillant près de la plage pour débarquer sa cargaison. Olympe tourna enfin la tête pour suivre un canot qui passait. François pensa alors que sa sœur était plus que jolie. Belle, d'une beauté régulière : la blondeur cendrée de ses cheveux, la blancheur de son teint, le bleu pâle de ses yeux et jusqu'à la grâce de sa silhouette, tout en elle la faisait ressembler à une poupée de porcelaine fragile mais éclatante. Du reste, cette apparence physique trompeuse masquait un tempérament autrement impatient. La personnalité de sa cadette de deux ans, François la connaissait : ils avaient grandi et été élevés ensemble. Olympe ? Une enfant à la fois extravertie et mélancolique, rêveuse et capricieuse, sociable et solitaire, espiègle et autoritaire, coquette et fière, gâtée et facilement encline à se laisser porter par ses envies. Elle avait donné du souci à sa mère, qui rêvait d'une fille docile à son image, se préparant à vivre dans l'ombre d'un mari. « Mais, maman, les temps changent ! » répétait Olympe en toute occasion, pour grappiller un peu de liberté.

Olympe s'était corrigée, avait mûri et s'était assagie. Elle avait consenti à apprivoiser son caractère, elle s'était moins laissée aller à cette franchise qu'on lui reprochait. À quinze ans, elle offrait une figure généralement souriante ; elle avait appris à satisfaire la bonne société. Mais elle n'avait au fond rien perdu du naturel fantaisiste qui faisait son charme, et n'en aimait pas moins rire et être admirée.

François regardait toujours sa sœur, qui avait levé la tête et semblait rêver. À quoi ? Avec le ciel au-dessus d'elle, elle songeait qu'un jour peut-être, le voyage entre la France et ses colonies se ferait en ballon. Elle sourit en se souvenant de la première fois où elle avait vu un ballon s'élever. Elle n'avait que treize ans à l'époque, mais c'est ce qui l'avait le plus fascinée dans sa courte vie. Elle sourit encore : les premiers voyageurs avaient été un coq, un mouton et un canard, pour une expérience de physique en plein air devant un peuple enthousiaste ! Olympe se souvenait aussi des discussions à propos des frères Montgolfier et de leur invention, de l'irruption de ces fabricants de papier dans le monde parisien et académique. Peu à peu, le ballon était devenu moins à la mode. Non, sans doute, ce ne serait pas pour demain.

François s'approcha enfin, et lui passa tendrement un bras autour de l'épaule.

– Ne t'inquiète pas, petite sœur, je suis là.

Tirée de sa rêverie, Olympe se retourna vivement :

– Je ne suis pas inquiète, monsieur mon frère. Je n'ai qu'une hâte : poser le pied sur notre terre nouvelle, me rafraîchir, changer de robe et rencontrer mon fiancé.

– Et s'il ne te plaît pas ?

– Mais il me plaira. Il est riche, j'aurai du personnel pour me servir. Que demander de plus s'il n'est pas bossu ni trop méchant ?

François sourit. Finalement, il l'admirait, cette sœur qui prenait la vie comme elle venait. Elle avait raison : pourquoi s'inquiéter si Olympe avait cette force et cette capacité à s'adapter ? Lui, François, était si différent ! À vingt ans, il aurait pu être ambitieux, vaniteux, arrogant et égoïste. Il était tout juste un peu suffisant, comme sa sœur. Mais il était aussi réfléchi et attentif. D'apparence plus réservée qu'Olympe, fort joli garçon du reste, il était cependant curieux et sensible. Probablement avait-il contribué à adoucir le caractère enflammé de sa ravissante petite sœur. Probablement aussi l'éducation parentale sévère avait-elle fait de François et Olympe des jeunes gens modelés au monde parisien mais plutôt ouverts. Ils avaient accepté l'un comme l'autre de quitter la France pour venir s'installer en Martinique. Avaient-ils d'ailleurs eu le choix ? Leur père, le marquis de Rochant, récemment nommé intendant de la Martinique, venait y prendre ses fonctions. Issu d'une famille de petite noblesse dont il était le fils aîné, il avait hérité de la fortune familiale. Mais le démon du jeu l'avait pris à Versailles, et quelques années suffirent à faire du marquis un homme ruiné. On était venu à son secours en lui trouvant cette porte de sortie : la Martinique. Il avait donc accepté le poste offert. Du même coup, Olympe, fille noble mais sans dot, devait s'estimer heureuse d'avoir trouvé un homme qui acceptait de l'épouser. Quant à François, le voyage signifiait pour lui une sorte d'au revoir à sa sœur, et secrètement, il redoutait leur prochaine séparation. C'en était fini du temps de l'enfance insouciante ! Olympe allait vivre sa vie. Il avait rêvé pour elle d'un époux attentionné, bon et aimant, capable de la rendre heureuse. Oui, il était curieux de rencontrer ce Théophile Bonaventure dont il n'avait que bien peu entendu parler.

Le frère et la sœur restèrent un instant silencieux, à regarder la ville de Saint-Pierre maintenant toute proche, puis Olympe lança joyeusement :

– Regarde, François ! Nous avons quitté la France par un froid glacial et nous arrivons sous un soleil radieux ! N'est-ce pas merveilleux ?

– Tu ne connais pas la saison des pluies et des cyclones, chère petite sœur. Je me suis renseigné. Nous verrons si tu es du même avis dans quelques mois.

– Ah, mon François rabat-joie ! On dit que même durant l'hivernage, il fait doux ici, et que la température ne descend pas au-dessous des vingt degrés.

François désigna de la main la montagne Pelée qui se dressait gigantesque devant eux, mamelon monumental, offrande au ciel.

– Il doit faire un peu plus frais au sommet du volcan. Regarde ce colosse ! As-tu une idée de son altitude ?

– Non, mais vous allez me l'apprendre, monsieur-je sais-tout.

– Sept cent seize toises. Entre nous, la chose à faire, c'est de prier pour que ce Titan se tienne tranquille.

Leur conversation fut interrompue par les appels de l'équipage qui invitaient les passagers à descendre dans les barques qui les mèneraient à terre.

Olympe se tourna vers son frère, le prit par le bras pour l'inviter à faire avec elle quelques pas de valse.

– Allons, François, quitte cet air sérieux ! Souris, mon frère, nous sommes arrivés ! N'es-tu pas heureux de débarquer dans le jardin d'Éden ?

François continua tout en dansant à faire part de ce qu'il avait appris :

– Par cette même côte nord, Christophe Colomb débarquait en 1502. Et cette île est la Martinique parce qu'il y posa le pied le jour de la Saint-Martin. Tu te sens l'âme d'une exploratrice ?

– Oui ! répondit Olympe en souriant.

Et elle planta là son frère pour courir la première vers la passerelle.

François chercha à rejoindre ses parents pour donner le bras à sa mère et aider son père à porter au moins leurs bagages à main.

Le choc du débarquement fut assez violent. À peine Olympe eut-elle posé le pied sur la terre ferme qu'elle sentit un frisson lui parcourir tout le corps, immédiatement suivi d'une sensation plus diffuse. Une chaleur étouffante et humide l'envahit, en même temps qu'une odeur forte et âcre dont elle ne pouvait distinguer les différents composants. Quelque chose d'indéfinissable, de lourd et de poisseux. Elle regarda sa mère, qui semblait soudain mal à l'aise, avec moins de compassion que de curiosité, et plus précisément le ventre maternel. Car la sensation qu'elle éprouvait en ce moment lui faisait imaginer quelque chose de commun entre cette chaleur dense et celle du giron pour un fœtus.

Elle n'eut pas le temps d'y songer plus longtemps. Sa mère était bel et bien en train de tourner de l'œil, et c'est François qui vint la soutenir à temps. Madame de Rochant s'appuya sur le bras de son fils, tandis que monsieur de Rochant essayait tant bien que mal de conserver une attitude digne ; il se rapprocha de sa femme et de ses enfants comme pour les protéger, la tête un peu baissée.

Tout de suite, la conscience d'être différents et étrangers : plantés au milieu de la cohue, ils étaient engoncés dans leurs lourds habits de voyage. Ils promenaient autour d'eux des regards fuyants où l'effarement se mêlait à une sorte de dégoût, en pressant des mouchoirs contre leurs narines. Seul François laissait errer plus largement ses yeux ; madame de

Rochant se signait discrètement devant le spectacle : c'était une confusion de couleurs, de langues, de cultures, d'histoires. Les hommes, les maisons, les vêtements, la végétation, tout était nouveau. Le quai était encombré de ballots, de caisses, de coffres et de malles que des esclaves noirs en haillons déchargaient des canots. Des charrettes surchargées de marchandises, tirées par des esclaves, croisaient des cargaisons de sucre transportées à dos de mulets. Hommes, femmes, riches et pauvres de toutes les nuances de peau se bousculaient dans un brouhaha où se mêlaient toutes les langues d'Europe et d'Afrique. Ainsi que le créole. Ici, on entendait des ordres aboyés par des Blancs ; là, des Noirs parlaient entre eux dans une langue inconnue. Des négociants vêtus de riches habits recevaient leurs cargaisons, des Blancs inspectaient le bon déroulement d'un chargement de barriques de sucre dans des canots faisant la navette entre la plage et un navire qui avait mouillé au large, serrant dans leurs mains des fouets qu'ils n'hésitaient pas à utiliser. Des enfants noirs couraient à moitié nus, des chiens aboyaient.

Olympe, encadrée par ses parents, se risqua à des regards à la dérobée : voici donc les esclaves dont elle avait entendu parler. Elle remarqua qu'ils portaient tous des coiffes étranges, des turbans blancs ou colorés noués autour de la tête, et elle fut moins intriguée par la pauvreté de ceux qui étaient habillés de frusques déchirées que par un petit groupe, plus clair de peau, vêtu à la manière des Blancs. Robes de toile pour les femmes, culottes, chemises, vestes, bas et souliers pour les hommes.

François était déconcerté par la multitude de langues qu'il entendait parler autour de lui. Il ne put s'empêcher de penser à la tour de Babel, non plus « la Porte du Ciel » mais « la Mélangée », un monde où les hommes ne se comprennent pas. Monsieur de Rochant, lui, méditait. Il se redressa soudain pour retrouver une contenance, se souvenant qu'il arrivait sur cette terre d'Amérique en nouvel intendant. Tohu-bohu et chassés-croisés, le tout dans un vacarme assourdissant ! Ce ballet incessant d'échanges de marchandises, une activité à la fois fébrile et organisée, autant de choses qui faisaient constater au marquis ce qu'on lui avait annoncé : le cœur de cette ville portuaire est en bon état, l'économie y est prospère, le commerce fonctionne.

Une chaise à porteurs précédée de deux esclaves en livrée fendit la foule et vint s'arrêter devant le quatuor. Un attroupement se forma aussitôt. Les deux valets à la française étaient au garde-à-vous. Puis l'un d'eux ouvrit cérémonieusement la porte en annonçant :

– Monsieur le gouverneur de la Martinique !

Il en descendit un homme blanc d'une cinquantaine d'années, de taille moyenne et de corpulence forte. Ce qui frappait dans son visage, c'était son teint hâlé et ses petits yeux à l'expression tour à tour lasse et vive. Il portait un habit de drap rouge à boutonnière blanc et or sur lequel s'étalait un large jabot, et sa perruque poudrée et nouée d'un ruban gris foncé était posée un peu de travers sur son crâne à la calvitie naissante. Habits trop chauds pour le climat, revêtus exceptionnellement et comme enfilés trop vite, dans le but d'accueillir le nouvel intendant ? À moins que ce ne fût la transpiration qui faisait glisser sa perruque, pensa monsieur de Rochant en regardant le visage buriné, alors que lui-même, accablé de chaleur, tirait un mouchoir de sa poche pour tamponner la sueur qui perlait sur son front.

Jacques-André Gauty, conseiller royal, gouverneur général de la Martinique depuis quatre ans, comptait bien occuper ce poste encore quelques années. C'était Louis XVI en personne qui lui avait proposé d'être son représentant dans la colonie. À Paris, sa réputation d'homme intègre, peu agréable de manières, peu enclin au paraître, affichant du dégoût pour les trains de vie trop luxueux, avait en effet donné au roi l'espoir qu'il ne se laisserait pas séduire par une fortune à portée de main. C'est qu'il y avait eu bien des difficultés ces dernières années avec les précédents gouverneurs et intendants, certains clairement corrompus par les colons. Ils avaient acquis une habitation, possédé des esclaves, fait des profits considérables et souvent frauduleux avant de rentrer en métropole. La qualité désormais requise de ce gouvernement lointain était l'indépendance dans l'honneur et le but de servir la France. Jacques-André Gauty s'en était tenu à remplir ses fonctions, laissant en métropole femme et enfants, persuadé d'être rentré dans les deux ans. Quatre ans plus tard, il était toujours là.

Car, dès son arrivée en Martinique, il avait aimé cette île, sa vie, son climat. Bien sûr, il avait vite pris conscience de l'ampleur de la tâche, mais c'est au fond ce qui lui avait plu. Essayer de conserver l'impartialité qui le caractérisait pour administrer au mieux l'île, sans trop d'autoritarisme. Au fil de ces quatre ans, il avait pourtant compris que les règles légales d'une métropole qui se trouvait à mille deux cent soixante lieues de là ne cadraient pas tout à fait avec la vie créole, et qu'il fallait apprendre à composer avec l'aristocratie coloniale. Il s'était fait ainsi respecter des habitants de l'île, même si certains planteurs lui reprochaient de ne pas suffisamment les favoriser, agacés par son honnêteté.

Aujourd'hui, il était impatient de rencontrer le marquis de Rochant, dont il avait appris la nomination récente. Et il souhaitait entretenir avec le nouveau venu des rapports cordiaux pour le bien de la colonie, pour que ne se répètent pas les conflits qu'il avait vécus avec le précédent intendant. La lueur ambiguë qui pointait dans son regard était simplement le signe de cette attente et la crainte d'une déception.

Il avait décidé d'être simple et cordial. Il fut surpris. À peine fut-il descendu de sa chaise que monsieur de Rochant ôta son chapeau et balaya le sol dans une superbe révérence en se présentant :

– Louis-Victor de Coupon, marquis de Rochant, conseiller du roi, président honoraire du parlement de Bordeaux, intendant de Justice, Police, Guerre, Finances et Navires des îles françaises d'Amérique, pour vous servir.

Pour ne pas être en reste, le gouverneur exécuta une révérence identique, et déclina à son tour ses titres, chose qu'il n'avait plus l'habitude de faire depuis longtemps :

– Jacques-André Gauty, vicomte de Bizet, chevalier de Saint-Louis, ancien conseiller de Sa Majesté, gouverneur général de la Martinique. Mes respects, monsieur l'intendant.

Alors, d'un geste toujours solennel, monsieur de Rochant lui tendit un parchemin scellé et cacheté à la cire rouge, en poursuivant sur le même ton :

– Monseigneur, j'ai l'honneur de vous remettre mes lettres de créance signées de Sa Majesté.

L'espace de quelques secondes, le gouverneur espéra que monsieur de Rochant allait s'abstenir d'une nouvelle révérence. On n'est pas à Versailles, monsieur le marquis ! Pourquoi tant de simagrées ? Mais l'intendant ne s'abstint pas. La seconde parut au gouverneur plus appliquée encore que la première. Sans doute n'a-t-il pas claire conscience de ce qui nous entoure, pensa Gauty, qui devinait que la partie était perdue. Ce Rochant ne serait qu'un pantin comme ses prédécesseurs, et lui, Gauty, aurait l'obligation d'ajouter à ses nombreuses charges celles de cette fameuse intendance.

Le gouverneur prit le parchemin, l'ouvrit et le parcourut des yeux. À ce moment, madame de Rochant, qui transpirait à grosses gouttes, s'approcha de son mari. Elle s'appuya sur son bras, et lui chuchota à l'oreille, aussi discrètement que possible :

– Je vais défaillir, Louis-Victor...

Le gouverneur adressa un signe à un esclave qui se précipita vers madame de Rochant avec une ombrelle qu'il ouvrit au-dessus de sa tête. Surprise par l'approche de cet homme noir, celle-ci eut un léger mouvement de recul.

Gauty s'avança vers elle et, avec une révérence :

– Madame, vous ne sauriez subir les outrages du soleil plus longtemps. Ici, la coutume est de dire non pas que le soleil brille mais qu'il bouleverse les humeurs. Je vous propose de quitter cet endroit.

Madame de Rochant acquiesça d'un signe de tête, avec le sentiment d'être comprise, tout en jetant un regard hostile à l'esclave qui, à sa droite, tenait immobile l'ombrelle, et en pressant son mouchoir plus fortement contre son nez. Puis, comme pour reprendre le dessus dans un face à face, Monsieur de Rochant fit un pas en avant :

– Permettez-moi d'abord de vous présenter ma famille, monseigneur... Ma femme, madame de Rochant, mon fils François et ma fille Olympe, qui va épouser monsieur Bonaventure.

Madame de Rochant, François et Olympe y allèrent de leur révérence. Gauty répondit par un salut, tout en regardant autour de lui d'un air contrarié.

– Monsieur Bonaventure devait accueillir sa fiancée mais je ne le vois nulle part. Enfin, où est-il ?

Il se retourna vers un esclave :

– Lucien, va à l'habitation Bonaventure et préviens que le bateau est arrivé.

Le gouverneur revint ensuite vers monsieur de Rochant :

– Je vais vous faire transporter à ma résidence. Nous l'attendrons là-bas.

À deux heures de Saint-Pierre et de sa vie trépidante, l'habitation Bonaventure. On s'y préparait à accueillir celle qui allait devenir l'épouse du maître. Une femme blanche, forcément, une femme qui pourrait lui donner des enfants blancs, au moins un, un garçon de préférence, qui puisse être l'héritier de sa fortune. La Grande Case était sens dessus dessous.

Un mulâtre d'environ trente-cinq ans, Amédée, surveillait d'un œil attentif les derniers préparatifs de la fête qui devait avoir lieu le lendemain.

Sur la large véranda de bois qui entourait la maison carrée et toute de plain-pied, des Noirs et des mulâtres s'activaient pour parfaire la décoration : les uns accrochaient des guirlandes de feuilles mêlées de rubans dorés, les autres installaient des guéridons recouverts de nappes blanches, d'autres encore transportaient de somptueuses corbeilles de fruits et des plateaux chargés de carafes et de verres. Amédée n'intervenait que de temps en temps pour donner son avis ou corriger un détail, s'adressant en créole aux esclaves qui exécutaient ses ordres au doigt et à l'œil. Ils étaient pieds nus, habillés de caleçons et de chemises à moitié déchirées pour les hommes, de jupes pour les femmes, taillés dans une grosse toile de coton, tandis qu'Amédée portait un costume noir, une chemise blanche d'une propreté impeccable, une cravate et des souliers. Mince, le geste précis et le regard pointu, il était l'intendant de l'habitation, flegmatique, capable de tout faire avec un imperturbable sérieux. Pourtant, Amédée lui aussi était un esclave. Le foulard blanc qu'il portait sur la tête l'attestait. Mais sans cette marque, rien dans son apparence et ses gestes ne l'aurait rendu comparable à ceux qu'il dirigeait. C'est qu'Amédée avait un statut particulier. Il avait été le premier esclave de Théophile Bonaventure, celui qui l'avait accompagné dès l'achat de l'habitation, un peu plus de dix ans auparavant. Il avait vu la maison se construire, la plantation se développer, il avait vu une fortune grandir. Homme avisé, Amédée était en réalité bien plus qu'un intendant. Il incarnait presque le type du *butler* anglais. Combien de fois, depuis ces nombreuses années, avait-il été celui qui pensait à la place de son maître, en présentant ses recommandations comme de simples suggestions ! Théophile Bonaventure ne s'était jamais privé de les suivre. Il n'eut pas une seule fois à le regretter. Conscient de la valeur d'Amédée, il lui avait délégué les tâches les plus importantes. Et cependant, il continuait à le traiter comme une chose qui lui appartenait. Plus liés l'un à l'autre que leur relation vue de l'extérieur ne le laissait croire, il y avait ceci entre eux qui ne tolérait pas la proximité véritable : Théophile était blanc, il était le maître ; Amédée était noir, il était un esclave. Amédée pouvait bien savoir lire et écrire, il pouvait bien parler anglais et tenir les comptes de l'habitation, sa vie ne dépendait que du bon vouloir de Théophile.

Lorsque les derniers préparatifs furent terminés, Amédée fit un pas en arrière, regarda la maison parée d'un air satisfait, puis jeta un coup d'œil vers une jeune mulâtresse, qui, depuis la véranda, scrutait la grande allée qui venait des champs de canne à sucre, et qui semblait danser sur place.

Il la rejoignit et s'amusa de l'entendre rouscailler contre le maître qui n'en faisait qu'à sa tête, comme d'habitude, même pas fichu d'être à l'heure un jour pareil ! Amédée savait que Rosalie pouvait se permettre cette légère familiarité, rien de méchant ou d'irrespectueux, non, juste de la taquinerie : elle était la maîtresse de Théophile Bonaventure depuis des années, et pour rien au monde elle n'aurait voulu perdre ce privilège.

Rosalie était d'une grande beauté. Pas encore trente ans, un visage fin aux traits réguliers, un corps de rêve mince et musclé, des appas qu'elle savait mettre en valeur pour séduire les hommes. Comme elle savait qu'un rien l'habillait, elle n'était pas fâchée d'être vêtue d'une simple robe claire et d'un tablier. Signes cependant de la place particulière qu'elle occupait dans la hiérarchie des esclaves, elle portait un foulard coloré – et non pas blanc – sur la tête, ainsi que deux joncs en or au poignet et des créoles en or aux oreilles. Et elle arborait ces marques distinctives avec beaucoup de fierté. Si elle était sensible aux cadeaux que lui faisait Théophile en retour de ses charmes, c'est parce qu'ils signifiaient beaucoup. Elle avait secrètement commencé à se constituer un petit trésor avec ce qu'il lui avait donné, des bijoux essentiellement : un jour peut-être il lui serait utile, qui sait ? Combien de temps faut-il pour amasser suffisamment d'argent pour racheter sa liberté ? Des vies, des vies entières, Rosalie le savait. Mais peu importait. Cette position qu'elle avait su conquérir auprès du maître, elle la défendait, jalouse comme une tigresse, griffes et ongles dehors, et n'était pas prête à la céder à qui que ce fût.

Elle fit soudain un pas en avant, apercevant un cheval au bout de l'allée, qui arrivait à vive allure.

– Ça y est, le voilà !

Le cavalier galopait, un nuage de poussière autour de lui, dans une chemise blanche trempée de sueur et une culotte noire rentrée dans ses bottes. Les cheveux blonds noués en un catogan sur la nuque, les yeux très bleus dans un visage hâlé, l'homme d'une trentaine d'années respirait la santé et la force. Théophile Bonaventure, le maître de l'habitation.

Arrivé devant la Grande Case, il sauta prestement à terre, abandonnant sa monture aux soins d'Amédée. Il enjamba les quelques marches de la véranda, arracha sa chemise d'un geste brutal et la tendit à Rosalie.

– Faites vite, maître ! Vous êtes en retard pour le bateau ! dit-elle.

Il lui donna une légère tape sur les fesses, taquin :

– Et après ? Tu es si pressée de me voir avec une autre femme ?

Rosalie et Amédée rirent avec lui. Puis Théophile se précipita à l'intérieur de la maison, suivi de près par Rosalie, tandis qu'Amédée faisait ramener le cheval à l'écurie avec des ordres précis : changer l'eau de son abreuvoir, lui donner une bonne ration de fourrage. Il entra à son tour dans la maison, traversa vivement la pièce principale, s'assura d'un regard que tout y était en ordre, puis emprunta le couloir qui conduisait à la chambre de Théophile où il entra sans frapper.

Debout et nu dans un grand baquet qui trônait au centre de la pièce, Théophile s'impatientait tandis que Rosalie faisait son possible pour finir de le rincer à l'eau froide.

– Ça va, ça va ! Je suis propre ! hurlait-il.

– Jésus Marie Joseph, il pue encore le vieux cabri ! Amédée, dis-lui, toi...

Sans laisser à Amédée le temps d'intervenir, Théophile attrapa Rosalie par le bras, l'attira à lui et plongea son visage mouillé dans son cou. Elle poussa un cri de surprise.

– Mais c'est ça qui est bon ! Les odeurs fortes de femme et de foutre !

D'un bond, Théophile enjamba le rebord de la baignoire et saisit le linge qu'Amédée lui tendait pour se sécher. Il se tamponna vaguement, puis arracha un caleçon des mains de son intendant.

– Dépêchons, dépêchons ! lança-t-il.

Alors, le silence succéda à l'agitation, et ce fut dans un recueillement exemplaire qu'Amédée et Rosalie s'appliquèrent à habiller leur maître avec des vêtements sortis le matin de leur malle et étendus sur le lit. D'un rapide geste de la main, ils défroissaient un dernier mauvais pli.

La richesse de ces habits contrastait avec la simplicité de la chambre. Quoique de belle taille, celle-ci était meublée du strict nécessaire. Des murs nus, pas de tapis, pas de meubles précieux. Le mobilier d'acajou se résumait à un grand lit, une table et une chaise.

Tandis que Rosalie et Amédée continuaient d'opérer avec des gestes précis, Théophile se laissait faire, sans quitter des yeux le corps de Rosalie, là, tout proche du sien. Il était excité comme un gamin, cette petite scène l'amusait beaucoup : depuis combien de temps ces défroques de fête dormaient-elles au fond de la malle ? Il se laissait prendre au jeu, essayait de conserver un air sérieux, et résistait tant bien que mal à l'envie de tendre la main pour une caresse à Rosalie. Un instant, le temps sembla comme suspendu. Il contemplait ces visages familiers – la beauté lumineuse de Rosalie, l'expression toujours concentrée d'Amédée – et l'application des gestes de chacun de ses domestiques. Amédée était en train de poudrer une perruque ; Rosalie lui faisait enfiler culotte et chemise, gilet et veste.

Soudain, Théophile tourna la tête vers son intendant :

– Qui as-tu prévu pour le service de ma femme ?

– Moi-même, maître, répondit Rosalie.

Théophile lui caressa la poitrine avec une grimace.

– Et si j'ai besoin de toi ?

Rosalie lui donna une petite tape sur la main, tout en lui adressant un sourire malicieux. Cette fois, ce fut Amédée qui répondit :

– Manon est là pour aider.

Et Amédée désigna une femme à la peau très noire, au visage scarifié, qui venait d'entrer dans la pièce. Silencieuse comme un chat, Manon commençait à ramasser les linges mouillés et les habits du maître jetés à terre. Elle était vêtue d'une robe grise de toile grossière et portait elle aussi un foulard blanc sur la tête ; elle marchait à pas feutrés, le dos légèrement voûté, et sa silhouette était celle de quelqu'un qui aurait voulu être invisible. L'expression de son visage, plus absente que triste, renforçait cette sensation d'effacement. À trente-cinq ans, elle était vieille, déjà. Manon ne releva pas la tête lorsqu'on parla d'elle, continuant à remettre discrètement la pièce en ordre. Rosalie poursuivait sa tâche avec autant d'application, pour ne pas laisser entrevoir sa gêne. La tête baissée, elle nouait les rubans, boutonnait, défripait.

Mais c'est Manon que Théophile suivait des yeux. Le maître secoua la tête, et poursuivit, s'adressant toujours à Amédée :

– Non, pas ta femme ! Elle est trop noire, elle va faire peur à ma fiancée avec ces marques. Pourquoi pas ta fille Adèle ?

Amédée s'approcha de Théophile et lui posa calmement la perruque sur le crâne.

– Elle est très jeune, maître. Elle ne connaît pas le métier.

Comme s'il n'avait pas entendu, Théophile, sa perruque en place, vint se planter devant Rosalie avec une fierté naïve. Les occasions étaient rares pour lui d'avoir à s'habiller ainsi : la richesse des tissus, les bas de soie, les souliers à talons le déguisaient sans parvenir à le rendre ridicule.

– Comment me trouves-tu ? demanda-t-il avec un grand sourire.

– Beau comme un attrapeur de crabes ! s'exclama-t-elle.

C'était un compliment moqueur. De façon plus confuse, sans doute espérait-elle adoucir son maître, et faire en sorte que la sentence ne tombe pas tout de suite pour Manon, la triste Manon, la trop noire.

– Garce ! répondit-il. Je devrais m'habiller comme ça tous les jours, n'est-ce pas, Amédée ? Je ne suis pas noble, autant avoir l'air riche !

Puis il toucha d'un geste brutal les boucles d'oreilles de Rosalie :

– Bon, toi, je ne veux plus te voir avec ça ! Tu pues la cocotte à plein nez !

La décision concernant Manon tomba enfin, nette et sans appel :

– Je veux ta fille pour le service de ma femme.

Et, en désignant Manon d'un signe de la tête :

– Ta guenon, elle dégage. Trop moche !

Il quitta la pièce à grands pas, en boutonnant sa veste damassée, immédiatement suivi de Rosalie. Amédée échangea avec Manon un regard navré. Puis il saisit sur la table un porte-documents de cuir, en passa la bandoulière de façon que le sac repose sur sa poitrine, attrapa enfin un carton à chapeau et sortit à son tour pour rejoindre le maître.

La demeure du gouverneur se trouvait à quelques rues du port, et le trajet effectué en chaises parut court à la famille de Rochant. Ils savouraient maintenant le repos et le confort de la terre ferme, le refuge d'un petit salon qui faisait oublier les cabines de la traversée. Comme ce salon se trouvait à l'étage, on jouissait, malgré les persiennes aux fenêtres à moitié fermées, d'une belle vue sur la mer qui scintillait au soleil. Un grand jardin peu soigné entourait la maison, dans lequel la végétation exotique et exubérante s'épanouissait en toute liberté. C'était en tout cas l'impression qu'il donnait à la famille de Rochant. De la même façon, l'intérieur de la maison leur semblait négligé. Le salon lui-même était meublé de quelques fauteuils défraîchis, de coffres sobres sur lesquels étaient posés des chandeliers d'argent, et d'un grand miroir à cadre doré, seul luxe de la pièce. Ni rideaux, ni tapis, ni bibliothèque, ni tableaux.

Les Rochant, déjà surpris par l'ameublement hétéroclite, observaient avec une suspicion plus dégoûtée le laisser-aller général : çà et là, sur les murs, des signes de moisissure et de décrépitude. On ne fit bien sûr aucun commentaire, mais le gouverneur ne fut pas dupe des grimaces des arrivants, particulièrement celles des dames : les visages de madame de Rochant et d'Olympe avaient en effet toutes les difficultés du monde à dissimuler leur répugnance.

Le gouverneur, habitué aux réactions grossières des métropolitains à leur arrivée sur l'île, s'en amusait toujours : tout était question d'habitude ; dans quelques jours, cela serait passé.

Sur leurs fauteuils, les Rochant continuaient de transpirer abondamment dans leurs habits de voyage, malgré la présence à leurs côtés d'esclaves qui les éventaient mécaniquement. Un autre entra dans la pièce, qui tenait un plateau avec des tasses pleines de cacao fumant que les invités refusèrent d'un geste. Un autre encore apparut, portant un plat sur lequel étaient disposés des fruits tranchés. François voulut y goûter, mais il y renonça quand sa mère fit un geste de la main pour chasser l'homme noir, comme on l'aurait fait d'une mouche. Le jeune homme en fut gêné. Madame de Rochant se tourna alors vers le gouverneur :

– Comment faites-vous pour souffrir tous ces Noirs ? J'ai l'impression que je ne m'y habituerai jamais !

À quoi le gouverneur répondit, avec une discrète pointe d'ironie :

– Dans une semaine, vous ne les remarquerez même plus. Vous verrez... On s'accoutume très bien à ne rien faire soi-même.

Un silence s'ensuivit, bientôt rompu par l'ouverture brutale d'une porte : Théophile Bonaventure fit une entrée fracassante dans la pièce. L'esclave en livrée, qui devait annoncer les visiteurs, lui emboîtait cette fois le pas, avec un air scandalisé. Il lança précipitamment :

– Monsieur Bonaventure !

Théophile avait déjà ôté son chapeau, et adressait une courte révérence au gouverneur, en le priant d'accepter ses excuses pour son retard.

– Mon cher Bonaventure, ce n'est pas à moi de vous excuser ! répondit le gouverneur, en suggérant tout de même une indélicatesse. Où étiez-vous passé ?

– J'étais encore dans mes champs de canne quand on m'a prévenu que le bateau était au port !

Le bref échange n'aurait pu laisser deviner à des étrangers distance et dissensions sous la courtoisie apparente ; mais la famille de Rochant avait les yeux rivés sur cet homme qui allait devenir le mari d'Olympe, le beau-frère de François et le gendre de leurs parents. Il était jeune, beau, vaillant, vigoureux, brutal, sans manières. Séduisant, impertinent et grossier, pensa madame de Rochant. Olympe, elle, découvrait avec plaisir que son futur mari n'avait rien d'un bossu ni apparemment d'un méchant homme. Comme s'il avait deviné ses pensées, il se tourna vers elle et s'inclina :

– J'espère que mademoiselle de Rochant n'aura pas de son fiancé une impression trop fâcheuse...

Ce à quoi Olympe, bien qu'intimidée et le cœur battant, répondit, tout en exécutant à son tour une révérence, avec toute la grâce dont elle était capable :

– Monsieur, je rends grâce au ciel qui me procure la joie de vous rencontrer...

De l'aplomb, cette Olympe de Rochant, pensa Théophile, qui ne se priva pas de la toiser des pieds à la tête avec un air gourmand. Car il dut reconnaître qu'elle était fort jolie, bien plus qu'il ne l'avait imaginé. Et, poursuivant avec autant de franchise qu'à son habitude :

– Mademoiselle, votre beauté me fait le plus heureux des hommes...

Il se tourna ensuite vers François :

– Je suppose que vous êtes le grand frère ?

François acquiesça, son chapeau balayant le sol :

– Pour vous servir, monsieur.

Monsieur et madame de Rochant furent surpris et agacés : cet homme semblait les ignorer ! Mais au fond, cet élan soudain, cette fougue, cette vitalité et cette véhémence non seulement les impressionnaient mais encore les sauvaient de leur propre abattement, et les tiraient de la torpeur dans laquelle ils étaient plongés depuis leur arrivée, à cause de cette chaleur insoutenable qui les paralysait et les rendait aussi mous que des poches de guimauve. Un tourbillon de vie, un feu, ce Bonaventure ! pensa même monsieur de Rochant.

Théophile n'avait pas pris le temps de s'asseoir. Il n'avait nullement l'intention de demeurer plus longtemps dans la maison de ce gouverneur qu'il méprisait. Aussi finit-il par se tourner vers les Rochant : il avait donné l'ordre de faire porter leurs malles à l'habitation. Il ajouta :

– Nous pouvons partir tout de suite si vous le voulez.

Madame de Rochant se leva aussitôt, comme happée par l'appel d'un autre grand large. Son mari lui jeta un tel regard de reproche qu'elle se rassit. Puis, comme pour se justifier de ne pas rester, Théophile expliqua au gouverneur qu'il y avait une vente de bois d'ébène au port, et qu'il voulait y passer avant de rentrer chez lui. Le gouverneur eut un petit sourire agacé :

– Vous autres planteurs, vous en consommez trop, de ce bois ! Vous ne prenez aucun soin de vos cargaisons, puis vous vous plaignez que cela coûte cher...

Théophile ne répondit pas à cette attaque en bonne et due forme. Souriant, il lança au gouverneur qu'ils se disputeraient un autre jour, si celui-ci le voulait bien.

Il s'inclina ensuite devant Olympe et madame de Rochant, en priant ces dames de bien vouloir accepter de l'accompagner. Il gagna la porte d'un pas énergique tandis que la famille de Rochant se levait pour le suivre. Le gouverneur eut un sourire narquois : il surprit les messes basses que madame de Rochant échangeait avec sa fille. La mère, dissimulant le bas de son visage derrière son éventail, confiait à Olympe :

– Il n'est pas mal du tout, ce petit colon !

Et celle-ci ajoutait :

– Il a l'air si fort !

Le gouverneur s'approcha enfin de monsieur de Rochant pour prendre congé et s'inclina :

– Monsieur l'intendant, je vous souhaite une bonne route.

Le gouverneur savait pertinemment que la route ne serait pas bonne. Il savait d'autres choses aussi, notamment que cette alliance de Bonaventure avec le nouvel intendant avait pour motif des intérêts réciproques.

Ce fut donc non sans malice que Théophile lança, juste avant de quitter la pièce :

– Monsieur le gouverneur, j'espère que j'aurai le plaisir de vous voir demain à mon mariage...

– Comptez sur moi, Bonaventure ! rétorqua le gouverneur en affichant un air aimable.

Ignorante de ces rapports troubles entre les deux hommes, Olympe poursuivait, en enfant gâtée, ses apartés, s'adressant à son père cette fois :

– Papa, il faut faire quelque chose ! Bonaventure, c'est un nom vraiment trop court...

Monsieur de Rochant n'eut pas le cœur de lui répondre. Il était dans une situation délicate : il pressentait toute la portée politique des relations d'un gouverneur avec les planteurs de l'île, mais il était incapable en revanche d'en mesurer la portée matérielle et les subtilités. Ce dont il avait claire conscience du moins, c'est qu'il se trouvait dans un poste de responsabilités qu'il allait bien falloir assumer. Oui, dans un nouveau pays où il faisait trop chaud, dans un pays dont il se rendait compte qu'il ne savait rien. Et ce n'était que le début des découvertes. Non, Olympe, vraiment, ce n'est pas le moment de penser à ton nom ! Pour l'instant, je pense à ces rapports compliqués que je perçois avec de la crainte. Pour ton nom,

Olympe, je ne peux rien faire. Sans argent, on perd son nom, on se vend à un planteur riche et sans vergogne. Sans argent, Olympe, on n'est finalement pas grand-chose !

À l'extérieur de la maison du gouverneur, Amédée attendait son maître. Quand celui-ci réapparut, suivi de la famille de Rochant, il ne prit pas la peine de présenter son intendant, se contenta de s'éloigner d'un pas rapide, en vrai chef de troupe qui n'avait plus une minute à perdre.

CHAPITRE 2

Les Rochant n'étaient pas au bout de leurs peines. Ils ne savaient pas ce qu'on entendait par « bois d'ébène », ils allaient le découvrir. « Le bois d'ébène » : c'était de cette façon qu'on parlait des esclaves. Du bois, des outils, de simples produits au même titre que le sucre, le café, le cacao, l'indigo, le tabac et le coton. Dans une pure logique commerciale d'échanges et de vente de marchandises. Théophile et le gouverneur avaient parlé de vente et de consommation. Mais pas tout à fait d'articles de pacotille, tout de même. Du bois animé, du bois vivant, du bois précieux. La fortune des planteurs en dépendait.

Théophile, Amédée et la famille de Rochant venaient d'arriver devant la vaste halle, à proximité du port, où les commissionnaires avaient l'habitude de vendre leur marchandise, du moins ce qu'il en restait après le débarquement des négriers venus d'Afrique, certains esclaves ayant succombé pendant la traversée.

Le petit groupe s'arrêta à l'entrée, le temps pour Théophile d'ôter d'un geste sa perruque et ses bijoux et de les confier à Amédée. Celui-ci lui remit en échange le porte-documents de cuir. Olympe ne quittait pas des yeux cet homme fascinant, qui lui parut plus séduisant encore, débarrassé de ses parures. Théophile invita ensuite d'un signe de la tête la famille de Rochant à le suivre à l'intérieur ; Amédée, lui, demeurait à l'entrée de la halle.

Le seuil franchi, les Rochant s'immobilisèrent, horrifiés, incapables de faire un pas de plus. Des esclaves hagards, terrorisés et à moitié nus, étaient regroupés en grappes tandis que déambulait dans ce vaste espace le beau monde blanc de Saint-Pierre – commerçants, négociants, commissionnaires et planteurs, certains accompagnés de leurs élégantes épouses.

Théophile était déjà loin, il fallait le suivre, impossible de rester ici sans lui. Il cherchait quelqu'un des yeux : Jacquier, son commandeur, qu'il avait pris soin d'envoyer en éclaireur pour retenir un lot si celui-ci en valait la peine.

C'est que la journée était bien avancée, la vente avait commencé depuis quelques heures, et les esclaves les plus vigoureux avaient déjà été vendus aux planteurs arrivés les premiers. Théophile aperçut enfin Jacquier, et le rejoignit. Derrière lui, serrés les uns contre les autres comme pour se soutenir, les membres de la famille de Rochant avançaient dans ses pas. Ils découvrirent l'homme à qui Théophile tendit le porte-documents de cuir. C'était un métis indien d'une trentaine d'années, vêtu d'une veste d'uniforme aux épaulettes dorées, qu'il portait ouverte sur son torse nu, et d'un pantalon moulant usagé, rentré comme celui de Théophile dans des bottes de cheval. Ses longs cheveux noirs étaient retenus en catogan. Hiératique et impassible, il se tenait debout, raide, auprès de Théophile, semblant s'attacher à lui comme son ombre.

François remarqua le fouet qui pendait à sa ceinture. Et Olympe ne pouvait en détacher ses yeux. Intriguée, elle se pencha vers sa mère :

– Quel homme étrange ! Qui est-ce ?

Théophile se retourna :

– Le sieur Jacquier, mon commandeur. C'est lui qui supervise la plantation. Jacquier, je te présente mademoiselle Olympe de Rochant, qui me fait l'honneur de m'épouser.

Jacquier adressa à Olympe un salut de la tête sans

qu'aucune expression ne vînt troubler son visage. Puis, s'adressant immédiatement à Théophile :

– Venez, il y a un lot qui est bon.

– Qui est le vendeur ? demanda Théophile.

– Mauduit. Il vous attend.

Sur leurs talons, les Rochant, dont les visages exprimaient à la fois la curiosité et le dégoût, traversèrent la halle en essayant de ne pas trop regarder les esclaves et leurs vendeurs blancs. Dans un coin, une grande table était dressée, recouverte d'une nappe blanche, sur laquelle étaient disposés des verres, des bouteilles de rhum et des coupes de fruits. Les Blancs venaient s'y retrouver, boire un verre et se restaurer en parlant affaires. Le long des murs, quelques matelots veillaient, un bâton à la main. Mais ils n'intervenaient quasiment jamais, car les esclaves, hommes et femmes serrés les uns contre les autres, montraient des visages épouvantés. Leurs vendeurs pensaient pourtant qu'ils avaient eu le temps de s'acclimater ! Après leur capture en Afrique, ils avaient certes été parqués dans l'entrepont d'un négrier ou entassés dans la cale par centaines, mais avant d'être débarqués ils avaient été soumis à une quarantaine, le temps qu'ils retrouvent une apparence favorable à la vente. Et puis là, dans cette salle, ils n'étaient plus enchaînés. Ils étaient même propres, coiffés et rasés. Leur peau avait été huilée pour l'occasion. Les femmes portaient des colliers et des ceintures de grenat, parures dérisoires en contraste avec la détresse de leur visage.

Passant à proximité d'un étalage, la famille de Rochant fut interpellée par un commissionnaire blanc qui vantait les qualités de sa marchandise :

– Approchez, mes beaux colons ! Regardez-moi ça, aucune tache sur la peau, des pieds ronds, de la jambe fournie, des bras robustes... Que du muscle, mes colons, du muscle sain et des esprits dociles !

Olympe et ses parents accélérèrent le pas. Mais François, lui, ne put faire autrement que de s'arrêter devant les esclaves. Il vit de plus près leur corps, leur visage, leurs yeux. Et il croisa le regard d'un des captifs. Alors, comme pris de panique, il fit soudain demi-tour et retraversa la halle en courant. Il en sortit précipitamment.

François de Rochant était une âme sensible. François « le juste », disaient de lui ses amis. Il avait le sentiment d'avoir toujours défendu l'opprimé quand il s'était trouvé confronté à des situations injustes à Paris. Il avait lu certes quelques pages de ceux que l'on appelait « les philosophes », mais qu'avait-il vu des plus violentes injustices ? Il pensa tout à coup qu'il ne supporterait pas de demeurer dans l'île. Ces hommes et ces femmes traités comme du bétail, c'était affreux ! Il allait fuir ! Il lui fallait rentrer à Paris au plus vite. Il prétexterait le climat, tout simplement !

Il s'appuya contre le mur extérieur de la halle, sur le point de s'évanouir. On le laisserait repartir dans quelques jours, à coup sûr...

Amédée, du coin où il attendait, l'avait aperçu. Il s'approcha de lui, ayant deviné la raison de son malaise et de cette sortie brusque.

– Monsieur le beau-frère du maître se trouve mal ? demanda-t-il sur un ton cérémonieux.

François ne perçut pas le sarcasme derrière la politesse.

– C'est horrible ! Pourquoi ne se sauvent-ils pas ?

– Peut-être parce qu'ils sont à moitié nus, qu'ils ne savent pas où ils sont, et qu'ils ne parlent pas français... Sans parler des fouets, des chiens et de la peur qu'ils ont d'être mangés, poursuivit Amédée.

– Mangés ? Par nous ? interrogea François, outré.

– Ils n'ont guère vu de Blancs, monsieur. C'est un premier contact en quelque sorte, ajouta posément Amédée.

– Mais vous ? Vous aussi on vous a vendu ?

Amédée le regarda dans les yeux. Et calmement, sans un clignement de paupière, il livra d'un trait son histoire :

– Je suis né à la Jamaïque, monsieur, et j'y ai vécu jusqu'à l'âge de treize ans avec mes parents et mes frères et sœurs. Une vie heureuse, je ne crains pas de l'affirmer. Et puis un jour, Lord William – pour qui mon père avait une grande admiration – a décidé de me vendre. Comme un petit cochon de lait. C'était un beau dimanche de mai, et je n'ai jamais revu les miens. Pour être tout à fait honnête, monsieur, je savais qu'on ne me mangerait pas. Mais je savais aussi que si je m'enfuyais, je serais brûlé vif. Ai-je bien fait de préférer vivre, monsieur ? Vaste question !

Jamais François n'aurait imaginé pareille histoire. Amédée livrait les faits d'une façon stupéfiante de neutralité, comme on détaillerait une simple recette de cuisine. François le juste n'avait pas même perçu l'ironie amère dont Amédée avait habillé le résumé de sa vie. Il demeurait incapable d'articuler le moindre mot. Amédée le considéra un instant, puis tourna les talons pour le laisser à ses méditations.

À l'intérieur de la grande halle, Théophile avait rejoint le commissionnaire, et parlait affaires avec lui. Mauduit se tenait debout, devant un lot d'une vingtaine d'esclaves dont il vantait les qualités, joignant le geste à la parole. Il prit le bras d'un des hommes pour faire ressortir le biceps :

– Vous allez me remercier, monsieur Bonaventure, ni plus ni moins ! Regardez cette force ! C'est un Arada, qui vient directement du golfe de Guinée, d'excellents travailleurs. Regardez ces dents ! Blanches, hein ? Vous voyez, je ne vous vole pas. D'ailleurs, si vous payez comptant, je vous fais une remise sur tout le lot de Bossales.

Madame de Rochant et sa fille avaient suivi Théophile, semblant s'accoutumer au spectacle. Après tout, les épouses des planteurs déambulaient ici comme si elles se promenaient, ne fallait-il pas suivre leur exemple ? Olympe avait cependant sorti son mouchoir et le pressait de nouveau contre son nez. Elle avait entendu le discours du commissionnaire Mauduit.

– Monsieur mon fiancé, que veut dire ce mot : « Bossale » ?

– Un Bossale, c'est un sauvage né en Afrique. Ceux qu'on appelle les « Créoles » sont nés ici, aux Antilles, répondit Théophile.

– Cela signifie donc que les Bossales ont connu la liberté mais pas les Créoles ?

Cette fois, ce fut Mauduit qui se permit de prendre la parole pour répondre à la demoiselle dont il devinait qu'elle était la future épouse de Théophile Bonaventure. On avait parlé de ce mariage récemment, ainsi que de l'arrivée du nouvel intendant.

– Exactement. D'ailleurs, les Bossales gardent toujours la nostalgie de l'Afrique.

– Ils croient que l'Afrique est sous la mer. Ils peuvent même se tuer pour y retourner, ajouta Théophile.

– Pour nous, ça fait de la perte sèche ! renchérit Mauduit avec un air navré.

Madame de Rochant s'était avancée pour entendre la conversation. Elle voulut intervenir :

– Quel affreux péché ! Nous avons le devoir de les faire sortir de ce genre d'idolâtrie, n'est-ce pas, mon gendre ? Les Créoles sont baptisés, au moins ?

– Cela ne change pas grand-chose, je vous assure. Les nègres sont les nègres, on ne les changera pas ! conclut Théophile, que ce bavardage ennuyait.

Il se détourna, entraîna Mauduit à l'écart et lui dit à mi-voix :

– C'est bon, je prends.

Il reçut le porte-documents des mains de Jacquier et ajouta :

– Allons faire enregistrer la vente, je veux repartir tout de suite.

Théophile et Mauduit s'éloignèrent vers le comptoir d'enregistrement, suivis de près par les parents Rochant et Olympe. Jacquier, lui, s'appliquait à rassembler les esclaves que Théophile venait d'acheter à Mauduit. Quand il eut terminé, il les conduisit calmement vers la sortie.

Si Théophile avait été prévoyant, il n'aurait pas emmené la famille de Rochant à cette vente de bois d'ébène, comme il disait. Ou bien l'avait-il fait exprès, pour que les nouveaux arrivants soient confrontés aux réalités de l'île au plus vite ? Plus simplement, l'heure approximative de l'arrivée du bateau avait coïncidé avec la vente annoncée depuis plusieurs jours dans le milieu des planteurs. Et on ne ratait une vente sous aucun prétexte. Théophile ne s'était donc pas embarrassé d'être accompagné ou non. Prévoyant, tel n'était pas, d'ailleurs, le trait principal de son caractère. Or la naïve Olympe de Rochant, qui semblait avoir retrouvé son assurance, allait prendre une initiative pour le moins audacieuse.

Ils passèrent devant un lot d'esclaves, dominés par un grand Africain d'environ vingt-cinq ans, athlétique et très beau. Son attitude contrastait avec celle des autres esclaves. Il regardait la foule fixement, comme s'il la défiait, tandis que ses voisins se gardaient de le toucher, lui lançant des regards à la fois craintifs et pleins d'espoir.

Comme la vente touchait à sa fin, le vendeur du lot était en train d'annoncer qu'il cédait ses esclaves au rabais :

– Allons, messieurs, un peu de bon sens ! Des esclaves à moitié prix, deux cents livres, c'est pour rien !

Mais les planteurs et leurs commandeurs passaient devant le vendeur sans s'arrêter, indifférents à ce résidu malgré son prix avantageux.

Olympe, elle, s'arrêta, en admiration :

– Quel homme superbe ! Je m'étonne que personne n'en veuille... confia-t-elle à Théophile.

– Moi, ça ne m'étonne pas ! C'est un Mandingue, ça se voit tout de suite. Sans doute un roi ou un personnage important trahi par un rival.

– Je lui trouve une grande noblesse de traits... poursuivit Olympe qui ne parvenait pas à détacher son regard du grand Africain.

– Grand bien lui fasse ! Quand il s'agit de couper la canne, la noblesse de traits ne sert pas à grand-chose ! conclut Théophile.

Et sur ces mots, il s'éloigna pour rejoindre Mauduit qui l'attendait devant la table d'enregistrement, sans se soucier d'Olympe qui s'attardait rêveusement devant l'homme qui la captivait.

Théophile s'assit sur une chaise, face au secrétaire qui établissait les actes de vente. Ce dernier commença à écrire, puis il releva la tête.

– Alors, monsieur Bonaventure ? La totalité au comptant ?

Théophile jeta un coup d'œil derrière lui, et aperçut monsieur et madame de Rochant qui parlaient à l'écart.

– Disons la moitié au comptant et l'autre moitié dans six mois. J'ai trop de frais en ce moment...

Bien sûr, il faisait allusion au coût – qui lui semblait exorbitant – de son mariage avec cette Olympe de Rochant, une femme qu'il épousait surtout pour avoir un héritier. Ce petit caprice allait en effet lui coûter les yeux de la tête, songea-t-il. Mais maintenant elle était là, et au moins, elle ne lui semblait ni trop sotte ni trop mijaurée.

Ses considérations furent interrompues par l'intervention du secrétaire qui avait terminé de remplir l'acte de vente et le tendait à son acquéreur. Théophile le signa puis le rangea dans le porte-documents tandis que le secrétaire lui demandait une autre signature sur le registre. Il se leva d'un bond, serra la main de Mauduit et s'éloigna cavalièrement vers la sortie.

À l'extérieur, Jacquier était en train de rassembler les esclaves nouvellement achetés, et les plaçait en rangs.

Entre-temps, monsieur et madame de Rochant étaient sortis eux aussi, et avaient retrouvé François qui semblait à peu près remis de ses émotions.

Subitement, Jacquier claqua dans ses mains pour faire approcher les chaises à porteurs prévues pour transporter la famille de Rochant à l'habitation. Le marquis fut surpris :

– Des chaises ? Votre habitation se trouve donc en ville ?

– Pas exactement. Il faut au moins deux bonnes heures de marche, si on avance bien, répondit Théophile.

Comme toujours, madame de Rochant vint se mêler à la conversation :

– Vous n'avez pas d'attelages ? s'enquit-elle.

– Les routes sont trop mauvaises et les chevaux précieux. Croyez-moi, les nègres sont plus pratiques...

Mais il s'interrompit en découvrant qu'on lui amenait le chef africain qu'il n'avait pas acheté.

– Mais qu'est-ce que c'est ? Il n'est pas à moi, celui-là ! hurla-t-il.

Le vendeur s'approcha, argua qu'il avait un acte de vente en bonne et due forme et qu'il voulait son argent. Il s'adressait à Théophile avec des « monsieur Bonaventure » respectueux. Les deux hommes se connaissaient – qui ne connaissait pas Théophile Bonaventure ?

Soucieux de ne pas faire d'esclandre devant ses hôtes, Théophile se rapprocha du vendeur, de façon à pouvoir lui parler tout bas. Il murmura entre ses dents, cette fois avec nettement moins de courtoisie :

– Tu me prends pour qui, espèce de fumier ? Pour un pigeon ?

Le vendeur allait répondre, quand Olympe, dont personne n'avait remarqué l'absence, ressurgit soudain, et s'interposa entre les deux hommes, les joues en feu et les larmes aux yeux. Elle fit face à Théophile :

– Monsieur mon fiancé, c'est moi ! C'est moi qui ai acheté cet homme ! Je n'avais pas d'argent, alors j'ai dit que mon père paierait !

Le vendeur se confondit en excuses, comprenant qu'il s'était fourvoyé ; et, trop heureux de ne pas avoir affaire à Bonaventure, il s'adressa à monsieur de Rochant :

– Quatre cents livres, monsieur !

– Comment ? Mais c'est exorbitant ! s'exclama l'intendant.

Pour le malheur du vendeur, Théophile vint au secours de son futur beau-père. Il sortit une bourse de sa poche, et, la lui lançant :

– Allez, prends ça ! Deux cents livres et estime-toi heureux !

L'autre savait qu'il était inutile de discuter. Il tourna les talons, furibond. Monsieur de Rochant fut impressionné par l'aplomb de son futur gendre. Celui-ci se tourna vers Olympe, et, avec amabilité :

– Veuillez accepter ce modeste cadeau, mademoiselle.

– Monsieur mon fiancé, je vous serai éternellement reconnaissante du plaisir que vous me faites, répondit-elle, souriante et charmée, avec une révérence de plus.

– Ne m'appelez pas « monsieur », dites plutôt « Théophile », lui proposa-t-il doucement.

– Et moi, je serai votre Olympe !

Et tous deux, indifférents à ceux qui les entouraient, échangèrent des regards chaleureux, dont personne ne s'offusqua, pas plus madame et monsieur de Rochant que François, qui parurent plutôt heureux. Ce mariage n'était finalement pas une mauvaise idée et les fiancés avaient l'air de se plaire. La présence des esclaves derrière les chaises ne gênait personne, mais Jacquier et Amédée, qui connaissaient bien Théophile, savaient que cette attitude ne lui ressemblait pas.

Monsieur de Rochant s'était déjà confortablement installé dans une des chaises. Désireux de quitter l'endroit et retrouvant quelque autorité, il passa la tête à la fenêtre.

– Nous y allons, oui ou non ? On étouffe là-dedans !

Théophile prit le bras de sa fiancée pour l'accompagner à sa chaise, ouvrit la porte d'un geste galant, aida Olympe à y entrer puis referma la porte avec précaution.

Jacquier s'approcha alors de Théophile et l'attira à l'écart :

– Vous avez payé cher un nègre qui n'apportera rien de bon.

Mais Théophile ne paraissait pas fâché, encore moins inquiet, bien au contraire. Comme enchanté de lui-même, il donna une grande claque dans le dos de son commandeur :

– L'amour n'est jamais gratuit, Jacquier !

Puis il ajouta, plus bas :

– Tu ne trouves pas qu'elle est très belle ?

Il n'attendit pas une réponse qui ne serait d'ailleurs pas venue. Il rejoignit son cheval, l'enfourcha, et donna le signal du départ.

Chevaux, chaises à porteurs et esclaves à pied s'ébranlèrent lentement. Mais après quelques mètres, il y eut un mouvement confus dans les rangs des esclaves, et le convoi s'arrêta brusquement. Jacquier descendit de cheval, la main droite serrée sur son fouet.

– Ho ! Qu'est-ce qui se passe ?

L'Africain acheté par Olympe refusait d'avancer. Sans un mot, Jacquier sortit d'une de ses fontes une corde, l'attacha à sa selle puis la relia aux mains de l'homme. Il remonta à cheval, et donna un léger coup de talon contre les flancs de sa monture qui partit au petit trot. Il n'était même pas utile de se retourner : s'il ne voulait pas tomber et être traîné dans la poussière, l'Africain serait obligé d'avancer !

François, la tête à la fenêtre de sa chaise, avait assisté à la scène. Il se renfrogna, et se demanda si s'enfuir d'ici comme un voleur était réellement la bonne solution. N'y avait-il pas mieux à faire ? La procession des esclaves se remit en marche, sans plus d'incidents, derrière eux.

Le gouverneur, monsieur de Rochant s'en souvenait, lui avait souhaité une bonne route. Elle ne le fut pas. Pour éviter le long chemin de la côte, on passa par l'intérieur, sur des routes de plus en plus mauvaises qui devinrent bientôt des chemins poussiéreux, montant et descendant à travers les mornes. On les quitta même en s'enfonçant dans la forêt tropicale, et ce ne furent plus que de minces rubans de terre, serpentant à travers des envolées de verdure, une végétation dense et luxuriante d'arbres d'espèces différentes. Dans le même temps, la chaleur avait gagné en intensité, les vêtements collaient à la peau. Une bonne route, décidément non ! À cette chaleur moite s'ajoutait l'inconfort de la chaise à porteurs. On y était bousculé et parfois violemment secoué, au gré des cahots du parcours. Encore notre sort est-il enviable, songea monsieur de Rochant. Les paroles de Théophile lui revinrent : « Deux bonnes heures de marche, si on avance bien. » L'avancée, c'était ces hommes portant les chaises, marchant à un rythme soutenu malgré leurs pieds nus et le terrain accidenté. Ils ne laissaient pas échapper une plainte. Les esclaves achetés par Théophile au port étaient tout aussi silencieux, sans doute encore terrifiés, et découvraient eux aussi un monde inconnu, une nature différente de celle de leur pays. Du reste, le silence devint inquiétant, particulièrement dans la forêt où il parut s'intensifier, troublé seulement de temps à autre par le chant d'une cascade ou celui des oiseaux.

On quitta enfin la forêt et ses sentiers pour rejoindre une allée sur laquelle la marche semblait redevenir plus aisée. On aperçut de nouveau des échappées vers la mer à l'horizon, puis des champs de canne à sucre. Olympe se dit qu'on approchait du domaine de son futur mari, dont ces champs faisaient sans doute partie. Elle était curieuse de découvrir sa future demeure. On arrivait en effet sur les terres de l'habitation : un moulin, puis un bâtiment qui devait être la purgerie, pensa monsieur de Rochant. Il sembla à François qu'on montait maintenant régulièrement : la Grande Case était située sur un léger monticule, dominant les champs et les dépendances.

Le convoi s'arrêta enfin, et Olympe aperçut la Grande Case. Elle passa la tête à la fenêtre de la chaise pour embrasser d'un regard l'endroit où elle allait vivre désormais. Elle avait imaginé quelque chose de plus luxueux que cette grande maison carrée à la toiture en pente recouverte de tuiles et aux fenêtres à jalousies agrémentées de persiennes de bois. L'ensemble était noyé dans un immense jardin luxuriant mais bien entretenu, cerné d'un côté par la mer qu'on apercevait au loin et de l'autre par une végétation dense sur une colline. Olympe surmonta sa déception en remarquant que tout cela était simple, exotique, charmant après tout.

Sur la véranda, les esclaves domestiques s'étaient réunis pour l'arrivée du convoi. Il y avait là Rosalie, la jeune Adèle, Manon et Man Josèph à l'embonpoint de cuisinière.

Lorsque les chaises furent posées, les quatre femmes se précipitèrent pour aider les dames à descendre. Rosalie et

Adèle s'occupaient d'Olympe, Manon et Man Josèph de madame de Rochant.

– Je suis moulue ! cria celle-ci en quittant sa chaise.

François jaillit de la sienne comme un diable et, se tournant vers son père qui sortait dignement :

– Enfin ! La prochaine fois, j'irai à pied !

Il ne regretta pas ces mots, tout en remarquant que la route n'était pas terminée pour ceux qui, précisément, avaient eu à marcher : Jacquier leur indiquait d'un signe de la tête la direction à prendre. Il leur fallait contourner la Grande Case, pour être conduits au quartier des esclaves. François remarqua qu'Amédée avait lui aussi fait le chemin à pied, et qu'il était couvert de poussière. Il n'en conservait pas moins un air digne. Il s'approcha de lui, tout en continuant à suivre des yeux Jacquier, qui était déjà loin.

– Ce commandeur, c'est un esclave lui aussi ?

– C'est un homme libre, monsieur. Sa mère était une Indienne caraïbe, son père un Blanc, répondit Amédée.

– C'est un mélange fréquent ? demanda François sur un ton où Amédée perçut de la naïveté.

– Il n'y a plus d'Indiens caraïbes, monsieur. Ils ont été exterminés. Ce qui est fréquent, ce sont les mulâtres comme moi, blanc-noir. Et comme elle, ajouta Amédée en désignant Rosalie qui conduisait Olympe à l'intérieur de la Grande Case.

François suivit Rosalie des yeux, pensif.

– Je ne m'y retrouve pas : Jacquier est libre, Rosalie et vous êtes esclaves. Puisque vous avez du sang blanc, quelle est la différence entre lui et vous ?

– Il est indien et nous sommes noirs, monsieur. On en revient toujours là, conclut Amédée.

François semblait commencer à comprendre. Mais il suivit avec des yeux perplexes Amédée qui se dirigeait vers la véranda, comme essayant de bien démêler les choses.

Conduits par Jacquier, les esclaves étaient arrivés à destination. Ils étaient maintenant assis sous un grand arbre, un flamboyant, seul élément de vie végétale dans la vaste cour dépouillée, un large espace de terre battue où s'ébattaient quelques poules et sur lequel s'ouvrait la cuisine de la Grande Case. Le quartier des esclaves se trouvait en effet à l'arrière de la demeure. C'était l'envers du décor. Dans un coin, un poteau. Plus loin, un puits. Cette cour était bordée dans son fond de plusieurs cases misérables, séparées par une allée de quelques mètres d'un grand abri, un peu plus bas. D'autres cases, plus nombreuses, bordaient la petite allée. C'était la « rue Cases-nègres », les logements des esclaves.

Les arrivants découvraient avec des yeux aussi effrayés que surpris les lieux où ils allaient sans doute devoir vivre désormais. Ils tendaient l'oreille, s'étonnant d'entendre un tambour résonner au loin, un roulement qui provenait des champs de canne. Ils écoutaient le chant des coqs, percevaient des cris d'enfants qui jouaient non loin de là. Jacquier leur distribua des hardes. Seul le chef africain refusa de porter autre chose que le caleçon qu'on lui avait attribué lors de sa capture. Il se tenait un peu à l'écart, et il était le seul à avoir des entraves aux chevilles, juste assez lâches pour qu'il pût marcher.

Jacquier réapparut. Tous le suivirent des yeux. Ils ne savaient pas qui il était, ce qu'il attendait d'eux, mais ce qu'ils avaient compris, c'était que cet homme allait les diriger.

Jacquier s'approcha d'un grand baquet rempli d'une eau claire. Il y plongea une calebasse puis vint la tendre au chef africain. Au lieu de boire, celui-ci vida l'eau par terre puis lança la calebasse aux pieds de Jacquier avec un air de défi. Celui-ci, sans le moindre signe d'énervement, se pencha pour la ramasser, et alla la remplir à nouveau. Il s'approcha cette fois de trois femmes qui se serraient craintivement les unes contre les autres. Elles burent, chacune à son tour.

Théophile n'avait pas pris soin de présenter les deux servantes noires à Olympe. Celle-ci avait pourtant compris

qu'elles seraient ses femmes de chambre. Plus et mieux que
des soubrettes : des filles dévouées, qui l'aideraient à
s'habiller, à se coiffer, prêtes à la servir en toute occasion et
pour tout ce dont elle aurait besoin : Rosalie, la belle mulâtresse à la peau claire – « très expérimentée », avait juste pré-
cisé Théophile –, et Adèle, la jeune Noire créole qui portait
un foulard blanc. Théophile avait prévenu Olympe qu'elle
débutait. Aussi la pria-t-il d'être indulgente avec elle, du
moins le temps de son apprentissage.

Chez cette Adèle qui venait d'avoir seize ans, on pressentait
une beauté non encore révélée, qui surpasserait celle de
Rosalie. Mais Olympe y était totalement indifférente : elles
étaient noires, elles étaient esclaves, elles étaient ses bonnes,
corps et âmes à son service.

La première chose qu'Olympe avait réclamée, c'était un
bain. « Par pitié, un bain, c'est tout ce que je souhaite ! »
avait-elle lancé à Théophile. Aussi Adèle et Rosalie étaient-
elles allées chercher le grand baquet dans la chambre du
maître pour l'installer dans celle de sa fiancée.

Olympe barbotait maintenant délicieusement dans une eau
dont elle avait le sentiment qu'elle la purifiait d'un mois de
saleté. Sur le bateau on pouvait certes se laver quotidiennement, mais de façon sommaire.

Tout en savourant ce bain, elle découvrait avec amusement
le décor de sa chambre, si différent de ce qu'elle connaissait
à Paris mais qui n'avait rien pour lui déplaire. Il y avait ce
grand lit qui n'était pas à baldaquin mais qui s'y apparentait,
surmonté de quatre montants sur lesquels on avait tendu une
moustiquaire blanche redrapée sur les côtés. Il regorgeait
d'oreillers aux taies blanches elles aussi. Le reste du mobilier
se composait d'une coiffeuse Louis XV aux pieds tarabis-
cotés, d'une grande psyché, d'un large fauteuil, d'une armoire
en acajou et d'une commode très simple qu'Olympe ne savait
à quelle mode rattacher. La chambre était vaste, bien ventilée,

on y oubliait quelques instants la chaleur du climat. La jeune femme ferma les yeux...

Rosalie et Adèle s'occupaient de vider le contenu de sa malle et de ranger soigneusement linges et habits dans la commode et dans l'armoire. Elles ne disaient mot, impressionnées par le nombre des robes et la richesse des tissus, rangeant, pliant, suspendant religieusement chaque vêtement comme si c'eût été une merveille.

Olympe, continuant de se prélasser, n'entendait que les légers froissements d'étoffe et se félicitait de la présence de ces deux esclaves à ses côtés. À Paris, un seul domestique s'acquittait du service de leur maison – c'était épouvantable, le prix à payer pour se faire servir ! Tandis qu'ici... Voici qu'elle avait pour elle, et rien que pour elle, deux femmes pour la servir jusqu'à la fin de ses jours. Ne plus avoir à lever le petit doigt pour quoi que ce soit. Simplement ordonner, réclamer, être une reine. Elle avait été satisfaite de savoir que Rosalie et Adèle comprenaient et parlaient le français. Elle ouvrit les yeux.

– Petite, dit-elle en s'adressant à Adèle, passe-moi l'huile parfumée sur la commode...

Adèle chercha l'huile, ne la trouva pas, ouvrit une boîte au hasard. Une musique se déclencha aussitôt, en même temps que le mécanisme d'une petite figurine qui se mit à tourner sur elle-même. Elle poussa un cri de frayeur et recula d'un bond, tandis qu'Olympe tournait la tête et éclatait de rire :

– Elle a eu peur ! Quelle sotte ! C'est une boîte à musique. Tu n'en as jamais vu, je suppose... Comment t'appelles-tu, déjà ?

Adèle riait à son tour, émerveillée par la petite danseuse qui tournait toujours. Elle fit une courbette et s'avança :

– Adèle, maîtresse.

Entre-temps, Rosalie était venue à son secours et avait trouvé le flacon. Elle le tendit à Olympe, tout en murmurant à l'adresse de sa compagne :

– Pa jamais fourré nez ou adan zaffè ti-béké-a.

Olympe, qui n'avait pas entendu, demanda à Adèle de sortir sa robe de mariage de la malle. « Pour qu'elle ne soit pas défraîchie », ajouta-t-elle. Adèle sortit donc une robe dorée, magnifique avec ses différents accessoires, mantille de dentelle et rubans. Elle l'étala sur le lit, et en caressa l'étoffe, fascinée.

– Madame ! Le soleil est cousu sur la robe ! lança-t-elle d'une voix étouffée.

Olympe se contenta de sourire et se leva pour sortir de la baignoire. Rosalie l'attendait avec un tissu de coton. Elle ne put s'empêcher de regarder ce corps de femme blanche et d'en détailler les formes tout en le comparant au sien. Cette peau fine, légèrement rosée par endroits, si transparente qu'on y apercevait les veines d'un délicat bleu pâle...

Adèle demeurait devant le lit, incapable de détacher son regard de la somptueuse robe. Olympe crut bon d'expliquer :

– À la cour du roi, les robes sont encore plus belles ! Mais il faut être tellement riche ! On s'est bien moqué de mon mariage aux colonies, mais je pourrai demain en surpasser certaines. Quand je retournerai à Versailles avec mon mari et mes bijoux, certaines dames de ma connaissance crèveront de jalousie...

Ni Adèle ni Rosalie ne comprirent vraiment son propos, si ce n'est qu'il était question d'argent et de parures. Cette dame blanche leur semblait si sûre d'elle, épanouie et heureuse !

Olympe traversa d'un pas nonchalant la pièce pour chercher elle-même un peignoir de soie déjà placé dans la commode. Elle le passa, puis vint s'asseoir devant la petite coiffeuse Louis XV. Dans le miroir, elle croisa son reflet, qu'elle scruta un instant d'un air satisfait. Puis elle prit une petite brosse au manche argenté déjà disposée parmi divers objets de toilette, et la tendit à Rosalie. Quand celle-ci allongea le bras pour la prendre, ses bracelets d'or tintèrent légèrement. Olympe y jeta un coup d'œil surpris.

– Comment se fait-il que tu portes des bijoux ? Je croyais que c'était interdit par le Code Noir...

– Le maître le permettait, madame, répondit Rosalie.

– Eh bien, pas moi ! Je n'aime pas que mes bonnes soient parées, dit Olympe sèchement.

Sans rien dire, Rosalie commença à brosser les longs cheveux qui s'étalaient sur le dos jusqu'aux hanches. Adèle contemplait cette chevelure blonde d'un air fasciné. Et Rosalie, qui n'avait jamais coiffé qui que ce fût jusqu'à présent, s'appliquait avec des précautions exagérées. Olympe montra un signe d'impatience :

– Mais qu'est-ce que tu fais ? Plus fort ! Je ne suis pas en sucre, tout de même !

Elle arracha la brosse des mains de Rosalie pour continuer elle-même, en contemplant toujours son image dans le miroir de la coiffeuse. Rosalie fut étonnée de ces gestes énergiques. Puis, comme si elle avait voulu ramasser quelque chose, elle se pencha, sortit discrètement une paire de petits ciseaux de la poche de son tablier, et coupa rapidement une mèche des cheveux d'Olympe. Elle surprit le regard horrifié d'Adèle, s'approcha d'elle en faisant mine d'aller prendre un objet sur la commode.

– Paix bouche (Tais-toi) ! lui ordonna-t-elle.

Cette fois, Olympe avait entendu. Elle interrompit son brossage.

– Qu'est-ce que ce patois ?

– C'est la langue de chez nous, maîtresse, répondit Rosalie.

– Je veux que mes bonnes parlent français, uniquement le français ! Pas de charabia ! Je veux que mes esclaves soient éclairées ! lança Olympe sur un ton autoritaire, tout en recommençant à lisser ses cheveux.

Elle se leva enfin, tandis que Rosalie en profitait pour adresser à Adèle un sourire narquois. Elle alla revoir sa robe de mariée étalée sur le lit, eut l'air satisfait, se mit à chantonner, puis ouvrit un tiroir pour choisir la robe qu'elle allait passer pour le dîner.

C'était l'heure des chauves-souris... et des zombis. La nuit était brutalement tombée sur l'habitation, elle l'entourait d'une atmosphère plus angoissante avec son lot d'odeurs et de bruits habituels, inédits cependant pour les esclaves achetés au port. Ceux-ci n'avaient guère bougé. Serrés les uns contre les autres, certains debout, d'autres assis autour du flamboyant dans la vaste cour, tous étaient écrasés de fatigue, désœuvrés. Ils attendaient, mais quoi ? Ils avaient vu des hommes et des femmes harassés et transpirants traverser la cour et emprunter l'allée pour regagner leurs cases. Sans doute allaient-ils connaître le même sort.

Dans l'obscurité, ils découvraient les senteurs nouvelles, parfums de fleurs mêlés à des effluves de sucre et de caramel, relents de cuisine. Ils n'avaient rien mangé depuis la veille, et la faim leur tiraillait l'estomac. Dans le lointain, le tambour s'était tu, mais ils continuaient de prêter l'oreille au moindre bruit : tintements de vaisselle et éclats de voix dans une langue étrangère. Et puis il y avait toujours ce chuintement régulier qui les inquiétait particulièrement – ils découvriraient bientôt que c'était celui du moulin, car des esclaves y travaillaient encore à cette heure. De temps en temps, ils levaient les yeux vers le flamboyant car, bien que le chant des oiseaux se fût tu, un sifflement persistait. Quel oiseau ? C'était le solitaire siffleur, un volatile noir et blanc à gorge rouge, trillant au crépuscule en compagnie des petites grenouilles et des insectes. Lui chantait gaiement quand eux tremblaient de peur.

Certains tournaient parfois la tête soudainement. Était-ce la présence des esprits malins de la nuit qu'ils redoutaient, ceux qu'on craignait dans leur pays ? Mais ici, on était ailleurs. Et tous faisaient en sorte de contenir leur peur au fond de leur ventre. La présence du chef africain dont ils avaient constaté l'attitude rebelle semblait les rassurer un peu. Malgré ses pieds entravés, l'expression de son visage restait combative et déterminée. Debout, il regardait fixement la large face blafarde de la lune.

Les esclaves entendirent soudain des pas : Amédée et Jacquier arrivaient. Le premier portait en bandoulière le même porte-documents de cuir, mais il était aussi chargé d'un petit siège pliant ainsi que d'un nécessaire d'écriture et d'un chandelier.

Amédée s'installa calmement sur le pliant, puis, avec des gestes rodés et méthodiques, il sortit ce dont il avait besoin : un encrier, une plume et des feuilles de papier. Jacquier, lui, resta debout, face au groupe.

– J'ai l'acte de vente. On commence ? demanda Amédée.

Jacquier acquiesça d'un hochement de la tête, comme à son habitude.

– Jupiter ? Jupiter, lève le doigt ! dit Amédée.

Il ne rencontra que des regards affolés. Alors il mima le geste de lever le doigt, dans l'espoir que l'un d'entre eux le comprenne et donne l'exemple.

– Toujours la même chose ! déplora-t-il. Le négrier leur donne des noms, mais ils ne les comprennent pas !

– On va chercher le maître ? proposa Jacquier.

– Non, ce n'est pas la peine de le déranger. On va le faire nous-mêmes, tant pis. Je te lis la description du bonhomme et on essaie de trouver celui qui correspond le mieux, répondit Amédée. Alors Jupiter... dit-il en lisant l'acte de vente, Congo mâle...

Jacquier détaillait en même temps les physionomies de chacun des hommes. Il en pointa un du doigt :

– Congo, je n'en ai qu'un !

Il s'approcha de l'homme et le fit avancer d'un signe. Amédée lut plus avant la description de l'acte de vente :

– Râblé, le front bas, musculature parfaite. Oui, c'est lui ! dit-il en s'en assurant d'un coup d'œil rapide.

Jacquier s'adressa à l'homme :

– Toi, Jupiter.

L'homme acquiesça de la tête. Amédée enchaîna rapidement, comme quelqu'un qui sait qu'il ne sert à rien de faire traîner les choses :

– Télémaque. C'est lequel, Télémaque ? demanda-t-il en lisant à voix haute : « Arada grand, musculature sèche... »

Jacquier s'avança vers un homme qui, comme le précédent, fit à son tour un pas en avant.

– Oui, ça peut aller, dit Amédée en inscrivant le nom sur l'acte de vente.

Jacquier y alla du même procédé :

– Toi, Télémaque, dit-il à l'homme.

Soudain, Amédée leva la tête, imité par Jacquier et les esclaves : un sifflement insistant au-dessus de leurs têtes ! Là ! Le solitaire siffleur ! On aurait dit qu'il voulait intervenir. Une feuille de papier glissa du porte-documents. C'était l'acte de vente concernant le chef africain. Amédée lut :

– « Grand Mandingue... » Ah ça, il n'y en a qu'un ! C'est le Major. Pas de nom. Bon, comment on va t'appeler, toi ? Et, se tournant vers Jacquier : Louis, comme le roi ?

Jacquier s'avança et vint se planter devant le chef africain :

– Toi, Louis.

L'homme regardait Jacquier dans les yeux, sans aucun signe de crainte sur le visage. Il se toucha la poitrine.

– Koyaba ! dit-il fermement.

– Louis ! rétorqua Jacquier.

L'homme ne se démontait pas. D'une voix plus forte, il répéta :

– Koyaba. Koyaba. Koyaba !

Jacquier et Amédée échangèrent un regard interrogateur.

– Le maître a eu une riche idée de l'acheter, celui-là ! commenta Amédée.

Jacquier donna alors un coup de pied sec sur la chaîne qui reliait les chevilles de l'Africain. Il tomba à terre. Des éclats de rire retentirent aussitôt. C'étaient les esclaves de l'habitation, les anciens, qui se tenaient groupés un peu en arrière et qui avaient pris l'habitude d'assister à l'arrivée des nouveaux. La scène les amusait, apparemment.

L'homme qui disait s'appeler Koyaba se releva lentement. Amédée se fit conciliant :

— Allez, on va dire : Louis-Koyaba.

Adèle se réjouit du compromis accordé par son père, et elle l'en remercia intérieurement. C'est qu'elle aussi avait quitté la véranda pour assister à la scène. Et elle ne pouvait détacher ses yeux de l'Africain, de ce géant qui s'était relevé en bravant Jacquier avec un regard de défi. Maintenant, elle savait qu'il s'appelait Koyaba ! Ce nom lui parut noble et magnifique. Et elle restait là à le contempler.

Peu à peu, la tension qui régnait jusqu'alors s'atténuait. Les nouveaux arrivants semblaient avoir compris qu'il n'y avait dans l'immédiat pas de danger pour eux. Ils se plièrent donc à la cérémonie, sans avoir cependant tout à fait compris de quoi il était question.

Il était grand temps de dormir ! Quelques heures de sommeil avant la journée du lendemain. Amédée, qui en avait fini avec la tâche de l'attribution des noms, pouvait enfin rejoindre sa case pour s'y reposer et manger quelque chose. Il songea à cet homme qui avait résisté. Il pensa à ce Koyaba qui voulait garder son nom. Comme il avait raison ! songea-t-il. Aujourd'hui, il était habitué à cette besogne, mais combien elle lui avait paru ingrate, indigne et absurde quand il avait eu à l'accomplir pour la première fois ! Donner à des hommes et des femmes de nouveaux noms, qui plus est des noms de dieux ou de héros, cela lui avait toujours semblé grotesque. Quand il avait appris qu'Amédée savait lire, Lord William avait offert à son père, le jour de ses dix ans, un livre sur la mythologie. Il avait été important pour Amédée, ce livre ! Mais il n'empêcha pas Lord William de vendre l'enfant trois ans plus tard. Amédée perdit son livre comme il perdit sa famille. Cependant, s'il avait un seul conseil à donner à ce Koyaba, c'était de se tenir tranquille !

La case était nue et misérable. Amédée la partageait avec sa femme Manon et leur fille Adèle. Les cloisons étaient faites de bambous, tout comme la toiture, celle-ci renforcée cependant par des feuilles de canne séchées pour la protéger de la pluie pendant la saison humide. À l'intérieur, un sol de terre battue et trois lits de feuilles installés le long des murs. Çà et là, des cuillères de bois et des écuelles suspendues à des crochets, aux côtés d'une croix rudimentaire. Une chandelle se consumait près d'un des lits. Au centre de la case, un brasero toujours allumé, pour repousser les bêtes dangereuses, les serpents notamment.

La journée n'était pas encore terminée pour Manon. Mais elle avait pris la liberté d'un bref détour par sa case, et elle était en train de se laver le visage avec l'eau d'une calebasse dans laquelle elle avait bu avidement. Elle s'approcha du foyer pour en ranimer les braises : ses grands yeux brillants regardaient fixement les cendres grises repoussées sur les côtés, d'un gris triste et éteint comme l'expression de son visage.

Adèle mit fin aux sombres pensées de sa mère. Elle surgit dans la case, joyeuse et excitée.

– Maman-moin, j'ai vu des choses belles, belles ! Une boîte qui chante, du linge qui brille et la Ti-béké-a a les cheveux qui coulent comme de l'eau...

Manon regardait sa fille : elle était si jeune encore ! Elle ne savait rien de la vie, ou si peu ! Mais quelle vie devant toi, mon Adèle, quelle vie pour nous, ici ? se demandait Manon en se forçant à sourire.

Amédée entra à son tour dans la case. Il remarqua immédiatement les yeux fiévreux de Manon et les signes de fatigue sur son visage. Il aurait voulu lui dire : « Repose-toi, doudou mwen, reste là, je vois bien que tu ne peux pas y aller. »

– Man Josèph t'attend pour la vaisselle, dit-il doucement.

– Reste là, maman, j'y vais. Je ne suis pas lasse ! lança gentiment Adèle.

Manon et Amédée échangèrent un regard interrogateur : qu'avait donc leur Adèle ? Bien sûr, elle aussi avait dû remar-

51

quer les traits tirés de sa mère, mais elle était surtout contente de sa journée, oui, enchantée par ce qu'elle avait vu.

– J'ai essayé de te changer de place, mais c'est difficile, poursuivit Amédée en baissant la tête.

– Je fais peur aux Blancs, je sais... répondit Manon avec un air de dépit.

Adèle alla vers sa mère et la serra dans ses bras.

– Tu es très belle, maman-moin ! Le maître est méchant, c'est tout !

– Paix bouche un peu ! la corrigea Amédée. Tu parles comme un rara-la-semaine-sainte !

Puis il se tourna vers Manon.

– Tu es bien ?

– Bien, répondit-elle. Je vais y aller. Faut pas qu'on dise que je ne fais pas mon travail, ajouta-t-elle avec un faible sourire de nouveau.

Amédée savait qu'elle mentait. Bien sûr qu'elle n'était pas bien ! Elle avait la fièvre, elle transpirait, ses yeux étaient injectés de sang. Elle était gravement malade. Il lui tendit les mains, qu'elle prit tendrement entre les siennes, et leurs regards se fondirent l'un dans l'autre. Manon se détacha à regret : elle devait y aller, maintenant. On allait s'inquiéter de ne pas la voir. Et sans un mot, elle quitta la case.

Sur le seuil, Amédée la regarda s'éloigner. Une lueur d'inquiétude pointait dans ses yeux. Il s'assura que Manon entrait dans la Grande Case, puis revint à l'intérieur de ce qui était leur maison.

Avec des gestes lents, il ôta sa veste puis le foulard noué sur sa tête, sa chemise et ses souliers. Il plia soigneusement ses vêtements et les posa au bout de sa banquette de feuilles. Il s'assit, soucieux. Adèle s'était mise à préparer le repas, qui ne se composait ce soir que de quelques patates douces. Amédée voyait sa fille s'affairer avec bonne humeur, inconsciente de la gravité de l'état de sa mère.

– Papa, dit-elle en disposant des patates dans des écuelles, laisse-moi te dire quelque chose.

Elle s'approcha, lui tendit une écuelle qu'il prit mais déposa à côté de lui. Adèle se mit à manger avec appétit, et, ce faisant, elle livra, sur le ton d'une enfant rapporteuse :

— Rosalie a coupé une mèche de cheveux de la Ti-béké-a, papa-moin. Elle va la quimboiser !

— Rosalie est très jalouse. Elle veut rester la cocotte du maître, mais elle ne peut rien contre la Ti-béké-a. Le maître veut des enfants blancs et ce n'est pas elle qui pourra les faire.

— Pourquoi le maître n'a jamais fait d'enfant avec Rosalie ?

— Peut-être que son sang blanc ne se marie pas avec son sang noir à elle. En tout cas, tiens-toi loin du maître. Reste avec la Ti-béké-a !

Adèle, la bouche pleine, acquiesça d'un signe de la tête. Oui, elle était d'accord pour rester aux côtés de la jeune femme blanche aux cheveux d'or ! Oh, papa, comme elle est belle ! Adèle avait été fascinée par la peau blanche comme du lait. Comme elle aurait voulu lui ressembler ! Oui, papa-moin, je serai dévouée à cette femme. Peut-être qu'elle sera gentille ? Ne t'en fais pas, papa-moin, je resterai près de la Ti-béké-a.

Elle finit de manger puis alla laver son écuelle. Perdue dans ses rêveries, elle s'allongea sur son lit de feuilles. Et elle demeura ainsi quelques instants, les yeux ouverts, à penser qu'aujourd'hui était un grand jour pour elle. Elle avait travaillé pour une dame ! Il y avait eu l'arrivée de la Ti-béké-a, et le même jour, l'arrivée de Koyaba l'Africain. Aujourd'hui, se répéta Adèle, c'est un grand jour !

Amédée avait fini par saisir son écuelle et mangeait de façon machinale, sans appétit, l'air toujours soucieux.

À peine eut-il terminé qu'Adèle se leva pour prendre l'écuelle de son père et aller la laver. Son regard s'arrêta sur quelques patates douces qui restaient dans un coin. Elle en prit deux, aussi discrètement que possible, les entoura d'une feuille de bananier, puis les enfouit dans un pli de sa robe.

— Je suis partie, papa-moin ! Je vais voir si maman veut de l'aide... chanta Adèle.

Amédée s'étendit à son tour sur sa paillasse de feuilles.

– Vas-y, dit-il, ramène-la vite. Je suis las moi aussi...

Il se retrouva seul. Il fallait essayer de dormir. Mais il voulait attendre le retour de Manon. Puis il se pencha pour souffler la mauvaise chandelle près de son lit. L'obscurité se fit. Oui, il attendrait Manon, se dit-il, en même temps que ses yeux se fermaient malgré lui.

Ce n'était pas sa mère qu'Adèle allait rejoindre de son pas allègre. Elle descendit les quelques mètres qui séparaient sa case du grand abri où les nouveaux arrivants avaient été conduits. Elle s'arrêta un instant, écouta le silence qui régnait, perçut le souffle régulier des respirations. Elle se glissa sous l'abri comme un chat. La plupart des hommes et des femmes dormaient, épuisés, allongés à même le sol.

Elle aperçut tout de suite Koyaba, dont les pieds demeuraient entravés. Lui ne dormait pas. Il était assis dans un coin, les yeux grands ouverts, et il semblait veiller ses compagnons d'infortune. Adèle s'approcha doucement. Koyaba la regarda, étonné de sa présence, mais il comprit qu'elle ne venait pas en ennemie. Elle s'assit face à lui, puis lui tendit les patates douces. Koyaba les renifla. Il fit signe qu'il n'aimait pas. Adèle lui sourit et insista, prenant un morceau de patate qu'elle porta doucement vers la bouche de Koyaba pour l'obliger à manger. Quand finalement il accepta d'y goûter, le sourire d'Adèle s'accentua et ses yeux s'animèrent. Koyaba répondit au sourire de la jeune fille qu'il trouvait très jolie et qui semblait heureuse de pouvoir adoucir un peu son malheur. Il mangea les deux patates lentement, avec l'air de s'habituer peu à peu à leur goût. Adèle ne bougeait pas. Elle resta là, assise, à le regarder manger, comme fascinée.

CHAPITRE 3

Olympe avait le sentiment de n'avoir pas eu assez de temps pour se préparer à sa première rencontre avec le beau monde pierrotin. Elle s'était levée tard, parce que la chaleur l'avait incommodée et ne lui avait pas semblé diminuer durant la nuit. Rosalie et Adèle avaient heureusement été actives, l'avaient aidée à revêtir sa somptueuse robe et à nouer ses cheveux en un chignon rehaussé d'une couronne de fleurs blanches. Aussi vite que possible, car Théophile s'impatientait.

Aujourd'hui, Olympe allait se marier, dire « oui » à un homme qu'elle ne connaissait que depuis la veille... et qui lui avait tout de suite plu. Théophile lui avait confié qu'une partie de la bonne société des planteurs serait présente. En compagnie de leurs épouses bien sûr, avait-il ajouté. Olympe voulait briller de mille feux, elle voulait que Théophile soit fier de sa femme. Elle aurait eu besoin d'un peu plus de temps pour être aussi belle qu'elle l'avait désiré. « Ça va très bien », lui avait dit sa mère en la voyant arriver et en l'inspectant, « tu es parfaite ». Et malgré la hâte, Olympe n'était pas seulement parfaite, elle était radieuse.

Il fallut cependant de nouveau s'installer dans une chaise pour se rendre à Saint-Pierre. Durant les deux heures que dura le trajet, Olympe sentit peu à peu sa robe coller à sa peau, et elle ne fut occupée que de cette pensée : dans quel état sera-t-elle à mon arrivée à l'église ?

La robe de mariée était défraîchie et humide quand Olympe fut conduite à l'autel au bras de son père. La jeune femme n'en fut pas moins souriante, alors que, debout dans l'église, les invités la suivaient des yeux. Et tous ces gens qu'elle ne connaissait pas écoutèrent en silence la messe dite par le père Louis, un prêtre au visage austère et au corps maigre sous ses vêtements sacerdotaux.

Placés au premier rang, monsieur et madame de Rochant n'avaient qu'une prière à adresser à Dieu : que leur fille soit heureuse avec ce roturier fortuné à qui ils la confiaient. Certes, un homme sans nom, songeait monsieur de Rochant, qui se souvenait de ce que lui avait dit sa fille chez le gouverneur. Mais la fortune, ma petite fille, c'est l'essentiel, se répétait-il.

Le gouverneur avait tenu sa promesse et assistait à la cérémonie, bien qu'il n'en eût aucune envie. Il était assis à côté de monsieur de Rochant, et il suivait la messe sans bien dissimuler son ennui. Madame de Rochant, elle, ne paraissait pas s'ennuyer : elle ne cessait de se retourner et de jeter des coups d'œil aux dames assises derrière elle. Bien qu'elle essayât d'être discrète, son mari, agacé, finit par lui jeter un regard noir. Ce n'était pas les dames que madame de Rochant considérait, c'étaient leurs toilettes. À Paris, on l'avait rassurée sur un point précis : elle ne serait pas dépaysée à Saint-Pierre, où l'on s'habillait à la mode de Paris. Madame de Rochant était en train de s'assurer de la véracité de ces propos. Elle convint en elle-même que les toilettes étaient fort brillantes, sinon même plus au dernier goût que la sienne. Elle cessa donc son manège, mais n'en arriva pas pour autant à écouter correctement la messe. C'est qu'une chose l'avait en revanche chagrinée : on lui avait vanté la magnificence des réceptions de Saint-Pierre, notamment celles données par le gouverneur ou l'intendant. On lui avait parlé de dizaines de convives et de bals somptueux ! Au lieu de cela, elle avait découvert que le gouverneur habitait une demeure tout juste convenable, sans meubles luxueux, sans tableaux, sans bibliothèque, sans riche vaisselle ! Alors, quoi ? Se serait-on trompé ? Les temps avaient-ils changé ? Qu'importe, finit-elle par se dire, elle arriverait bien à convaincre son mari de dépenser un peu pour recevoir de temps en temps.

Elle retrouva sa piété quand le père Louis invita les fidèles à venir communier. Elle avança lentement vers l'autel, croisa le visage de son fils aîné, et s'étonna de l'émotion qui y transparaissait. Ému, François l'était. Il n'aurait su dire pourquoi exactement. Était-il rassuré pour sa petite sœur ? Lui semblait-il que les fiancés étaient parfaitement assortis, Olympe splendide dans sa robe de mariée, Théophile impeccable dans son chatoyant costume de soie claire ? Ce sentiment, sans doute n'était-il pas le seul à l'éprouver. Les plus généreux des invités devaient être sensibles eux aussi à l'harmonie du couple : il s'en dégageait une grâce particulière – peut-être à cause de leur beauté, de leur jeunesse et de la même blondeur de leurs cheveux.

« C'est déjà fini ! » songea Olympe en entendant les cloches sonner. Cela lui avait semblé passer si rapidement ! Elle n'avait pas vraiment écouté le père Louis dire la messe ; elle l'avait à peine entendu bénir leur union et leur demander de se jurer fidélité et soutien pour le meilleur et pour le pire ; elle n'avait pas non plus remarqué que seul le gouverneur n'était pas allé communier. Ses pensées avaient été ailleurs : pour la première fois de sa vie, elle avait eu le sentiment de mûrir. Sensation étrange : une sorte de remous qui l'avait traversée d'un seul coup. Elle se souvenait cependant avoir répondu un « oui » enjoué à la question du prêtre, puis avoir regardé Théophile dans les yeux quand il lui avait passé un anneau d'or au doigt.

Et c'est au bras de l'homme qui était désormais son mari qu'elle marchait maintenant pour sortir de l'église.

À l'extérieur, les invités attendaient les mariés. Il y avait là une vingtaine de personnes environ, des hommes et des femmes vêtus de costumes luxueux, et qui lui souriaient alors qu'Olympe ne les connaissait pas. Des esclaves tenaient des ombrelles au-dessus de leurs têtes, certains éventaient les dames.

Quand les mariés apparurent sur le seuil de l'église, des applaudissements fusèrent, et il sembla à Olympe que les cloches résonnaient plus fort.

– Bravo ! Vive les mariés ! criaient en chœur les invités.

Théophile avait lâché la main d'Olympe, et elle fut prise dans un tourbillon de félicitations et de présentations. La tête lui tournait. Son frère et ses parents vinrent l'embrasser. Bientôt, elle chercha des yeux son mari qui n'était déjà plus là, occupé à serrer les mains des hommes et à saluer les dames.

Olympe prit le temps de regarder un instant ceux et celles qui l'entouraient. Elle ne voyait pas, plus loin à l'écart, les esclaves qui attendaient avec les chaises à porteurs et les chevaux. Elle ne vit pas même que leurs visages étaient restés impassibles. Elle ne vit pas qu'ils ne partageaient en rien la liesse et la joie. Ils étaient pieds nus, vêtus de tenues à peine plus correctes que d'habitude.

Quand le père Louis eut terminé de remettre un peu d'ordre dans l'église et se fut libéré de sa chasuble, il rejoignit les mariés et leur serra chaleureusement la main.

– Tous mes vœux de bonheur, Théophile ! Et vous aussi, Olympe. Je vous souhaite de beaux et nombreux enfants, qui seront de bons chrétiens.

– Merci, mon père ! répondit Théophile en lâchant rapidement la main du prêtre et en s'écartant pour aller saluer un planteur.

Le père Louis garda plus longuement dans la sienne la main d'Olympe, et il en profita pour lui faire part de sa préoccupation :

– Mon enfant, je veux que vous usiez de votre influence sur votre mari – qui sera grande – pour vous occuper du salut de vos esclaves. Ils n'entendent jamais la messe et ne disent pas les prières du jour. C'est très grave.

– Je ne savais pas, répondit Olympe, embarrassée.

– C'est bon, j'ai entendu ! lança Théophile qui réapparaissait, apparemment pressé.

Le père Louis continua de s'adresser à Olympe :

– Ce sont des créatures de Dieu, vous devez veiller à ce qu'on leur enseigne la morale chrétienne.

– Mon père, nous ferons dire la messe tous les dimanches pour nos esclaves. Je vous en fais le serment, dit Olympe qui n'eut pas le temps de poursuivre.

Théophile lui avait pris la main et l'entraînait à l'écart pour mettre fin à ces bondieuseries. La religion l'ennuyait, il n'avait rien d'un bon chrétien. De quoi se mêlait-il, le père Louis, avec ses remontrances ?

Olympe, la main dans celle de son mari, avait maintenant retrouvé son sourire radieux.

Le père Louis regardait les invités se diriger vers les chaises et les chevaux, et il lui sembla que Théophile et son épouse s'enfuyaient comme des voleurs. Il glissa la main dans une poche de sa soutane et vérifia la présence de quelques pièces que Théophile lui avait données... pour l'entretien de l'église.

Théophile était heureux d'être revenu à l'habitation. C'était ici, chez lui, qu'il se sentait vraiment bien. Olympe avait remarqué qu'il semblait agacé par instants à l'église, et qu'il avait fait en sorte que la cérémonie soit achevée au plus vite. Elle fut rassurée en le voyant retrouver sa belle humeur dès son arrivée à la Grande Case.

Les gens présents à l'église avaient accepté aussi l'invitation au déjeuner et s'étaient rendus à l'habitation Bonaventure.

Les hommes, réunis sur la véranda, fumaient des cigares. La physionomie de certains était celle d'hommes robustes et virils : ils parlaient fort en ponctuant souvent leur conversation de gros rires ; d'autres avaient des façons plus affectées. Les uns et les autres n'accordaient guère d'attention à leurs épouses, qu'ils apercevaient par les fenêtres grandes ouvertes donnant sur le séjour où elles étaient réunies.

Regroupées autour de la mariée, sans doute lui prodiguaient-elles les conseils et les suggestions qu'on se fait entre femmes. Peut-être l'assuraient-elles de leur amitié prochaine. À moins qu'elles ne lui vantent les qualités de la troupe de comédiens jouant dans la dernière pièce de théâtre donnée à Saint-Pierre. Peut-être encore lui parlaient-elles du bal de l'avant-veille où l'on avait dansé jusqu'à l'aube ?

Des esclaves portaient des plateaux chargés de carafes et de verres, et passaient parmi les invités pour leur proposer rafraîchissements ou apéritifs, tranches de citron vert et beignets de morue. On refusait comme on acceptait, avec indifférence. On ne prêtait pas une oreille plus attentive à la mélodie jouée au violon par un esclave dans un coin du salon.

Monsieur et madame de Rochant étaient en compagnie du gouverneur qui leur faisait découvrir le rhum allongé de sirop de canne et rehaussé d'un zeste de citron vert. Madame de Rochant grimaçait chaque fois qu'elle trempait les lèvres dans son verre, tandis que leur mentor buvait l'alcool comme du petit-lait, peut-être aussi pour mieux supporter la présence du nouvel intendant à ses côtés.

François, lui, circulait parmi les invités, l'air un peu absent, quand il surprit une conversation entre deux hommes, sans doute riches, pensa-t-il d'après le luxe de leurs habits. Il ne se trompait pas : La Rivière et Sainte-Colombe étaient deux des plus importants planteurs de l'île. Ils devaient avoir l'âge de Théophile, mais ils étaient de ceux dont l'attitude maniérée contrastait avec le genre plus franc du maître de maison.

Sainte-Colombe désigna discrètement monsieur de Rochant :

– Vous avez vu le nouvel intendant ? Il est bien suffisant pour un homme qui marie sa fille sans dot à un ancien engagé !

François avança d'un pas de façon à entrer dans le cercle.

– Mon beau-frère était donc soldat ? demanda-t-il.

Les deux hommes toussotèrent, gênés, se demandant ce que le jeune homme avait entendu de leur jugement. La Rivière se ressaisit le premier :

– Personne ne connaît vraiment l'histoire de Théophile, mon cher. On dit que c'est un orphelin de l'hôpital général de Brest, à qui on a fait signer un contrat d'engagé...

– Les engagés étaient en somme des esclaves blancs. Ils s'engageaient à travailler trois ans gratuitement aux colonies. Le problème, c'est qu'ils arrivaient rarement au bout des trois ans. Ils étaient morts avant, précisa Sainte-Colombe.

– Il est parti à la Guadeloupe sans même savoir ce qu'il avait signé ! ajouta La Rivière en riant. Quand il a compris, il s'est enfui ; il a débarqué clandestinement en Martinique et là, il a bâti la fortune que nous lui connaissons...

Les deux hommes se mirent à rire, pensant avoir humilié François par ces révélations sur les origines de son beau-frère. L'histoire de Théophile aurait peut-être pu faire rire François du même rire méprisant, mais il semblait au contraire touché et afficha un sourire très digne :

– C'est donc un homme extraordinaire que ma sœur épouse ! Merci de m'apprendre ces choses, monsieur...

Il s'interrompit, ignorant le nom des deux hommes.

La Rivière s'inclina :

– Nicolas de La Rivière, planteur de père en fils depuis cinq générations ! Et voici mon ami, Hubert de Sainte-Colombe. Nos familles sont parmi les plus anciennes de Martinique.

– Ah, je crois qu'on passe à table... ajouta Sainte-Colombe en tournant la tête.

Et tous trois se joignirent au mouvement qui se faisait vers l'intérieur pour rejoindre la salle de séjour où avait été dressée une longue et majestueuse table. Madame de Rochant remarqua avec un air satisfait que la vaisselle était fine et le linge délicat.

Théophile invita ses hôtes à s'asseoir.

Les mariés présidaient ; au centre, monsieur de Rochant, à la droite du gouverneur. De chaque côté d'Olympe, La Rivière et Sainte-Colombe, tandis que Théophile était entouré à sa droite par madame de Rochant et à sa gauche par l'épouse d'un planteur.

Quand tous furent installés, Amédée s'avança pour servir le vin, tandis que Rosalie et Adèle, portant des tabliers blancs, attendaient près de la porte qu'il leur fasse signe de faire apporter les plats. Lorsque Amédée eut terminé, Théophile se leva et tendit son verre en direction de monsieur de Rochant.

– Mes amis, chers colons... Je voudrais commencer ce repas en saluant un nouveau venu sur notre île... Un homme d'honneur en qui nous, planteurs de Martinique, mettons toute notre confiance... Mon beau-père et intendant du roi, monsieur de Rochant.

Les hôtes applaudirent poliment, et tous levèrent leurs verres.

Amédée fit alors signe à Adèle et Rosalie : on pouvait commencer.

Des esclaves entrèrent dans la salle de séjour, portant différents plats qu'ils présentèrent, selon les bons usages, à la droite de chacun des hôtes. Rosalie et Adèle étaient chargées de surveiller et de compléter le service.

Peu à peu, les conversations s'engagèrent, et la grande pièce fut rapidement envahie par un brouhaha qui couvrait le son du violon de l'homme qui ne s'était pas arrêté de jouer. On savoura une nourriture délicate, parfois légèrement relevée, qui associait savamment des saveurs créoles et françaises. Man Josèph, la cuisinière noire de la maison, s'était surpassée : elle avait commandé les denrées voilà quatre semaines, et elle n'avait pas voulu mettre un pied hors de la cuisine « tant que ça ne sera pas prêt ! », avait-elle dit.

Au cours du repas, Théophile fut un instant amusé par un de ses hôtes, assis en face de lui, qui ne parvenait pas à suivre la conversation de son voisin, apparemment subjugué par la beauté de Rosalie. Il dévorait la mulâtresse des yeux tandis que son épouse commençait à lui jeter des regards furieux. Théophile n'était pas surpris : il savait les effets du charme de Rosalie sur les hommes. Mais lui préféra à cet instant observer la jeune Adèle, qui lui semblait de toute beauté aujourd'hui.

Alors que le repas était largement entamé, Nicolas de La Rivière prit la liberté de se lever, et se tourna vers monsieur de Rochant :

– Monseigneur, puisque nous sommes tous réunis aujourd'hui, me permettez-vous de vous poser une question qui préoccupe beaucoup les colons ?

Les conversations s'interrompirent brusquement. Tout le monde était à l'écoute.

– Je vous en prie, répondit aimablement monsieur de Rochant.

– Nous venons de recevoir un nouveau règlement de police interdisant les châtiments d'esclaves, jugés excessifs. Et nous sommes perplexes : si l'un de nous décide de faire fouetter un Noir, devrons-nous demander la permission au gouverneur ? Ou à l'esclave lui-même ?

La question provoqua un éclat de rire général. Seul le gouverneur s'abstint, avec l'air de très peu apprécier l'insolence. Mais La Rivière triomphait, et il se rassit, satisfait de lui-même.

Monsieur de Rochant se leva à son tour pour répondre, et attendit quelques instants que les rires se calment pour prendre la parole :

– Je reconnais cet esprit taquin des colons français tel qu'on me l'avait décrit. Mais rassurez-vous, cher monsieur, pour ce qui concerne les châtiments des esclaves, il est bien entendu que l'administration royale s'en remet à votre jugement...

Cette fois, ce ne furent pas des rires que provoqua la réponse de monsieur de Rochant, mais des applaudissements nourris. L'intendant savourait son succès, un large sourire aux lèvres.

Quand il se rassit, il rencontra le visage sévère du gouverneur. Lui ne souriait pas, et il lança, glacial :

– Ne vous faites pas trop d'illusions, monsieur l'intendant. Ils ne sont pas « taquins »...

Monsieur de Rochant le regarda avec une surprise un peu inquiète. François remarqua que son père avait des difficultés à savourer la suite du repas. Le gouverneur avait en effet décidé de lui tourner le dos, et ne s'adressait plus qu'à la femme assise à sa gauche. François comprenait la réaction du gouverneur. Il en voulait lui aussi à son père d'avoir fait rire si facilement la bonne société des planteurs pierrotins. Deux d'entre eux s'étaient pourtant moqués de lui tout à l'heure ! Il se consola en admirant la beauté de sa sœur, qu'il trouva supérieure à celle de toutes les autres femmes présentes. Il considéra Théophile aussi, dont il avait compris qu'il était un homme d'une autre trempe que la plupart des fats qui entouraient la table. Comme il n'y eut heureusement pas d'autres questions du type de celle qu'avait trouvé bon de poser ce La Rivière déplaisant, la suite du déjeuner se déroula courtoisement, excepté pour monsieur de Rochant qui ne retrouva pas grâce aux yeux de son voisin.

– Enfin ! soupira Théophile quand le dernier invité prit congé, ils sont partis !

Olympe fut étonnée de ce soulagement ; elle n'en dit rien. Théophile n'aimait pas le monde. Au fond, il était plus sauvage qu'il n'en donnait l'apparence, et sa vie n'avait rien de comparable à la vie facile et mondaine des autres planteurs de l'île. C'était que son passé était en effet différent : Théophile s'était construit seul, et il s'enorgueillissait de ne rien devoir à personne.

Né à Brest, abandonné dès sa naissance par ses parents, il n'en avait reçu pour tout bagage que ce nom : Bonaventure. Théophile ne sut même pas si ce nom était celui de ses géniteurs ou s'il n'était que le fruit d'un souhait de bonne chance dans la vie. Il fut placé dans un orphelinat pauvre et austère dont il s'échappa à quatorze ans ; il quitta Brest et se rendit à Paris dans l'espoir d'y trouver du travail. Durant deux ans, il accumula les emplois subalternes en se faisant exploiter. Comprenant qu'il n'avait aucun avenir à Paris, il décida de s'engager. On lui paya le voyage aux Antilles, et la Compagnie l'attribua pour une cinquantaine d'écus à un colon de Guadeloupe. Pour cette somme, il était obligé de servir pendant trois ans le maître qui l'avait acheté. Théophile devenait bien un esclave, un esclave qui recouvrerait la liberté certes, mais pas moins exploité et maltraité.

Il avait cru que le voyage serait le pire souvenir de son existence ; il changea d'avis quand il débarqua en Guadeloupe et qu'on le fit travailler dans une plantation de tabac où il était chargé d'abattre des arbres pour dégager des espaces. Les maîtres, conscients de ne disposer de ces engagés que pour trois années, abusaient et disposaient d'eux sans compter. Les engagés mouraient-ils à la tâche ? Peu importait : ils avaient au moins donné le maximum de leurs forces. Autour de Théophile, les hommes disparaissaient les uns après les autres : il comprit qu'en restant là, il n'avait aucune chance de survie. Il s'enfuit de nouveau, réussit à s'embarquer clandestinement sur un bateau et débarqua en Martinique alors qu'il venait d'avoir dix-sept ans. Il parvint à se faire recruter par un colon qui cherchait un palefrenier. Comme il montrait de l'intérêt pour l'économie de la petite habitation et une aptitude certaine pour la comptabilité, il en devint l'économe et bénéficia d'un menu salaire. Économisant sou à sou, Théophile vit enfin venir le jour où il put tirer sa révérence, le plus beau jour de sa vie. La première chose qu'il fit fut d'acheter un terrain qui resta en friche pendant plusieurs mois, mais cela représentait tout de même le début de sa nouvelle vie.

Son histoire, Théophile ne l'avait jamais racontée à personne – question de honte sans doute. Cependant, quand on s'aperçut qu'il faudrait désormais compter avec lui, on s'interrogea, et il ne fut pas difficile d'apprendre d'où il venait ainsi que son passé d'engagé et de déserteur.

N'ayant eu ni famille ni parents pour lui apprendre à paraître dans le monde, il fut considéré comme un homme fruste. Ce qu'il savait, il l'avait appris seul, et il était fier d'avoir réussi sans le soutien de cinq générations pour lui léguer une plantation déjà prospère. C'est donc avec la rage au ventre et à force d'un travail acharné qu'il réussit à acquérir puis à développer ce que l'on considérait aujourd'hui comme l'une des plus riches plantations de l'île. Il fut respecté du jour où l'on comprit que sa fortune égalerait celle des planteurs les plus réputés. Les débuts avaient été difficiles, il avait fallu se battre avec hargne, défendre son territoire pour survivre d'abord, s'imposer ensuite, se faire respecter enfin.

Aujourd'hui, Théophile se trouvait à la tête d'un royaume. Sa vie n'avait pourtant pas tellement changé. Il s'était bien entouré, mais déléguait le moins possible, sinon à Amédée et à Jacquier, continuant à gérer l'habitation, obsédé par la qualité du sucre qu'il fabriquait pour la métropole, et toujours poussé par le désir de faire mieux, avec la conscience que rien n'est définitivement acquis et qu'il est possible d'être détrôné à tout moment.

S'il montait remarquablement à cheval, savait faire tourner son entreprise, parlait un créole parfait et avait appris à entretenir des relations avec les autres planteurs de l'île, il avait en revanche peu d'appétit pour ce qu'il considérait comme des fadaises : aller au théâtre, danser ou se pavaner en homme du monde. Profondément égoïste : c'était sans doute un de ses plus flagrants défauts. On ne lui avait jamais enseigné le partage. À l'orphelinat déjà, il lui avait fallu apprendre à se battre pour manger à sa faim et à se défendre pour ne pas être rançonné par les grands qui volaient la nourriture des petits.

Depuis ce matin, il était marié. Il ne lui restait plus qu'à devenir père. Oui, une fois les invités partis, Théophile se sentit le plus heureux des hommes, savourant ce qu'il avait de plus précieux dans la vie : son bien, son habitation. Il était chez lui, avec une femme à ses côtés désormais.

Olympe ne savait rien de cette histoire. Et que savait-elle de lui, d'ailleurs ? Pas grand-chose, avant d'arriver en Martinique : qu'il était riche et en quête d'une femme blanche, prêt à l'épouser sans dot. Cela avait suffi, alors qu'une femme de la société nantie aurait refusé d'épouser un arriviste sans nom ni famille.

Cela eut l'air de la prendre comme une envie soudaine, au beau milieu de l'après-midi. Olympe voulut aller voir les esclaves. Théophile essaya en vain de l'en dissuader. Se sentait-elle soudain investie de son nouveau rôle de maîtresse de maison ? Voulait-elle montrer à son mari l'intérêt qu'elle portait désormais à la plantation ? Ou désirait-elle plus simplement prendre des nouvelles du chef africain, l'homme qu'elle avait fait acheter à Théophile la veille au port ? Elle avait tant insisté que Théophile et François ne purent faire autrement que de l'accompagner. Adèle aussi, qui s'était précipitée pour prendre une ombrelle.

Dans ce qu'on appelait leur « quartier », les esclaves, qui ne travaillaient pas le dimanche, étaient en train de fêter le mariage de leur maître à leur façon. Au son du tambour, les uns dansaient, d'autres regardaient les danses en buvant du tafia, quelques enfants couraient en se pourchassant, les anciens incitaient les nouveaux arrivants à prendre part à la fête.

Le tambour s'arrêta brusquement. On cessa de danser. Les enfants ne couraient plus. Olympe venait de faire irruption dans la cour, dans sa robe de mariée. Les hommes et les femmes se redressèrent, en se demandant ce que la maîtresse blanche venait faire ici. Olympe se figea, surprise et désemparée. Probablement ne s'était-elle pas attendue à cela : ils étaient plus d'une centaine d'hommes et de femmes, pieds nus, la plupart vêtus de loques, les visages marqués par l'épuisement, certains au dos lacéré de cicatrices rosâtres, d'autres aux épaules marquées d'une fleur de lys ; certains semblaient malades, l'un d'eux avait un pied coupé.

Depuis leur arrivée sur l'île, Olympe et François n'avaient rencontré que des esclaves domestiques. Bien sûr, dans la salle des ventes au port, ils avaient vu les esclaves nouvellement débarqués, mais au moins étaient-ils présentables.

Ils découvraient maintenant la réalité quotidienne des esclaves de jardin, ceux qui travaillaient dans les champs, hommes et femmes qui bêchaient la terre, plantaient, coupaient, sarclaient, arrosaient, ramassaient, transportaient, chargaient le moulin. Plus de douze heures par jour d'un travail exténuant, quelle que soit la saison – soleil de plomb et sécheresse durant le carême, pluies diluviennes durant l'hivernage. Beaucoup d'entre eux ne supportaient ni le climat, ni la nourriture qui lui était mal adaptée, ni le chagrin d'être loin de leur pays natal, ni les conditions de travail épuisantes. Ils tombaient malades, certains mouraient vite. Si bien que ceux qui étaient encore vaillants étaient surmenés. Ils dormaient sur des planches de bois, ils vivaient dans des conditions d'hygiène désastreuses.

Comme la veille au port, François croisa le regard des captifs. Mais cette fois, il ne recula pas, malgré son effroi.

– Bon sang de bonsoir, ma chère ! Je vous jure que ce n'est pas votre place, murmura Théophile entre ses dents.

– Et pourquoi non ? rétorqua Olympe en retrouvant rapidement une contenance. Mes esclaves doivent connaître leur nouvelle maîtresse ! Venez, mettons-nous là qu'on nous voie bien ! ajouta-t-elle en avançant sous le flamboyant.

Jacquier fit sonner la cloche pour rassembler les esclaves. Ils vinrent s'aligner en rangs, obéissant en automates, les yeux rivés sur la femme blanche.

Depuis la véranda de la cuisine, Rosalie, Man Josèph, Manon et Amédée observaient la scène, muets. Bien sûr, ils avaient conscience d'être des privilégiés. Eux possédaient une case individuelle, ils se nourrissaient correctement, ils étaient correctement vêtus. Mais Manon et Man Josèph avaient travaillé auparavant dans les champs de canne, et leur corps n'avait pas oublié la souffrance qu'elles y avaient endurée.

– Je ne savais pas que vous en aviez autant, dit Olympe.

– Allez, faites donc, ne traînons pas ! la pressa Théophile.

Il se retourna vers Amédée et lui fit un signe de la main. Celui-ci s'avança, portant respectueusement un vase plein de dragées.

Olympe s'en saisit et se mit à distribuer des dragées à ces hommes et ces femmes qui ne la quittaient pas des yeux.

– Tenez, mon brave, tenez... disait-elle.

Les esclaves regardaient Amédée, attendant un battement de paupières pour tendre la main. Et lorsqu'on déposait les douceurs blanches dans leurs paumes, ils les contemplaient sans savoir ce qu'ils étaient censés en faire.

– J'en étais sûr ! Ils ne toucheront pas à vos dragées, ils ont peur d'être empoisonnés ! s'exclama Théophile.

– Ils sont trop bêtes, c'est décourageant ! dit Olympe en se détournant. Vas-y, Amédée, fais ce que tu peux !

Elle avait pris la main de Théophile et l'avait entraîné plus loin, tout en tournant la tête : elle voulait voir le chef africain et elle ne le trouvait nulle part.

– Où est-il ? demanda-t-elle.

Koyaba n'avait pas bougé du coin où Adèle l'avait trouvé la nuit précédente. Lorsque Olympe entra sous l'abri, encadrée par Jacquier et Théophile, avec Adèle à ses côtés tenant l'ombrelle, Koyaba n'eut d'abord d'yeux que pour elle, semblant ignorer la présence des deux hommes. Il la reconnaissait, bien sûr. La veille, elle l'avait longuement regardé dans la salle des ventes, et c'était par sa volonté qu'il était ici. Il continuait de contempler Olympe franchement. Théophile ne s'était pas trompé : en Guinée, Koyaba était un Mandingue, un roi habitué aux honneurs et aux privilèges.

– Est-il remis de son voyage, Jacquier ? demanda Olympe. Comment se porte-t-il ?

Koyaba chercha du secours dans les yeux d'Adèle. Elle lui adressa un signe discret pour lui faire comprendre qu'il ne devait pas s'inquiéter.

– Bien, je crois, répondit Jacquier.

– On leur laisse toujours deux semaines pour s'acclimater, ajouta Théophile.

– Que vous êtes bon, Théophile ! s'enthousiasma Olympe. Vous allez voir, celui-ci deviendra doux comme un agneau. Je vais vous l'apprivoiser en un rien de temps !

Puis, s'adressant à Koyaba :

– Comment vous appelez-vous, mon brave ?

– Louis, répondit Jacquier.

– Koyaba, corrigea ce dernier, en défiant Jacquier du regard.

– Vous voyez qu'il comprend ! Pourquoi pas Koyaba ? C'est joli, Koyaba ! Tenez, c'est pour vous !

Elle prit sa main et y déposa elle-même des dragées, tout en effleurant la peau noire.

– Comme il a la peau claire à l'intérieur...

Elle n'eut pas le temps de poursuivre. Elle poussa un cri en retirant sa main. La cravache de Théophile s'était abattue violemment sur le poignet de l'homme. Avec un geste d'une rapidité étonnante, Koyaba avait saisi la cravache et la tenait fermement, tout en affrontant Théophile du regard. Olympe demeurait muette ; Adèle était inquiète. Jacquier avait tiré un pistolet de sa ceinture et visait Koyaba. Celui-ci regarda l'arme pointée sur lui, esquissa un demi-sourire et lâcha la cravache.

– Toi, la prochaine fois, je te crève ! cracha Théophile.

Il saisit Olympe par le bras et l'entraîna hors de l'abri.

Adèle s'était précipitée : elle eut le temps de détacher un petit foulard qu'elle avait autour du cou et de le poser sur la main en sang de Koyaba. Puis elle s'élança pour rattraper sa maîtresse.

La visite d'Olympe dans le quartier des esclaves avait été un échec cuisant. « Je n'irai plus », se dit-elle. Bien sûr, ce n'était pas là sa place. Sa place était dans la Grande Case, entourée de Rosalie et d'Adèle, à profiter simplement du temps qui passe, des journées rythmées par les repas où elle avait l'occasion de voir son mari. Cela sembla lui convenir, du moins pour ces premiers jours. Elle avait des projets en tête, mais elle n'était pas mécontente de se reposer un peu en attendant de pouvoir les mettre à exécution.

Trois jours après leur arrivée à l'habitation, monsieur et madame de Rochant préparaient leurs bagages. Il leur fallait maintenant prendre leurs quartiers en ville.

Madame de Rochant vint frapper à la porte de la chambre d'Olympe. Rosalie et Adèle, qui étaient en compagnie de leur maîtresse, se postèrent discrètement devant la porte.

La mère et la fille tombèrent dans les bras l'une de l'autre. Madame de Rochant semblait particulièrement émue.

– Je suis inquiète, ma fille ! Je crains de t'abandonner dans ce lieu perdu...

– Mais maman, nous sommes à deux heures de Saint-Pierre et François reste pour me tenir compagnie !

– François ne sera pas toujours là ! Ton père veut lui trouver une charge en ville. Tu sais que son héritage se réduira à rien...

– Ne t'inquiète pas ! Je sens que je vais être très heureuse ici. Je vais transformer cette case en un vrai château !

Madame de Rochant regardait sa fille qui ne semblait nullement désemparée, au contraire plus radieuse que jamais. C'est qu'Olympe était gonflée d'orgueil, et jamais elle n'avait eu de tels désirs d'entreprendre ! Un mois auparavant, qu'avait-elle entre les mains ? Une vie relativement facile, mais des soupirants pauvres, peu d'argent à dépenser, pas de maison à elle, pas d'avenir. Aujourd'hui, elle avait le sentiment de posséder de l'or. Et elle se sentait des ailes pour prendre des initiatives ! N'était-elle pas ici la maîtresse ? Et puis sa mère venait de lui en faire la remarque : François, lui, allait devoir travailler ! Olympe s'estimait donc chanceuse, elle se sentait enfin libre : elle était mariée, ses parents s'en allaient, elle n'était plus la petite fille qui avait besoin d'eux, elle possédait plus qu'ils n'avaient jamais possédé. Comment sa mère pouvait-elle douter de ses ambitions ? Et pourquoi cette figure inquiète ?

Olympe la rassura en lui prenant les mains. Puis elle la raccompagna à la porte. Adèle et Rosalie, entrant dans la chambre, s'effacèrent. Adèle alla aussitôt ouvrir les tiroirs de la commode pour s'assurer que les vêtements étaient en ordre tandis que Rosalie allait se placer discrètement dans un coin, près du lit. Madame de Rochant la regarda d'un air suspicieux.

– Cette fille est d'une lascivité à faire frémir... dit-elle tout bas à Olympe.

– Je lui ai déjà dit d'ôter ses bijoux... C'est agaçant, on dirait parfois qu'ils ne comprennent vraiment rien !

– Méfie-toi, poursuivit sa mère, j'ai entendu des histoires scandaleuses sur les colons et leurs bâtards.

– Théophile est assez beau pour avoir toutes les Blanches de l'île ! Pourquoi choisirait-il une négresse ?

Olympe n'avait pas craint de parler tout haut, tant les mises en garde de sa mère lui semblaient absurdes. Rosalie eut un petit sourire que madame de Rochant n'aperçut heureusement pas.

Elles s'embrassèrent une fois encore, longuement, tendrement. Olympe en fut d'ailleurs surprise, peu habituée à de tels épanchements. Elle adressa un dernier sourire à sa mère, s'agaçant de voir dans ses yeux cette lueur d'inquiétude persistante.

Profitant de ces adieux, Rosalie sortit discrètement de la poche de son tablier une petite poupée de chiffon sur laquelle était collée la mèche de cheveux d'Olympe coupée l'avant-veille. Une épingle était plantée à la place du sexe. Adèle aperçut la poupée, et regarda Rosalie avec effroi. Rosalie évita ses yeux puis glissa rapidement la poupée sous le matelas du grand lit.

Olympe refermait à ce moment la porte sur sa mère et poussait un soupir de soulagement. Elle retrouva son sourire en apercevant la dévouée Rosalie, avec son maintien modeste et ses yeux baissés, qui avait l'air d'attendre des ordres.

CHAPITRE 4

Dix jours avaient passé. Dehors, François regardait le soleil se coucher sur l'habitation et les ombres s'allonger dans le paysage. Un sac en bandoulière, il se promenait dans le jardin qui entourait la Grande Case, se passionnant pour les différentes espèces de plantes, arbres et fleurs qui y poussaient. Il avait renoncé à quitter l'île, et il avait dit vouloir rester plus longtemps à l'habitation avec sa sœur pour s'assurer que tout se passait bien.

Mine de rien, il fit le tour de la Grande Case, apparemment attentif à la végétation, et s'arrêta quand il aperçut Man Josèph. Elle était courbée en deux, appuyée sur un bâton au-dessus d'une rangée d'herbes qu'elle avait fait pousser en bordure du jardin d'Amédée. On avait en effet accordé aux esclaves domestiques un bout de terre destiné à la culture du manioc, des bananes, des patates et des ignames. Amédée en était le cultivateur. Mais pour ce qui était de la rangée d'herbes de Man Josèph, « pas question qu'on y touche ! » avait-elle dit. C'étaient ses plantes, des plantes médicinales dont elle seule avait le secret. Cuisinière : c'était à ce titre que Man Josèph avait quitté les champs de canne, mais ce n'était pas son seul talent. Elle connaissait la botanique, les herbes qui guérissent et celles qui tuent ; elle perpétuait les coutumes africaines et faisait office d'accoucheuse quand un enfant devait naître sur la plantation, bien qu'elle eût conseillé aux femmes de ne pas enfanter – c'était condamner leur enfant à l'esclavage et aux champs de canne. S'il se présentait néanmoins une grossesse, Man Josèph faisait passer l'enfant, pour ne pas donner au maître un esclave qui allait lui appartenir parce que né sur sa plantation. À plus de quarante ans, Man Josèph faisait donc figure de sage : on s'en remettait à son jugement, on venait la consulter, on l'écoutait, on la respectait.

François avait saisi cela, et il était intrigué par ces connaissances. Il continuait de regarder Man Josèph ramasser ses plantes, et il l'entendit qui rouspétait et bougonnait à voix basse. Elle parlait en créole et François ne la comprit pas. Mais elle observait des traces de pas dans la terre, des traces de pas qui ne lui plaisaient pas du tout ! Cependant, son attention fut rapidement détournée : Manon, l'air absent, était occupée à ramasser des ignames pour le dîner. Elle fut prise d'une violente quinte de toux qui lui déchira la poitrine. À intervalles réguliers, les quintes se répétèrent. Man Josèph se releva lentement car son dos la faisait souffrir. En se retournant, elle s'étonna de se trouver face à François, planté là depuis un petit moment déjà. Les mains crispées sur le ventre, il feignit un rictus de douleur :

– Aïe, Man Josèph, dit-il. J'ai mal, j'ai très mal... Qu'est-ce que vous avez pour le mal d'entrailles ?

Sincèrement inquiète, Man Josèph se dit que sa cuisine épicée ne convenait pas au jeune homme. Elle le dévisagea attentivement puis comprit vite qu'il jouait la comédie. Elle jeta un coup d'œil sur son sac, et devina que les traces de pas dans la terre étaient les siennes.

– Vous avez bien bonne mine pour un malade !

– Moi ? Vous êtes cruelle, Man Josèph ! dit-il en fouillant dans son sac et en sortant des branches de thym. Regardez, j'ai trouvé du gros thym. C'est bon, ça ?

Man Josèph fit mine de chasser François avec son bâton.

– C'est ça qui va vous guérir, mauvaise graine ! Vous n'êtes pas malade ! Vous voulez mes secrets !

François s'écarta prudemment, mais avec un sourire charmeur, et oublia sa comédie. Apparemment, l'un et l'autre s'étaient pris à un autre jeu.

– Man Josèph, je vous en prie... Montrez-moi vos plantes !

– Vous êtes déjà venu ! J'ai vu vos traces !

– Oui, mais je ne sais pas à quoi elles servent...

Man Josèph allait répondre, quand une nouvelle quinte de toux secoua Manon. Ils tournèrent la tête dans sa direction : elle était en train d'essuyer un filet de sang sur sa bouche. Ils cessèrent de sourire, et une expression grave s'afficha sur le visage de Man Josèph.

– Partez. Ne dites rien, s'il vous plaît...

François recula d'un pas, conscient d'être indiscret, puis il tourna les talons. Se retournant une dernière fois, il aperçut Man Josèph qui s'était approchée de Manon et lui passait un bras autour des épaules.

– Viens, Manon. C'est bientôt l'heure des zombis, il faut rentrer.

Man Josèph se pencha pour soulever le panier d'ignames, puis entraîna Manon en lui donnant le bras. Les deux femmes marchaient silencieusement. Man Josèph ne disait rien, mais elle était en colère : elle savait bien que Manon n'avait guère le choix, mais si elle était malade, pourquoi être dehors à cette heure-ci ? Pourquoi ne pas se reposer et ne pas avoir envoyé Adèle ramasser les ignames, se demanda-t-elle en apercevant Rosalie qui rentrait elle aussi dans sa case.

La case de Rosalie était plus misérable encore que celle d'Amédée. Elle n'avait rien d'un lieu de vie et se réduisait à un espace pour dormir. Aussi était-elle dépourvue de tout accessoire utile : ni ustensile de bois pour manger ni brasero ; non pas une paillasse de feuilles mais une simple planche de bois. Cependant, deux robes étaient suspendues à un clou dans un coin et un petit miroir cassé fixé au mur remplaçait la croix de chez Amédée.

La première chose que Rosalie fit en entrant fut de se regarder dans le miroir. Elle s'examina avec complaisance, comme pour s'assurer de sa beauté. Mais son visage s'assombrit soudain. Une pensée déplaisante lui traversa l'esprit : à cette heure-ci sans doute, le maître était en train de se coucher avec sa nouvelle femme et de lui montrer son coco.

Depuis l'arrivée d'Olympe, Théophile n'avait pas fait venir une seule fois Rosalie dans sa chambre. Et elle en était affectée. Cependant, elle sourit en pensant à la poupée de chiffon placée sous le matelas d'Olympe. À coup sûr, se dit Rosalie, cela ne se passerait pas bien entre eux ! Rassurée, elle se détourna de son image, recouvrit le miroir d'un morceau de tissu, détacha à regret ses boucles d'oreilles et ôta ses bracelets. Elle tira de sous son lit un madras plié en quatre qu'elle ouvrit, et qui contenait déjà des peignes, deux rubans de satin et un rasoir. Elle y déposa les bijoux, le replia soigneusement et allait le remettre à sa place quand elle entendit un rire. Un rire qu'elle connaissait. C'était celui d'Adèle, qui semblait provenir de l'abri du quartier des esclaves. Rosalie écarta précautionneusement deux bambous et, par un interstice, aperçut effectivement le visage rieur.

Depuis plusieurs jours, Adèle rejoignait Koyaba, profitant de la nuit pour lui rendre visite. Ils s'étaient habitués l'un à l'autre, et elle continuait de lui apporter les restes de ses modestes repas. Que fait-elle ? se demanda Rosalie qui continuait d'épier. Peu importe ! Elle décida de se coucher. Elle ôta son tablier, s'allongea sur son lit de bois, ferma les yeux et s'endormit rapidement.

Le rire d'Adèle retentit à nouveau, relayé cette fois par un rire masculin.

Adèle voulait parler avec Koyaba. Aussi depuis trois jours s'était-elle mis en tête de lui apprendre des rudiments de créole. Voici comment elle procédait : assise face à lui, elle lui faisait répéter les mots après elle, en les accompagnant de gestes. Elle prenait les mains de Koyaba qu'elle guidait en lui faisant toucher différentes parties de son visage. Koyaba répondait par des hochements de tête, tout en articulant après elle. « Le front », disait Adèle. « Le front », répétait Koyaba gauchement. Adèle l'encourageait avec des signes de tête et des sourires, le corrigeait quand il se trompait : ce furent les yeux puis le nez. Puis ce fut la bouche. Adèle tenait la main de Koyaba pour lui faire toucher sa bouche à lui, mais cette fois, il retint la main d'Adèle avec son autre main, tout en la regardant intensément. « La bouche », répéta-t-il, en approchant ses lèvres de la main d'Adèle. Il y déposa un baiser. Elle rit, légèrement troublée, sans chercher cependant à retirer sa main.

Ils furent soudain interrompus. Manon venait de surgir, l'air mécontent :

– Adèle ! Rentre à la maison !

Adèle s'écarta précipitamment de Koyaba.

– Maman-moin, on ne fait rien de mal ! Il est africain, comme toi ! C'est un major, un chef dans son pays !

– Paix bouche ! répondit plus doucement Manon. Les vrais hommes sont restés là-bas. Les vrais hommes ont sauvé leurs femmes et leurs filles. Ici, tu n'as que des corps-cadavres.

Et sur ces paroles que Koyaba ne comprit pas, Manon fit signe à sa fille de quitter l'abri. Adèle eut le temps d'échanger un regard de regret avec Koyaba avant de suivre sa mère.

Durant la nuit qui suivit, Koyaba répéta les mots qu'il avait appris : le front, le nez, les yeux, les joues, la bouche. La bouche, répéta-t-il plusieurs fois en souriant.

*
**

Le lendemain matin, Olympe était seule dans sa chambre, nue devant la psyché, à regarder attentivement son ventre, guettant les indices d'une grossesse. À vrai dire, elle ne savait guère ce qu'ils devaient être. Sa mère ne lui en avait jamais parlé. Elle avait entendu rapporter qu'on était prise de vertiges ou de nausées, que les seins devenaient plus pleins. Et elle semblait déçue de ne percevoir aucun de ces indices, persuadée qu'après quelques nuits passées avec un homme, on enfantait.

Le soir de son mariage, elle avait partagé pour la première fois de sa vie son lit avec son mari, du moins une partie de la nuit, car quand elle s'était réveillée, Théophile n'était plus là. Pour cette première fois, Théophile s'était montré précautionneux et attentif. Olympe avait découvert qu'il était expérimenté et elle fut satisfaite, pour ne pas dire transformée. Car il lui semblait que c'était la dernière chose qui lui restait à faire pour se sentir tout à fait femme. Théophile, lui, s'était ennuyé, puis il s'était rassuré : Olympe découvrait le sexe, il était normal qu'elle se montrât réservée. Question de temps et d'apprentissage, s'était-il dit, persuadé que les choses iraient en s'améliorant et qu'Olympe se perfectionnerait dans la subtilité des jeux amoureux.

Il s'était ennuyé, mais il avait aussi été surpris. Après avoir fait l'amour une fois – « une fois, cela ne suffit-il pas pour une première nuit ? » avait demandé Olympe –, celle-ci s'était détournée et lui avait présenté son dos. Elle avait dit vouloir maintenant rêver à son aise, comme si elle révélait une facette de sa personnalité dont il était important que son mari la comprenne et la respecte, à savoir que c'était avant de tomber dans les bras de Morphée que son imagination se mettait au travail, et qu'il ne pouvait soupçonner la beauté des images qui lui traversaient la tête pendant ces moments précieux.

Théophile était resté dans le lit, le temps pour Olympe de poursuivre son rêve éveillé. Elle l'alimentait du roman de Bernardin de Saint-Pierre, *Paul et Virginie*, qu'elle avait lu tout récemment. Et ce n'était plus Virginie telle qu'elle était décrite dans le roman qu'Olympe voyait, c'était Virginie sous ses propres traits. Théophile devait être son Paul ! C'était leur histoire et c'était délicieux ! Même exotisme des tropiques, même idylle amoureuse, même communion avec la nature, songeait Olympe, en se souvenant combien elle avait pleuré en lisant le roman pour la première fois. C'était son professeur qui le lui avait offert comme cadeau d'adieu. Le roman venait d'être publié, et il avait connu un succès immédiat. « Un cadeau d'au revoir, avait dit Olympe, car je reviendrai. »

Théophile était resté encore, le temps d'entendre la respiration d'Olympe devenir tout à fait régulière comme celle d'une enfant qui dort profondément. Mais avant les premiers rayons du soleil, il s'était levé, sans avoir pu fermer l'œil de la nuit, en songeant qu'il attendrait encore quelques jours avant de demander à Rosalie de préparer sa chambre personnelle. Il avait sellé son cheval et était parti galoper jusqu'à la plage.

Théophile devait malheureusement se rendre compte par la suite qu'il s'était trompé : les jours suivants, Olympe ne montra qu'un intérêt très modéré pour les choses de l'amour et ne chercha pas à se perfectionner. Cependant, il continuait à venir la retrouver, car il voulait un enfant.

Si Olympe n'avait qu'une faible inclination pour les jeux amoureux, elle aimait en revanche recevoir. Aussi était-elle heureuse quand Théophile lui annonçait la visite d'un hôte. Ce jour-là, Nicolas de La Rivière s'était lui-même invité à déjeuner.

Fraîche et dispose, vêtue d'une élégante robe de mousseline blanc cassé, Olympe s'appliquait à déployer tous les talents de la Parisienne distinguée. Autour de la table, le quatuor Théophile, Olympe, La Rivière et François. Manon et Amédée étaient chargés du service. Le déjeuner se déroulait parfaitement... si ce n'est qu'Olympe observait son mari qui s'empiffrait sans se soucier des bonnes manières. Elle fronça les sourcils à plusieurs reprises, sans rien dire cependant, préférant s'adresser à son voisin :

— Avez-vous lu *Paul et Virginie*, cher La Rivière ?

— Je dois dire que non, répondit celui-ci en louchant sur le décolleté d'Olympe, mais si Virginie a les mêmes attraits que vous, belle dame, alors je vais me précipiter...

– Vieux polisson ! lança Théophile avec un rire narquois. Tu n'as pas honte de faire la cour à ma femme ?

– Par pitié, Théophile, pas la bouche pleine ! ne put cette fois s'empêcher de lâcher Olympe.

– Tu vois, dit Théophile à la Rivière, je ne suis plus « Monsieur Mon Mari », je suis « Théophile » maintenant. Versailles se déboutonne...

La Rivière fut le seul à éclater de rire. François ne disait pas un mot. Théophile le fit d'ailleurs remarquer, et le jeune homme s'excusa d'être de mauvaise compagnie, prétextant le climat auquel il avait du mal à s'habituer.

Amédée, comme à son habitude, servait le déjeuner avec une efficacité exemplaire. Théophile n'avait nul besoin d'adresser un signe pour faire ôter les plats, apporter les suivants ou servir le vin. Cependant, il remarqua que Manon avait disparu de la salle à manger. Amédée lui avait en effet demandé de rester à la cuisine, ayant remarqué que le maître l'avait longuement dévisagée au moment où elle apportait les légumes frais sur la table. Théophile ne crut pas utile de relever l'absence de Manon, et suivit des yeux Amédée, porteur maintenant du plateau du café, servi dans un ravissant service en argent.

La Rivière regardait faire Amédée, admirant ses gestes sûrs et précis.

– Il est parfait, ce nègre ! Il n'a pas des fils que tu pourrais me vendre ?

– Non, malheureusement ! C'est pas le genre à faire des enfants à toutes les négresses qui passent...

Amédée resta concentré sur le service, faisait mine de n'avoir rien entendu. François sembla se sentir soudain mal à l'aise, et se mit à transpirer abondamment. Comme explication, il avança un accès de fièvre, et sortit un mouchoir de sa poche pour essuyer discrètement la sueur sur son visage. Olympe, elle, regarda son mari, l'air scandalisé :

– Quelle horreur ! Que faites-vous du sacrement du mariage, messieurs ?

– On s'en fout complètement ! Ils peuvent coucher avec qui ils veulent, du moment qu'ils sont dans les champs à l'aube !

– Les esclaves ne sont pas comme nous, chère madame. Leur religion est un vernis, ajouta La Rivière.

Cette fois, François intervint :

– Les colons ne sont pas eux-mêmes des modèles de piété...

– Ce que je veux dire, poursuivit La Rivière, c'est que les nègres vivent un peu comme les singes : ils s'accouplent librement.

– D'ailleurs c'est assez étrange, la natalité est très faible... conclut Théophile.

François avait baissé la tête, recommençant à transpirer, tandis que, n'y tenant plus, Olympe s'était levée brusquement. Elle prit la main de Théophile et l'obligea à se lever à son tour. Elle voulait lui parler seule à seul, et tout de suite ! Théophile maugréa qu'il n'avait pas fini, mais se laissa entraîner à l'écart. Olympe chuchota :

– J'ai compris pourquoi nous n'avons pas d'enfant ! J'avais fait le serment de faire dire la messe pour mes esclaves et je n'ai rien fait du tout. J'ai trahi ma promesse, et Dieu nous le fait savoir...

– Un enfant, ma chère, cela ne se fait pas en quinze jours, rétorqua Théophile, amusé par la naïveté de sa femme. Et puis les esclaves ont besoin du dimanche pour cultiver leur jardin, ajouta-t-il plus sérieusement. Si tu leur enlèves ce jour-là, il faudra que je leur donne à manger, sinon ils mourront de faim !

– J'ai fait ce serment, Théophile. Je suis coupable et nous sommes punis tous les deux.

Théophile allait avoir un geste d'humeur. Mais il y avait une sincérité dans l'attitude d'Olympe qui le fit hésiter. Il se retint :

– Calme-toi. Je passerai voir le père Louis cet après-midi.

Olympe était rassurée. Elle sourit à son mari, reconnaissante. Celui-ci retourna à table où La Rivière et François avaient commencé à boire leur café. Olympe ne le suivit pas. Elle fit le tour de la Grande Case et longea la cuisine à l'arrière. La cour était vide à cette heure. Les esclaves travaillaient aux champs. On entendait d'ailleurs le roulement du tambour et un chant dans le lointain. Et cette pensée revenait : Olympe avait fait une promesse au père Louis, un serment même. Il fallait qu'elle leur soit fidèle ! Elle voulait un enfant, Théophile aussi. Mais à cet instant, elle fut éblouie par la lumière crue de midi ; le soleil l'écrasait littéralement. Elle n'avait pas l'habitude de sortir à ce moment de la journée sans être accompagnée d'Adèle et de son ombrelle protectrice. Et puis, que venait-elle faire ici ? Elle sembla perdue, virevolta dans la cour comme pour trouver quelqu'un à qui parler, quelqu'un à qui annoncer que tous allaient pouvoir assister à la messe. Mais il n'y avait personne, et elle sentit la sueur qui commençait à perler sur son front. Elle rentra rapidement, alla se réfugier dans le salon sans un mot d'explication aux trois hommes encore attablés, qui ne lui en demandèrent d'ailleurs pas.

Elle s'allongea sur la méridienne, continuant de réfléchir : qui pouvait la comprendre ? Elle avait péché. Les esclaves, ce n'étaient pas tellement eux qui la gênaient. C'était d'avoir fait ce serment non tenu, qui lui apparut clairement comme la cause de ses malheurs : elle n'attendait pas d'enfant, elle sentait bien que Théophile la délaissait, elle n'avait rien entrepris depuis son arrivée. Certes, elle avait toute la vie devant elle, mais elle craignait que ses rêves de grandeur ne se ternissent. Il fallait se reprendre pendant qu'il en était encore temps. Oui, il fallait que les esclaves entendent la messe ! Olympe se leva et se planta devant les fenêtres du salon. Elle aperçut un esclave qui amenait les chevaux de Théophile et de La Rivière. Jacquier, lui, était déjà en selle.

Sur la véranda, Amédée assistait au départ du maître. Ce dernier et La Rivière se dirigèrent vers leurs montures et les enfourchèrent. La Rivière fit tourner son cheval pour s'éloigner par la grande allée. Théophile fit avancer le sien devant la véranda, et s'adressa à Amédée :

– Dis donc, ta femme est malade. Je ne sais pas ce qu'elle a mais je ne veux plus la voir. Jacquier va la faire travailler dans les champs de canne. Tu as entendu, Jacquier ? dit-il au commandeur qui se tenait juste derrière lui. Sinon, il faudra la vendre pendant qu'on peut encore en tirer quelque chose.

Amédée avait regardé Jacquier acquiescer de son hochement de tête. Théophile se détourna pour rejoindre La Rivière, et ils partirent ensemble au grand galop. Le commandeur demeura un instant devant Amédée, qui descendit les quelques marches de la véranda pour lui parler sans être entendu de Manon :

– Dents serrées, tu dois m'aider. Ma femme n'a pas la force de travailler la canne...

– Le maître ne veut plus la voir. Mieux vaut la canne que d'être vendue.

Amédée regarda Jacquier un instant sans pouvoir répondre. Puis :

– Merci, Dents serrées. Des amis comme toi, je m'en passe.

Amédée fit demi-tour tandis que Jacquier donnait un coup de talons sec contre les flancs de sa monture qui partit aussitôt au galop pour rattraper les chevaux de Théophile et La Rivière.

Sur la véranda, Manon attendait Amédée. Elle ne lui dit pas qu'elle avait entendu Théophile. Amédée sourit à Manon et lui caressa tendrement les cheveux :

– Ne t'inquiète pas, doudou mwen, je vais te trouver une bonne place.

Manon lui adressa un sourire forcé.

François avait rejoint Olympe dans le salon. Elle se tenait toujours debout devant les fenêtres, regardant Théophile, La Rivière et Jacquier s'éloigner vers les champs de canne. Elle paraissait soucieuse. Son frère le remarqua. Il ne se trompait pas.

— Je suis inquiète, François, dit Olympe sans quitter l'allée des yeux, Théophile se détache de moi. Je l'agace, il ne m'écoute pas.

— Mais aussi tu le critiques en permanence ! Un homme comme lui, on n'essaie pas de le changer ! Regarde comme il est fort, comme il est adapté à ce pays ! Pense à ce qu'il a traversé pour arriver là où il est !

Olympe se retourna.

— Je ne sais rien de lui ! Ou si peu ! Il me donne l'impression d'un lion nonchalant, seigneur de la savane ! Il semble si indépendant, et en même temps, sa force, c'est d'ici, de l'habitation qu'il la tire ! Quand je lui propose d'aller à Saint-Pierre, il refuse ! Il ne pense pas à moi. C'est un égoïste, voilà tout ! Ah non, François, ne me dis pas que tu l'admires !

— Mais si ! Il a l'énergie et la rugosité des premiers Romains. Je me sens faible, dégénéré en face de lui. Et ce La Rivière qui se croit un grand noble parce qu'il plante la canne depuis cinq générations ! Tu sais que les Noirs l'appellent « Gueule fardée » ? dit François en riant. Parce qu'il boit, paraît-il.

— Les Noirs ! Ils ne savent même pas ce que c'est qu'un gentilhomme ! Moi, je ne veux pas qu'on se moque de mon mari quand nous serons à Versailles.

François regarda sa sœur, médusé :

— Mais Olympe, nous ne retournerons jamais à Versailles !

— Mais si ! Si j'avais un enfant, je pourrais convaincre Théophile d'aller en France, pendant un an ou deux. Jacquier et Amédée sont tout à fait capables de s'occuper de la plantation.

— Mais c'est un Nouveau Monde, Olympe ! Tu ne trouves pas que nous avons de la chance ? Il y a tout à faire ici !

Olympe parut changer d'humeur, soudain. Elle virevolta dans la pièce :

— Eh bien moi, je veux m'amuser et profiter de ma fortune. Je me fiche des nègres, du sucre, de tout !

Et, adressant une révérence à son frère :

– Monsieur, je vous salue ! Je vais faire la sieste et rêver de Versailles...

Elle quitta le salon, laissant François perplexe. Il s'avança à son tour vers les fenêtres, et regarda lui aussi la grande allée, un chemin qui menait Dieu sait où, se dit-il.

Olympe avait rejoint son grand lit. Elle avait donné congé à Rosalie et Adèle. Allait-elle dormir ? Non, pas plus qu'elle ne rêverait de Versailles. Elle pensa à la conversation qu'elle venait d'avoir avec François. Il se trompait. Il lui semblait évident qu'elle retournerait à Versailles. Théophile régnait sur son territoire sans partage, mais elle saurait le convaincre de l'accompagner dans le monde ! Et à Paris, leur vie pourrait changer... Oui, ce qu'il fallait, c'est avoir un enfant ! Alors Théophile ne pourrait faire autrement que d'accepter de quitter l'île pour un an au moins. Puis, en réfléchissant, Olympe se fit soudain une remarque qui lui fit venir les larmes aux yeux : n'étaient-ils pas déjà loin, ses rêves de grandeur ? Mais quinze jours, ce n'est rien, se consola-t-elle, Théophile a raison, quinze jours ce n'est pas assez pour faire un enfant ! En même temps, Olympe se dit qu'elle ne savait pas exactement ce que Théophile faisait de ses nuits. Il était certain qu'il ne les passait pas avec elle, du moins pas entièrement. Oh, bien sûr, il venait le soir, et ils faisaient l'amour, comme ça, un peu vite, dans l'idée de faire cet enfant qu'ils désiraient tous les deux. Mais elle avait observé qu'il ne parvenait pas à dormir et que, dès les premiers rayons du soleil, il quittait la chambre à pas de loup. D'ailleurs, il n'y avait pas un matin où elle l'eût retrouvé à ses côtés. Elle se dit que c'était peut-être sa faute. Et elle se souvenait de cette première nuit où elle lui avait tourné le dos pour rêver à *Paul et Virginie* ! Leur relation lui semblait maintenant bien différente de l'idylle des amoureux innocents... Elle n'avait plus rien de Virginie, et Théophile n'avait d'ailleurs jamais rien eu de Paul.

*
**

Que Manon soit renvoyée aux champs, c'était la pire des choses qu'Amédée redoutait. Et elle aussi. Ils savaient l'un comme l'autre que dans son état, elle n'y survivrait pas. Elle avait déjà travaillé aux champs de canne, bien sûr. Et long-temps, même. Mais elle était jeune et vaillante à l'époque, soit plus de quinze ans auparavant, quand elle avait été achetée par un colon alors qu'elle venait de débarquer du négrier qui l'avait amenée ici, dans cette île qu'elle ne connaissait pas. Plus tard, sur la plantation de Théophile, elle avait rencontré Amédée, et ils étaient tout de suite tombés amoureux l'un de l'autre. Amédée, lui, travaillait déjà à la Grande Case. Et c'était grâce à lui qu'un jour, Manon avait quitté les champs pour s'occuper du linge. Aux champs, Manon avait vu et connu les pires souffrances. Y retourner dans son état, c'était plus qu'une condamnation, c'était signer son arrêt de mort.

Amédée savait qu'il n'avait désormais plus qu'un recours : Man Josèph. Il vint la voir dans la cuisine, accompagné de Manon. Il lui exposa la situation : le maître allait renvoyer Manon aux champs si Man Josèph ne les aidait pas. Celle-ci écouta attentivement Amédée, tout en remarquant l'air absent de Manon, comme si elle n'était déjà plus là. Man Josèph finit par dire, désolée mais d'une voix ferme :

– Mille pardons, chè, je ne peux pas la garder à la cuisine. Elle va nous rendre tous malades. Trouve-lui une place ail-leurs...

– Man Josèph, pour l'amour de Dieu ! Elle n'est pas malade, sa maladie, c'est l'Afrique.

Mais Man Josèph secouait la tête, l'air ennuyé :

– Amédée, elle ne veut pas guérir. La misère est raide pour tout le monde ici. Tout le monde souffre, mais Manon, elle ne fait rien pour se battre. Si elle veut couler, c'est toute seule...

Et Man Josèph se détourna pour aller s'occuper de ses cas-seroles, le visage fermé. Elle était fâchée de ne rien pouvoir faire pour Manon, mais elle savait qu'elle ne pouvait prendre le risque de mettre la vie de tous les autres en danger. Amédée regarda Manon, bouleversé. Elle eut un petit sourire triste, et haussa les épaules, comme pour dire que ce n'était pas grave.

Le lendemain, Manon retournait aux champs. Elle ne tiendra pas deux jours, se dit Amédée. Manon travailla trois jours pleins. Le matin du quatrième jour, à quatre heures, comme les jours précédents, elle se présenta à l'appel de Jacquier. Elle emprunta avec les autres esclaves la longue allée qui menait aux cannes, tandis que le commandeur les suivait à cheval. Pas question de traîner : le soleil allait bientôt se lever et il fallait profiter des premières heures de la journée. On était en pleine période de récolte, et, comme celle-ci s'annonçait faste cette année, Théophile escomptait un tonnage de sucre bien supérieur à celui de l'année précédente.

En bon commandeur, Jacquier savait parfaitement que le déroulement efficace d'une récolte et de la production du sucre tenait à l'observation de règles essentielles : l'aptitude des esclaves au travail, bien sûr, et leur capacité à apprendre, puis à répéter des gestes sûrs ; mais aussi le respect des horaires des pauses – celle du déjeuner et celles des distributions d'eau ; l'accompagnement obligatoire du tambour et d'un chant sensible à tous. Il savait aussi que son attitude était déterminante pour le fonctionnement des ateliers, à la tête desquels il avait placé des esclaves fidèles et vigoureux. D'ailleurs, tout le monde en était d'accord : un bon commandeur, et la plantation tournait ! À cet égard, Théophile ne pouvait que se féliciter du recrutement de Jacquier, qui s'acquittait parfaitement de sa tâche. Surnommé « Dents serrées » parce qu'il parlait très peu, il était solitaire, sombre et secret. Personne ne savait rien de lui et personne n'aurait su dire de quoi ses pensées étaient faites. Sa journée achevée, il se retirait dans sa case et on ne le voyait plus jusqu'au lendemain. Il semblait faire son travail sans aucun état d'âme, n'hésitant jamais à se servir du fouet quand cela était nécessaire. Son visage de cire donnait le sentiment qu'il avait rejeté hors de son cœur tout sentiment, toute émotion et toute sollicitude. À

quoi lui aurait-il servi d'être ému ? On lui demandait seulement de se faire obéir et que la plantation fonctionne dans les
règles.

Ce matin-là, chacun avait pris place dans son carré de canne
attribué par Jacquier. Lui, toujours à cheval, se tenait derrière
les hommes et les femmes, de façon à surveiller la progression
du travail. Il les connaissait tous, aucun de leurs gestes ne lui
échappait. D'où il était, le champ de canne donnait l'impression de s'ouvrir et de se coucher sur le passage des travailleurs, comme par magie. Rien de magique cependant, si ce
n'est que le rythme était rapide et régulier et que les coupeurs
étaient partis d'un bon pied. Les coups de coutelas étaient
nets, précis, puissants : sectionnement de la tige au plus près
du sol, comme Jacquier l'apprenait aux arrivants. Il espérait
seulement que les nouveaux venus achetés par Théophile au
port et qu'il allait devoir former seraient aussi bons que ceux
de cette fournée.

Les premiers coups de coutelas du matin étaient importants : de l'ardeur des coupeurs et de leur capacité à attaquer
l'ouvrage dépendait l'énergie de ceux qui travaillaient derrière eux. Cette première ligne était composée des hommes et
des femmes les plus robustes et les plus vaillants. Autant de
femmes que d'hommes d'ailleurs, celles-ci ayant une capacité
de travail au moins égale sinon supérieure à celle des hommes.
Sur le marché, une femme jeune et en bonne santé se vendait
aussi cher qu'un homme. Et dans les champs de canne,
hommes ou femmes, c'était la même attitude : même silhouette courbée en deux, même tête sous un chapeau, même
coutelas à lancer avec vigueur pour sectionner la longue tige
gainée de feuilles au bon endroit – régulières, les tiges, répétait Jacquier, pas plus d'un mètre de long.

Derrière les coupeurs, la ligne des amarreuses était, elle,
essentiellement composée de femmes, chargées de ramasser
les tiges et de les rassembler en gerbes par dizaine. Il fallait
aller vite, ne pas prendre de retard sur les coupeurs. Une
troisième ligne fermait la marche, hommes et femmes pour

récupérer les gerbes et les transporter sur leur dos jusqu'au moulin.

Le regard de Jacquier s'arrêta sur l'une des amarreuses qui n'avançait pas aussi vite que les autres. Oui, c'était Manon. Ce matin, au rassemblement, il avait déjà remarqué qu'elle semblait fatiguée. Le travail avait commencé depuis plus de deux heures, il faisait déjà très chaud. Courbée exagérément, Manon marchait en titubant. Sans doute devait-elle transpirer abondamment car elle ne cessait d'essuyer son visage avec ses revers de manche, s'arrêtait pour gratter ses jambes, victimes des morsures de la canne ou de celles des fourmis – nul doute que ses pieds soient enflés, pensa Jacquier –, et ses mains en sang avaient de plus en plus de difficulté à attacher les liens autour des gerbes. Devant elle, son coupeur avançait à belle allure. Il parlait à voix basse avec son voisin :

– Jésus Maria ! Les békés, c'est mauvaise race !

– Laisse-moi te dire. Quand la lune va mourir, les nègres marrons vont descendre des mornes et les battre...

– Paix bouche ! rétorqua le premier en apercevant Manon qui arrivait derrière lui.

Elle ne les avait pas entendus. Le roulement du tambour et un insupportable et puissant bourdonnement dans ses oreilles, c'est tout ce qu'elle percevait. La tête lui tournait, ses tempes palpitaient. La seule chose qui comptait encore, c'était de rester debout. Ses mains se mirent à trembler, sa vue se troubla, elle faillit renoncer, incapable de se redresser pour marcher. Le bourdonnement dans ses oreilles s'amplifia. Il ne faut pas tomber, il ne faut pas. Un dernier effort, et elle parvint à faire quelques pas, mais tout était flou devant elle. Son coupeur avait remarqué le temps d'arrêt. Il la désigna à son voisin :

– C'est la femme d'Amédée ! Amédée est un boug' fort ! Le maître l'écoute.

– Alors pourquoi sa femme coupe la canne ?

L'autre n'eut pas le temps de répondre. Derrière eux, Manon venait de s'écrouler, évanouie. Pas question d'interrompre le travail. Jacquier fit un signe à une femme de la troisième ligne pour qu'elle vienne prendre sa place. Puis il fit avancer son cheval jusqu'au corps inerte, sans se presser. Il tenait son fouet à la main, sachant pourtant déjà qu'il n'aurait pas à l'utiliser.

Deux hommes furent chargés de ramener Manon jusqu'à sa case.

Allongée sur sa paillasse, elle était dans une transe fiévreuse qui la faisait délirer, et son corps était secoué de spasmes intermittents. À ses côtés, Adèle s'appliquait à éponger son visage trempé de sueur et rafraîchissait son front avec un linge humide. Amédée, torse nu comme toujours quand il était dans sa case, remplit une calebasse d'eau, et se mit à laver les mains ensanglantées avec un morceau de tissu qu'il rinçait régulièrement. Man Josèph était là elle aussi, occupée à préparer un cataplasme au-dessus du brasero.

Peu à peu, Manon parut se calmer et elle ferma les yeux. Amédée finit de lui laver soigneusement les mains, inquiet de les sentir devenir molles sous les siennes. Il crut un instant que Manon était en train de mourir, et se pencha.

– Chère doudou, est-ce que tu dors ?

Elle entrouvrit les yeux et lui adressa un petit sourire : non, elle ne dormait pas.

– Écoute mon songe de cette nuit. On était tous les trois à Saint-Pierre, on sortait de la messe, joliment habillés. Tu avais de belles chaussures, ta plus grande robe et Adèle une ombrelle. Les gens nous regardaient avec envie car nous étions des gens libres. J'avais racheté notre liberté et on marchait tranquillement dans Saint-Pierre le jour du Seigneur, bien fièrement.

Manon sourit et ouvrit plus largement les yeux.

– C'est beau, doudou moin. Si ton songe revient, tu peux dire que vous serez libres. Tu seras un homme libre, Amédée. Et Adèle aussi.

Adèle et Amédée se regardèrent en silence alors que Manon refermait ses paupières. Ils avaient entendu la même chose : l'avenir serait sans elle. Man Josèph ne dit rien : elle savait que Manon était déjà loin.

– Tes mains te donnent la fièvre, dit Amédée qui ne voulait pas montrer son émotion.

Man Josèph s'approcha avec le cataplasme qu'Amédée voulut appliquer lui-même ; avec des gestes tendres, il lissa la pâte verte sur les paumes de Manon qui gémit.

– Ça brûle un peu, mais ça ôte le mal, dit Amédée. Parle de l'Afrique à ta fille, ça t'empêchera de penser...

– Allez, maman-moin, raconte-moi ta vie de l'autre bord !

Manon acquiesça, elle ouvrit de nouveau les yeux et se redressa, comme rassemblant ses dernières forces. Son visage calmé ne transpirait plus ; il sembla même se détendre et s'illuminer, on aurait dit qu'elle revenait à elle. Ce n'était plus Manon la grise, Manon l'absente, Manon la déjà-morte. Elle se mit à raconter son histoire d'une voix claire :

– Je m'appelle Kalièle et je suis une Ibo de la côte de l'Or. Mon père était chasseur. Il avait trois femmes et ma mère était la plus jeune. Elle portait des tresses et sur le visage des marques comme les miennes...

Dans la pénombre, Adèle, Amédée et Man Josèph écoutaient en silence une histoire qu'ils connaissaient par cœur : l'Afrique, la tribu, des parents, une enfance avec des frères et des sœurs... Mais cette fois, c'était différent. Il se passait quelque chose d'étrange : le chagrin semblait abandonner Manon. Bien sûr, c'est l'effet du cataplasme de Man Josèph qui connaît les herbes pour soigner tous les maux, pensa Adèle rassurée. Et elle sourit à son père. Lui ne souriait pas, il écoutait l'histoire qui s'arrêtait toujours au même endroit : à une veillée heureuse dans une tribu d'Afrique lorsque Manon avait seize ans. Amédée espéra secrètement que pour une fois, Manon poursuivrait le récit de sa vie, l'autre moitié, le petit bout qu'ils avaient passé ensemble, lui et elle, avec leur fille

Adèle. Mais comme à l'habitude, Manon s'arrêta à la veillée africaine. Puis elle parut s'endormir.

Cette veillée avait été la dernière : le lendemain, tous furent capturés. Tous, non : seulement ceux dont la vie avait une valeur marchande ; les enfants en bas âge furent massacrés sous les yeux de leurs parents, les vieillards abandonnés. La première fois que Manon avait fait ce récit-là à sa fille, elle s'était excusée de n'avoir mentionné ni Amédée ni Adèle. Bien sûr, elle les aimait, ils faisaient partie de sa vie. Mais de sa seconde vie, avait-elle expliqué, de celle qu'on n'aurait jamais voulu vivre. Sa vraie vie s'arrêtait là-bas avec les siens, quand elle était libre. Amédée et Adèle ne pouvaient lui en vouloir : la vie avec eux avait commencé alors qu'on l'avait déjà tuée.

Amédée regardait Manon qui lui semblait endormie, tant son visage était serein. Elle ne dormait pourtant pas tout à fait, elle songeait au rêve d'Amédée : la liberté, Amédée, je crois que j'ai oublié ce que c'est... Mais si tu pouvais faire le même songe une seconde fois, Amédée, alors il se réaliserait et vous seriez libres, elle et toi...

L'idée lui avait semblé absurde, et pourtant Théophile l'avait fait : il était allé voir le père Louis, comme sa femme le lui avait demandé. Si bien qu'en ce dimanche matin du mois de mars, Olympe était habillée d'une robe sage pour assister à la première messe qui allait avoir lieu à l'habitation.

Fière d'être à l'origine de ce qu'elle considérait comme une révolution, elle surveillait les derniers préparatifs tout en se rassurant sur son avenir : demain serait un jour nouveau, le serment fait le jour de son mariage tenu.

À présent, elle regardait Amédée installer dans la cour une table de bois destinée à servir d'autel, et elle apporta elle-même un drap blanc brodé dont elle la recouvrit.

Quand un esclave vint prévenir que la chaise du père Louis arrivait, elle se précipita à sa rencontre. Le père serra chaleureusement les mains d'Olympe, en la félicitant d'avoir réussi à convaincre Théophile de se préoccuper du salut de ses esclaves. La jeune femme avait bien envie de parler au prêtre et de justifier longuement son geste, mais il s'était déjà détourné : il s'affairait devant l'autel de fortune, sortant d'une sacoche les objets du culte et une étole qu'il passa rapidement sur sa soutane. Il s'excusa : le dimanche n'était vraiment pas un jour de repos pour lui. Il lui fallait arpenter la commune pour dire messe après messe et il était débordé ! Il ajouta qu'il serait contraint d'écourter l'office : une demi-heure, c'est tout ce qu'il pourrait faire aujourd'hui.

La veille, Jacquier avait appris aux esclaves qu'ils entendraient une messe le lendemain. Ceux-ci, qui n'avaient que le dimanche pour cultiver leur jardin, s'étaient donc levés à l'aube et venaient de passer quelques heures à entretenir leur terrain et à y récolter racines et légumes.

Ils assistèrent donc à ce qui devait être la première messe de l'habitation Bonaventure, et qui fut aussi la dernière. Ils se tenaient debout dans la cour, sous un soleil écrasant, juste derrière Amédée, Adèle, Rosalie et Man Josèph.

Sur un côté de la cour, Olympe et Théophile, monsieur et madame de Rochant, arrivés de Saint-Pierre la veille au soir, étaient installés dans de larges fauteuils. Des esclaves tenaient des ombrelles au-dessus de leurs têtes. François avait préféré rester debout, un peu à l'écart.

Olympe paraissait plus concentrée qu'elle ne l'était le jour de son mariage ; elle écouta la messe attentivement, jetant parfois un coup d'œil vers les esclaves, fière de ce qu'elle leur offrait, retrouvant confiance en l'avenir, se jugeant généreuse. Elle se trompait : elle n'avait agi que dans l'espoir que Dieu lui accorderait rapidement un enfant. Théophile, lui, ne parvenait pas à dissimuler son ennui. Ses yeux erraient ici et là : ils s'arrêtèrent sur Jacquier, debout derrière les esclaves dans une immobilité parfaite ; puis sur Olympe, sa femme qui avait l'air d'une jeune fille dans sa robe claire, et avec son chapeau de paille, celui-là même qu'elle portait le jour de son arrivée à Saint-Pierre. Elle tenait elle-même une légère ombrelle d'une main nonchalante, ayant poussé Adèle, dont elle pourrait bien se passer une demi-heure, à se placer au premier rang. Et Adèle la suivait fort attentivement, cette messe.

Le père Louis leva enfin l'hostie au-dessus de sa tête :

– *Agnus Dei, qui tollis peccata mundi : miserere nobis...*

Amédée, Adèle, Rosalie et Man Josèph murmuraient la prière avec dévotion tandis qu'Olympe, monsieur et madame de Rochant, François et Théophile se levaient pour aller communier. Jacquier s'abstint. Ce fut au tour des esclaves domestiques d'avancer. Adèle et Amédée, revenus à leur place, priaient, les mains jointes, pour la guérison de leur Manon.

Jacquier fit ensuite avancer les esclaves les uns après les autres. Hommes et femmes s'agenouillaient timidement, avalaient l'hostie et se relevaient rapidement, comme honteux de leur geste.

Quand arriva le tour de Koyaba, il resta debout. Jacquier tira aussitôt sur la chaîne qui lui entravait encore les pieds. Il tomba à genoux, et le père Louis en profita pour lui faire le signe de la croix sur le front. Koyaba releva la tête et lui cracha au visage. Un murmure d'effroi parcourut l'assemblée. Les Rochant se levèrent tandis que le fouet de Jacquier claquait sans pitié sur le visage et sur les épaules de Koyaba. Olympe s'interposa :

– Arrêtez ! Arrêtez, vous lui faites mal !

Jacquier s'interrompit.

– Pardonnez-lui, mon père, il est mahométan, il vient d'arriver...

– Vous avez tort de pardonner, ma fille, rétorqua le père Louis.

Olympe le regarda sans comprendre, sentit les larmes lui monter aux yeux, allait répondre, mais Théophile ne lui en laissa pas le temps. Il s'était levé, hors de lui.

– Allez, assez de bondieuseries ! Jacquier, tu m'emmènes celui-là et tu lui mets les fers, on va s'occuper de le dresser...

– Il faut vous débarrasser de ce nègre, mon fils, dit le père Louis. Sa résistance pourrait servir d'exemple.

– Les autres sont comme lui ! Ils se fichent de vos prières, mon père, et vu le peu que Dieu fait pour eux, je les comprends ! grinça Théophile.

– Théophile ! Vous parlez à un prêtre ! dit madame de Rochant.

– Et alors ? Je suis chez moi et je dis ce que je veux !

La messe inachevée avait duré à peine vingt minutes. Le père Louis, furieux, rangea sa sacoche et partit sans saluer. Olympe le regarda partir, les yeux embués de larmes, trop humiliée pour prononcer un mot. Son échec était cuisant, Théophile s'était comporté en rustre ! Elle regardait éperdue l'assemblée qui paraissait aussi navrée qu'elle. Adèle suivait des yeux Jacquier qui entraînait Koyaba ; les esclaves ne savaient que faire ; madame de Rochant s'était rassise, sur le point de se trouver mal ; monsieur de Rochant n'avait pas cru bon d'intervenir. François était resté debout, et il observait les esclaves en haillons qui transpiraient et piétinaient sur place. Il avança d'un pas vers sa sœur.

– Il a raison. Qui écouterait la parole de Dieu dans ces conditions ?

Olympe se tourna vers son frère :

– Oh toi, tu excuses toujours tout le monde !

Théophile, heureux de trouver un allié, donna à François une grande claque dans le dos.

– À la bonne heure ! Il y a au moins une personne de bon sens dans cette famille ! dit-il. Puis il quitta les lieux d'un pas alerte.

Madame de Rochant laissa Rosalie s'approcher d'elle pour l'éventer, quoiqu'elle continuât à trouver cette fille d'une lascivité inconvenante. La rage et la colère succédèrent à l'humiliation chez Olympe, qui vint retirer d'un geste brutal le drap blanc qui recouvrait la table de bois. Elle le jeta à l'autre bout de la cour, tandis qu'Amédée s'approchait d'elle pour lui dire que le déjeuner était prêt si elle désirait passer à table.

À la fin de la journée, monsieur et madame de Rochant furent heureux de reprendre la route de Saint-Pierre, malgré l'inconfort des chaises à porteurs à supporter de nouveau. Ils avaient passé une très mauvaise journée, assisté à une messe qui avait viré au cauchemar. Le déjeuner dominical avait été une humiliation de plus : après l'office, Théophile était parti à cheval, ayant, avait-il dit à Jacquier, besoin de faire un tour. Il n'était pas reparu. On avait peu mangé, à peine parlé. François avait essayé de détendre l'atmosphère, en vain. Théophile n'était rentré qu'au milieu de l'après-midi.

Jacquier venait de faire avancer les chaises des parents Rochant, ainsi qu'un cheval pour François, occupé pour l'instant à faire ses adieux à Man Josèph dans la cuisine.

Olympe les embrassa, tremblant encore d'humiliation.

— Je suis désolée, dit-elle à sa mère. Je ne lui pardonnerai jamais...

— Ma pauvre chérie, l'essentiel, c'est que nous ayons pu prier ensemble pour que tu aies un enfant...

Les larmes aux yeux, Olympe tomba dans ses bras, mais s'en détacha quand elle aperçut François qui arrivait. Elle se précipita vers lui.

— Je t'en supplie ! Ne pars pas ! Je ne veux pas me retrouver seule avec lui !

François était désemparé.

— Viens avec nous, mon garçon. Tu perds ton temps ici. Si tu veux te faire une position à Saint-Pierre, il faut au moins que tu t'y montres... dit son père.

— Ma position attendra quelques jours de plus ! Et il passa un bras autour des épaules d'Olympe. Je sens qu'on a besoin de mes talents de diplomate...

Olympe lui adressa un sourire reconnaissant. Monsieur et madame de Rochant s'installèrent dans leurs chaises. Un dernier regard à leurs enfants, puis un signe aux porteurs. Théophile avait salué ses beaux-parents, sans prendre la peine de les raccompagner, se fichant bien d'avoir baissé dans leur estime. Et il était vrai que madame de Rochant quittait l'habitation en regrettant l'union de sa fille à ce roturier.

Lorsque Théophile reparut sur la véranda, les chaises à porteurs étaient déjà loin. Il s'approcha de Jacquier, constata que François ramenait lui-même son cheval à l'écurie, et en conclut qu'il avait décidé de rester. Adèle tendit l'ombrelle à Rosalie en lui demandant de bien vouloir la remplacer, et Jacquier comme Théophile la virent contourner la Grande Case avant de disparaître. Sans doute allait-elle prendre des nouvelles de sa mère.

Olympe se redressa pour passer près de son mari avec un air hautain et froid.

– Je dormirai seule cette nuit, Théophile. J'ai la migraine.

Elle entra dans la maison, suivie de Rosalie.

– Bon débarras ! Ma femme est très belle mais elle fait l'amour comme une couleuvre, mon vieux. Aussi froide et la même odeur...

– Les couleuvres ont une odeur ?

– Justement pas, Jacquier ! C'est fade, une Blanche, c'est trop fade ! Dis à Rosalie de venir cette nuit. Oh, et puis, non ! Je la connais trop, j'aurais l'impression de coucher avec ma femme ! Fais venir la petite Adèle, ça va me changer...

Jacquier ne répondit pas et se contenta de regarder Théophile dans les yeux.

– Oui. Je sais, il y a Amédée.

Il ajouta avec un geste d'humeur :

– Et puis merde ! Je m'en fous, sois discret.

Il entra à son tour. Jacquier demeura un instant à regarder la grande allée devant lui. Pas de champs de canne, aujourd'hui ! pensa-t-il. Le roulement du tambour provenait du quartier des esclaves qui chantaient et dansaient comme ils avaient coutume de le faire le dimanche. Jacquier songea à sa solitude à lui, comme à une compagne familière. Il n'en fut pas ébranlé ; il restait immobile, à contempler la mer au loin, qui se fondait avec le bleu uniforme du ciel. Le vol de quelques oiseaux de passage le tira de sa rêverie, et Jacquier se souvint que Théophile venait de lui confier une mission.

C'est dans le jardin d'Amédée qu'il finit par trouver Adèle. Il l'avait entendue chanter et s'était approché discrètement : elle était en compagnie de Manon, qui apparemment allait mieux ; toutes deux étaient occupées à ramasser des patates douces. Adèle ne tenait pas en place et chantonnait gaiement, en faisant le pitre : une patate devant le nez, elle louchait en faisant des grimaces puis éclatait de rire. Et cela faisait rire aussi Manon, qui lui donna cependant une petite tape sur la tête pour la rappeler à la corvée. Mais Adèle ne s'arrêtait pas, poursuivant son manège en tournant sur elle-même.

Apercevant Jacquier derrière elle, elle s'interrompit tout net. Manon se retourna elle aussi.

– Qu'est-ce qu'il veut celui-là ? demanda Manon.

– Il ne vient jamais ici, dit Adèle.

Jacquier hésitait. C'est qu'il n'aimait pas la mission confiée par Théophile. Il s'adressa à Adèle :

– Le maître veut te voir.

– Moi ? Pourquoi ?

Jacquier ne répondit pas. Manon poussa un cri :

– Non ! Pas ma fille ! Va chercher Rosalie !

En entendant prononcer le nom de Rosalie, Adèle comprit à son tour la raison de la visite de Jacquier. Tétanisée, elle alla se cacher derrière sa mère comme pour être protégée.

– Tu y vas, ou ta mère sera vendue demain matin.

Manon regardait Jacquier avec des yeux implorants qui bientôt se remplirent de larmes. Et son dos se courba à nouveau. Adèle fit un pas en avant et baissa les yeux pour signifier à Jacquier qu'elle était prête à le suivre.

– Pas tout de suite. Quand le soleil sera parti.

Et il tourna les talons. Adèle se précipita pour prendre dans ses bras Manon qui s'était mise à sangloter, secouée de nouveaux spasmes. Il fallait rentrer au plus vite, pensa Adèle, qui entraîna sa mère vers leur case. Elle l'obligea à se coucher et tenta de la calmer comme elle put. Elle chanta à nouveau la comptine africaine que sa mère lui avait apprise, mais d'une plus petite voix.

Quand Adèle eut le sentiment que sa mère était un peu apaisée, elle sortit et fila tout droit à l'abri des esclaves. Elle voulait y retrouver Koyaba, et il fallait se dépêcher : le soleil allait bientôt se coucher et les autres rentreraient à leur tour.

– Paix là ! C'est moi... dit-elle en entrant.

Surpris de la voir arriver en plein jour, Koyaba le fut plus encore quand elle s'approcha de lui, farouche et déterminée, et se mit à se frotter contre lui, féline et sensuelle. Elle s'était assurée d'un regard qu'il n'y avait personne alentour, avait remarqué les fers aux pieds de Koyaba, mais cela ne lui importait pas.

– Koyaba, doudou, prends-moi... Tout de suite ! souffla-t-elle.

Koyaba répondit à l'invite désespérée d'Adèle et se mit à la caresser. Sans prendre le temps de se déshabiller, ils firent l'amour rapidement. Adèle eut mal un instant. Koyaba la tenait serrée contre lui, et il sentait son cœur battre contre sa propre poitrine. Adèle déposa un baiser sur les lèvres de Koyaba et s'éclipsa comme elle était venue.

Sur le sol de terre battue, il y avait un peu de sang. Koyaba s'accroupit et passa sa main sur la terre de façon à y effacer ces traces.

La mission de Jacquier n'était pas terminée. Il fallait écarter Amédée pour la nuit, et Jacquier avait imaginé une solution simple. Il vint chercher Amédée dans la Grande Case et prétexta avoir quelque chose à lui montrer. Amédée suivit Jacquier jusqu'à la remise où étaient rangés des outils, ceux qu'on utilisait pour enchaîner les esclaves désobéissants. La cabane était tapissée de fers et de chaînes pendues à des clous. Dans un coin, les tenailles et l'enclume du forgeron.

Jacquier ouvrit la porte et ils pénétrèrent ensemble dans la remise. Jacquier hésitait. C'est comme un coup de couteau dans le dos, pensa-t-il. Quelque chose en lui, confusément, lui rappelait qu'il allait trahir un homme qui s'était toujours montré loyal avec lui. Et pas n'importe qui, l'intendant de la Grande Case. Jacquier avait toujours obéi à Théophile, sans broncher. Cette fois, c'était différent. Non seulement il allait trahir Amédée, mais encore cette histoire allait sans doute aggraver l'état de Manon. Oui, il n'avait pas aimé annoncer à Adèle que le maître voulait la voir alors que Manon était malade. Le geste qu'il allait devoir faire maintenant ne lui disait rien qui vaille.

Amédée s'étonna de son silence soudain, se tourna vers lui pour le regarder. Jacquier détourna les yeux et désigna des épluchures de canne tassées au fond de la cabane.

— Regarde. Les marrons donnent même des rendez-vous ici.

Et, pointant son index vers un clou vide, il ajouta :

— Il manque une tenaille. Si on laisse ça comme ça, ils nous voleront même les fers...

Amédée resta un instant silencieux, partagé entre la satisfaction d'apprendre que les marrons poursuivaient leur lutte et la crainte des ennuis à venir, troublé en outre par l'attitude de Jacquier. Il finit cependant par s'avancer, s'accroupit et ramassa les feuillages.

— Tu as raison, dit-il. Il faut déplacer cette case, la mettre à côté de la tienne.

Jacquier profita de ce qu'Amédée lui tournait le dos pour reculer discrètement jusqu'à la porte, qu'il referma doucement sur l'intendant, plongeant la remise dans l'obscurité totale. Amédée se releva sans comprendre.

— Jacquier ? Ça ou ka fé mwen là ?

Jacquier bloqua la porte avec un madrier et s'éloigna sans répondre, la tête baissée, tandis qu'Amédée continuait de l'appeler.

Quelqu'un d'autre s'appliquait à préparer sa nuit : Rosalie, qui s'était réjouie d'entendre Olympe dire à son mari qu'elle dormirait seule. Un caprice d'orgueil, bien sûr, de la part d'Olympe. Elle aurait voulu que Théophile la retienne. Mais elle dut sangloter de rage sur son lit, la tête enfouie dans ses oreillers, furieuse contre elle-même, furieuse contre tout. Cela faisait plus d'une heure qu'elle pleurait, tandis que Rosalie se tenait debout près du lit, en songeant à la poupée de chiffon sous le matelas.

Elle est affreuse, pensa Rosalie, quand finalement Olympe se redressa sur le lit. Comme elle avait beaucoup pleuré, ses yeux étaient gonflés et son teint rouge, ses longs cheveux décoiffés et sa robe froissée. Olympe le constata elle-même, quand elle vint s'asseoir à sa coiffeuse et se regarda dans le miroir.

— Je suis affreuse ! hurla-t-elle.

Elle interpréta comme un geste délicat celui de Rosalie, en train de fermer les persiennes pour atténuer la lumière crue sur sa disgrâce passagère. À la vérité, Rosalie voulait mettre au plus vite la maîtresse au lit et rejoindre le maître dans le sien !

— Regarde comme je suis rouge ! poursuivit Olympe. Et si Théophile venait quand même dormir ici ? Quelle honte s'il me voit comme ça !

— Il ne viendra pas. Il a fait dresser son lit dans son ancienne chambre.

— Ah bon ? interrogea Olympe avec un air déçu. Tu en es sûre ? Elle se leva d'un bond, puis sembla hésiter. Et si j'allais le trouver pour lui demander pardon ?

— Maîtresse, il ne faut jamais supplier un homme. Après, ils font ce qu'ils veulent avec vous. Laissez-le bouder dans son coin, faites la dégoûtée. Il reviendra.

Et Rosalie s'appliqua à aider Olympe à se déshabiller et à passer une chemise pour la nuit. Puis elle ouvrit les draps, prit la main d'Olympe qui se laissa conduire comme une enfant malade, songeant à ce conseil. Une fois Olympe couchée, Rosalie lui apporta une tasse de tisane :

— Tenez, c'est pour vos yeux. Demain, ils seront neufs.

Elle devait encore attendre qu'Olympe s'endorme. Elle s'assit devant la coiffeuse, regarda son visage dans la pénombre, ne se trouva pas affreuse du tout, elle. Quand elle fut sûre qu'Olympe s'était assoupie, elle tendit la main vers un flacon de parfum, en déposa quelques gouttes entre ses seins, puis s'adressa dans le miroir un sourire triomphant.

La nuit était tombée quand Manon sortit de sa case et s'enfuit dans l'obscurité. Elle ralentit le pas en arrivant sur la plage. Son visage était enduit de cendres et elle tenait dans ses mains des colliers et des amulettes. La nuit était claire, et elle leva les yeux vers le ciel et sa multitude d'étoiles scintillant au-dessus de la mer. Ses yeux semblèrent s'allumer un instant, à l'image des étoiles. Manon passa ensuite autour de son cou les colliers et les amulettes, jeta un dernier regard vers les étoiles et entra lentement dans l'eau. Elle ne maudissait même pas le monde qu'elle laissait derrière elle, elle souriait en avançant : « Je m'appelle Kalièle et je suis une Ibo de la côte de l'Or. Kalièle, oui, c'est mon nom. Le seul, le vrai. Mon pays, c'est l'Afrique, mon seul pays. Ma Guinée ! Te retrouver ! Puisqu'il faut mourir pour te revoir, je veux mourir. À toi ma fille Adèle, je n'ai rien pu donner. Ni mon nom ni ma langue. Je ne m'appelle pas Manon. Je m'appelle Kalièle. Il reste bien peu de ma langue dans ce créole que tu parles, Adèle ! Ne m'en veuillez pas, Adèle et Amédée ! Amédée, tu as rêvé que tu avais racheté notre liberté et que nous nous promenions dans Saint-Pierre. Mais quand, cette liberté ? Je la choisis maintenant. Mon âme va rejoindre l'Afrique, je vais retrouver les miens. Regarde ! Je porte les amulettes que Man Josèph m'a données ! Elles ressemblent à celles dont on m'a dépouillée quand j'ai été capturée. Vois, Amédée, je retourne chez moi ! »

Et Manon laissa l'eau se refermer sur elle.

À la Grande Case, un homme semblait en revanche retrouver vie.

Étendu sur son lit dans sa chambre personnelle retrouvée, Théophile ne quittait pas des yeux Adèle, debout au centre de la pièce, en train de se déshabiller. Il remarqua qu'elle tremblait – à moitié de rage et de peur, sans doute, il en avait l'habitude quand une petite venait ici pour la première fois.

– Enlève ta jupe. Le corsage maintenant... Doucement.

Adèle finissait de se dévêtir quand la porte s'ouvrit brusquement. Rosalie fit irruption dans la pièce tandis qu'Adèle plaquait son corsage contre sa poitrine. Tous trois se figèrent.

CHAPITRE 5

Dans l'obscurité de la remise, Amédée avait longuement appelé, en vain. Il avait essayé de sortir de là, usé de fers, clous et tenaille pour faire céder la porte, en vain aussi. Comme il faisait nuit depuis longtemps sans doute, il avait fini par renoncer et s'était assis dans un coin pour tâcher de dormir un peu. Mais une question le taraudait : pourquoi Jacquier l'avait-il enfermé ? Jacquier avec qui il lui semblait pourtant avoir une relation loyale depuis quelque temps... Ensuite Amédée s'était mis à penser à Manon qu'il admirait, dont il était tombé amoureux dès qu'il l'avait rencontrée sur cette terre de souffrances, Manon qui disait cependant que l'histoire de sa vraie vie s'arrêtait en Afrique. C'était elle qui avait raison. Ils s'aimaient, mais quelle place ici pour l'amour pleinement vécu ? Et aujourd'hui, renvoyée aux champs parce qu'elle était malade, elle n'avait rien dit de l'humiliation qu'elle avait dû ressentir : esclave domestique chargée du linge et du service de table, habillée correctement et mangeant à sa faim, elle se retrouvait avec les esclaves de jardin ! Les mêmes que ceux avec qui elle avait commencé son dur chemin en arrivant dans la Martinique des champs de canne ! Oui, de cet enfer de la canne où l'on touche le nombril de Lucifer, Manon s'était crue du moins sortie. De la mortification silencieuse de sa femme, Amédée se sentait profondément dégradé : il occupait dans la hiérarchie des esclaves la place la plus haute, et on renvoyait Manon en bas ! C'était bien elle qui travaillait les pieds et mains en sang à l'attache des tiges, et de la honte qu'il en éprouvait lui-même Amédée eut des remords. Il mit beaucoup de temps à s'endormir, dans le décor des chaînes du réduit, autre variante de l'enfer.

Le lendemain à l'aube, la porte de la remise s'ouvrit en grinçant sur son corps somnolent, et un large rai de lumière éclaira son visage. Amédée ouvrit les yeux en sursautant, et découvrit la silhouette de Rosalie qui se découpait à contre-jour sur l'extérieur. Il bondit sur ses pieds comme un diable, les yeux fous.

— Pourquoi Dents serrées m'a-t-il enfermé ?

Rosalie eut un rire sans joie.

— Quand le zanoli donne un bal, il n'aime pas être dérangé.

— Arrête avec tes devinettes ! Qu'est-ce qui se passe ?

Rosalie ne répondit pas. Amédée fit un pas pour sortir. Elle s'écarta et le jour révéla son visage marqué d'une balafre sanglante sur sa joue gauche.

— Qui t'a fait ça ? Le maître ? demanda Amédée stupéfait.

— J'ai marché sur la queue du chien pendant qu'il baisait ta fille.

Amédée se raidit, dans ses yeux une expression de haine. Il écarta brutalement Rosalie et se rua au dehors. Il était déjà loin quand elle lui cria :

— C'est trop tard, ché ! Elle est déjà rentrée !

Amédée comprit soudain pourquoi Jacquier l'avait traîtreusement enfermé. Et le maître ? Pourquoi son Adèle ? Il avait cru que Théophile l'épargnerait, lui et sa famille, puisqu'il était à ses côtés depuis plus de dix ans ! Et il se demanda comment il avait pu se tromper même là-dessus, comment il avait pu croire à de l'indulgence dans ces enfers ! Le sort de Manon aurait dû être une preuve suffisante ! Pourquoi le maître aurait-il hésité à lui prendre sa fille ? Espérer un peu d'humanité, au-delà de se résigner et survivre ? Non, c'est Manon qui avait raison, pensa à nouveau Amédée. Rien à attendre des bourreaux, ni de Jacquier, ni de Théophile, ni de personne. Et tout en courant, Amédée les condamnait aux flammes ou aux glaces, car ils les connaîtraient ! Lorsqu'il traversa la cour où les esclaves répondaient déjà à l'appel du commandeur, celui-ci l'arrêta en lui prenant le bras – c'était un geste qui se voulait franc. Il aurait voulu lui dire qu'il n'avait pas eu le choix, qu'Amédée le savait aussi bien que lui ; il n'eut pas le courage de parler, et ce n'était d'ailleurs pas son genre. Amédée écarta rageusement la main et regarda Jacquier dans les yeux :

– Fous le camp, salope ! À partir de maintenant, je suis ton ennemi !

Il courut vers sa case où il entra en trombe. Il s'arrêta net : Adèle était là, assise par terre, recroquevillée comme un animal, la tête enfouie dans ses bras et ses genoux repliés. Elle leva la tête : visage défait, robe à peine rattachée, et puis un désarroi et une tristesse dans ses yeux que son père ne lui avait jusque-là jamais vus. Elle se redressa lentement, sans oser le regarder, s'adossant contre le mur de bambous. Des larmes apparurent sur son visage, son menton se mit à trembler. Amédée s'approcha de sa fille, la prit dans ses bras. Elle éclata enfin en sanglots contre son épaule.

– Pardon, papa, pardon !

– C'est moi qui te demande pardon, doudou mwen. Je voulais tellement te protéger, ma beauté.

– Si je disais non, il voulait vendre maman... J'ai eu peur, papa, trop peur qu'elle parte pour toujours...

Manon ! Où était Manon ? Amédée prit brusquement conscience de son absence.

– Où est ta mère ?

– Mwen pa save. Elle n'était pas là quand je suis retournée...

Amédée se précipita hors de la case et courut en direction de la mer, bouleversé d'un mauvais pressentiment. Il traversa la mangrove, sourd au chant des oiseaux, il courut comme un dément jusqu'à la mer. Manon, Manon, tu n'as pas fait ça !

Manon, tu n'as pas pu faire ça ! Manon, dis-moi que tu n'as pas fait ça !

Le soleil était déjà haut dans le ciel, les vagues dansantes faisaient onduler ses reflets avant de balayer la plage déserte. Elles roulaient doucement une masse sombre et molle, à la limite du sable et de l'eau. Un pêcheur métis qui arrivait sur la plage avec son panier l'aperçut tout de suite. Il s'approcha. Il pensa : encore un qui avait voulu rejoindre l'Afrique, pourtant les suicides par noyade étaient rares. Il tira le corps au sec : c'était une femme, cette fois. Les hommes se tuaient plus que les femmes – étaient-elles au fond plus acharnées à vivre ? Pas celle-ci.

– Manon !

Une voix, un cri rauque qui se répéta. Le pêcheur se retourna.

« Manon ! » Si, elle l'avait fait. Elle avait pu... Amédée s'arrêta sur la plage, croisa le regard désolé du pêcheur. Il s'approcha lentement, sachant déjà que le corps était celui de sa femme. Elle gisait sur le dos, les yeux grands ouverts dans un visage bleu, les cheveux emmêlés d'algues. Amédée se laissa tomber à genoux, prit et serra contre lui le corps alourdi par l'eau. Et il resta longtemps ainsi, maudissant la terre entière, tandis que le pêcheur s'était éloigné...

Jacquier lui aussi avait noté l'absence de Manon. Elle demeurait introuvable et, pris d'un mauvais pressentiment, il avait retardé le départ aux champs. Assis au soleil, les esclaves attendaient, quand ils aperçurent Amédée qui arrivait dans un état pitoyable. Il avait porté le corps de Manon depuis la plage, il dégoulinait d'eau de mer, ses yeux étaient brouillés de larmes. Il traversa la cour et vint se planter devant Jacquier. Il tendit les bras pour lui présenter le cadavre :

– Tu es maudit. Un jour tu seras déchiré par les chiens !

Jacquier recula et secoua la tête :

– C'est pas moi. Tu sais ça.

Il y eut un murmure parmi les esclaves, mais il cessa aussitôt et toutes les têtes se tournèrent dans une autre direction : Adèle venait d'apparaître à la porte de sa case, propre et rhabillée. Son visage eut une grimace horrible : elle venait d'apercevoir le corps de sa mère. Un hurlement : « Maman ! » et dans ses yeux la douleur folle et la terreur. Plus jamais la voix douce des comptines africaines, le réconfort du sein chaud et tendre. Plus jamais, maman. La poitrine bloquée, Adèle ne put crier davantage.

Un geste de Jacquier autorisa ce qui était prévu dans ces cas-là. À la voix d'Adèle succéda la corne de lambi. Son mugissement résonna, bientôt accompagné par le son, plus grave encore, du tambour. Une mélopée macabre, où les coups de corne se succédaient trois par trois, avec une force variée. Les esclaves présents savaient ce qu'ils disaient, qu'une femme morte avait rejoint la Guinée. Ils appelaient aussi au repos de son âme, et invitaient enfin à se préparer pour la veillée funèbre.

On allongea le cadavre de Manon par terre, au centre de sa case. Amédée alluma quatre pauvres bougies aux coins de la couche de feuilles, tandis que Man Josèph, la mine grave, sortait des colliers d'une besace et les passait autour du cou de Manon, bien en évidence sur ses bras croisés. Prostrée au pied du corps, Adèle sanglotait en silence. On entendait dans la cour le conteur haranguer les esclaves qui répétaient après lui : « Et cric ! Et crac ! Et misticric ! Et misticrac ! »

– Vous tous, nèg mes maîtres, assemblez-vous ! Il faut écouter si vous voulez vous sauver du chagrin... disait le conteur en créole.

Hommes et femmes se rassemblaient de plus en plus nombreux autour de lui, formant un auditoire pour la veillée à venir. Le dialogue entre le conteur et l'auditoire commencerait un peu plus tard. On pleurerait sans doute, mais on rirait aussi en écoutant les histoires narrées, dont sans doute les contes de compère Tigre et de compère Lapin. Il ne faudrait pas être trop silencieux, le conteur demanderait régulièrement : « Est-ce que la cour dort ? » « Non, la cour ne dort pas ! » répondrait l'auditoire. Oui, la nuit prochaine, Manon aurait droit à une belle veillée, songeaient les esclaves en se rassemblant.

Mais dans la case, une voix s'éleva, un peu plus faible et intime :

– Jésus Christ Notre Seigneur, sois indulgent, comprends nos souffrances. Manon a voulu retrouver l'Afrique, Notre Seigneur, aie pitié, elle a voulu revoir sa mère et son père et ceux de sa race...

C'était Man Josèph qui priait, et, tout en invoquant le Christ, elle dessinait son signe sur le front de Manon avec un petit crucifix fait de deux bouts de bois.

Les voix se turent tout à coup à l'extérieur, le conteur s'interrompit, puis le tambour et la corne de lambi. Man Josèph releva aussitôt la tête. Théophile faisait irruption dans la case, suivi de Jacquier. Il regarda le corps de Manon, l'air contrarié :

– Merde ! Il ne manquait plus que ça !

Et, s'adressant à Amédée :

– Et toi, connard, tu ne pouvais pas t'occuper de ta femme ?

Amédée avait bondi pour se jeter sur Théophile, il fut retenu in extremis par Jacquier. Amédée le frappa pour se dégager de l'emprise, mais Jacquier continuait à le maintenir fermement, sans brutalité excessive. Il ne pouvait laisser Amédée frapper le maître, il connaissait le Code Noir par cœur et son article 33 : « L'esclave qui aura frappé son maître, sa maîtresse ou le mari de sa maîtresse, ou leurs enfants avec contusion ou effusion de sang, ou au visage, sera puni de mort. »

Cependant, des esclaves avaient profité de l'altercation pour s'introduire en silence dans la case d'Amédée. Surpris par la violence inhabituelle de celui-ci, Théophile ne prêta pas attention au groupe qui grossissait dans son dos.

– Tu arrêtes, oui ? Qu'est-ce qui te prend à la fin ? demanda Théophile.

— Devant Dieu et les hommes, c'est vous qui l'avez tuée !
Vous seul !

Théophile allait le frapper, quand Jacquier lui adressa un
signe de la tête pour l'obliger à regarder autour de lui. Théophile se retourna : la case était pleine d'esclaves aux regards
soudain inquiétants, comme oublieux des châtiments promis,
la mort, la fleur de lys à l'épaule, les coups de fouet, la muti-
lation, le collier, le supplice des piquets. Dans cette case, ils
étaient capables de tout. Jacquier sentit la tension à son
comble dans le silence pesant. Il savait qu'il fallait éviter le
moindre geste violent. Amédée aussi le savait. Il recula d'un
pas alors que le commandeur le lâchait. Le bras de Théophile
retomba, et le maître fit face aux esclaves :

— Bande de crétins, elle n'est pas retournée en Afrique, elle
est morte !

Puis, s'adressant à Jacquier :

— On n'a pas besoin d'une vague de suicides en ce moment.
Enterre ça tout de suite avant que ça leur donne des idées.

Man Josèph avança alors d'un pas et se planta devant lui,
les yeux pleins de colère :

— Respect devant la mort, maître ! Il faut faire la veillée
ou bien son âme va nous tourmenter pour toujours !

— Elle est morte comme une chienne, on l'enterre comme
une chienne ! Zafé cô ! répondit Théophile en l'écartant brutalement.

Alors, il se passa ceci que personne ne parut voir : Manon
sembla se dédoubler de son propre cadavre ; aérienne et pourtant puante de pourriture, elle alla se placer près de Théophile,
flottant au-dessus du sol mais ruisselante d'eau et bleuâtre.
Quand il sortit de la case en bousculant tout le monde, le
fantôme de Manon le suivit, léger, mais atrocement grimaçant, et comme décidé à le tourmenter pour le restant de ses
jours.

Dans cet univers où se côtoyaient le christianisme et des
reliquats de cultures que l'on dit païennes, il y avait des secrets

que les femmes se transmettaient de mère en fille. Adèle ne savait pas grand-chose des coutumes africaines, et Manon s'en était voulu d'avoir négligé cet héritage. Mais Adèle savait, pour l'avoir vu pratiquer à l'habitation, que lorsqu'on perdait un membre de sa famille, on se rasait la tête en signe de deuil.

Craignant que son père ne la laisse pas observer la tradition, elle se rendit dans la case de Rosalie où elle trouva le madras toujours caché sous le lit de bois. Le rasoir y était enfermé, avec des peignes, deux rubans de satin, des boucles d'oreilles et des bracelets. Adèle retira le tissu qui recouvrait le miroir cassé accroché au mur et immobilisa devant la glace son visage bouffi par les pleurs. Sans hésitation, elle saisit une de ses tresses et la coupa à sa base. Quand Rosalie entra, Adèle s'appliquait à couper la seconde tresse, qui tomba par terre aux côtés de la première.

– Ah, tu es là ! On te cherche partout !

Adèle ne répondit pas, continuant de taillader consciencieu-sement ses cheveux. Rosalie l'observait, à la fois ravie et étonnée par l'observance de la coutume chez une jeune Créole qui ne craignait pas de saccager sa beauté. Man Josèph elle-même disait qu'on pouvait bien faire une entorse à cette coutume-ci – on était esclave et déjà dans un sale état, pour-quoi s'enlaidir en plus ?

– Tu as raison, dit-elle enfin. Il faut respecter la tradition.

Et, s'approchant d'Adèle avec un petit sourire :

– Attends, je vais t'aider...

Elle saisit le rasoir et, avec des gestes très appliqués, lui rasa entièrement le crâne. Les cheveux tombaient au sol par touffes tandis qu'Adèle, aussi concentrée que Rosalie, regar-dait dans le miroir sa figure changer. Une fois le crâne d'Adèle entièrement tondu, Rosalie vint se placer à ses côtés. Dans le miroir, leurs yeux se croisèrent, surpris par l'étrangeté de deux visages singuliers : l'un au crâne tondu, l'autre vilainement balafré. « Ça se vaut ! » pensa Rosalie, qui eut cependant le sentiment d'avoir l'avantage immédiat d'une blessure superficielle.

– Et maintenant, dit-elle, on va voir qui va gagner !

Adèle recula :

– Le maître a tué ma mère ! Je le hais !

– Tant mieux. Ne t'approche pas de lui. Il est pour moi.

Adèle s'enfuit de la case de Rosalie. Sa mère était morte et Rosalie lui parlait d'une concurrence ! Elle voulait être seule, elle prit l'allée qui menait aux champs de canne et alla se cacher derrière un arbre. Elle ne vit pas Jacquier qui s'était assis non loin. Lui, en revanche, l'aperçut aussitôt et demeura sans bouger. Il remarqua sa tête rasée : il connaissait la coutume africaine, et il pensa à sa propre mère qui était morte elle aussi. En ce moment, il admira son geste.

Accroupie au pied de l'arbre, Adèle se remit à pleurer. À seize ans, elle avait vu des souffrances et des malheurs, mais jusqu'ici, elle avait été épargnée et en avait retiré un peu d'insouciance : elle était née ici, elle n'avait connu ni la capture, ni le bateau, ni les champs de canne. Elle avait la chance de vivre avec ses deux parents qui travaillaient dans la Grande Case. Son père y avait une position importante après tout. Leur case était assez confortable. Adèle repensa au jour où elle avait découvert la petite danseuse de la boîte à musique : ce jour-là, elle avait cru que l'avenir serait beau, avec la Tibéké-a et Koyaba. Mais elle s'était trompée, et une seule nuit lui avait suffi pour rejoindre les autres dans leur malheur. Le maître avait abusé d'elle, Manon n'était plus. Adèle apprenait rapidement qu'elle disposait de peu de temps pour l'affliction. C'était bien ainsi. S'endurcir, c'est cela qu'il faut, pensa-t-elle, tout en versant des larmes encore. Sa mère avec laquelle hier elle riait. Je ne suis plus la même, songea-t-elle, sans croire que l'avenir pourrait lui réserver pire encore.

Rosalie préparait un avenir plus proche : Théophile négligeait sa femme, c'était certain, et Adèle était maintenant affreuse avec son crâne tondu. Elle avait toutes les chances de retrouver sa place auprès du maître. Avant de replier son madras et de le cacher sous son lit, elle enfila les bracelets d'or qu'Olympe lui avait demandé d'ôter. On verrait bien si la Ti-béké-a les remarquerait.

Or la Ti-béké-a ne pouvait pour l'instant rien remarquer du tout. Elle ignorait ce qui se passait depuis le matin, mais elle avait constaté que la maison était déserte, et qu'elle-même demeurait seule. À peine avait-elle aperçu Rosalie à son réveil, une estafilade sur une joue. Cela ne la fâchait pas trop. Olympe en avait profité pour rêver à sa toilette, et avait décidé de s'habiller d'une des belles robes qui dormaient dans son armoire. Une extravagance, une envie soudaine ? Car c'était une robe de bal, en taffetas parme, très décolletée au niveau des épaules. Elle était fâchée d'avoir été privée d'une occasion de la mettre. C'est que Théophile repoussait toujours le moment d'une sortie en ville. Elle lui réclamait le théâtre, et il lui assurait que la pièce n'était pas bonne ; elle souhaitait une invitation à dîner, il répondait que les dîners se faisaient rares en ce moment. Il trouvait toujours un prétexte pour ne pas l'emmener à Saint-Pierre. Elle restait à l'habitation, avec ses robes inutiles... Quand lui était venue la fantaisie de demander à son époux un costume de cheval, car elle avait remarqué qu'il aimait les longues promenades et elle se disait qu'elle pourrait l'accompagner, Théophile avait paru surpris de sa requête, avait promis quand même, n'avait jamais apporté le costume. Quelques jours plus tôt, Olympe avait réclamé des jeux de cartes. Il y en a dans la maison, avait-il répondu. Par caprice ou pour éprouver Théophile, elle voulut des jeux neufs, qui seraient les siens. Il les apporta, heureux peut-être de n'avoir pas à faire la dépense d'un bijou ou d'une robe à la dernière mode de Paris.

Avant le déjeuner de midi, Olympe, vêtue de sa robe de taffetas de toute évidence un peu chaude à cette heure, ses longs cheveux blonds détachés sur le dos – puisque personne n'avait été là pour la coiffer –, Olympe, sans encore s'inquiéter de cette dérogation aux habitudes, assise à une petite table de jeu, faisait sagement une patience dans la salle à manger quand son frère s'y présenta.

François s'arrêta sur le seuil. Il revenait d'une longue promenade comme en témoignaient son chapeau de paille et le sac en bandoulière qu'il ne quittait plus. Il fut surpris de découvrir sa sœur vêtue de cette robe qu'elle avait portée en de nombreuses occasions à Paris. Surpris de la voir jouer seule, ses cheveux dénoués. Olympe lui avait confié à plusieurs reprises qu'elle était déçue de n'avoir pas, une fois mariée, une vie plus mondaine, une vie sociale, des amis à qui parler. Il contempla sa sœur encore un instant, sans se signaler : ses yeux n'avaient rien perdu de leur vivacité et de leur éclat, mais Olympe avait l'air de s'être résignée, du moins de s'être adaptée à sa situation avec une certaine sagesse au fond. Ce n'était pas une femme malheureuse que François regardait, mais il soupçonnait une solitude qui devait la ronger secrètement. Il repensa à Olympe sur le bateau, à leur arrivée à Saint-Pierre : comme elle paraissait joyeuse et impatiente de rencontrer son mari, de vivre une vie nouvelle ! Il sourit malgré lui quand il vit le regard de sa sœur pétiller : elle était simplement en train de réussir sa patience. Il avança d'un pas.

Olympe rangea ses cartes avec empressement.

– Ah, quand même ! Tout le monde a disparu ce matin. Où étais-tu ?

François la salua en balayant exagérément le sol de son chapeau de paille.

– Dans la savane, ma chère sœur. Les plantes de ce pays sont des trésors. Quant à tes esclaves, d'après ce que j'ai compris, il y a eu un suicide parmi eux.

– Ah bon ? dit Olympe en se levant et en faisant tourner gracieusement sa robe de bal. C'est agaçant, je ne suis jamais au courant de rien...

Et, comme Rosalie venait d'entrer dans la pièce et commençait à dresser le couvert, Olympe la désigna à François, qui remarqua aussitôt la balafre sur sa joue.

115

– Regarde celle-là ! Je lui demande ce qui lui est arrivé, elle me raconte que cela s'est fait pendant son sommeil !

Olympe avança jusqu'aux fenêtres qui donnaient sur la véranda et aperçut Théophile. Elle était heureuse de porter sa robe parme, elle se sentait belle et désirable et elle s'attendait que son mari fût agréablement surpris. Mais il entra dans la pièce sans un regard pour elle, et alla s'asseoir à table, apparemment de fort mauvaise humeur. Il attrapa aussitôt un morceau de pain et agita la clochette pour demander qu'on apporte les plats.

– Théophile ! Tu pourrais au moins nous dire bonjour ! Quel malotru tu fais, parfois ! Tu pourrais attendre également qu'on soit assis ! fit remarquer Olympe.

– Eh bien, asseyez-vous ! Personne ne vous en empêche ! rétorqua-t-il d'un ton agacé.

François et Olympe prirent place à leur tour, tandis qu'Adèle entrait avec une soupière dans les mains, suivie de Rosalie portant un plat de légumes. Théophile sauta sur ses pieds en découvrant le crâne rasé d'Adèle et des marques tracées à la cendre sur ses joues. Il vint l'empoigner si violemment par le bras qu'elle lâcha la soupière qui se brisa sur le sol où son contenu se répandit en une large flaque. Olympe poussa un cri, Rosalie souriait.

– Tes cheveux ! hurla-t-il. Qu'est-ce que tu as fait à tes cheveux ?

Adèle le regarda droit dans les yeux sans répondre. Théophile effleura son crâne nu. François toussota puis déclara :

– C'est un signe de deuil, je crois.

– Je sais bien que c'est un signe de deuil ! Qu'est-ce que ça peut foutre ? Le résultat, c'est qu'elle est affreuse !

La caresse de Théophile se termina en taloche ; Adèle ne baissa cependant pas les yeux.

– Mais enfin, quelle importance qu'elle soit laide ? Elle n'a pas besoin de ses cheveux pour passer la serpillière ! dit Olympe.

– Fous le camp, dit Théophile à Adèle, je ne veux plus te voir !

Elle tourna les talons la tête haute, ramassant au passage les morceaux de faïence qu'elle posa sur la table.

Théophile, Olympe et François la regardaient s'éloigner, médusés.

– Mais qu'est-ce qu'elle fait ? Elle est folle ! s'écria Olympe.

Et François ne put s'empêcher de rire. Rosalie revint bientôt avec une autre soupière qu'elle posa à côté de Théophile. Elle se pencha vers lui et lui dit à mi-voix :

– Man Josèph a fait un calalou au crabe pour vous, maître.

Il lui fit signe de disparaître. Quand elle revint avec une serpillière pour nettoyer le sol, il fit comme s'il ne remarquait pas sa présence.

– Ces coutumes m'intéressent beaucoup, dit François. Pensez-vous que je puisse assister à la veillée, ce soir ?

– Il manquerait plus que cette emmerdeuse ait une veillée ! J'aurais mieux fait de la vendre avant qu'elle se tue ! Au moins j'en aurais tiré quelque chose !

Et Théophile se mit à manger, ignorant le regard surpris qu'adressait François à Olympe. La suite du déjeuner se passa en silence, chacun semblant perdu dans ses pensées. Olympe songeait aux paroles du commissionnaire Mauduit dans la salle des ventes à propos des suicides : « Pour nous, ça fait de la perte sèche. » Cette pensée fut remplacée par une autre : son mari avait remarqué le crâne tondu d'Adèle, mais non la robe de bal qu'elle portait. Elle essayait en vain d'en comprendre la raison. François, lui, remâchait les derniers mots de Théophile : la mort d'un esclave, comme celle d'un animal de trait, c'était simplement quelques pièces de moins. Quant à Théophile, il repensait à l'insolence d'Adèle. Indocile. Jeune, belle et indocile, se disait-il. Un corps sublime, une beauté sans faille, une beauté fatale. Là, à portée de main, et maintenant ce crâne chauve ! Il se rappelait aussi la façon qu'elle avait eue de le regarder droit dans les yeux, la nuit dernière comme aujourd'hui.

Elle s'était réfugiée dans la cuisine, auprès de Man Josèph qui la consolait de son mieux. Elle comprenait la petite, bien sûr, elle en aurait peut-être fait autant, jeune ! Cette manière d'agir et de sentir, révoltée et détachée à la fois ! Adèle regardait Man Josèph dresser un nouveau plat qu'allait emporter Rosalie. Man Josèph lui tendit une aile de poulet :

— Pauv'piti ! Allez, mange ou pas ni maman enco. T'inquiète pas pour le maître. Avec ton crâne comme une calebasse, il ne viendra plus après toi.

— Maman a eu raison de partir, dit Adèle.

— Paix bouche ! dit Man Josèph en se signant. Elle a de la chance que Papa Bon Dieu pardonne tout aux pauvres nègres comme nous !

— Papa Bon Dieu ne s'occupe pas des pauvres nègres comme nous !

— Mais si ! Qu'est-ce que tu crois ? Papa Bon Dieu nous a fait un paradis pour nous. On mange des gâteaux tous les jours, et ton boudin est toujours plein sans rien faire...

— Alors pourquoi on reste ici en enfer ? Tu connais les plantes, Man Josèph, prépare-nous quelque chose pour qu'on aille tous dans ton beau paradis !

Man Josèph regarda Adèle avec des yeux à la fois étonnés et amusés. Rosalie, qui venait d'entrer dans la cuisine et avait entendu, éclata de rire :

— Mi bel pawol, Adèle ! Man Josèph ne veut pas comprendre que Dieu est blanc ! Il veut pas de nous à sa table !

— Attention à toi, Rosalie ! rétorqua Man Josèph. Le diable va venir te prendre un de ces jours !

— Regarde-moi ! Même le diable ne voudrait pas de moi maintenant ! Et ma figure me brûle à cause de cette salope-là... déplora Rosalie en désignant Adèle.

— Paix bouche, mauvaise fille ! Ce n'est pas sa faute si le maître a voulu la coquer ! Viens voir là si je peux te rendre ta beauté... ajouta Man Josèph en prenant le visage de Rosalie entre ses mains.

Elle examina la balafre et marmonna qu'elle allait peut-être bien pouvoir arranger ça rapidement.

Adèle en profita pour s'éclipser, avec l'idée de rejoindre son père. Oui, du poison pour tous, continuait-elle de penser. Elle savait que Man Josèph connaissait les plantes vénéneuses – le mancenillier à lui seul, « l'arbre de mort » comme on disait ici, aurait fourni un beau poison ! Si Man Josèph le voulait, elle pourrait très bien fabriquer du poison pour tous les esclaves de la plantation ! Et le maître serait ruiné ! Adèle avait entendu des histoires qu'on racontait à ce propos sur des habitations : des esclaves avaient empoisonné des cochons, des bœufs ou s'étaient empoisonnés eux-mêmes dans le seul but de ruiner le béké ! Et elle savait combien les Blancs redoutaient le poison fabriqué par les Africains ! Mais la pensée de sa mère lui revint : Manon, elle, n'avait pas pris de poison. Elle était morte toute seule, de chagrin. Et elle avait pris la mer.

Bien entendu, Manon avait été baptisée et elle croyait à sa façon en ce Dieu des chrétiens qu'on leur avait imposé à tous. C'était en outre inscrit dans le Code Noir et obligatoire : les maîtres acquérant de nouveaux esclaves avaient le devoir de les faire baptiser et de les instruire dans la religion catholique, apostolique et romaine. Un esclave baptisé avait droit à être enterré en terre sainte, c'est-à-dire dans un petit carré de terre réservé sur l'habitation, qu'un prêtre avait béni. Manon avait cependant toujours continué à respecter les coutumes de son pays. Afin que l'âme du défunt repose doublement en paix, il fallait observer une veillée traditionnelle que le béké accordait : une nuit passée autour du défunt, avec tous ceux qui l'avaient connu, à parler, pleurer, rire et chanter, écouter le conteur et ses histoires, jouer du tambour et du violon, faire roucouler les conques de lambi. Une sorte de fête pour préparer l'âme du mort à entrer dans l'autre monde. Cette veillée païenne, le maître l'avait refusée à Manon.

C'est donc tristement qu'Adèle vint rejoindre son père qui se recueillait devant la fosse ouverte en disant un dernier au revoir à sa femme. Adèle fit elle aussi ses adieux à sa mère tandis que le soleil, après une apothéose de quelques minutes, disparaissait d'un coup. Amédée s'appliqua ensuite à recouvrir le corps avec des pelletées de terre tandis qu'Adèle s'occupait de planter une croix de bois à l'avant de la tombe.

Quand ils eurent terminé, le père et la fille se prirent par la main et, le visage baissé, firent ensemble une dernière prière. Le maître avait dit : « On l'enterre comme une chienne. » Adèle se mit à chanter doucement la comptine africaine que sa mère lui avait apprise. Elle chantait en serrant la main de son père, elle n'avait plus que lui à présent.

Et soudain, une mélopée derrière eux, et le tambour qui se mit à résonner. Ils n'étaient pas seuls : les esclaves qui avaient connu Manon défilèrent devant sa tombe, une bougie à la main, entonnant un chant funèbre créole. Man Josèph et Rosalie étaient là. Adèle ne chantait plus, mais elle souriait à travers ses larmes. Regardant la file des hommes et des femmes, elle eut le sentiment de comprendre quelque chose qu'elle savait déjà mais que la mort de sa mère rendait plus sensible : l'immensité de l'océan séparait les Africains qui avaient connu la liberté comme sa mère et les Créoles qui étaient nés esclaves ici comme elle. Manon n'avait pas eu la force de faire le deuil de ce qu'elle appelait sa première vie, la seule, la vraie, la vivante. Manon s'était tuée alors qu'elle était déjà morte depuis longtemps.

CHAPITRE 6

Deux mois plus tard, la saison impitoyable du carême s'achevait, et les esclaves de jardin bénissaient les premières pluies légères de l'hivernage. La mi-mai, cela signifiait aussi que la récolte allait se terminer bientôt, la coupe des cannes s'étendant de la fin de décembre au début de juillet. Six mois à couper sans relâche, amarrer, transporter au moulin. Les six mois les plus longs et les plus éprouvants. Ce n'était pas que le reste de l'année fût reposant. Mais la récolte, c'était le pire de tous les travaux : avancer, avancer toujours au milieu de la forêt de hautes tiges, les mains lacérées par les feuilles, et avoir le sentiment que jamais, non jamais, on n'en verrait la fin, jamais on n'arriverait au bout, jamais on ne verrait l'horizon se dégager. La mi-mai, cela voulait dire bientôt la fin de ce pire. Car il se dégageait un peu plus chaque jour, cet horizon maudit, et hommes et femmes à bout de forces savaient qu'ils allaient bientôt apercevoir la mer au loin. Quand les coups de coutelas viendraient à bout des dernières tiges de canne, quand la mer serait en vue, alors la récolte serait terminée.

Théophile aussi attendait la fin de ce travail, qui signifiait pour lui la fabrication du sucre et l'argent de la vente à venir, des sommes plus ou moins importantes selon le tonnage produit. Il aimait aller voir la canne s'entasser au moulin, et il

121

semblait cette année particulièrement excité. La récolte s'annonçait excellente. Ce n'était pas tout : six mois auparavant, Amédée lui avait conseillé d'investir dans l'achat de nouvelles chaudières pour faire cuire le sirop plus rapidement, convaincu que la qualité du sucre s'en ressentirait. Théophile avait comme toujours suivi les conseils de son intendant, sans hésiter.

Maintenant, à la sucrerie, en compagnie d'Amédée, il attendait de savoir s'il avait eu raison... Tous deux regardaient les esclaves travailler. Les uns étaient occupés à charger la canne dans le moulin, où elle serait broyée sous une roue tirée par des bœufs. Il en sortait un liquide noirâtre, la mélasse, que d'autres recueillaient dans de grands baquets avant la cuisson qui allait la transformer en sucre. Cette année voyait donc l'inauguration des trois nouvelles chaudières conseillées par Amédée. Auprès de chacune d'elles, on s'appliquait, à l'aide de larges écumoires, à enlever les impuretés du sirop bouillant. Théophile se tenait là, exalté comme un enfant, à examiner attentivement le changement qui s'opérait. Les deux hommes observaient le même silence, conscients d'avoir franchi un cap important. Après un moment, Théophile donna une grande claque dans le dos d'Amédée.

– Sacré Amédée ! On dirait bien que tu avais raison ! Avec ces nouvelles chaudières, le sirop cuit mieux, le sucre purifié sera quasiment aussi blanc que si on l'avait raffiné...

Amédée se contenta de regarder son maître sans rien dire, le visage impassible. Il avait changé depuis la mort de Manon, et se montrait beaucoup plus distant. Théophile l'avait noté, et il était agacé par cette mauvaise grâce, cette façon de répéter des « oui, maître » alors que le cœur n'y était plus.

– Quoi encore ? Tu ne vas pas faire une tête de carême parce que j'ai mis ta fille dans mon lit ! Tu y trouveras ton compte, ne t'en fais pas ! Tu vois, je pourrais bien t'affranchir un de ces jours... Un sucre pareil, une fille pareille, ça mérite bien la liberté !

Et il lui asséna une nouvelle claque dans le dos, avant de s'éloigner pour mieux examiner le sirop miraculeux. Amédée le suivit des yeux, l'air mauvais, en regrettant d'avoir conseillé l'achat des chaudières. Malheureusement, il en avait parlé au maître bien avant que Manon ne retourne aux champs, bien avant qu'elle ne soit enterrée sans veillée, bien avant aussi que le maître ne jette son dévolu sur sa petite Adèle. Et Amédée avait éprouvé de la haine pour cet homme qu'il avait eu le malheur de respecter. Cependant, c'était la première fois que Théophile parlait de l'affranchir, et ce fut un choc. Il se souvenait pourtant de ce que Manon lui avait dit : « La liberté, je crois que j'ai oublié ce que c'est... » Avait-il oublié, lui aussi ? Non, pensa-t-il, puisqu'il rêvait chaque nuit à cette liberté retrouvée. Il ne s'était pas enfui aux côtés des marrons, il n'était pas non plus résigné, il espérait secrètement qu'un jour cette liberté lui serait rendue.

Ce fut la première chose dont il parla en entrant dans la cuisine où Man Josèph et Rosalie étaient en train de déjeuner. Adèle était occupée à plier du linge.

– Le maître me prend vraiment pour un couillon ! Il parle de me libérer...

– Il veut se faire pardonner, dit Man Josèph.

Adèle alla servir un bol de ragoût à son père attablé. Elle s'arrangeait depuis quelque temps pour finir de manger avant les autres, et avait donc déjà déjeuné dans sa case d'un repas d'ignames et de bananes. Ses cheveux repoussaient et ses gestes précis et efficaces témoignaient de ce qu'elle avait appris en l'espace de quelques mois. Aujourd'hui, elle donnait le sentiment d'avoir pris pleinement possession de ses tâches : le service d'Olympe et l'entretien du linge. À la vérité, elle avait tout simplement remplacé Manon dans la Grande Case, mais combien elle paraissait différente de sa mère dans sa manière de se mouvoir, dans la sûreté et l'habileté de chacun de ses gestes !

Quand elle eut terminé de plier le linge, elle vint s'asseoir aux côtés de son père. Il y avait eu un silence après les mots de Man Josèph, parce que tous avaient eu une pensée pour Manon. Amédée poursuivit :

– Il sait que c'est moi qui lui fais gagner de l'argent. Mais maintenant, je fais comme les autres, je dis « oui, maître, pani pwoblèm » et je m'en fous de son habitation et de son sucre... Il peut crever !

– Tu fais l'enragé, mais si le maître crevait pour de bon, tu serais vendu. Il vaut encore mieux être ici, rétorqua Man Josèph.

– C'est vrai. Chez Gueule fardée, les esclaves, on les traite bien pire... ajouta Rosalie.

Adèle écoutait attentivement, mais paraissait gênée devant le trio attablé. Elle finit par se lever, les larmes aux yeux.

– La vie est douce parce que vous êtes dans la cuisine du maître ! Vous remplissez votre boudin, et vous trouvez que vous êtes heureux ! Moi, ma mère s'est tuée pour quitter ici !

Et elle sortit de la cuisine en emportant son panier de linge. Son cri de révolte les mit mal à l'aise. Elle leur renvoyait leur propre honte en plein visage, leur soumission et leur ventre plein. Mais comment Adèle pouvait-elle imaginer qu'on leur avait laissé le choix, comment pouvait-elle croire que de cette abnégation ils n'avaient pas eux aussi une honte tapie au fond de leurs entrailles et toujours vivante ? Il était vrai aussi que les actes de révolte leur semblaient par avance voués à l'échec. Aussi Man Josèph se décida-t-elle à parler :

– Amédée, tu devrais lui interdire d'aller avec ce Bossale, Koyaba...

– Koyaba ? Elle le voit ? demanda-t-il, surpris.

Rosalie éclata de rire.

– Tu es comme les cocus, mon compè ! Le dernier au courant ! Moi, je la vois tous les soirs de ma case qui va lui porter à manger...

– Paix bouche, Rosalie ! Adèle voit trop l'Africain mais elle se tient ! Tu ne dois pas mal parler... gronda Man Josèph.

Rosalie n'aimait pas cet homme qui refusait de se plier aux lois de l'habitation, car elle craignait que tous ne pâtissent de son comportement. Qu'avait-il donc besoin de résister ? Elle se détourna avec un haussement d'épaules pour montrer qu'elle se désintéressait de la question, alla laver son bol puis ouvrit la porte de la cuisine pour regarder tomber une des premières averses du mois de mai. Amédée, perplexe, ne la quittait pas des yeux.

Malgré ces pluies intermittentes de fin de carême, la chaleur était encore étouffante, et le court répit de la nuit ne durait guère. Dès le matin, le soleil était là comme un roi écrasant la vie. Pourtant, malgré la température accablante, Théophile dormait encore ce matin-là, apparemment en paix dans le grand lit de sa chambre personnelle. Il se couchait d'abord avec Olympe dans l'espoir de cet enfant qui décidément ne venait pas. Il avait pris l'habitude d'aller terminer sa nuit en solitaire, en prétextant une fâcheuse tendance à l'insomnie. Parfois, il s'étonnait de se réveiller seul, en remarquant que cela faisait une éternité qu'il n'avait pas demandé à Rosalie de venir passer un moment avec lui. Mais était-ce bien à Rosalie qu'il pensait ? Il ne se l'avouait pas, mais en réalité il attendait qu'Adèle retrouve, ses cheveux repoussés, la beauté qu'il avait goûtée une nuit. Bien que cette patience ne lui ressemblât pas, oui, Théophile attendait. De façon plus confuse peut-être, il était plus affecté qu'il ne le laissait paraître par la froideur inaccoutumée d'Amédée. Il chassait ces idées en essayant de se convaincre qu'Adèle et son père n'étaient que des esclaves parmi d'autres, tandis qu'à l'habitation personne n'était dupe de cette abstinence inhabituelle du maître. « Pour l'instant, je préfère la solitude à toute autre compagnie », se disait-il simplement.

Sans doute ne s'attendait-il pas à la visite qu'il reçut, ce matin-là, alors que tout semblait paisible, que les persiennes laissaient doucement filtrer la lumière du jour dans la pièce... Un courant d'air fit voler les rideaux et, dans son

125

demi-sommeil, Théophile se mit à transpirer abondamment, comme en proie à un violent cauchemar. Il sursauta, se redressa d'un bond sur son lit quand la porte de la chambre claqua. C'est alors qu'il aperçut, devant lui dans la pénombre, une forme humaine incertaine.

– C'est toi Rosalie ? Adèle ? Ou qui, bon Dieu ? demanda-t-il en attrapant son pistolet posé sur sa table de nuit. Montre-toi, fils de pute !

La silhouette s'avança lentement : c'était Manon. Flottant au-dessus du sol, ruisselante d'eau de mer, les yeux ouverts, la peau bleuâtre et les cheveux emmêlés d'algues, Manon telle qu'Amédée l'avait trouvée sur la plage se tenait debout devant lui.

Théophile se crut en proie à une hallucination de fièvre, espéra que l'apparition allait se dissiper. Mais le fantôme restait immobile, à le regarder fixement.

– Mordieu ! Ce n'est pas possible ! Va-t'en, chienne ! Ce n'est pas moi qui t'ai noyée !

Pour toute réponse, le fantôme se contenta d'un sourire inquiétant. Théophile se leva d'un bond et alla ouvrir les persiennes d'un coup de poing, faisant entrer le soleil à flots dans la pièce. Il aperçut Adèle qui passait avec son panier de linge.

– Va me chercher un couteau ! Vite !

Elle posa son panier, disparut en courant et entra en trombe dans la cuisine où Man Josèph et Rosalie préparaient le petit déjeuner.

– Le maître veut un couteau ! cria-t-elle.

– Où est-il ? demanda Rosalie d'un ton soupçonneux.

– Dans sa chambre !

– Pourquoi il t'a appelée, toi ?

Mais Adèle saisit sans répondre le couteau que lui tendait Man Josèph et repartit aussi vite qu'elle était venue. Rosalie lui emboîta discrètement le pas, tandis que Man Josèph poussait un soupir résigné.

Le dos appuyé contre un volet, le visage tendu vers le soleil, Théophile respirait profondément et tentait de se calmer. Le

126

fantôme avait disparu, et le maître essuyait la transpiration sur son visage. Lorsque Adèle lui tendit le couteau, il en profita pour lui caresser la main. Elle la retira brusquement et recula en le regardant d'un air de dégoût. Théophile, d'abord surpris, finit par éclater de rire.

– Tu crois que je veux te baiser ? Non mais, regarde-toi ! Tu as l'air d'un crapaud avec ton crâne rasé !

Adèle récupéra au dehors son panier et s'en alla.

Dissimulée derrière un buisson, Rosalie avait assisté à l'entrevue. Elle tourna les talons. C'était clair désormais : le maître la délaissait, mais il ne baisait pas Adèle pour autant ! Et pourtant, l'échange qui venait d'avoir lieu sous ses yeux lui avait bien révélé un homme séduit.

Occupé à s'habiller, Théophile se remettait doucement de la vision d'horreur de son réveil. Bien sûr, une hallucination ! se rassurait-il. Il connaissait les légendes et les croyances des Africains en des créatures malfaisantes, vampires et autres revenants. On les appelait les soucougnans, les volants et les zombis. Il répugnait à y croire, il avait cependant demandé un couteau, comme pour se débarrasser d'un zombi en lui tranchant la cervelle à « leur » manière. Pouvait-il nier avoir vu Manon devant lui, au moins une image de Manon ? Il essaya de mettre de l'ordre dans ses pensées : un zombi, selon les rites vaudou, c'était un mort qui se relevait physiquement de sa tombe pour s'en prendre à un vivant. Il se souvint de la mise en garde de Man Joseph lorsqu'il avait refusé la veillée : « Il faut faire la veillée ou bien son âme va nous tourmenter pour toujours. » Il se secoua enfin : légendes ou non ? D'ailleurs, songea-t-il, l'image de Manon évoquait plus une sirène qu'un zombi. Il avait entendu parler de cette autre figure des contes créoles, Manman dlo, une sorte de sirène maléfique. Oui, c'était cela, Manon tout à l'heure lui avait paru une sirène puante et dégoûtante, pensa Théophile. Je finis par les connaître, ils ont eux aussi leur sirène, un monstre cannibale, une chimère dangereuse !

Le maître finit de s'habiller. Après tout, le fantôme avait disparu rapidement. Théophile décida d'oublier l'incident, fruit de son imagination, d'un cauchemar prolongé au réveil, ou d'un accès de fièvre, certainement.

*
**

La première fois que Rosalie avait été appelée par le maître, cela s'était réduit, comme pour Adèle, à une prise assez brutale. Il n'était pas marié alors, mais, bien que Rosalie ne fût pas la première à passer dans son lit, elle avait été quelque peu différente de ses précédentes maîtresses. D'une grande beauté, elle partageait avec Théophile un goût prononcé pour les choses du sexe. Rosalie la séductrice, Rosalie franche avec son désir brûlant, Rosalie aux lèvres charnues et gourmandes, Rosalie attirée par les hommes était rapidement devenue une partenaire tout à fait consentante, qui prenait plaisir à le rejoindre, même si lui n'était pas dupe d'une négociation permanente. Question de stratégie et de survie. Comme Amédée, Rosalie avait secrètement un rêve de liberté, et être la cocotte attitrée permettait d'espérer deux choses : avoir un enfant et être affranchie. Elle défendait donc bec et ongles sa situation. Des sentiments pour Théophile ? Avaient-ils la moindre raison d'exister dans une relation ordinaire entre un maître et une de ses esclaves ? Quand elle doutait de l'issue de cette espèce de chantage, Rosalie songeait que personne ne se souciait de ce que pouvaient ressentir les Noirs. Chez eux d'ailleurs, chacun se battait pour sa place ; quant aux Blancs, ils ne se mêlaient guère de leurs passions.

Aujourd'hui en tout cas, Rosalie se sentait abandonnée : le maître était marié, l'enfant espéré n'était pas venu, Adèle était en train de lui ravir sa place. Son plan allait tomber à l'eau ! Elle, la plus belle fille de l'habitation, était en passe de se faire détrôner par une autre qui avait de surcroît l'audace de repousser les avances du maître ! Rosalie passa sa main sur sa joue gauche, s'assurant que la cicatrice soignée par Man

Josèph avait bien disparu. Elle entra dans la cuisine pour préparer le plateau du petit déjeuner d'Olympe ; il était tard déjà et sans doute la maîtresse était-elle réveillée. Man Josèph remarqua sa mine triste mais se garda de tout commentaire.

Réveillée, Olympe l'était en effet depuis un moment. Cependant, elle n'arrivait pas à ouvrir franchement les yeux, se tournait et se retournait dans son lit.

– Rosalie ! appela-t-elle en geignant.

– Je suis là, maîtresse ! répondit la belle en s'approchant avec le plateau.

– Oh, ma tête ! C'est le thé du soir, tu me le fais beaucoup trop fort... Je m'endors tard, je n'arrive plus à me lever...

– Trop pressé pa kafé jou ouvé !

– Je ne comprends rien à ce que tu racontes !

– Je dis que le soleil ne brillera pas mieux si vous vous levez plus tôt... Pourquoi avez-vous besoin de sortir de votre lit ? dit Rosalie en déposant le plateau avant de s'éclipser en laissant la porte de la chambre ouverte.

Olympe se redressa, dédaigna la tasse de thé du matin et les quartiers de mangue tranchés. Elle prit un petit pain qu'elle abandonna après une bouchée, et sur lequel Rosalie jeta un coup d'œil navré quand elle revint avec une bassine d'eau froide. Olympe trempa ses mains dans l'eau, puis se tamponna le visage avec un linge humide.

– François a raison, je deviens paresseuse. Tu sais que je ne suis jamais allée au bout du jardin, ni dans le quartier des esclaves...

– Si, une fois, le jour de votre mariage... Et pour la messe aussi...

– Tu as raison, tiens, j'avais oublié ! dit-elle en s'étirant.

Elle se leva et marcha d'un pas nonchalant jusqu'à sa coiffeuse sous le regard de Rosalie. Depuis des mois qu'elle était au service d'Olympe, Rosalie ne s'était pas habituée à l'indolence de ses gestes : la façon qu'elle avait de bouder son petit déjeuner, d'essuyer sa bouche avec une serviette brodée puis de la jeter sur son lit, de s'étirer avant de marcher d'un pas traînant à travers la chambre, de choisir ses toilettes avec des minauderies, de se regarder dans son miroir d'un air satisfait, de chantonner enfin. Cette mollesse et cette langueur étonnaient toujours Rosalie, qui empoigna la brosse au manche argenté et se mit à la coiffer avec dextérité et énergie.

– Le quartier ! poursuivit Rosalie. Comme si c'était un endroit pour vous ! Il n'y a rien que des gens sales, là-bas ! Les dames béké restent dans leur salon...

– Et leurs maris couchent à droite et à gauche ! Je sais ce qui se passe dans les autres habitations, je ne suis pas idiote ! D'ailleurs...

Elle s'interrompit en tournant la tête.

– Où est Adèle ? Je veux qu'elle me coiffe ! dit-elle avec une pointe de colère dans la voix.

Rosalie suspendit son brossage un instant avant de le radoucir, en même temps qu'un sourire s'affichait sur son visage.

– Mademoiselle Adèle est occupée ailleurs, maîtresse...

Olympe eut plus clairement conscience qu'Adèle était moins présente ces derniers temps et prenait des libertés, quoiqu'on ne pût lui reprocher de ne pas faire son travail. C'était énervant, à la fin !

– Comment ça ? Où est-elle ?

Rosalie posa la brosse.

– Si vous voulez, maîtresse, je vais vous faire visiter l'habitation...

Olympe accepta la proposition de bon cœur, comme heureusement surprise d'avoir quelque chose à faire de sa journée. Elle n'eut que le temps de passer sa robe de mousseline la plus légère et d'enfiler elle-même ses souliers, Rosalie avait déjà quitté la chambre, l'ombrelle à la main.

Si Adèle s'arrangeait pour manger rapidement, c'était pour s'octroyer quelques instants dans les bras de Koyaba, qu'elle ne craignait plus de retrouver en plein jour. C'était si bon de le rejoindre d'un pas vif en pensant qu'il allait l'enlacer. Il était le seul, quand il ne travaillait pas aux champs, à rester

130

enchaîné dans l'abri, près de la case de Jacquier. Celui-ci craignait en effet qu'il ne cherche à s'enfuir à la moindre occasion. Koyaba était aussi le seul à ne pas profiter du dimanche pour cultiver les jardins potagers et danser le calenda en buvant du tafia. Les esclaves achetés au port en même temps que lui semblaient s'être faits quelque peu à leur nouvelle vie. Lui, non. Mais chaque jour, une beauté lui rendait visite. Jacquier le savait : il avait aperçu plusieurs fois Adèle courir souriante vers l'homme enchaîné. Il faisait comme s'il n'avait rien vu, cependant.

Ce matin-là... Adèle entra sous l'abri avec une demi-calebasse pleine de purée d'ignames. Koyaba ne prit pas la nourriture qu'elle lui présentait mais il tendit la main pour lui caresser le visage.

– Mer-ci, Lousolo... dit-il en articulant avec soin.

– Lousolo ? demanda Adèle surprise.

– Toi. Pour moi, toi Lousolo. Mon...

Il désigna son cœur d'un geste de la main. Adèle sourit et acheva pour lui :

– ... cœur ? Lousolo, mon cœur. Oh, je t'aime, Koyaba, je t'aime trop... dit-elle en venant se blottir dans ses bras.

Il la serra passionnément contre lui et se mit à chanter tout bas une chanson de son pays. Alors il oubliait les chaînes à ses chevilles. Peau contre peau, il n'y avait plus que la puissance de leur désir, leurs regards et leurs caresses qu'ils auraient voulu ne jamais interrompre.

Rosalie avait d'abord conduit Olympe dans le jardin, à l'avant de la Grande Case, pour lui montrer quelques-uns des arbres qu'Olympe n'avait jamais pris la peine de vraiment regarder : le poirier-pays et le cocotier, le manguier et le bananier, le fromager et le Bois-pin, l'amandier, le pommier, le Bois doux et le frangipanier. Et la maîtresse s'émerveillait comme une petite fille, fascinée par les fruits à portée de main, désireuse d'y goûter sur-le-champ. Rosalie promit une prochaine cueillette, et continua d'entraîner Olympe, mine de rien, vers l'arrière de la Grande Case pour lui montrer le flamboyant en fleur. Des centaines de pétales d'un rouge vif ornaient en effet ses branches, égayant un peu l'espace désolé. Olympe trouva l'arbre fort beau, mais elle poussa un cri de stupeur en apercevant trois cochons qui erraient en liberté, et ne put dissimuler une grimace de dégoût devant un groupe d'enfants nus et sales qui jouaient dans la poussière.

– Quelle saleté ! On peut dire que vous, les nègres, vous ne comprenez rien au confort... Où allons-nous maintenant ? Il reste des choses intéressantes ?

Rosalie ne répondit pas, continuant d'avancer vers la rue Cases-nègres, dans la direction de l'abri de Koyaba. Elle savait bien que chaque dimanche matin, Adèle lui apportait quelque chose à manger. Elle parut hésiter, puis sourit :

– Il reste plein de choses intéressantes, maîtresse. Venez...

Olympe lui emboîta le pas, tandis que Rosalie feignait d'ignorer l'abri de Koyaba. Mais la maîtresse, qui avait entendu du bruit, se retourna, entra dans l'abri et poussa un cri de surprise :

– Dieu du ciel ! Comment osez-vous ?

Adèle et Koyaba étaient en train de faire l'amour. Koyaba remonta vivement son pantalon et la robe d'Adèle resta retroussée au-dessus de ses hanches. L'indignation suffoqua Olympe. Rosalie s'approcha en baissant la tête, comme honteuse elle-même, mais sans parvenir à dissimuler un petit sourire satisfait. Olympe se précipita sur Adèle, et retrouvant la parole :

– Catin ! C'est comme ça que tu travailles ? En faisant des... des cochonneries !

Elle avait levé la main pour frapper Adèle, et ne comprit pas ce qui lui arrivait quand elle sentit son bras repoussé puissamment, puis ses pieds décoller du sol. Koyaba l'avait saisie par le cou, soulevée, et la maintenait ainsi d'une seule main, resserrant peu à peu l'étau. Rosalie vit le visage rougir et grimacer, et se décida à crier :

– Quitté-i ! Quitté-i ! Tu veux tous nous faire brûler vifs, sacré couillon ?

Adèle admira un instant le geste, la force de Koyaba, cette soif de liberté qui ne craignait pas même la mort. Comme il ne lâchait pas Olympe, elle posa doucement sa main sur son bras, leurs regards se croisèrent, alors seulement il desserra son étreinte. Olympe chancelait et Rosalie s'approcha pour la soutenir.

– Venez, maîtresse, il a perdu la tête.

Adèle s'approchait à son tour mais Olympe la repoussa violemment :

– Toi, ne me touche pas ! Je ne veux plus te voir chez moi ! Je vais dire à mon mari de vous vendre tous les deux !

Koyaba passa un bras protecteur autour des épaules de sa bien-aimée, et tous deux regardèrent cette femme dans sa robe de mousseline qui s'éloignait comme une furie vers la Grande Case. Elle avait cru pouvoir dresser son acquisition comme un animal. Elle se retourna : son visage était encore écarlate, ses cheveux ébouriffés, son air plus haineux qu'autoritaire.

Le châtiment ne se fit pas attendre. Dans la cour où tous les esclaves étaient réunis, le tambour résonnait lentement et solennellement. Quatre esclaves furent désignés par Jacquier pour attacher Koyaba au poteau ; certains d'entre eux comprirent seulement alors à quoi il servait. Mais les quatre maintenaient difficilement Koyaba tant il se débattait avec vigueur. Jacquier, son fouet à la main, surveillait la manœuvre. Parmi les esclaves suant sous le soleil figuraient Man Josèph, Rosalie et Amédée, qui ne jouissaient d'aucun privilège quand il s'agissait d'assister à la mort d'un homme. Amédée repensait aux paroles de Man Josèph – oui, sans doute aurait-il dû interdire à sa fille de voir cet homme. Ce qui le tracassait davantage était de savoir quel sort le maître allait réserver à Adèle. La faire fouetter ? La vendre ? L'envoyer travailler aux champs ?

Sur la véranda de la cuisine, Théophile, Olympe et François se tenaient debout, silencieux eux aussi, Olympe ayant retrouvé sa sérénité, Théophile paraissant extrêmement nerveux. Il observait l'homme qui allait mourir et qui ne baissait pas les yeux, il retrouvait dans son regard cette arrogance et cet orgueil qu'il avait remarqués dans la salle des ventes quand Olympe le lui avait fait acheter. Face à lui, Adèle, en position d'accusée elle aussi, gardait également la tête haute. Les deux condamnés ne se quittaient pas des yeux, apparemment indifférents à ceux qui les entouraient, et même au fouet de Jacquier qui allait leur lacérer le dos. Amédée, qui ne perdait jamais un mot de ce qui se disait au cours des conversations entre colons, se rappela la question ironique du présomptueux La Rivière au nouvel intendant lors du déjeuner de mariage : il était question des châtiments des esclaves, jugés excessifs, et du devoir de demander la permission du gouverneur avant de les appliquer. La remarque avait fait rire l'assemblée. Consulter Gauty ? La loi ici, c'était celle des maîtres.

Le tambour s'arrêta et Théophile prit la parole :

– Nègres, écoutez-moi ! Cet homme-là va être puni par le fouet jusqu'à ce que mort s'ensuive.

La sentence ne surprit personne. Le Code Noir ordonnait la mort pour un esclave ayant frappé son maître ou sa maîtresse, et Koyaba devait servir d'exemple. François se pencha soudain vers Théophile pour lui parler à voix basse :

– Attendez ! Je sais qu'il n'aurait pas dû toucher ma sœur mais il ne lui a pas fait de mal. Il s'est montré sensible à la raison...

– Foutez-moi la paix, vous ! le coupa Théophile. Et, reprenant son discours : À cause de qui cet homme va-t-il recevoir cent coups de fouet ? À cause de qui va-t-il mourir ? À cause de cette femme-là ! dit-il en pointant le doigt vers Adèle.

Olympe se pencha vers son mari.

– Tu ne la fais pas fouetter elle aussi ?

– Certainement pas ! Je ne veux pas qu'on l'abîme !

– Dis au moins que tu vas la vendre !

Ignorant sa femme, Théophile continua de s'adresser à l'assemblée :

– Cette fille est à moi, et à moi seul !

134

Puis il fit signe à Jacquier d'entamer le supplice. Le tambour reprit. Jacquier leva le bras pour le premier coup. Le fouet claqua, il claqua encore. Les coups devinrent réguliers. Olympe considérait Adèle qui n'avait pas daigné adresser un regard à Théophile quand il avait annoncé qu'il l'épargnait, et qui ne quittait pas des yeux l'homme qui recevait le fouet sans une plainte. « Un Mandingue, un roi dans son pays », avait dit Théophile. Mais Olympe ne comprenait pas son silence alors que les traces sanglantes se multipliaient sur son dos. La douleur devait ravager sa chair maintenant à vif.

Elle se tourna vers son mari :

– J'ai compris. Je refuse d'assister à cette comédie !

Elle n'avait pas même traversé la cuisine qu'elle fut brutalement tirée en arrière par Théophile qui lui avait empoigné les cheveux. À l'extérieur, le tambour s'était tu ; les coups de fouet avaient cessé.

– La mort d'un homme, ce n'est pas une comédie ! C'est toi qui as voulu tout ça et tu vas y assister jusqu'au bout ! hurla-t-il en la relâchant.

Olympe recula, le visage déformé par la colère.

– Tu couches avec cette négresse ! Tu me dégoûtes !

– Vu le prix que j'ai payé pour avoir le droit de te baiser, tu ne vaux pas mieux qu'elle !

Et il la gifla violemment. Elle cria en portant une main à sa joue, les larmes aux yeux. François les avait suivis. Il se rua sur Théophile, surmontant sa peur physique.

– Monsieur, je vous demande raison pour l'affront que vous venez de faire à ma sœur. Épée ou pistolet, choisissez.

La réponse de Théophile fut un coup de poing en pleine figure qui l'envoya rouler à trois mètres. Olympe cria de nouveau, tandis que son époux s'approchait de son frère, dont le nez était en sang, pour le relever.

– Il faut que vous compreniez comment ça marche, vous deux. Ici, c'est le droit du plus fort, et le plus fort, c'est moi. Maintenant, vous allez assister au spectacle et arrêter de me casser les couilles !

Ils surent qu'ils n'avaient pas le choix et ils retournèrent sur la véranda.

Lorsque Théophile reparut, le tambour reprit. Les coups de fouet aussi ; le sang ruisselait à présent sur le dos de Koyaba. Olympe sursautait à chaque nouveau coup, et craignit bientôt de s'évanouir. François, la tête baissée et les mains jointes, semblait prier.

Koyaba, qu'il eût ou non peur de mourir, ne baissait pas les yeux, continuant de regarder Adèle qui elle non plus ne faiblissait pas. Peu leur importait que l'assistance fût impressionnée par leur endurance et l'intensité de leurs regards. Adèle se demandait à quoi pensait Koyaba. À son pays natal, le même que celui de Manon ? À sa forêt profonde, non au poteau mais aux arbres vivants ? Elle le vit détourner les yeux vers l'allée qui montait vers les mornes. Puis il les planta de nouveau dans les siens. Elle avait compris ! Elle le vit qui rassemblait ses dernières forces et tirait sur ses liens. Il fallait faire vite, ne pas laisser à Jacquier le temps de s'apercevoir que les cordes se détendaient et que le poteau bougeait. Et soudain, Koyaba l'arracha du sol, en balaya l'espace autour de lui, avant de le rejeter et de s'enfuir à toutes jambes. Un murmure avait parcouru l'assemblée, puis des cris fusèrent. Les poings serrés, Adèle souriait au milieu de la confusion générale tandis que tous les yeux suivaient l'homme qui détalait entre les cases.

— Vite ! hurla Théophile. Pa Laissé-i chappé !

— Mi li ! Mi li ! Foute-i vaillant ! Passé nou toutt ! répondirent en chœur quelques esclaves.

Les quatre qui avaient lié Koyaba se précipitèrent aussitôt à la poursuite du fuyard tandis que Jacquier allait chercher les chiens. Amédée regardait sa fille qui avait les yeux brillants, mais il savait que Koyaba n'avait aucune chance. Cependant, il l'avait fait, *il l'avait fait*, et Amédée s'adressait intérieurement à Manon : « Tu vois, il n'y a pas que des corps-cadavres ici... Toi, tu as préféré la mort à l'esclavage, mais lui, il vient de s'enfuir comme un bon cabri ! »

Koyaba courait à toutes jambes. Le sang lui coulait sur les jambes mais il ne sentait pas la douleur. Au bout de l'allée, il ne sut où se diriger. Devant lui, la forêt, les mornes, les ravines, des arbres inconnus. Il jeta un coup d'œil vers le soleil, opta pour l'ouest. Mais oui, bien sûr ! La rivière, Grand Rivière où on les emmenait se laver. C'était sa seule chance. Maintenant, Koyaba savait où il allait. Il courait de plus belle. Son cœur battait la chamade. Il fallait courir sans s'arrêter. Il entendit les aboiements des chiens qu'on avait lâchés. Il regarda encore la colline. Qu'y avait-il au-delà ? Son allure ne faiblissait pas, alors même que ses pieds nus trébuchaient parfois sur de grosses racines surgies du sol et que les lianes des grands arbres semblaient lui barrer la route. Il sentait son sang ruisseler toujours, son visage se tendre, sa respiration se saccader. Courir. La forêt se faisait plus dense à mesure qu'il grimpait vers les mornes. Derrière lui, toujours les aboiements des chiens. Mais il avait encore un peu d'avance. Et Grand Rivière n'était sans doute plus très loin.

Jacquier faisait route seul. Il s'était déchaussé et ses bottes attachées avec une ficelle pendaient à son épaule gauche. Son pistolet à la main, il avançait, silencieux, agile comme un chat, attentif à la moindre trace – sang ou terre fraîchement foulée. Son assurance trahissait une longue habitude et il se savait sur la bonne piste. À la différence de Koyaba, lui connaissait les mornes : chaque arbre, chaque ravine, chaque fougère et chaque racine. Ce n'était pas la première fois qu'il se lançait à la poursuite d'un fugitif. Et celui-ci n'était pas créole, il ne connaissait pas l'île, il ne pouvait s'en sortir.

François avait eu, durant ces derniers mois, l'occasion de parcourir et d'explorer la Martinique. Cette lointaine terre d'Amérique n'était après tout qu'une île dont on faisait le tour en deux ou trois jours, dont on connaissait les divers paysages en quinze. Il avait traversé la forêt humide et les mornes, la mangrove et les bords de mer. Il avait visité des bourgs, il avait approché des habitations, observé les conditions de travail des esclaves dans les champs de canne.

Après l'altercation avec Théophile, il n'était pas question de rester chez celui-ci plus longtemps. Il avait refusé qu'on l'aide à faire ses bagages, simplement demandé qu'on lui selle son cheval. Il avait juste pris le temps d'aller saluer Man Josèph, Amédée, Rosalie et Adèle. Quant à Théophile, pas question de lui faire ses adieux.

Olympe l'avait suivi dans sa chambre et il avait essayé de la convaincre de venir avec lui, en vain.

Quand son cheval fut prêt et qu'arriva le moment de leur séparation, François prit sa sœur dans ses bras et la supplia de nouveau :

– Tu ne peux pas rester ici. Viens, j'expliquerai à papa ce qui s'est passé...

Olympe secouait la tête, le visage plein de larmes. Elle lui caressa la joue.

– Tu me vois dire à papa que j'ai quitté mon mari parce qu'il couche avec une esclave ? Tous les planteurs le font, c'est une chose normale ici...

– Mais c'est odieux ! Tu ne vas pas tolérer cette situation ?

– Et où veux-tu que j'aille ? Je n'ai pas le choix. Allons, pars, on se verra à Saint-Pierre, dit-elle en se forçant à sourire.

François n'avait pas encore dit à sa sœur sa pleine décision. Il hésita.

– Je ne resterai pas à Saint-Pierre. Je vais rentrer en France.

– À cause de ce qui s'est passé ? Mais ça n'en vaut pas la peine !

– Je ne veux pas devenir un parasite qui joue aux cartes et qui s'engraisse sur le dos des Noirs. Je veux que ma vie serve à quelque chose...

– Mais moi ? Qu'est-ce que je vais devenir ? demanda-t-elle en s'accrochant à lui.

– Je reviendrai, Olympe. Je ne t'abandonnerai pas, je te le promets.

Il l'embrassa une fois encore, enfourcha sa monture et partit sans se retourner. Quand il ne fut plus qu'un point à l'horizon des champs, Olympe éclata en sanglots. Attendant patiemment derrière elle, Rosalie était sans émotion. Elle ne fut pas davantage émue quand elle raccompagna à sa chambre sa maîtresse qui continuait à pleurer et qui refusa la moindre bouchée de son déjeuner.

— La Ti-béké-a ne veut pas manger, dit Rosalie en rapportant le plateau intact à la cuisine.

— Honte sur toi, Rosalie ! Honte sur toi ! Tu as voulu te venger et tu as fait beaucoup de mal... dit Man Josèph.

Rosalie posa le plateau sur la table avec un geste qui se voulait désinvolte.

— C'est Adèle qui t'a parlé ?

— Adèle ne te connaît pas comme moi ! Écoute-moi bien, mauvaise race ! Adèle est plus belle et plus jeune que toi, il faut que tu l'acceptes. Après elle, il y aura d'autres filles plus jeunes et plus belles et le maître fera la même chose. Nous, les négresses, nous devons nous soutenir les unes les autres, pas nous quereller comme des bouzins ! Il faut garder le respect, tu m'entends ?

Rosalie eut un petit sourire énigmatique, presque coupable, et saisit l'assiette sur le plateau d'Olympe.

— Tu as raison, Man Josèph. Tu as raison... Mais ce n'est pas seulement Adèle qui m'a rendue jalouse.

Man Josèph fronça les sourcils sans comprendre, tandis que Rosalie s'attablait et se mettait à manger.

— C'est qui alors ? Parle !

— Ici, toutes les femmes sont malheureuses sauf la Ti-béké-a, dit Rosalie avec un autre sourire, narquois celui-là. Depuis des mois, la Ti-béké-a dort, la Ti-béké-a chante le matin comme si le soleil se levait spécialement pour elle. Maintenant, elle est comme nous. Elle est aussi malheureuse !

Et elle se remit à manger tandis que Man Josèph secouait la tête en signe de désapprobation, replongeant ses mains dans la morue qu'elle émiettait pour le féroce d'avocat du dîner.

Elle pensa au Bossale en fuite, se demandant d'où lui venait sa force surhumaine ; à moins, songea-t-elle, que les esclaves n'aient sciemment posé des liens lâches.

Quoi qu'il en soit, la journée avait mal commencé, se dit-elle. Et elle sentit la douleur de sa jambe gauche se réveiller de façon aiguë. Les pluies de l'hivernage, sans doute... Douleur des mauvais jours. Misère ou orgueilleuse douleur ? Bah ! Vieille douleur remontant à une blessure au moulin où elle avait perdu un bon morceau de cuisse. Mais qui n'était sans doute rien en comparaison de celles que devait ressentir le Bossale au dos déchiré. Sans doute l'avait-on déjà rattrapé, songea Man Josèph en se retournant. Rosalie avait disparu.

Koyaba avait trouvé la rivière, et il n'entendait plus les aboiements des chiens lancés derrière lui. Il avançait dans l'eau peu profonde mais assez vive, progressant difficilement à cause des roches qui affleuraient. Épuisé, il glissa, ne parvint pas à se retenir, son grand corps fut entraîné par le courant. Son pied gauche heurta un rocher tranchant, mais il se retint de hurler. Le bras de la rivière s'élargissant un peu, il nagea comme il put pour rejoindre la berge, se releva péniblement, examina son pied sérieusement entaillé et sanglant. Soudain, il entendit du bruit, releva la tête, et saisit la première pierre qui lui tomba sous la main, prêt à se battre contre Jacquier lui-même, inquiet pourtant devant l'inégalité de leurs armes.

Ce n'était pas Jacquier. Trois Noirs sortirent doucement des grands feuillages qui surplombaient la berge. Ils fixaient Koyaba qui se détendit légèrement, en restant sur le qui-vive et en s'étonnant des colliers de coquillages à leurs cous.

– Qui nom-ou ? demanda-t-il.

– Les marrons des mornes. Viens avec nous ! répondit un des hommes.

Koyaba secoua la tête en signe de négation, sa pierre à la main, toujours menaçant. Les marrons se regardèrent, surpris.

– Tu ne sais pas qui on est ?

Nouveau signe de tête négatif et méfiant.

– On est comme toi. On s'est sauvés, nous aussi. On vit dans la forêt, sans maître. Les Blancs nous chassent comme des bêtes mais on arrive à vivre quand même... Allez, viens, frère. La nuit va tomber. Il faut qu'on rentre au camp...

Et ils disparurent derrière les feuillages tandis que Koyaba hésitait. Il jeta finalement sa pierre à l'eau et rejoignit tant bien que mal les marrons qui marchaient à vive allure, alors que lui boitait. Ils savaient que les poursuivants du fuyard n'abandonneraient pas comme ça. Ils avaient raison : quelques instants plus tard, Jacquier apparut à son tour sur la rive.

La nuit était tombée d'un coup et Jacquier s'était enfoncé sans difficulté dans la forêt épaisse. Caché derrière un arbre, il observait maintenant le campement des marrons auquel les traces de sang l'avaient conduit.

Ils étaient installés là depuis une semaine déjà, Jacquier le savait parfaitement. Koyaba était assis près d'un foyer où quelques braises rougeoyaient encore et autour duquel se dressaient des ajoupas dissimulés par des fougères. Il y avait là une dizaine d'hommes, autant de femmes et quelques enfants, et tous avaient retrouvé des semblants de parures de leur Afrique natale : pagnes, colliers de coquillages, bracelets de bambou, chevelures tressées et ornées de plumes, scarifications et traces de cendres sur le visage. Chaque homme était muni d'un arc et de flèches ou d'une lance de bambou. Leurs corps portaient aussi les stigmates et les cicatrices de l'esclavage : fleur de lys à l'épaule, cicatrices sur le dos, main ou oreille coupée. Sans doute avaient-ils fait plusieurs tentatives d'évasion avant de se retrouver réunis à marronner depuis des mois. Koyaba découvrait une vie sans maître, ni commandeur, ni habitation ; il était surpris par l'expression grave des visages qui l'entouraient ; il ne savait pas combien il fallait d'efforts pour n'être pas repris. Les marrons s'étaient réunis autour de lui, qui se faisait soigner par une femme appliquant un jus de plantes sur son dos. Ce n'est que lorsqu'il eut bu une pleine calebasse d'eau de pluie qu'il ressentit mieux la douleur de ses blessures.

– Les Blancs pas ici ? demanda-t-il.

Un des hommes, sans doute le chef du groupe, fit un pas en avant.

– On bouge, on change souvent de camp. C'est dur avec les femmes et les enfants. On se cache. Pour manger, on va voler la nuit dans les plantations. Les esclaves nous laissent de la nourriture quand ils peuvent... Quelquefois, on se fait attraper. On nous pend pour l'exemple. Tant pis. On préfère vivre comme ça et être libres...

Koyaba acquiesça de la tête pour montrer qu'il avait compris, et eut une pensée pour Adèle dont les rudimentaires cours de créole venaient de lui sauver la vie. Il pensait surtout à cette liberté retrouvée, et se jura que plus jamais il ne laisserait le diable blanc l'approcher.

Jacquier se décida à rentrer. Il était inutile de tenter d'intervenir maintenant, et d'ailleurs, il n'en avait nullement l'intention. Il remit son pistolet dans sa ceinture et s'éloigna sans bruit.

CHAPITRE 7

L'habitation avait apparemment retrouvé son calme habituel et, par la fenêtre ouverte de la chambre d'Olympe, on entendait les petites grenouilles chanter à la nuit tombée. Allongée sur son lit en chemise de nuit de dentelle, la jeune femme demeurait immobile, le regard perdu. Regrettait-elle ce qui s'était passé aujourd'hui ? Non, elle songeait que la condamnation à mort de ce nègre ne l'avait pas même effrayée. Si elle avait failli s'évanouir plus d'une fois, c'était uniquement à cause de ce sang, tout ce sang... Mais ses yeux et son cœur étaient restés secs, alors qu'elle savait si bien sangloter pour un oui ou pour un non. Ce qu'elle avait espéré, c'était que la fille soit fouettée, elle aussi. Et c'est ensuite qu'elle avait pleuré.

Olympe s'étonnait de sa propre cruauté. D'ailleurs, avait-elle jamais été sensible aux autres ? D'aussi loin qu'elle s'en souvienne, sa mère avait passé son temps à la corriger, à la modeler à l'image d'une jeune fille sans fortune mais élevée pour le beau monde parisien. Franche et vivante, elle avait pourtant dû l'être, avant de devenir une sorte de poupée de porcelaine à la fois dédaigneuse et frivole. Ou encore, sermonnée sans cesse par cette mère autoritaire, s'était-elle endurcie, avait-elle trop bien appris à maîtriser ses émotions ? Voici que même la mort d'un homme lui était indifférente. La toute-puissance de ma mère... pensa Olympe. Pourquoi

François, lui, y avait-il échappé ? Dans cet instant, Olympe se promit, si elle devenait mère à son tour, de ne pas faire de son enfant un automate à son image.

Olympe se disait aussi que ces nouveaux malheurs lui venaient de ce qu'elle ne priait plus. Oui, depuis cette messe ratée dont elle avait été l'instigatrice, elle ne s'en remettait plus à Dieu. Elle songea qu'elle pourrait demander à son mari de faire bâtir une chapelle à l'habitation, ce qui l'obligerait à s'y recueillir chaque jour. Mais, une obligation ! Et d'ailleurs, une église était-elle nécessaire pour prier ? Non ! Alors pourquoi avait-elle renoncé à sa prière du soir, les mains sagement jointes, avant de s'endormir, comme on le lui avait si bien appris ?

Ces questions l'agacèrent, et elle décida de ne plus songer à rien. Elle continuait de regarder fixement le vide de ses yeux bouffis par les larmes quand Rosalie fit son entrée.

– Tenez, dit Rosalie en lui appliquant des compresses sur les yeux, gardez ça un moment, ça va les soigner... C'est quand même malheureux qu'une jolie dame comme vous ait l'air d'un soucougnan...

Olympe se laissait faire, quand elle entendit la porte s'ouvrir doucement.

Adèle se glissa dans la chambre comme une ombre, et commença à ramasser les vêtements qui jonchaient le sol. Soudain, une carafe vola au-dessus de sa tête et alla se briser contre le mur à l'autre bout de la pièce.

Olympe avait rejeté les compresses et, dressée sur son lit, elle avait retrouvé un air de détestation rageuse :

– Comment ose-t-elle reparaître devant moi ? Dis-lui de sortir !

Adèle toisa calmement Olympe – juste le temps pour leurs regards de se croiser –, puis elle se dirigea vers la porte et sortit, tandis que Rosalie réinstallait la maîtresse sur ses oreillers.

– Ne vous tournez pas les sangs pour une si petite chose !

Les hommes, c'est la dix-septième race après les crapauds !
Qui s'occupe des crapauds ?

– Donne-moi mon miroir, ordonna Olympe.

Elle examina d'un air farouche ses traits tirés, puis elle
abandonna le miroir en bondissant sur ses pieds.

– C'est mon mari ! S'il faut se comporter comme une catin
pour lui plaire, alors allons-y !

Elle détacha les premiers boutons de sa chemise de nuit de
façon à dévoiler sa poitrine, passa une main dans ses cheveux
pour leur donner du bouffant, attrapa sur sa coiffeuse une
paire de créoles en or qu'elle accrocha à ses oreilles.

– Maîtresse ! Vous ne pouvez pas sortir comme ça ! souffla
Rosalie.

– Oh si, je peux ! dit Olympe en saisissant un chandelier
et en quittant sa chambre pieds nus.

Elle traversa la maison sombre et silencieuse, le chandelier
à la main, et lorsqu'elle arriva devant la porte de la chambre
de Théophile, elle entra sans frapper. Il était assis sur son lit,
occupé à retirer ses bottes, et ne sembla même pas surpris de
voir sa femme pénétrer ainsi dans sa chambre. Il ne prit pas
la peine de se lever.

– J'ai passé des heures à chercher ton chef africain, je te
préviens que ce n'est pas le moment de m'emmerder...

Olympe, sans lui laisser le temps de continuer, s'approcha
de lui, posa le chandelier sur la table de nuit et lui présenta
un visage languissant.

– Je te demande pardon, Théophile, dit-elle doucement.

Avec ses longs cheveux blonds éclairés par la bougie, elle
lui sembla à cet instant plus belle que jamais. Il se leva, décontenancé.

– J'ai été sotte. Tout est ma faute... poursuivit-elle.

Théophile fit un pas vers Olympe, et effleura sa chevelure,
comme fasciné.

– Non, c'est moi, dit-il. Je n'aurais pas dû me mettre en
colère...

– Embrasse-moi, demanda-t-elle en se serrant contre lui.

Peu habitué à une telle invite, il l'enlaça et ils roulèrent sur le lit. Cependant, Olympe se dégagea.

– Attends, mes bouches d'oreilles... dit-elle en détachant ses créoles et en les posant sur la table de nuit.

– On peut y aller maintenant ? dit-il avec une pointe d'ironie.

Olympe retomba sur la couche, et se laissa embrasser. L'idée traversa Théophile qu'elle avait besoin d'un conflit pour faire plus généreusement l'amour avec lui, puis il ne s'en soucia plus.

Ce fut elle, cette fois, qui s'éveilla à l'aube et s'éclipsa de la chambre de son mari pour regagner la sienne. Lorsqu'il émergea à son tour, d'assez bonne humeur, Théophile remit son café à plus tard, s'habilla et se rendit à son cabinet où Amédée était occupé à faire les comptes, comme chaque samedi. C'était une petite pièce en longueur dont les deux fenêtres donnaient sur l'arrière de la Grande Case. Un autre en aurait fait une buanderie, Théophile en avait fait son espace de travail. Il était meublé tout à fait simplement : un grand secrétaire en acajou, deux chaises et deux fauteuils, un petit guéridon et un coffre de bois. Sur la tablette du secrétaire, plumes, encriers, livres de comptes, papier à lettres et cachets de cire.

Amédée, assis, alignait des rangées de chiffres qu'il additionnait au fur et à mesure. Il présenta presque aussitôt le registre, sans lever la tête, sans accompagner son geste de la phrase habituelle relative à ses calculs.

Théophile ignora le registre, s'approcha des fenêtres à travers lesquelles il observa la cour et l'allée empruntée par l'Africain pour s'enfuir. Jacquier l'aura trouvé, se dit-il. Il se retourna brusquement et sortit de la poche de son pantalon les créoles en or qu'il avait trouvées sur sa table de nuit. Il les tendit à Amédée.

– Tiens. Tu donneras ça à ta fille.

Amédée ne bougea pas.

— Allez, prends, c'est pas pour toi, c'est pour elle ! ajouta Théophile en fourrant les boucles d'oreilles dans la poche de la veste de l'intendant toujours figé.

La porte s'ouvrit. Jacquier fit son apparition, crotté. Il avait rechaussé ses bottes.

— Alors ? demanda Théophile.

— Rien.

— Qu'est-ce que tu fous ici ? Je t'avais dit de ne pas revenir sans lui !

— Les chiens ont perdu sa piste à Grand Rivière, répondit Jacquier. Il a dû trouver les marrons...

Amédée, qui ne le croyait pas, releva enfin la tête vers Jacquier qui ne sourcilla pas. Quant au maître, furieux, il arpentait la pièce de long en large à grands pas énergiques.

— Putain de marrons ! Ils commencent à me faire chier, ceux-là ! Un de ces quatre matins, on va foutre le feu dans la forêt pour les enfumer, ils seront bien obligés de sortir !

— Je vais au moulin, dit Jacquier d'un ton indifférent.

— C'est ça, va te cacher ! Quand je pense que tu as du sang indien ! Indien de mes couilles ! hurla Théophile en retournant se poster devant les fenêtres, les yeux de nouveau fixés sur l'allée.

Amédée referma le registre et s'éclipsa sans bruit.

Théophile, qui ruminait sa colère, ne l'entendit même pas quitter la pièce. Il fallait rattraper le fuyard. En somme, il n'avait jamais vraiment souhaité la mort d'un homme jusqu'ici. Mais il ne pouvait supporter l'idée qu'Adèle s'était donnée au Mandingue de son plein gré, pas plus qu'il n'avait supporté l'échange de leurs regards pendant qu'on fouettait Koyaba.

Il se retourna, haineux, et donna un coup de poing au guéridon. Il remarqua alors seulement qu'Amédée n'était plus là, il en fut étonné, attrapa le registre, prêt à hurler si le travail n'avait pas été fait. Les comptes étaient parfaitement à jour, mais le solde indiqué par Amédée était inférieur à ce qu'il attendait ! La mine grave, Théophile alla s'asseoir dans un fauteuil, et posa ses pieds sur le secrétaire. Il songeait à cette plantation qui lui avait rapporté une fortune mais il pressentait des difficultés à venir. Le marché stagnait depuis quelque temps, les exportations étaient ralenties ; les commission-naires se montraient frileux, les planteurs s'endettaient. Ce n'était pas tout : on rapportait que beaucoup d'esclaves fuyaient les habitations et rejoignaient les marrons dans les mornes, que des révoltes se préparaient. Mais cela faisait long-temps qu'on craignait cette agitation. Or elle n'avait jamais vraiment eu lieu ! Théophile resta encore quelques minutes dans son bureau, à réfléchir...

Amédée, qui avait rejoint Jacquier dans la cour, savait non seulement que le commandeur avait en partie menti à Théo-phile, mais il le soupçonnait aussi de n'avoir pas passé la nuit à rechercher le fugitif. Il se souvenait d'avoir surpris Jacquier, quelques mois auparavant, allongé sur un rocher à Grand Rivière, contemplant les étoiles alors qu'il était censé, comme aujourd'hui, ramener un évadé à la plantation. Ce n'était donc pas la première fois que le commandeur revenait bredouille d'une battue en forêt, et Amédée avait compris que si Jacquier s'acquittait parfaitement de son travail sur la plantation, il en était autrement dès que l'on sortait du domaine de Théophile. Et s'il leur laissait volontairement recouvrer la liberté ?

– Il est où, le Bossale ?

– Dans la forêt. Avec les marrons.

– C'est ça. Qu'il aille au diable et qu'il laisse ma fille tranquille ! Sinon c'est moi qui vais le tuer !

Jacquier douta de sa sincérité et il poursuivit sur un ton réconfortant :

– Oublie-le. C'est pas moi qui vais le ramener. Des comme ça, j'en veux pas ici.

Cette fois, Amédée savait que Jacquier disait vrai : il faisait son travail parce qu'il devait le faire, il n'avait jamais hésité à manier le fouet. Mais les hommes qui résistaient le gênaient. Et peut-être était-il plus ébranlé qu'il ne le laissait paraître quand il devait exécuter un châtiment. La veille, Amédée avait perçu une étrange lueur dans ses yeux, quand Théophile avait annoncé la condamnation à mort. La peur d'avoir à tuer, la honte peut-être d'avoir à tuer un homme qui ne baissait pas les yeux.

Les deux hommes s'étaient tout dit. Jacquier poursuivit son chemin jusqu'à la sucrerie tandis qu'Amédée revenait vers la Grande Case et entrait dans la cuisine, où il trouva Man Josèph, Rosalie et Adèle occupées à éplucher des ignames. C'était pour Olympe que Théophile avait ordonné qu'on prépare un gratin, dont elle était devenue friande. « Je veux des légumes ! » avait-elle dit, apparemment dégoûtée par les fricassées de lambi et les calalous au crabe mijotés par Man Josèph et qui enchantaient Théophile. Man Josèph avait rouspété : la maîtresse pouvait manger tous les jours des ignames, des christophines et des fruits, sinon ses légumes verts d'Europe, de quoi se plaignait-elle ?

Amédée ne fut pas surpris par le silence qui régnait dans la pièce. Pour tous, à l'habitation, quelque chose avait changé depuis la veille : un condamné à mort avait réussi à s'évader ! Oh, ce n'était pas le premier qui s'enfuyait et qui rejoignait les marrons dans la forêt, mais lui, à la différence des autres, ne s'était pas enfui en pleine nuit après avoir surveillé les rondes de Jacquier, il était parti en héros ! Adèle pensait à leur amour, Rosalie se sentait moins coupable, et Man Josèph savait que le Bossale était vivant. Elle avait toujours écouté sa jambe gauche qui ne la faisait pas souffrir aujourd'hui. C'est que tout allait bien.

Amédée s'approcha d'Adèle, et déposa sur la table les boucles d'oreilles données par Théophile.

– Tiens. De la part du maître, dit-il en tournant les talons.

Rosalie éclata d'un rire amer.

– C'est les boucles de la Ti-béké-a ! La coucoune d'une Noire laisse un meilleur souvenir que celle d'une Blanche...

– Pas la peine de dérespecter, Rosalie. Le maître veut la paix, gronda Man Josèph.

– Gadé ça, Man Josèph ! Ce qu'il veut, c'est la coquer !

dit-elle en se tournant vers Adèle. Qu'est-ce que tu attends ?
Tu n'en veux pas ?

– Je ne veux pas être sa putain !

– Si tu ne les prends pas, moi je les prends ! dit Rosalie,
la main tendue vers les bijoux.

Man Josèph l'arrêta :

– Paix-là ! Tu es trop jalouse, Rosalie ! Tu te calmes ou je
ne veux plus de toi dans la cuisine !

Rosalie se détourna en haussant les épaules.

– Ma fille, poursuivit Man Josèph en s'adressant à Adèle,
le maître ne te donnera jamais d'argent, alors quand il te donne
quelque chose qui vaut cher, tu le prends.

Et elle fourra avec autorité les boucles d'oreilles dans la
poche du tablier d'Adèle.

Puisque la doyenne le disait, sans doute fallait-il l'écouter,
pensa Adèle en se renfrognant. Man Josèph remarqua pourtant
qu'elle avait accéléré son épluchage des ignames, comme si
elle avait soudain l'idée de s'éclipser. Elle ne se trompait pas :
Adèle quitta la cuisine quelques instants plus tard.

Elle arriva au cimetière, essoufflée d'avoir couru. Elle
s'assura qu'elle n'avait pas été suivie puis se mit à creuser, à
genoux dans la terre, un trou au pied de la croix qui faisait le
seul ornement de la tombe de Manon. Elle glissa les boucles
d'oreilles dans un petit sac de madras vide qu'elle avait trouvé
sous la paillasse de sa mère, et l'enterra ; elle apporterait une
coquille de noix de coco de façon à mieux protéger son trésor.
Puisque telles étaient les règles établies, puisque son père lui-
même avait accepté les boucles d'oreilles, ce ne serait là qu'un
début...

Quand elle se releva, elle fit un signe de croix et s'adressa
à sa mère à voix haute :

– Maman chérie mwen, le diable veut manger mon âme.
Donne-moi la force de lutter contre lui. Donne-moi secours
pour devenir riche et racheter ma liberté et celle de papa. Je
veux que tu sois fière de ta fille, Maman-mwen. Fière de moi.

Jamais elle n'avait possédé quoi que ce soit, et sa première pensée fut que ces boucles auraient pu servir à acheter un beau tissu pour en faire un linceul. Le corps de Manon avait été enveloppé dans cette toile grise et grossière dans laquelle on taillait les robes et les tabliers des esclaves, tandis que la Ti-béké-a se vêtait de tissus riches et fins ! Et Adèle se prit à rêver qu'un jour, elle porterait une robe aussi belle que celles qui étaient rangées dans l'armoire. L'évocation de la maîtresse lui fit songer que la vie à l'habitation avait changé depuis son arrivée. Manon était morte, Koyaba avait été condamné à mort. Cette femme n'était rien d'autre qu'un oiseau de malheur qui ne présageait rien de bon pour l'avenir. De toute façon, Adèle savait qu'Olympe la détestait de tout son cœur, et elle ne l'aimait pas davantage.

Elle resta là, debout devant la tombe, rêvant au passé, se demandant ce que l'avenir lui réserverait, indifférente à une averse soudaine. Mais sa robe qui lui collait à la peau lui fit imaginer que Manon avait froid sous la terre et à ce moment elle aurait voulu la réchauffer, tout comme elle avait besoin d'être réchauffée elle aussi, oui, blottie contre le sein réconfortant de cette maman à la démarche trop discrète, à la peau trop noire et aux cicatrices qui effrayaient les Blancs.

Trempée jusqu'aux os, Adèle finit par s'allonger sur la tombe avec l'envie folle de parler à Manon. C'est cela que je garde de toi, maman, ta douceur, tes gestes retenus et tes regards perdus. Pas grand-chose de ton Afrique, maman-mwen, je suis désolée, pas même ce nom de Kalièle que tu m'as répété bien des fois, pas même celui de ta tribu ! Il restait bien le roulement du tambour, l'évocation d'une vie en Afrique et l'air triste de cette comptine africaine aux paroles mystérieuses, si souvent chantée, mais quoi d'autre ? Ma vie, maman-mwen, ma vie à moi a commencé ici en Martinique !

*
* *

151

« Rendre la Ti-béké-a malheureuse », avait dit Rosalie à Man Josèph.

Était-elle parvenue à ses fins ? Ce matin-là, lorsque Olympe eut quitté la chambre de Théophile vers cinq heures, elle rejoignit la sienne avec la pensée que le soleil ne tarderait pas à se lever et qu'elle dévorerait bientôt le petit déjeuner apporté par la docile Rosalie. Elle erra quelque temps, pleine de bonnes résolutions, se promettant qu'elle irait à Saint-Pierre le jour même. À six heures, elle se sentit fatiguée et décida de se reposer un moment. Elle dormit jusqu'à midi, se leva pour constater qu'il pleuvait et que le soleil ne brillait pas. Elle aperçut le plateau du petit déjeuner posé près de son lit, le thé avait refroidi. Finalement, Olympe décida de se mettre en grande toilette, bien qu'elle eût déjà abandonné l'idée de se rendre à Saint-Pierre, et tout en se souvenant que ses plus belles robes laissaient son époux indifférent. Comme elle ne parvenait pas à choisir parmi elles, elle les étala toutes dans la chambre. Ce ne fut qu'après avoir opté pour la robe de velours bleu qu'elle se rappela le mauvais souvenir qui lui était indissociable : un jeune homme rencontré avant le départ pour la Martinique, leur amour déclaré, la promesse de se marier ou de mourir ensemble. Elle ne l'avait jamais revu ; il avait appris qu'elle était issue d'une famille désargentée.

Olympe ne mangea pas, mais resta en revanche plus d'une heure devant sa coiffeuse à brosser ses cheveux. Sans envie particulière, elle alla ensuite de son lit à son fauteuil et du fauteuil à la fenêtre. La pluie s'intensifiait. Elle fut soudain surprise du désordre qui régnait dans la pièce, ne s'en soucia pas longtemps, et finit par sortir un jeu de cartes qui se trouvait dans le tiroir de sa table de nuit. Allongée sur le lit, elle entama une patience, se faisant la remarque qu'elle aurait bien pu être morte : personne ne s'inquiétait d'elle.

Une heure plus tard, Rosalie frappait à la porte. N'obtenant pas de réponse, elle l'entrouvrit et passa la tête : Olympe, dans sa robe de velours bleu, dormait sur son lit, les cartes à jouer éparpillées sous ses bras. Rosalie aperçut les robes dispersées, referma la porte aussi doucement que possible, et décida de profiter de l'absence de la maîtresse au salon pour le nettoyer de fond en comble.

À l'approche de la nuit, Rosalie s'inquiéta car Adèle n'avait pas reparu. Elle décida de partir à sa recherche. La pluie avait cessé. Elle emprunta l'allée qui conduisait à la forêt et arriva au cimetière où, sans surprise, elle trouva Adèle. Celle-ci était couchée sur la tombe de sa mère, recroquevillée dans sa robe trempée.

– Allez, viens ! Tu ne peux pas rester ici. Ça va être l'heure des zombis...

Adèle prit la main tendue et se releva lentement, à demi chancelante.

Elles marchèrent en silence jusqu'à la clairière où l'on faisait sécher le linge, près des grands jardins potagers. Soudain, Adèle sentit que Rosalie accélérait le pas. Trop tard. Elle venait de l'apercevoir, là, placardée sur le fromager : une affiche devant laquelle Rosalie s'était arrêtée en venant. Adèle avait déjà compris de quoi il s'agissait, et se doutait que Jacquier avait reçu l'ordre d'en placarder d'autres dans les environs.

– Regarde pas, ça va te faire pleurer... dit Rosalie.

Adèle s'approcha. Son père lui avait appris à lire, elle déchiffra sans peine le texte. C'était un avis de recherche avec prime à l'appui. On pouvait y lire la mention de « nègre marron », une description physique détaillée de Koyaba ainsi que le nom de son propriétaire et le montant de la récompense pour celui qui le ramènerait.

Elle ne pleura pas, dit qu'elle devait revoir Koyaba coûte que coûte. Rosalie leva les yeux au ciel d'un air excédé. Ainsi, pensa Adèle sur le chemin du retour, le maître ne laisserait pas Koyaba en paix ! Et il avait dû être impatient de faire enregistrer le délit de fuite.

C'était vrai. Pourtant, Théophile n'avait jamais aimé effectuer ces démarches, qui impliquaient du temps, une entrevue avec le gouverneur, et des frais. À la vérité, en comparaison des autres habitations, lui pouvait se targuer d'un nombre peu élevé de fugitifs, ces dernières années. Les quelques cas qui s'étaient présentés ne relevaient que du petit marronnage et avaient été soumis aux lois de l'habitation. Il ne lui était donc pas habituel d'aller faire une déclaration à la justice royale. Mais cette fois, il avait fallu s'y résoudre : pour l'exemple, parce que Théophile savait que Koyaba ne reviendrait pas, parce que enfin d'inquiétantes rumeurs couraient à propos de bandes de marrons organisées et prêtes à la révolte. Bonaventure s'était donc rendu à Saint-Pierre et avait été accueilli par le gouverneur Gauty. Toujours ce visage à l'expression trouble et au sourire apparemment aimable. Mais malgré la vivacité ordinaire de ses petits yeux porcins, Théophile y avait perçu de la lassitude. Gauty l'avait justifiée en quelques mots : les délits de fuite s'accumulaient, il était débordé, cela ne présageait rien de bon. L'échange entre les deux hommes avait été bref. Il en ressortit que le nom de Koyaba serait mentionné dans les gazettes de Saint-Pierre et l'affichage ordonné. Théophile réussit à éviter l'intervention de la maréchaussée, ce qui lui permit de faire l'économie de frais plus importants.

Deux nuits plus tard, Adèle échappa à la vigilance de Jacquier et put se rendre de nouveau au cimetière. À l'orée de la forêt, elle trouva une pierre sur laquelle elle déposa une dizaine de patates douces qu'elle avait pris soin d'emporter, puis elle alla se cacher derrière un arbre. Elle attendit, anxieuse, pensant aux feux follets qui couraient sur les mornes. Les arbres dormaient, les tamariniers avaient replié leurs feuilles. Elle-même, fatiguée, s'était accroupie au pied d'un arbre et avait fermé les yeux. Soudain, un froissement de feuilles la fit sursauter. Elle imagina une chauve-souris, un cabritt-bois. Une ombre avançait en direction de la pierre sur laquelle étaient posées les patates. C'était un nègre marron. Adèle le reconnut au collier de coquillages qu'il portait autour du cou. Il s'empara des patates, sursauta en apercevant Adèle, porta la main à son coutelas. Elle espéra seulement que l'homme comprenait le créole.

— Bien le bonjou, frè. Mwen sè Adèle, moune bitation Bonaventure...

— Ça ou lé ? demanda-t-il.

— On dit dans la savane que le major Koyaba est avec vous...

— Mwen pas konnet li, dit l'homme en secouant la tête.

— Tu vois la tombe de ma mère ? Dis au major Koyaba que je l'attendrai là tous les jours, avant l'heure des zombis...

L'homme la regarda sans répondre, tourna les talons et s'enfonça dans la forêt aussi discrètement qu'il était venu.

Il avait menti, bien sûr. Adèle en était certaine. Et cependant, elle commença à douter : voilà maintenant quinze jours qu'elle se rendait chaque soir au cimetière et attendait Koyaba, en vain. Devait-elle renoncer ? Ayant retrouvé la liberté, l'avait-il oubliée ?

Un soir de pleine lune, alors qu'elle s'apprêtait à rentrer, elle entendit un long sifflement. Craignant la présence d'un serpent, elle allait s'enfuir quand une voix grave entonna la mélopée africaine qu'elle connaissait bien. Avant même qu'elle eût le temps de se retourner, il était là devant elle, comme ayant surgi de nulle part. Elle se jeta dans ses bras et ils s'étreignirent passionnément.

— Tu m'as manqué ! Tu m'as tellement manqué !

— Toi aussi tu m'as manqué, Lousolo !

Elle recula pour mieux le regarder. C'est qu'il semblait avoir changé : il parlait mieux le créole maintenant et son dos paraissait quasiment guéri. Grâce à des frictions aux extraits de plantes sauvages, expliqua-t-il. Il lui paraissait surtout plus téméraire et plus valeureux que jamais. Il raconta à Adèle la vie avec les marrons dans les mornes, l'exploration de l'île, sa savane et ses rivières, les falaises et la mer, la forêt humide et la mangrove, les difficultés à se procurer de la nourriture, les veillées autour du feu le soir, à chanter des airs africains.

Il lui confia enfin sa détermination : il fallait se battre pour refuser l'esclavage et tout restait à faire.

– Emmène-moi ! Je veux rester avec toi, dit Adèle.

– Je ne peux pas te prendre avec moi. Les marrons vivent comme des bêtes, on a toujours faim, toujours peur...

– Ça m'est égal.

– Un jour, je te prendrai avec moi, Lousolo. Tu seras ma femme et je te donnerai une belle case.

– Je ne veux pas de belle case, je veux que tu me serres dans tes bras.

Et ils firent l'amour avec la frénésie des retrouvailles.

CHAPITRE 8

Quelques mois plus tard, Koyaba fut élu gouverneur des marrons. Cela se fit au cours d'une cérémonie conduite par celui-là même qui paraissait être le chef à l'arrivée de Koyaba. Le groupe, qui avait considérablement grossi, se composait d'une soixantaine d'hommes et de femmes qui se faisaient face en deux clans séparés au moment où l'homme paré de nombreux colliers de coquillages s'avança vers Koyaba, un collier de cories dans les mains :

– Koyaba, tu as passé nos épreuves avec succès. Tu es digne et fort. Tu étais roi dans notre terre de Guinée. Ici, tu seras notre gouverneur.

Les femmes applaudirent et poussèrent des cris de joie, quand l'homme passa solennellement le collier autour du cou de Koyaba, dont ce fut le tour de prendre la parole :

– J'ai trempé trois fois la toile dans la rivière. La première fois, la toile est ressortie verte comme les Caraïbes. La seconde fois, elle était blanche comme nos maîtres, la troisième fois, elle était noire... car nous serons les maîtres de ce pays...

Les cris fusèrent cette fois de toutes parts pour saluer ses paroles. Koyaba s'était naturellement révélé comme l'homme le plus apte à les commander. Depuis son arrivée, la vie s'était améliorée : le campement était mieux organisé, les ajoupas construits plus solidement, un terrain avait été défriché pour y planter du manioc et des ignames. Koyaba avait surtout mené à bien des pillages dans différentes habitations. On y vola quelques volailles, des armes aussi, parfois. Le plus important était d'avoir redonné courage, confiance et espoir aux femmes comme aux hommes. Aujourd'hui, ces derniers avaient moins l'aspect de pauvres hères ; ils se tenaient droits et fiers, leur coutelas à la main ; deux d'entre eux étaient même munis de fusils ; tous étaient prêts à combattre les bourreaux blancs. Il fallait maintenant convaincre d'autres esclaves de les rejoindre dans leur lutte.

L'amour, on n'en parlait guère. Et pourtant, c'était bien de cela qu'il était question entre Koyaba et Adèle. Un amour qui paraissait à Adèle plus grand chaque jour. Ils continuaient de se voir, se donnant rendez-vous à l'insu de tous. Elle portait en elle un autre secret : elle était enceinte, et persuadée que Koyaba était le père de son enfant. Elle ne pouvait en être tout à fait certaine cependant car elle revoyait souvent le maître depuis quelque temps. Peu importait : personne n'avait encore rien remarqué à l'habitation, elle était sûre de son instinct, et quand sa grossesse serait visible, elle serait loin, à marronner avec Koyaba.

Sans doute Adèle aurait-elle dû se montrer plus prudente, un jour où elle avait passé la matinée à laver le linge dans la rivière. Elle l'avait rincé et essoré, puis, avant d'aller l'étendre à la clairière au soleil, elle avait entrepris de se baigner comme elle le faisait quotidiennement. Elle était entrée dans l'eau seulement vêtue d'un jupon léger et d'une chemise, et avait savouré l'instant délicieux.

Quand elle sortit, elle s'amusa à la vue d'un gros lézard qui semblait se prélasser au soleil sur la robe qu'elle avait soigneusement pliée sur l'herbe. Soudain elle releva la tête, affolée. Elle ne les avait pas entendus : Jacquier et Théophile se tenaient debout devant elle, à regarder son corps dont le jupon et la chemise mouillés moulaient les formes avec autant de précision que si elle avait été nue. Ils revenaient de la forêt où Jacquier avait emmené Théophile pour lui montrer un espace à défricher. Mal à l'aise, Jacquier détournait la tête tandis que le regard du maître s'attardait au contraire sur le corps aux formes arrondies.

– Tu as des seins magnifiques. On dirait qu'ils grossissent de jour en jour !

Adèle se précipita pour enfiler sa robe et cacher sa poitrine, les yeux baissés. Mais Théophile s'approcha, lui retint les mains pour mieux observer ses seins et son ventre.

– Mais tu es enceinte ! Regarde ! Même ton ventre s'arrondit ! ajouta-t-il en éclatant de rire. Qu'en penses-tu, Jacquier ? Je commençais à me demander si j'étais capable d'engrosser une femme ! Il regarda Adèle et lui fit une caresse sur la joue. Toi, tu n'es pas comme les autres, je l'ai toujours su...

Adèle recula, reprit la robe qu'elle passa rapidement, saisit sa corbeille pour s'en aller. Théophile la retint :

– Eh bien, quoi ? Tu n'es pas contente de pondre un petit mulâtre ? Allez, va, tu ne le regretteras pas ! Si c'est un garçon, j'en ferai mon commandeur...

Il la suivit des yeux, alors qu'elle s'enfuyait. Enchanté de lui-même, il adressa un grand sourire à Jacquier qui ne le lui rendit pas, le visage plus impénétrable que jamais.

Pour l'heure, persuadé qu'une bonne nouvelle en amenait une autre, Théophile fila tout droit à la sucrerie et un nouveau sourire fendit son visage : son sucre n'avait plus rien à voir avec le sucre brut qu'il avait l'habitude de produire et de vendre depuis des années. Il était bien plus blanc et d'une qualité tout à fait exceptionnelle !

Quand il entra dans le bureau où Amédée était occupé aux comptes, Théophile déversa sur le registre le contenu d'un petit sac de jute.

– Regarde ce sucre !

Amédée n'en revenait pas lui non plus ; son visage s'éclaira d'un demi-sourire de satisfaction.

– Les commissionnaires vont se l'arracher à prix d'or ! fit-il remarquer.

– Quand je pense que nous, les planteurs, nous n'avons pas le droit de raffiner notre propre sucre ici, en Martinique ! Et que ces salauds en France s'en foutent plein les poches !

– Pour une fois, vous n'aurez pas de problèmes pour vous faire payer comptant. L'argent est rare, maître. Il faut refaire le toit du moulin à sucre et le charpentier en veut cent écus.

Au lieu de répondre à l'annonce de ces soucis financiers par un de ses habituels accès de colère, Théophile observa Amédée d'un air narquois. Celui-ci comprit qu'il y avait anguille sous roche.

– Et ce n'est pas la seule bonne nouvelle ! ajouta Théophile.

Cette fois, Amédée paraissait vraiment perdu...

– Ta fille ne t'a rien dit ? Elle est enceinte, mon vieux ! Je vais être papa !

– Elle... Elle vous l'a annoncé elle-même ? demanda Amédée sans parvenir à dissimuler son trouble.

– Je sais reconnaître une négresse en cloque quand j'en vois une ! Ne t'inquiète pas, va ! Si c'est un garçon, je lui ferai une position sur l'habitation. J'affranchirai toute la famille s'il le faut ! Tu seras bientôt libre, vieux filou !

C'était la seconde fois que Théophile parlait à Amédée d'affranchissement et de liberté. Mais ce dernier savait que c'était aujourd'hui plus sérieux. D'abord parce qu'il n'était pas rare qu'un maître célibataire affranchisse une esclave mère de son enfant qui naissait alors libre. Quand le maître était marié, c'était prendre des libertés avec le Code Noir, mais les colons avaient appris à contourner la législation lorsque cela leur était utile. La vraie raison était cependant ailleurs : Théophile espérait depuis longtemps un enfant qui ne venait pas. Bien sûr, ce ne serait pas l'enfant blanc destiné à devenir son héritier, mais il ferait taire les rumeurs sur son compte de mâle-papaye. De quoi satisfaire sa vanité, pensa Amédée, quoiqu'il constatât que Théophile semblait sincèrement heureux et fier, comme l'indiquait le terme de « papa » qu'il avait utilisé. Car c'était bien la chose qui manquait à cet homme : être « papa ». Comme le lion, pensa Amédée, dont le rôle ne se limite pas à protéger son territoire des intrus, mais qui doit aussi procréer.

Théophile regardait Amédée qui enfilait sa veste en silence. Avant de quitter la pièce, il se retourna vers Théophile, et leurs yeux se croisèrent franchement. Théophile finit par sourire, comme pour dissimuler une gêne. Amédée franchit la porte et la referma derrière lui.

En traversant la cour, Amédée aperçut Adèle qui prenait la clef des champs pour se rendre au cimetière comme elle le faisait régulièrement, c'était du moins ce qu'elle disait depuis des mois.

– Adèle !

Elle se retourna. Sur le visage de son père, une expression qu'elle ne connaissait pas, à la fois grave et étonnamment paisible, et qui lui fit aussitôt comprendre que le maître lui avait parlé. Elle avança, mais ils semblaient aussi embarrassés l'un que l'autre. Après un temps qui permit à sa voix de se dénouer, Amédée se lança :

– C'est vrai ce que le maître m'a dit ? Que... tu espères ?

– Oui. Je crois.

– Tu vois souvent le maître ?

– Assez. Il m'appelle.

– Il est content d'avoir un enfant.

– Tant mieux, dit Adèle.

– Pas toi ?

Elle le regarda sans répondre. Au fond, lui croyait enfin avoir son rêve à portée de main, mais comment pouvait-il imaginer qu'elle pût être contente de porter un enfant de l'homme qui avait tué sa mère ? Il soupira.

– Je ne dis pas que c'est bien, mais c'est une chance. Il dit qu'il va nous affranchir !

– Alors je suis contente aussi, dit-elle en se forçant à sourire.

– Ta mère rêvait d'être libre, ajouta Amédée, avec une boule dans la gorge.

– Je sais, papa. Moi aussi, répondit-elle en hochant la tête.

Et elle tourna les talons. Amédée la regarda s'éloigner, et il pensa qu'elle ne pouvait mesurer l'importance réelle du mot « liberté ». Comment l'aurait-elle pu ? Elle était née esclave créole sur une plantation, son existence avait été relativement facile en comparaison de ce qu'il avait vécu, lui. Elle n'avait pas été arrachée à son pays, elle n'avait connu ni la capture, ni le bateau, ni les champs de canne ! Elle était née esclave et Amédée comprit qu'il lui parlait de quelque chose qu'elle ne comprenait pas bien. Ce fut ainsi qu'il s'expliqua l'étrange façon dont sa fille accueillait la nouvelle de sa grossesse.

Sur le chemin qui la menait dans les bras de Koyaba, Adèle pensa en retour à son père : qu'allait-il devenir si, comme elle y était déterminée, elle rejoignait Koyaba et les marrons dans les mornes ? Cependant, elle ne doutait pas que Koyaba saurait la conseiller.

Il était arrivé un peu avant elle ce jour-là, et il commençait à s'impatienter. Elle arriva en courant. À peine fut-elle dans ses bras qu'il ne put résister plus longtemps à lui annoncer la nouvelle :

– Ça y est, c'est décidé ! Nous allons foncer sur les Blancs à la lune montante pour les tuer.

Et il se mit à lui expliquer de quelle façon, depuis des mois, ils avaient gagné à leur cause de nombreux esclaves qui les avait rejoints. Ils étaient plus d'une centaine aujourd'hui !

– Ton sang est fort, souffla Adèle. À la lune montante mon ventre sera déjà bien gros de toi...

Au lieu du sourire qu'elle attendait, le visage de Koyaba s'assombrit. Il avait même l'air consterné.

– Tu n'es pas content ?

Il lui caressa tendrement les cheveux pour la rassurer.

– Je suis content, Lousolo. Mais je suis un guerrier. Je me bats pour la liberté.

– C'est pour ça que je dois marronner moi aussi. Pour que notre enfant soit libre...

– Mais tu ne sais rien de la liberté ! dit-il brutalement.

– Alors, dis-moi ! Dis-moi ce que c'est ! supplia-t-elle.

Comment expliquer à quelqu'un qui n'y avait jamais goûté ce qu'était la liberté ? Il n'en eut de toute façon pas le temps. Des aboiements de chiens retentirent soudain dans le lointain. Koyaba tendit l'oreille pour essayer de repérer d'où ils venaient. Puis il se leva, inquiet.

– Il y a une chasse dans la forêt. Il faut que je regagne les mornes... Tu vois ? Je vis comme une bête, moi aussi. C'est ça que tu veux pour ton enfant ?

Adèle secoua la tête et se laissa caresser à nouveau tendrement les cheveux. Il fit un pas en direction de la forêt.

– Adieu, Lousolo. Quand notre guerre contre les Blancs sera finie, nous ferons une famille tous les deux. Nous aurons tous les enfants que tu voudras, je te le jure.

Mais Adèle s'écarta brusquement, en sanglotant.

– Va-t'en ! Retourne dans tes mornes ! Je n'ai pas envie d'être ta femme quand je serai vieille ! Je ne veux plus te voir !

Elle cracha par terre et tourna les talons. Koyaba hésita à la rattraper. Il y renonça car les aboiements s'étaient rapprochés, et il disparut entre les arbres.

Sur le chemin du retour, Adèle pleurait à chaudes larmes. C'est son père qui avait raison ! se disait-elle. Cet enfant ferait aussi bien d'être celui du maître, au moins il servirait à quelque chose ! S'il était celui de Koyaba, il ne serait qu'un esclave de plus pour Bonaventure. Et elle ne comprenait pas pourquoi Koyaba refusait qu'elle le rejoigne maintenant. Cette guerre dont il lui parlait, combien de temps allait-elle durer ? Et combien de morts compterait-elle ? Et comment imaginer que Koyaba s'en tirerait vivant ? Non, se répétait-elle en se résignant, il fallait que cet enfant soit celui du maître. Pourtant, plus elle essayait de s'en convaincre et plus elle était convaincue du contraire.

Elle n'était pas la seule à penser ainsi à l'habitation.

– Je le crois pas ! Le maître est un mâle-papaye, il ne donne aucun enfant.

– Tu es scélérate, Rosalie ! dit Man Josèph. Tu veux jeter le mauvais sort. Koyaba est loin depuis longtemps et le boudin d'Adèle n'est pas gros. C'est l'enfant du maître.

– Chouà-chouà, qu'est-ce que vous avez à babiller comme des vieilles femmes ? demanda Adèle en entrant, prête à les aider à dresser les plats du déjeuner.

Elles se turent, mais toutes deux avaient jeté un regard furtif sur son ventre. Man Josèph finit par se retourner franchement.

– Félicitations, doudou-chè ! dit-elle avec un large sourire.

– Félicitations, doudou-chè, dit à son tour Rosalie en singeant Man Josèph.

Surprise que la nouvelle se soit propagée si vite, Adèle les pria sèchement de la laisser tranquille.

– Je vais te préparer un bon bain d'herbes pour que ton garçon soit bien clair de peau, se hâta cependant d'ajouter Man Josèph.

Rosalie, apparemment exaspérée, haussa les épaules et quitta la cuisine. Ce n'était pas seulement de l'orgueil blessé : l'idée qu'Adèle soit enceinte du maître la troublait plus profondément. C'étaient des sentiments et des pensées mêlés, aussi peu agréables les uns que les autres : elle avait été la cocotte du maître pendant des années sans en être enceinte ; elle avait trente ans tandis qu'Adèle n'en avait que dix-sept ; au fond, c'était peut-être elle qui ne pouvait pas enfanter, elle était peut-être tout simplement trop vieille ! Ou bien le maître ne l'avait-il pas suffisamment aimée ? Et pourquoi lui préférerait-il Adèle ? Et Rosalie, qui se demandait si elle était encore belle, pensa à cette injustice et à cet affranchissement qui s'éloignait maintenant.

À Man Josèph, Adèle savait qu'elle pouvait dire la vérité. Et sans doute avait-elle besoin d'en parler à quelqu'un. Elle attendit que Rosalie soit sortie et, en baissant la voix mais sur un ton déterminé :

– Je ne veux pas d'un enfant clair de peau. Mon enfant, c'est celui de Koyaba.

– Qu'est-ce que tu racontes ?

— Je le vois souvent depuis qu'il est marron...

— Mais tu vois aussi le maître ?

Adèle fut bien obligée d'acquiescer.

— Alors, tu ne sais pas ! conclut Man Josèph en s'approchant d'Adèle. Laisse-moi voir.

Et d'un geste, elle tendit la robe de toile sur son ventre pour en évaluer la taille, tout en le palpant. Elle finit par secouer la tête négativement.

— Ton boudin n'est pas gros, doudou-chè. C'est un petit bébé, comme celui d'une Blanche.

— Mais que faites-vous ?

La voix pointue les fit sursauter. Olympe se tenait dans l'encadrement de la porte de la cuisine et avait vu le tissu tendu sur le ventre arrondi d'Adèle. Elle n'eut pas besoin d'explication.

— Les invités attendent, ajouta-t-elle mécaniquement en tournant les talons.

Olympe était anéantie. Elle s'était fait une joie de recevoir La Rivière et Sainte-Colombe pour le déjeuner. Mais il était gâché maintenant, et elle se sentait ridicule dans sa toilette de soie à volants. Quelle humiliation ! Non seulement cette fille était la maîtresse de son mari mais elle allait en avoir un enfant ! Olympe avait ralenti le pas, et, le regard perdu, semblait ne plus savoir où elle était. Elle aperçut enfin La Rivière, Sainte-Colombe et Théophile qui l'attendaient autour de la table de jeu. Elle les rejoignit d'un pas chancelant.

Ils étaient en train de discuter de politique et Olympe n'entendait pas précisément ce qu'ils disaient parce que leurs paroles lui semblaient flotter dans une sorte de brouhaha confus. Elle percevait des mots, des dates, des bribes de phrases, des ricanements : « prise de la Bastille, 14 juillet, nuit du 4 août ».

Bien sûr, elle savait à peu près de quoi il était question : de la révolution qui avait éclaté en France, et des nouvelles qui arrivaient de la métropole. Celles-ci avaient eu des conséquences immédiates en Martinique, entraînant des conflits entre les Blancs et les libres de couleur qui revendiquaient le droit à l'égalité civile.

Olympe se tenait droite sur sa chaise, mais ses oreilles bourdonnaient, la conversation lui paraissait lointaine. Elle les entendait qui parlaient du mouvement anti-esclavagiste, et qui essayaient de se rassurer. Sainte-Colombe disait que si la réunion des États Généraux avait reconnu que l'esclavage était contre les lois de la nature, seul un décret signé par le roi pouvait apporter un vrai changement ; Théophile se moquait des colons de Saint-Domingue qui se pavanaient à Paris et qui feraient mieux de revenir au plus tôt sur leur plantation ; La Rivière disait que la milice parviendrait sans problème à contenir un soulèvement. Olympe les entendait dire que la seule chose qui comptait, c'était que leur sucre leur soit payé.

Amédée, qui servait des liqueurs apéritives, dut insister pour lui signaler sa présence : les yeux dans le vague, Olympe semblait ne pas le voir.

Rosalie, proposant des croquettes de poisson, remarqua elle aussi l'air égaré de la maîtresse. Elle lui fit un petit signe de la main pour la rappeler à ses devoirs. Olympe adressa alors un sourire à La Rivière, et fit un effort pour retrouver sa contenance. On commença la partie. Elle fut incapable de se concentrer, ressassant sa rancœur : voici plus d'un an qu'elle espérait un enfant de son mari et c'était une esclave, l'esclave qu'elle méprisait et détestait le plus, qui allait le lui donner ! Elle abattit une carte, d'un geste mécanique.

– C'est atout cœur, chère Olympe. Pas trèfle ! dit La Rivière stupéfait.

Tous les regards se tournèrent vers elle, qui récupéra précipitamment sa carte.

– Excusez-moi, dit-elle, j'étais ailleurs.

La conversation reprit. Amédée ne perdait pas une miette de ce qui se disait.

– À Paris, la révolution gagne toutes les classes. Tout le monde s'y met ! J'aurais bien voulu voir ça, des curés avec l'écharpe tricolore qui prêtent serment à la révolution !

– Ici aussi ! Tout le monde a la tête en bas ! Depuis que ce jean-foutre de gouverneur s'est promené avec une cocarde tricolore et a donné l'accolade aux mulâtres, ils se croient tout permis ! C'est notre tête qu'ils veulent, mais on ne se laissera pas faire ! On leur a déjà montré qui était le plus fort et ce n'est pas fini !

C'était vrai. Le gouverneur Gauty, l'homme intègre arrivé en Martinique avec l'unique désir de servir le roi, s'était rallié aux petits blancs révolutionnaires, portait la cocarde et se donnait le nom de « patriote ». À la vérité, il était trop content de pouvoir enfin se démarquer des planteurs, ces grands Blancs fortunés qu'il avait toujours méprisés. Cependant, ces derniers faisaient pression sur lui en le rendant responsable de la situation insurrectionnelle.

– S'il n'y avait que les mulâtres ! déplora Sainte-Colombe. Mais les nègres aussi ont des prétentions !

– Souvenez-vous, ils ont écrit une lettre au gouverneur où ils promettent un bain de sang si on ne leur accorde pas la liberté : rien que ça !

Et les trois hommes éclatèrent de rire tant l'idée leur semblait cocasse. Ils savaient pourtant que la situation était grave.

Ils s'interrompirent soudain : Olympe ne riait pas et son visage était d'une pâleur inquiétante.

– Qu'avez-vous, madame ? demanda La Rivière.

Olympe posa ses cartes et se leva.

– Je ne me sens pas bien...

Elle traversa le salon presque en courant pour rejoindre sa chambre, tandis que Théophile rassurait La Rivière et Sainte-Colombe sur les fréquents changements d'humeur de sa femme.

Comme elle ne reparut pas pour le déjeuner, les trois hommes eurent tout le loisir de continuer à parler de politique, en se moquant des maîtres mots révolutionnaires. « Liberté, égalité, fraternité », répétaient-ils en riant. Et puis quoi encore ! Les nègres, des humains à part entière, aussi ? Peut-être plus inquiets qu'ils ne le laissaient paraître, ils se rassuraient avec l'idée que la première Déclaration des droits de l'homme et du citoyen était demeurée muette sur la question spéciale de l'esclavage.

Olympe avait rejoint sa chambre, et elle passa le reste de la journée allongée sur son lit. Elle avait l'envie de sécher ses larmes entre des bras tendres. Elle aurait voulu que sa mère soit là. Elle prit la décision de la rejoindre à Saint-Pierre, résolue à y passer quelques jours et à partir seule si Théophile refusait de l'accompagner. Or il se trouvait que lui aussi avait des affaires à y régler ; il n'en parla pas à sa femme et fit mine d'accepter de bon cœur la proposition.

Le lendemain même, Olympe était prête. Durant le trajet qui se fit en chaise pour Olympe, à cheval pour Théophile et à pied pour Amédée et Rosalie, Olympe parut retrouver un peu de paix. Le fait de quitter l'habitation la libérait d'un poids, et il lui semblait mieux respirer à l'approche de la ville. Amédée et Rosalie étaient eux aussi heureux de quitter l'habitation : passer quelques jours à Saint-Pierre, c'était voir autre chose, c'était s'éloigner des champs de canne, évoluer dans un espace de tous les possibles, un espace d'émancipation et de belles choses.

Lorsque le petit groupe arriva à Saint-Pierre, dans la maison de Théophile, monsieur et madame de Rochant, qui occupaient les lieux, semblèrent surpris.

Amédée et Rosalie, qui connaissaient l'endroit pour y avoir séjourné à de nombreuses reprises avec leur maître, y étaient comme chez eux : Amédée avait pris les rênes du cheval de Théophile pour le mener à l'écurie et Rosalie était montée à l'étage pour préparer la chambre de sa maîtresse.

Les retrouvailles entre les parents Rochant et Théophile furent tendues : François ne s'était pas privé de raconter sa violente altercation avec Théophile ainsi que la façon inqualifiable dont il avait traité Olympe.

– Bonjour, monsieur mon gendre, dit sèchement monsieur de Rochant.

– Vous me voyez soulagé de vous trouver en bonne santé, mon cher beau-père ! répondit tout à fait cordialement Théophile, peu perturbé par l'accueil de ses beaux-parents.

Il salua ensuite madame de Rochant :

– Mes hommages, madame. Est-ce que ma maison vous plaît ?

– Certes, mon gendre, elle est agréable...

Et elle se détourna pour embrasser sa fille.

– Nous n'avions plus de nouvelles de vous, maman ! Avec tout ce qui se passe en ce moment, je commençais à m'inquiéter...

Sa mère fronça les sourcils en remarquant son visage pâle et défait.

– Maman, je vais mourir de honte. Cette fille, Adèle, est enceinte de mon mari sous mon propre toit !

– Pense que le roi a été obligé de renoncer à nos bons prêtres chrétiens, ma chérie. En comparaison, tes petits problèmes domestiques n'ont pas beaucoup d'importance, n'est-ce pas ?

Madame de Rochant emboîta le pas des deux hommes qui franchissaient le seuil. Olympe demeura un instant sur le perron, au bord des larmes. Ce n'était pas là la tendresse à laquelle elle avait songé. Mais sa mère en avait-elle jamais été capable ? Ce fut Rosalie qui finit par prendre le bras de sa maîtresse, laquelle se laissa faire comme une enfant.

Au salon, monsieur de Rochant et Théophile, installés dans des fauteuils, eurent du mal à engager la conversation. Monsieur de Rochant affichait un visage austère, comme plein de reproches qu'il n'osait exprimer. Un des esclaves prêtés par Théophile leur présenta une boîte de cigares. Fumer ensemble était un premier pas. Le rhum servi par Amédée fut le second. Avant de faire le troisième pas, monsieur de Rochant attendit qu'Amédée quitte le salon. Mais celui-ci restait là, debout. Le marquis lui jeta un regard de reproche, tout en pensant qu'il n'était pas nécessaire d'initier le dialogue par une remarque trop désobligeante.

– J'avoue que votre visite me surprend, mon gendre. Surtout après la façon inqualifiable dont vous avez traité mon fils.

– J'aurais voulu lui parler avant son départ mais il est parti si vite...

– Il est bien arrivé, grâce à Dieu ! Mais les nouvelles de France sont mauvaises. Ici même, à Saint-Pierre, vous savez bien que la situation est dangereuse. On est pris entre tous ces petits blancs qui haïssent les colons et les mulâtres. Vous l'oubliez un peu trop dans les campagnes ! Puis, sans parvenir à se retenir plus longtemps :

– Votre nègre reste ? demanda-t-il en désignant Amédée.

– Amédée ne me quitte jamais. Il m'est très utile dans toutes mes affaires.

– Ah ! s'exclama monsieur de Rochant. Et à ce propos, comment vont vos affaires ?

Théophile, qui attendait la question, fut heureux qu'enfin on la lui posât. Car il était venu à Saint-Pierre pour demander une faveur à l'intendant du roi, qui avait dans cet instant le mérite d'être aussi son beau-père.

– Mal. Le gouverneur a saisi toute ma cargaison de sucre. Je suis accusé de raffiner. C'est un prétexte, bien entendu. Il n'y a pas de raffinerie en Martinique !

– C'est très ennuyeux ! constata monsieur de Rochant, qui semblait ne pas bien saisir la situation. Qu'allez-vous faire ?

– Franchement, je compte sur vous. Le gouverneur me déteste autant que je le méprise !

– Mais je crains de ne pas pouvoir vous être très utile... expliqua monsieur de Rochant. Je reste fidèle au roi et votre gouverneur me voit comme un ennemi.

Théophile ne supportait pas cette frilosité, cette manie du protocole, cette politesse hypocrite et finalement cette lâcheté.

Autant de signes d'une nature dégénérée, destinée à rester à l'arrière-plan. Ainsi, pensait-il, cet homme ne possède rien et il est à la botte des puissants ! Une coquille vide ! Pourtant toujours obsédé par la volonté d'avoir le dessus. Il s'étonnait aussi de ce que son beau-père n'ait en rien changé depuis son arrivée sur l'île. Contraint de se frotter à des problèmes bien différents de ceux de la cour, il aurait dû s'endurcir, comprendre comment la vie allait, ici. Monsieur de Rochant n'était certes pas devenu un Créole cynique, mais il n'avait pas même fait un pas. Et il semblait même savourer le fait de pouvoir refuser son aide à ce gendre qui s'était mal comporté avec ses deux enfants. Théophile n'eut cependant aucun mal à reprendre la main :

– Je sais que vous ferez votre possible pour que je récupère mon sucre. Si vous ne le faites pas pour moi, faites-le pour votre fille. Que ferait-elle d'un mari ruiné ?

Sur ces mots, il se leva, tendit son cigare à Amédée et quitta promptement le salon. Monsieur de Rochant resta seul, tirant de longues bouffées, avec cette pensée que sa vie durant, on ne lui aurait au fond parlé que d'argent.

Après le départ des maîtres, l'atmosphère s'était quelque peu détendue à l'habitation. Tous semblaient profiter d'un temps qui leur appartenait, chacun faisant son travail à son rythme.

Man Josèph, qui rouspétait toujours de n'avoir jamais le temps de ranger sa cuisine, la vidait entièrement et la nettoyait de fond en comble. Parfois cependant, elle s'asseyait sur un tabouret pour souffler quelques minutes, et elle restait ainsi, silencieuse, le regard vague, avec le sentiment de mériter quelques instants tout à elle.

Jacquier avait un peu baissé sa garde, et accordait quelques plages de détente aux travailleurs, ressenties par tous les esclaves, ce qui n'affectait même pas le rendement, avec une pause pour le déjeuner un peu plus longue que d'habitude.

Quant à Adèle, dont le ventre s'arrondissait toujours, elle semblait heureuse de ce calme passager : pas de maître à qui rendre visite la nuit, pas de maîtresse aux yeux haineux.

Un matin où elle chantonnait gaiement en essorant son linge à la rivière, elle découvrit Jacquier qui remplissait sa gourde, un peu en amont.

– Tu m'as fait peur ! dit Adèle.

Et elle se redressa en lui adressant un timide sourire. Pour la première fois, l'Indien le lui rendit. Pas tout à fait un sourire, une esquisse seulement, mais c'était beaucoup pour lui. Il y eut un instant d'hésitation auquel Adèle mit fin en empoignant sa corbeille pour s'en aller. Mais Jacquier franchit les quelques mètres qui le séparaient d'elle et l'arrêta avec douceur.

– Donne. Je vais porter ça.

– Toi, un commandeur ? Tu vas porter mon linge ?

Pour toute réponse, il prit la corbeille et accorda son pas à celui d'Adèle qui se dirigeait vers la clairière où elle avait l'habitude d'étendre le linge au soleil. Elle savait que l'occasion d'échanger quelques mots avec cet homme qui l'avait toujours intriguée ne se représenterait pas souvent.

– Dis donc, Dents serrées, pourquoi tu n'as pas de femme ?

– Je suis un libre. Il n'y a pas de femme libre sur l'habitation.

– Rachète une esclave, fais-la libre ! Rosalie, par exemple. C'est la plus belle femme de la plantation.

– La plus belle femme de la plantation, c'est toi ! dit-il.

À la fois surprise et gênée, Adèle s'arrêta de marcher. Elle allait rétorquer quelque chose, mais elle fut troublée par une étincelle dans les yeux de Jacquier comme elle n'en avait jamais vu auparavant. Ils se remirent à marcher en silence, avant que le commandeur ne pose la question qui la laissa sans voix :

– Qu'est-ce que tu feras si ton enfant est clair ? Koyaba ne te prendra jamais avec l'enfant du maître !

Cela faisait des mois qu'Adèle pensait échapper à la vigilance du commandeur, et elle découvrait non seulement qu'il savait qu'elle rencontrait Koyaba mais surtout qu'il connaissait son projet de le rejoindre et qu'il en était contrarié.

– Ce n'est pas l'enfant du maître, dit-elle d'un trait, en accélérant sa marche pour rejoindre la clairière.

Lorsqu'ils furent arrivés, Jacquier déposa la corbeille sur l'herbe.

– N'essaie pas de partir. Koyaba, je l'ai laissé faire. Mais toi, n'importe où, je te retrouverai. Tu appartiens au maître.

Abasourdie, Adèle resta immobile, le regardant s'éloigner de son pas lent et flegmatique, en se demandant ce qu'elle avait fait au Bon Dieu pour mériter cela.

Le séjour à Saint-Pierre s'achevait. Monsieur de Rochant avait fini par accepter d'intervenir en faveur de Théophile auprès de Gauty, bien que la relation entre les deux hommes ne se fût pas améliorée, pour ne pas dire qu'elle s'était détériorée. Ils avaient eu d'incessantes querelles, Gauty jugeant fort mal le travail entrepris par le nouvel intendant. Le fossé entre eux s'était définitivement creusé à la suite des événements et des positions opposées adoptées par chacun. Rochant, fidèle à Louis XVI, regardait Gauty, rallié à la révolution, comme un traître. Mais malgré ses imprudences, le gouverneur était redevenu un homme sérieux qui recevait mieux les colons. Il nota la requête et promit de voir ce qu'il pourrait faire, proposant d'envoyer un contrôleur à la sucrerie Bonaventure pour savoir par quel miracle son sucre était si blanc.

Madame de Rochant n'avait pas pris sa fille dans ses bras pour la consoler, mais elle l'avait emmenée se promener en ville pour lui changer les idées, en compagnie de Rosalie dont elle remarqua avec satisfaction qu'elle avait renoncé à ses poses lascives et adopté une attitude docile tout à fait convenable.

Avant le départ, Rosalie et Amédée avaient préparé les bagages des maîtres, ôté les draps des lits, recouvert les meubles des chambres occupées par Olympe et Théophile pour les protéger de l'humidité.

L'heure de la séparation approchait, et les yeux d'Olympe se remplirent de larmes. Elle se laissa coiffer par Rosalie, puis se tourna vers sa mère, espérant enfin un geste, un mot, un regard.

— Oh maman, laissez-moi rester ici quelque temps ! Je ne veux pas retourner à l'habitation !

— Arrête de pleurnicher. Tu vas suivre ton mari avec le sourire et oublier cette fille. Tu as tout ce que tu veux, tu peux bien tolérer quelques écarts !

Olympe attendait que quelqu'un lui témoigne un peu d'intérêt et comprenne ses souffrances. La simplicité du conseil lui fit essuyer des larmes dont elle comprit qu'elles n'attendriraient personne. Sa mère quitta la pièce, et c'est Rosalie qui vint une fois de plus à son secours :

— Mi-désôd ! Vous vous faites trop de mal pour un petit mulâtre ! C'est votre fils qui portera le nom Bonaventure ! Mais si vous restez cachée chez votre maman, votre mari ira planter son piment chez les négresses et pas chez vous...

Olympe croisa le regard de Rosalie dans le miroir.

— Toi aussi tu as été sa maîtresse, n'est-ce pas ?

Rosalie ne répondit pas, ce qui était une façon d'acquiescer. Alors, soudain folle de rage, Olympe se leva et envoya valser les brosses et l'attirail qui se trouvaient sur la coiffeuse. Elle arpenta la pièce de long en large.

— Toi, elle, toute l'habitation certainement ! Et moi je dois subir cette humiliation ? Non, je refuse ! Rosalie, quand cet enfant naîtra, tu trouveras un bon poison et tu m'en débarrasseras !

Rosalie s'immobilisa, bouche bée. Elle ne répondit pas, atterrée par l'ordre que venait de lui donner la maîtresse, tout en ressentant son amertume personnelle de favorite stérile.

Le trajet du retour se passa froidement. Théophile faisait trotter son cheval au côté de la chaise d'Olympe, mais ils n'échangèrent pas un mot. Olympe remarqua seulement que la canne était coupée dans les champs, quand on arriva sur le domaine.

On fit enfin halte devant la Grande Case. Jacquier était là pour les accueillir, mais lorsque Olympe lui tendit la main pour qu'il l'aide à s'extirper de sa chaise, il ne la prit pas. Amédée s'avança à sa place.

– Votre habitation se réjouit de vous revoir, maîtresse, dit-il poliment.

Olympe n'était pas assez sotte pour ne pas percevoir, sinon de l'ironie dans les mots d'Amédée, du moins un simple mensonge. Elle pensa que tous se liguaient contre elle. Et elle souhaita être seule, loin de cette mère qui n'avait pas su la consoler, loin de tous ceux-là qui ne l'aimaient pas. Mais il y avait encore celle-ci, se dit-elle en apercevant Adèle, à quatre pattes malgré son gros ventre, occupée à briquer le sol de la véranda.

Retrouvant sa superbe, Olympe gravit les marches, et, faisant mine de ne pas l'avoir vu, donna un coup de pied dans le seau qui se renversa en aspergeant Adèle. Celle-ci s'essuya le visage et reprit son travail comme si de rien n'était. Olympe entra alors que Théophile, sur le seuil, ennuyé par l'incident, expliquait à Jacquier qu'il ne voulait plus voir Adèle ici.

– Elle énerve ma femme, ajouta-t-il.

– Il faut qu'elle arrête, lui répondit Jacquier. Pour que l'enfant soit fort, la mère ne doit pas travailler.

– C'est ça, approuva Théophile. Qu'elle reste tranquille dans sa case !

Mais une voix furieuse jaillit en même temps qu'Olympe réapparaissait :

– J'exige que cette fille travaille jusqu'à la dernière minute, Théophile. On verra bien si la Providence veut que son bâtard vive...

Adèle se releva, prit le seau et passa devant Olympe qui rentra au salon avec un air dédaigneux, tandis que Théophile et Jacquier échangeaient des regards penauds.

*
* *

Comme Olympe l'avait exigé, Adèle travailla jusqu'à la veille de son accouchement. Un soir enfin, en quittant la Grande Case après avoir terminé de plier le linge et de balayer la cuisine, elle sut qu'elle allait enfanter.

Elle eut l'envie d'aller à la rivière se baigner. Il faisait nuit, et au-dessus d'elle, la lune était pleine. Elle pensa à Koyaba qu'elle n'avait pas revu ; elle pensa à Manon qu'elle aurait voulu avoir à ses côtés ; elle pensa à son père qui espérait tant que son enfant lui apporte la liberté. Tout en se baignant et en caressant son ventre, Adèle se dit que Man Josèph avait peut-être raison, c'était peut-être bien l'enfant d'un Blanc : son ventre n'était pas gros, ses membres avaient maigri et ses joues s'étaient creusées.

Quand elle fut de retour dans sa case, elle ôta le foulard blanc qui était noué sur sa tête puis alla s'étendre sur sa paillasse. Amédée entra, portant un petit faitout que Man Josèph venait de lui donner pour leur dîner. Il aperçut Adèle allongée, les yeux grands ouverts et l'air soucieux.

– Tu es déjà couchée ? Mais il faut que tu manges, doudoumwen. Regarde ce que Man Josèph nous a donné. Une fricassée de z'habitants. On va se régaler...

Adèle aimait beaucoup les écrevisses mais elle n'avait pas faim. Son père finit par s'approcher, inquiet.

– J'ai peur, papa...

– Peur ? Mais peur de quoi, doudou mwen ? Man Josèph est une bonne matrone. Tout va bien se passer...

– Papa... Et si ce n'était pas l'enfant du maître ?

Amédée fronça les sourcils, sa voix se fit plus forte.

– Comment ça, pas l'enfant du maître ? Mais de qui ? Qui serait le père si ce n'est pas lui ?

Comment expliquer qu'elle préférerait se tuer plutôt que d'accoucher d'un enfant de Théophile ? Et comment lui dire qu'elle était certaine qu'il était celui de Koyaba ? Elle se recroquevilla sur elle-même et murmura de façon à peine audible :

– Personne. Je parlais comme ça... Excuse-moi. Je suis perdue, papa...

Il lui caressa tendrement les cheveux, sans pouvoir cacher son excitation :

– Cet enfant, c'est notre chance, Adèle ! Grâce à lui, on va nous affranchir... Je lui apprendrai moi-même à lire et à écrire et le maître l'enverra étudier en France. J'ai besoin que tu m'aides à être libre, doudou mwen ! Je n'en peux plus d'attendre !

Elle lui serra la main et retint des larmes inutiles. Lui prit une écuelle et mangea de cette fricassée délicieuse. « Absolument délicieuse », répéta-t-il plusieurs fois comme pour convaincre Adèle de manger un peu. Mais quand il se retourna, surpris que sa fille ne lui réponde pas, il s'aperçut qu'elle s'était endormie.

Le lendemain matin à cinq heures, Adèle sentit les premières contractions. À six heures, Amédée courut réveiller Man Josèph qui examina Adèle et assura que le col de l'utérus n'était pas même dilaté d'un doigt.

Amédée en profita pour courir au cimetière. Il se laissa tomber à genoux devant la croix de bois de la tombe de Manon, enfonça dans la terre une bougie qu'il avait emportée, l'alluma, puis, les mains jointes et les yeux fermés, il se mit à prier à voix haute :

– Manon, ma femme, toi qui es près du Seigneur Tout-Puissant, dis-lui de nous donner un enfant presque blanc. Je n'ai pas compris ta douleur, ma femme chérie, j'ai espéré que tu allais oublier ta famille et ton pays. Je te demande pardon, j'ai été bête comme un âne, aveugle comme une chauve-souris. Mais maintenant, nous avons besoin d'un enfant clair de peau, ma femme adorée. Surtout pas trop foncé.

Il ne la voyait pas, mais Manon était présente, de l'autre côté de la tombe. Toujours ruisselante d'eau, elle se tenait là, à fixer Amédée, non d'un air cruel mais pas bienveillant non plus. Elle avait ce même sourire inquiétant, comme pour dire à Amédée qu'il se trompait : elle n'était pas près du Seigneur, elle était là, avec sa peau flétrie, ses cheveux d'algues et son haleine de charogne, à errer pour continuer ce qu'elle avait entrepris.

Amédée sentit le vent se lever soudainement et il ouvrit les yeux. Les feuilles des arbres frémissaient, la bougie s'éteignit toute seule, le paysage s'assombrit brusquement, les oiseaux cessèrent de chanter, tous les bruits de la forêt se turent. Il se releva, regarda autour de lui. Subitement inquiet, il se signa en hâte puis quitta les lieux.

À neuf heures, Rosalie, envoyée par Olympe, entra discrètement dans la case et s'approcha de Man Josèph : la maîtresse voulait savoir où en était le travail.

– Dis-lui que l'enfant ne naîtra pas avant la nuit, répondit Man Josèph.

Rosalie repartit avec son message tandis que quelques femmes, comme la coutume le voulait, entraient dans la case pour assister à l'accouchement.

Assises par terre autour d'Adèle accroupie, elles allumèrent des pipes qu'elles se mirent à fumer. Man Josèph avait raison : il fallut attendre la journée entière pour que le col soit suffisamment ouvert et permette au bébé de passer. C'est qu'il ne semblait pas pressé de sortir, cet enfant, pensa Man Josèph sans rien dire, mais prise d'un mauvais pressentiment parce que la douleur de sa jambe gauche venait de la reprendre subitement.

À la nuit tombée, elle annonça que l'enfant arrivait. Adèle, épuisée, continuait à pousser à chaque nouvelle contraction, encouragée par le roulement du tambour à l'extérieur de la case, et par les voix et les gestes des femmes à l'intérieur.

– Ça y est, je vois la tête ! Courage ! Pousse, ma fille, pousse ! s'exclama Man Josèph.

Adèle poussa un dernier cri, et Man Josèph tira doucement le bébé par la tête.

– C'est un garçon ! annonça-t-elle fièrement.

Les femmes poussèrent des cris de joie, tandis que Man Josèph s'appliquait à couper le cordon et enveloppait le bébé dans un linge. Le nouveau-né poussa lui aussi son premier cri, et Man Josèph allait le poser sur le ventre d'Adèle quand Rosalie, qui ne cessait de faire ses allers-retours, ressurgit :

– Man Josèph, de quelle couleur est-il ?

– Attends, je dois regarder ses parties, dit-elle en écartant le linge et en se penchant sur les parties génitales de l'enfant.

Elle releva les yeux et secoua la tête :

– Il sera noir comme la nuit.

Puis, se tournant vers Adèle :

– Tu avais raison. C'est le fils de Koyaba.

Un murmure de déception générale accompagna cette déclaration.

Seul le visage d'Adèle s'éclaira d'un sourire de fierté. Elle prit son enfant qu'elle mit à son sein et ferma les yeux. Amédée surgit en trombe dans la case ; les regards désolés des femmes silencieuses disaient déjà tout. Il se tourna vers Man Josèph qui confirma d'un signe de tête négatif :

– C'est foutu, compère. Ce n'est pas ce gosse-là qui t'apportera la liberté !

*
**

Olympe, qui traînait habituellement au lit, s'était levée à l'aube et avait englouti avec bonne humeur son petit déjeuner.

Quand elle parut au salon où elle trouva Théophile en train de boire son café, elle était tout à fait radieuse.

– Tu es déjà levée ? demanda-t-il, surpris.

– Je n'allais pas rester au lit par une aussi merveilleuse journée, non ?

Théophile se leva brusquement.

– Ça y est ? Il est né ?

– Qui ça, mon chéri ? Le fils de ta négresse et de son Africain ? Oui, il est né. En pleine santé et noir comme l'enfer. Tu peux être content, tu as un nouvel esclave.

Théophile se rua hors de la pièce tandis qu'Olympe s'approchait des fenêtres du salon : son mari entrait à l'écurie. Elle le suivit encore des yeux, qui s'enfuyait au grand galop par l'allée menant aux champs de canne.

Depuis la véranda, Jacquier lui aussi avait observé Théophile : il le connaissait bien, il savait qu'il allait galoper toute la journée, et il espéra seulement qu'il ménagerait son cheval, car dans son état il était capable de le tuer d'épuisement.

Le maître fut de retour à la nuit tombée, alors qu'un vent violent venait de se lever, annonciateur d'ouragan. Le cheval ne semblait pas en mauvaise forme, constata Jacquier de loin, tandis que Théophile laissait un esclave en prendre soin. Bonaventure traversa calmement la cour, sans s'étonner d'entendre résonner le tambour, dont le roulement provenait du quartier des esclaves.

Jacquier vint aussitôt à sa rencontre.

– Vous entendez ? La nouvelle circule. L'Africain va venir voir son fils et on va lui régler son compte.

– Débarrasse-toi d'eux ! ordonna Théophile.

– Qui ça, monsieur ?

– L'enfant et sa putain de mère ! Vends-les, tue-les, fais ce que tu veux, je ne veux plus les voir !

Et il tourna les talons. Mais il s'arrêta en apercevant Amédée qui arrivait vers lui, accablé. Il le regarda froidement puis lui décocha un coup de poing au visage.

– Tu t'es bien foutu de ma gueule, sacrée salope ! Tu savais qu'elle couchait avec l'Africain et tu m'as embrouillé !

Amédée se releva, portant la main à son nez qui saignait.

– Je ne savais pas, maître. Elle m'a trompé aussi.

– Tu sais quoi ? hurla Théophile en attrapant Amédée par le col de sa chemise, c'est toi qui vas liquider ce gosse immédiatement avant que j'étrangle ta fille de mes propres mains !

– Les champs, monsieur, suggéra Jacquier. Elle peut encore servir.

– Non, ce n'est pas assez ! Je veux qu'elle crève, cette putain ! dit-il en s'apprêtant à entrer lui-même dans la case pour s'emparer de l'enfant.

Amédée fit un pas vers sa case.

– C'est bon, maître. J'y vais.

Théophile et Jacquier se concertèrent du regard. Amédée justifia son geste :

– Personne ne veut de ce petit nègre. Il peut rejoindre l'Afrique.

Il entra dans sa case et arracha des bras de sa fille le bébé qui dormait sur son sein. Il fallut quelques secondes à Adèle pour réaliser ce qui se passait. Elle ne voulut pas y croire, se mit à crier, se leva, se pendit à ses vêtements :

– Papa, qu'est-ce que tu fais ? Mon fils ! Rends-moi mon fils !

C'étaient des cris terrifiants, amplifiés par ceux de l'enfant réveillé brutalement, mais Amédée paraissait ne même pas les entendre.

Il quitta la case tandis que Man Josèph et les autres femmes s'interposaient et tentaient de ramener Adèle sur sa paillasse. Celle-ci se débattait, se cabrait et hurlait avec une violence et une rage extraordinaires.

Un lourd silence régnait en revanche dans la cour. Tous suivirent des yeux Amédée qui serrait l'enfant dans ses bras et qui disparut dans l'obscurité de l'allée qui montait vers la forêt. Bientôt on n'entendit plus les pleurs de l'enfant, tandis que ceux de sa mère redoublaient d'intensité.

Ne les supportant plus, Théophile regagna d'un pas rapide la Grande Case.

Amédée s'enfonça dans la forêt et ne s'arrêta que lorsqu'il en fut arrivé au cœur le plus sombre. Dans ses bras, le nouveau-né pleurait de plus belle.

Amédée regarda autour de lui pour s'assurer qu'il n'avait pas été suivi, entoura de ses mains le cou frêle de l'enfant, ferma les yeux et se mit à serrer.

En d'autres temps, il l'aurait fait jusqu'au bout... Il desserra l'étau.

Dans ses bras, l'enfant était sans voix. Amédée le crut mort. Il y eut quelques secondes d'un silence qui lui sembla une éternité, et durant lequel il ne sut pourquoi il retenait son envie de pleurer. Puis un cri strident déchira la nuit, et Amédée embrassa l'enfant qui revenait à la vie. Alors il le glissa entre sa chemise et sa veste, le lovant contre sa poitrine, et il se mit à courir. Il courut à toutes jambes, traversant la forêt et les mornes. Non, il ne pouvait pas le tuer en ces temps où l'on parlait de liberté et d'égalité. Il l'avait, même vaguement, entendu : les choses allaient changer. Dans la métropole, il y avait une révolution qui ouvrait à la liberté.

Amédée savait où il allait. Il aperçut bientôt la mer, puis les toits des premières maisons de Saint-Pierre. Il s'arrêta un peu avant la ville, comme pour reprendre son souffle, près d'une clairière en bordure d'un champ.

Il pencha son visage vers celui de l'enfant qui s'était calmé contre sa poitrine, réfléchit de nouveau : le tuer et l'arracher à cette vie de misère ou lui laisser une chance ?

Il leva la tête, contempla un instant la multitude d'étoiles dans le ciel, puis il avança d'un pas décidé.

Alors apparut devant lui, comme perdue au milieu de nulle part, la grosse bâtisse blanche et carrée surmontée d'une grande croix. C'était un couvent dans lequel des sœurs s'étaient installées quelques années auparavant, pour y accueillir des orphelins et les instruire dans la vraie religion. Amédée le savait pour être souvent passé par ce chemin, le plus facile quand il allait avec son mulet au marché de Saint-Pierre. Sans hésitation, il avança la main vers la poignée de la chaîne surmontée d'une cloche de cuivre. Le tintement réveilla l'enfant qui se remit à pleurer. Personne ne venait. Amédée ferma les yeux, comme prêt à prier... Alors la lourde porte de bois s'ouvrit sur un visage sévère qui n'écouta que distraitement Amédée mentir en expliquant qu'il était le commandeur de l'habitation Bonaventure, qu'il venait ici pour faire appel à leur charité, le maître ayant ordonné de tuer l'enfant, mais la maîtresse lui ayant demandé de le conduire ici. Le bébé avait faim, et la première chose à faire était de lui donner du lait, déclara la sœur en le prenant dans ses bras et en refermant la porte sur Amédée.

Il resta un instant là, à se dire que Jacquier et Théophile avaient été bien fous de croire qu'il était capable de cet infanticide.

Puis il repartit dans la nuit chaude, avec son secret à ne faire partager à personne, pas même à Adèle.

Dès le lendemain, prétextant que c'était jour de marché, il chargea, à l'insu de tous, le mulet de deux pleins paniers de fruits et de légumes frais, ceux de son propre jardin, qu'il apporta aux sœurs, de la part de madame Bonaventure. Il fut cette fois chaleureusement accueilli, on lui donna des nouvelles de l'enfant, on se réjouit des denrées offertes, précieuses pour subvenir aux besoins des orphelins. À l'habitation, il ne fut dès lors plus question que quelqu'un d'autre que lui aille faire le marché : Amédée arguait qu'il était le seul à connaître les magasins avantageux.

Chez Théophile, on ne parla plus de l'enfant. Durant trois jours, Adèle resta recroquevillée sur sa paillasse, refusant de parler et de manger. Mais à l'aube du quatrième jour, Jacquier expliqua à Amédée combien il lui avait été difficile de faire accepter à Théophile qu'Adèle reste en vie. Il n'y avait pas d'autre choix : ou Adèle irait travailler, ou elle serait vendue.

CHAPITRE 9

Adèle se releva de ses couches pour rejoindre les esclaves de jardin. Elle fit connaissance avec l'enfer de la canne dont elle avait entendu parler. Et elle travailla et travailla encore, se levant chaque matin pour partir en direction des champs ; elle apprit à attacher les tiges, elle apprit qu'il n'y avait ici pas de repos. Et elle aussi devint un automate qui se levait et se baissait, se baissait et se levait encore, se levait et se baissait toujours pour ramasser les cannes coupées et les rassembler en gerbes.

Au début, elle se demanda comment il était possible que les coupeurs avancent aussi vite, avec ce coutelas qui semblait un prolongement naturel de leur main, un sixième doigt. Mais au fil des semaines, elle-même devint une amarreuse hors pair. Après l'accouchement, après que son père lui eut arraché des bras son enfant, il n'était pas dit que le commandeur n'avait pas eu raison : le travail aux champs était un moyen d'oublier son histoire, ses malheurs, son envie de se tuer. Non, Jacquier n'avait pas suggéré la canne au hasard ; il en connaissait les terribles propriétés : hanter votre être du matin au soir, anéantir vos idées et vos envies, vous transformer en automate. Et, contrairement à Amédée qui s'était senti humilié que Manon retourne travailler avec les esclaves de jardin, Adèle en avait été orgueilleuse. Quand elle était enfant, fille de deux esclaves domestiques, il lui était arrivé de les trouver

184

sales et pauvres, ces esclaves-là, de les regarder avec mépris. Après la mort du bébé, Adèle était fière de les rejoindre, d'être aux côtés de ceux-là qui mouraient de donner leur sueur contre un peu de nourriture, de ne plus être une privilégiée, de ne plus avoir affaire à ceux de la Grande Case – pas plus son père que les maîtres ; tous avaient tué son enfant. Et sans doute fallait-il qu'Adèle en passe par là pour comprendre ce que voulait dire vraiment être un esclave, et pourquoi les esclaves de jardin ne voulaient pas d'enfant : leur sort, ils ne l'auraient souhaité à personne, et pour rien au monde à la chair de leur chair.

Pendant de longs mois, Adèle tira de la fierté de son travail acharné ; et il est vrai aussi que la canne l'obsédait au point qu'elle ne songeait presque plus au bébé. Peu à peu cependant, une tristesse vague s'empara d'elle, et elle se sentit devenir moins efficace au travail. Ce n'était pas tant que la canne avait raison d'elle, c'étaient un renoncement et une lassitude qui l'envahissaient et contre lesquels elle ne parvenait pas à lutter. Son état physique se dégradait d'autant plus qu'elle mangeait de moins en moins. Jacquier le remarqua, et fit ce qu'il put pour lui rendre le travail plus facile : il la plaça sur une pièce de canne plate, lui choisit un coupeur point trop rapide. Cela ne changea rien : Adèle avait le sentiment d'avoir donné toute sa sueur et toutes ses larmes, et même l'idée qu'elle avait au moins eu la chance d'avoir connu une vie plus douce ne suffisait pas à la consoler. Elle se sentait prête à aller rejoindre sa mère et son fils dans l'autre monde, dans le vert paradis dont lui avait parlé Man Josèph.

Et pourtant, bien qu'elle se sentît de plus en plus faible, elle parvenait à travailler encore ; et elle s'étonnait d'être aussi résistante, d'autant que la canicule sévissait en ce début d'année 1792. On était en pleine récolte, et de mémoire d'esclave, on n'avait jamais connu un tel soleil de plomb. Le commandeur, craignant les conséquences, avait ordonné des distributions d'eau plus fréquentes, et il surveillait attentivement l'état des travailleurs, notant que leur accablement les empêchait même de reprendre en chœur les chants qui leur donnaient habituellement du cœur à l'ouvrage. Leurs gestes étaient seulement mécaniques, et la voix de l'homme qui chantait pour encourager ses compagnons était sans entrain.

Ce jour-là, monté sur son cheval, le fouet à la ceinture, Jacquier ne quittait pas des yeux Adèle qui peinait à suivre son coupeur. Un coup d'œil vers le soleil : il n'était pas loin de onze heures, l'eau allait arriver d'un instant à l'autre. Il aperçut enfin, sur la route bordant le champ, la silhouette d'Amédée, vêtu comme à l'accoutumée de son costume noir avec son foulard blanc noué sur la tête : il arrivait avec le mulet chargé des tonneaux. L'intendant ne venait jamais lui-même distribuer l'eau. Jacquier ne fut donc pas dupe : il voulait s'informer de l'état de sa fille. Il s'empressa de sonner la pause dans la conque de lambi, et vint au petit trot à la rencontre d'Amédée qui arrêtait sa bête à l'ombre d'un frangipanier.

– C'est toi qui apportes l'eau aujourd'hui ? lui demanda Jacquier cordialement.

– Le maître veut savoir si ça avance.

Jacquier hocha la tête.

– La canne est forte en sucre. On commence la roulaison demain.

Amédée déchargea puis apporta les tonneaux là où les esclaves avaient l'habitude de s'aligner pour la distribution. Il souriait, comme heureux de s'acquitter de la tâche. Mais il ne rencontrait que des visages hostiles, les esclaves ne comprenant pas ce que venait faire l'intendant dans son costume noir, ni pourquoi il leur adressait ces sourires. Aucun n'avait oublié que c'était lui qui avait emporté l'enfant d'Adèle. Et soudain, Amédée fut honteux devant les corps maigres et les visages dégoulinant de sueur, certains hébétés et semblables à des masques d'épouvante. Il commença la distribution au moyen d'une calebasse que chacun se repassait après avoir bu, mais les visages aux yeux profondément creusés le fixaient froidement, tandis que lui tentait des paroles amicales :

– Bonjour, Colombine, bonjour Molière... Le soleil est trop méchant aujourd'hui... Tu veux un peu de tafia, Byzance ? J'en ai là, ne te gêne pas...

C'était en vain. Byzance n'avait pas pris la dame-jeanne tendue, avait ignoré Amédée et s'était détourné pour laisser la place au suivant.

Lorsque arriva le tour d'Adèle, elle saisit la calebasse avec indifférence, sans même regarder son père, comme si elle ne le connaissait pas.

– Ça va, ma douce ? lui demanda-t-il, s'efforçant de parler à voix basse. Tiens, prends ça, ça va te donner des forces, lui dit-il en tirant discrètement une banane de la poche de son pantalon.

Mais Adèle, qui ne lui avait plus adressé la parole depuis le jour où il avait emporté son enfant, prit le fruit, le jeta ostensiblement par terre puis cracha sur les pieds de son père avant de passer la calebasse à son voisin.

– À ce soir, doudou-moin, prit-il la peine de murmurer, en la regardant s'éloigner, sans même prêter attention à un des hommes qui s'était jeté avidement sur la banane.

Des forces, Adèle en avait besoin : Amédée fut frappé par les yeux de sa fille, immenses dans le visage amaigri dont l'expression de fierté avait disparu.

Quand tous les esclaves eurent bu, Amédée jeta la calebasse dans le tonneau et adressa un signe de la main à Jacquier pour lui indiquer qu'il pouvait donner le signal de la reprise du travail. Il ne souriait plus. Son regard croisa celui de Jacquier. Dans leurs yeux, cette même lueur d'inquiétude, mêlée de colère contre le soleil. Cela ne servait pourtant à rien de maudire ou de prier l'astre. Ce ne serait pas lui qui viendrait secourir Adèle. Amédée songea à parler à sa fille de l'enfant, se ravisa aussitôt : Adèle voudrait le prendre avec elle, et ce serait leur mort assurée à tous les trois. Découragé, Amédée but une rasade de tafia. Puis il abreuva l'âne et le prit par son licol pour repartir...

Amédée se demandait s'il avait eu raison d'avoir laissé la vie sauve à l'enfant. Le regrettait-il ? Au moment où il était né, l'île avait le mot de « liberté » à la bouche. Et Amédée savait, aussi bien que son maître qu'il ne quittait pas, ce qui se passait ici. Des troubles importants avaient eu lieu, répercussions abominables et ridicules, disait Théophile, de cette idiotie de révolution en métropole ! Amédée s'en souvenait très bien : on avait parlé de luttes entre Blancs et libres de couleur, mais aussi de violents conflits opposant les patriotes et les royalistes. Il y avait eu des incidents sanglants sur plusieurs habitations, des incendies avaient ravagé les champs de canne.

Et lui-même, qui tenait les comptes de l'habitation, avait pu constater que les transports des sucres vers la métropole avaient été immobilisés pendant de longs mois, ce qui mettait hors d'eux le maître et les autres planteurs. C'était aussi pour ces raisons qu'Amédée avait épargné la vie de l'enfant. Et tandis que les colons se moquaient des révolutionnaires, lui n'espérait qu'une chose : que le vent qui soufflait sur la France atteigne la Martinique.

Des mois avaient passé ainsi, durant lesquels on parlait d'un climat de crise et d'une nouvelle agitation à venir. Peu à peu cependant, les choses avaient paru se calmer et rentrer dans l'ordre ; Gauty avait été rappelé à Paris ; les milices étaient venues à bout des révoltes ; le commerce de Saint-Pierre avait retrouvé son allant. L'Assemblée nationale avait révoqué le décret attribuant le droit de vote aux hommes de couleur et aux Noirs libres. En Martinique, les royalistes avaient repris la main.

Théophile avait retrouvé une certaine confiance, et c'était mauvais signe pour Amédée. Aujourd'hui, celui-ci devait bien constater qu'il s'était certainement trompé. D'ailleurs, qu'est-ce qui avait changé à l'habitation ? Pas grand-chose.

La vie était comme immuable, à l'image des tiges de canne résistant aux cyclones, aux inondations de l'hivernage et à la féroce sécheresse du carême.

Tout à ses pensées, Amédée se rendit compte qu'il était arrivé devant la porte du couvent. Il fut contrarié par sa propre imprudence : il n'avait jamais parcouru ce chemin sans s'assurer régulièrement que personne ne le suivait.

Il scruta les environs, jura de ne plus s'y laisser prendre, sonna à la petite cloche de cuivre. La porte s'ouvrit sur le visage rond et jovial de sœur Agnès, une religieuse d'une trentaine d'années, aussi chaleureuse qu'étourdie.

— Amédée ! Ça faisait un moment qu'on ne t'avait vu ! Comment vas-tu depuis la dernière fois ?

— Fort bien, merci, répondit-il en essayant de se montrer de bonne humeur. Madame vous envoie son bon souvenir. Et plein de bonnes choses pour vos petits orphelins...

Il attacha son âne, se chargea de ses paniers de fruits et de légumes pour emboîter le pas à sœur Agnès qui traversait la cour dans la direction du réfectoire.

Une vingtaine d'enfants de tous âges y jouaient sagement. Ils étaient noirs, métis et blancs. Amédée jeta des regards furtifs autour de lui, comme s'il cherchait des yeux un enfant en particulier.

— Que c'est gentil de penser à eux ! Tu remercieras ta maîtresse pour ses bontés, dit sœur Agnès aimablement.

Le visage d'Amédée s'éclaira quand un petit garçon noir de deux ans déboula en courant et se jeta dans ses jambes en riant.

— Tonton ! Mon tonton ! cria-t-il.

Amédée s'accroupit de façon à se trouver à sa hauteur. Il l'embrassa et l'examina avec tendresse et fierté.

— Tu as encore grandi, Doudou !

— Ah non, intervint sœur Agnès qui s'était arrêtée pour attendre Amédée. Ce n'est plus Doudou. C'est un grand garçon maintenant... On l'a baptisé la semaine dernière, il s'appelle Jean-Baptiste, ajouta-t-elle fièrement en reprenant sa route.

Amédée en profita pour faire un clin d'œil à l'enfant et lui lancer dans le dos de la religieuse :

– Tu as un beau nom, Jean-Baptiste. Tu seras un vrai chrétien. Libre ! dit-il plus bas.

Cela fit rire le garçonnet, qui partit rejoindre ses camarades.

Amédée, fasciné par l'insouciance des enfants, fut tiré de sa rêverie par la voix de sœur Agnès : n'était-ce pas lui qui se disait toujours pressé ?

Quand il quitta le couvent, ses pensées sombres l'avaient abandonné : l'enfant avait un nom, il était baptisé, il mangeait à sa faim, apprenait à lire et à écrire. Et il serait libre ! Oui, se dit Amédée, ce petit Créole aurait un vrai métier et serait libre ! se répéta-t-il, en retrouvant l'espoir de cette liberté dont on avait commencé à parler à voix haute.

Cependant, la journée avançait et il s'en fallut de peu qu'il ne fût obligé de s'expliquer sur son absence et sur l'usage de l'âne : ce n'était pas jour de marché et on aurait pu lui faire remarquer qu'il revenait bien tard de la distribution d'eau de onze heures. Il savait aussi qu'Olympe devait se rendre à Saint-Pierre pour accueillir son frère François de retour sur l'île, mais il n'avait pas imaginé qu'on puisse avoir besoin de l'âne.

Des esclaves étaient occupés aux préparatifs du départ : les uns étaient allés chercher la chaise, d'autres les bagages de la maîtresse dans sa chambre, un autre la mule à l'écurie. Et ce furent bientôt une énorme malle, une dizaine de paquets de taille différente et cinq cartons à chapeaux qui vinrent s'entasser devant la véranda.

Théophile apparut sur le seuil de la Grande Case au moment où un esclave était en train d'installer la malle sur le dos de la mule.

– Arrête ça, abruti ! Tu vas la faire claquer, cette mule ! Mais va chercher l'âne à l'écurie, bougre de couillon !

L'homme n'osa pas répondre que l'animal n'y était pas. Il détala sans mot dire, emmenant la mule et cherchant quelle excuse donner pour éviter un de ces violents accès de colère du maître que les esclaves redoutaient.

Depuis plusieurs mois, Théophile se montrait d'une humeur particulièrement massacrante. N'avait-il donc pas ce qu'il voulait ? Une habitation prospère, de l'argent, une femme, des maîtresses, un commandeur respecté, un intendant fidèle et des esclaves travailleurs. À coup sûr, quelque chose n'allait pas : un rien l'agaçait et le faisait enrager. On racontait, dans le quartier des esclaves, que c'était depuis l'accouchement d'Adèle que le maître avait changé. Était-ce à cause de cet enfant qu'il avait cru être le sien ? Certains disaient que tout ça, c'était à cause de « la pli bel' ». À quoi d'autres répondaient que le maître se fichait bien d'Adèle, comme de toutes les femmes d'ailleurs, et qu'il n'avait jamais aimé que lui-même. D'autres soutenaient le contraire : Théophile n'était pas aussi méchant qu'il en avait l'air, il était seul et malheureux. On ne savait pas, au fond, de quoi ses pensées étaient faites.

Pour l'instant, il regardait les bagages de sa femme s'entasser d'un air consterné :

– Il faudrait une caravane pour transporter ce merdier !

– Tu voudrais peut-être que j'aille à Saint-Pierre en chemise comme une négresse ? demanda Olympe qui venait de faire son apparition sur le seuil de la véranda, en habit de voyage, gantée et chapeautée.

Elle avait pris l'habitude de ne plus attacher d'importance aux remarques désobligeantes de son mari.

L'apparition d'Amédée et de l'âne fut salvatrice : elle soulagea l'esclave qui revenait bredouille de l'écurie, empêcha que ne se prolonge la dispute entre les époux, et elle renforça l'image du parfait intendant qui avait tout prévu – jusqu'à un cadeau pour le beau-frère du maître.

– L'âne était avec moi, maître, dit Amédée en désignant un panier qui contenait encore quelques fruits. Ce sont des fruits du jardin. Notre cadeau de bienvenue pour votre frère, maîtresse. Dites-lui que nous sommes très heureux qu'il revienne chez nous.

– Merci, Amédée. C'est très gentil, répondit Olympe.

– C'est ça, moi aussi. Meilleurs vœux au beau-frère et à toute la sainte famille, ajouta Théophile sur un ton bougon.

– Alors, c'est décidé, tu ne viens pas ? s'enquit Olympe avec l'air de lui laisser une dernière chance.

– Je suis sûr que vous vous passerez très bien de moi !

– En effet, c'est à craindre, conclut-elle.

Il haussa simplement les épaules et se détourna pour regagner la Grande Case. Olympe resta un instant à le regarder qui montait les marches de la véranda. Elle se demanda s'il allait se retourner. Elle partait pour Saint-Pierre pour deux semaines, peut-être davantage, et voici ce qu'était devenu leur couple : il la plantait là sans même lui dire au revoir. Un baiser, un mot tendre, un geste doux, il ne fallait plus y songer. Avaient-ils d'ailleurs jamais existé ? Elle ne s'en souvenait pas. Les époux ne couchaient plus dans le même lit depuis des mois, l'enfant qui devait combler leur mariage resterait une chimère. Elle se souvint qu'ils n'avaient jamais passé une nuit entière l'un près de l'autre. Elle avait cru l'admirer, lui avait cru la trouver belle. On eût dit qu'à l'image de cet acte étrange qui avait scellé leur rencontre – l'acquisition par Olympe de Koyaba alors que Théophile n'en voulait pas –, leur relation s'était construite et développée sur un antagonisme.

Théophile ne s'était pas retourné. Les yeux d'Olympe n'étaient pas même embués.

Ce fut Rosalie qui s'approcha pour l'aider à s'installer dans la chaise, tandis que l'attendaient pour se mettre en route les porteurs et un esclave qui tirait l'âne chargé de la malle et des paquets. Rosalie fermerait le cortège.

Amédée donna le signal du départ puis tourna les talons. En sentant la chaise s'ébranler, Olympe eut le sentiment de mieux respirer. S'enfuir, elle y rêvait depuis quelque temps. S'enfuir... mais pour aller où ?

C'est alors que Manon fit une nouvelle apparition. Elle se dressa, muette et toujours dégoulinant d'eau, les cheveux emmêlés d'algues, hideuse et plus terrifiante encore que les premières fois. Un cadavre en décomposition... On eût dit que, sous son visage reconnaissable, son corps mutilé n'était plus qu'une plaie, un amas de chair pourrie, des lambeaux mangés par les vers. La créature marchait paisiblement à côté de la chaise à porteurs. L'inquiétant sourire s'affichait en même temps qu'un air déterminé, des yeux qui fixaient étrangement Olympe... Le contraste était frappant entre la face blanche et rose, la longue chevelure blonde coiffée d'un chapeau, son air mélancolique et pensif... et l'autre, noire et scarifiée, proche d'un masque, dont la bouche décolorée aurait laissé cependant échapper une haleine fétide, une face aux yeux enfoncés, encadrée de boucles d'algues noires.

Olympe frissonna.

– J'ai froid... Rosalie ! appela-t-elle.

Lorsque Rosalie accourut, Manon s'écarta pour la laisser passer. Et Rosalie ne comprit pas pourquoi le ciel venait de s'assombrir brusquement. Elle soupçonna l'arrivée d'une avalasse, mais elle s'inquiéta du silence glacial autour d'elle. Elle frissonna à son tour et fit le signe de croix.

– Jésus Marie !

– Que dis-tu ? demanda Olympe.

– Rien, maîtresse.

Rosalie marcha un instant aux côtés d'Olympe, puis constata que le ciel redevenait clair et que le soleil brillait à nouveau. Manon avait disparu.

CHAPITRE 10

Enfin, son frère lui revenait ! C'était toujours en fonction d'elle-même qu'Olympe pensait. Elle était convaincue que c'était pour honorer la promesse qu'il lui avait faite que François regagnait aujourd'hui la Martinique. Pour quoi d'autre ?

Dans la correspondance qu'ils avaient échangée au cours des derniers mois, François avait expliqué à sa sœur les raisons de son retour, qui faisait suite à un long séjour de séminariste chez les frères dominicains. Olympe avait-elle bien lu les passages où il disait que sa rencontre avec les Noirs avait été déterminante ? Avait-elle compris qu'il était décidé à consacrer sa vie à prêcher Dieu dans le sens d'une fraternité entre les hommes de toutes les couleurs de peau ? Bien sûr, elle avait été heureuse de recevoir ses lettres, mais elle avait bien plus aimé lui écrire pour se soulager de ses malheurs. Elle n'avait donc pas prêté attention aux idées nouvelles dont il lui faisait part. Olympe ne voyait guère ce qui se passait autour d'elle, et, quand elle en avait une obscure conscience, elle semblait ne plus en être affectée. Elle s'était endurcie considérablement, et en un sens adaptée à la rudesse du monde auquel elle était confrontée. Il lui avait fallu, il est vrai, une certaine force de caractère pour se faire aux conditions de la vie dans l'île. Ne serait-ce qu'au climat : combien de Blancs arrivant de métropole en repartaient bientôt, incapables d'en supporter les rigueurs ! Incontestablement, Olympe avait eu cette force. Elle avait résisté à la chaleur du carême autant qu'aux pluies de l'hivernage, elle n'avait pas même été épouvantée par les cyclones et les tempêtes qui laissaient après leur passage des pans de paysage désolé, sinon un sentiment de fin du monde.

Il y avait plus : il fallait ne point être trop délicate pour s'adapter à la vie créole. En France, on apprenait à paraître dans le beau monde. En Martinique, il fallait se plier à d'autres règles. La vie était douce en apparence, bien plus rude et cruelle en réalité. Cette île n'avait rien du jardin d'Éden qu'Olympe avait imaginé. Et puis, tant de choses s'étaient écroulées autour d'elle : ses rêves de grandeur et ses désirs d'entreprendre comme ses illusions amoureuses. Elle était arrivée pleine d'entrain. Elle était devenue, en quelques occasions, aussi dure que la pierre, et de surcroît, sans Rosalie à ses côtés, elle aurait été dans une solitude quasi absolue. Pour ces raisons, Olympe était heureuse de retrouver François. Lui allait la comprendre ! Et son cœur se serra à l'approche de Saint-Pierre, quand elle aperçut au loin les navires sur la mer et les toits des premières maisons.

François, dont le bateau avait accosté depuis plus d'une heure déjà, attendait patiemment sur ce quai du port de Saint-Pierre où il avait débarqué lors de son premier séjour. Autour de lui, les choses semblaient ne pas avoir changé : c'étaient la même activité fébrile du port, le même visible asservissement des Noirs aux Blancs, le même vacarme, le même mélange d'hommes et de femmes aux couleurs de peau nuancées, le même brouhaha de langues mêlées. Mais son regard n'avait plus rien de comparable à celui qu'il avait eu en posant le pied sur l'île, quatre ans auparavant. Il n'était plus le même homme. La robe ivoire à grande capuche noire des dominicains qu'il portait en attestait pour l'apparence. Mais de façon plus profonde, François avait mûri, ses yeux s'étaient dessillés. Son visage encore jeune était empreint d'une expression plus ferme et plus paisible, et dans son regard brillait une lueur de compassion réfléchie. Il se souvenait de la première impression qu'il avait eue en posant le pied sur cette terre d'Amérique : il avait pensé à la tour de Babel, un monde dans lequel les hommes ne se comprenaient plus. Il revenait ici pour faire en sorte que les hommes essaient de se comprendre de nouveau. Il était en proie à une grande mais lucide exaltation, moins liée aux retrouvailles avec sa famille qu'aux raisons profondes qui le ramenaient.

Il guettait l'arrivée de ses proches en compagnie d'un fort beau jeune homme d'environ vingt-cinq ans, coiffé d'une perruque et vêtu tout à fait élégamment d'une culotte de drap bleu clair assortie à une veste qui s'ouvrait sur une chemise à jabot, de bas blancs et de souliers à boucles d'argent. Les habits et l'attitude laissaient supposer en lui un jeune homme de haute naissance, mais ses manières n'avaient rien de trop affecté ou de précieux. Il donnait l'impression d'être un homme honnête et loyal, sincère et droit, même si dans ce moment précis, il paraissait préoccupé.

Le visage de François s'illumina : il venait d'apercevoir une chaise à porteurs et il reconnut celle d'Olympe en apercevant Rosalie qui la suivait. Il se précipita vers elles pour les saluer, puis attendit que les porteurs aient posé la chaise pour aider sa sœur à descendre. Il l'embrassa avec chaleur ; Rosalie, qui ouvrait l'habituelle ombrelle protectrice, fut impressionnée par l'allure de François et sa cordialité à son égard. Olympe se laissa longuement embrasser, comme heureuse d'être entre des bras aimants. Puis elle recula.

– Laisse-moi te regarder, mon frère chéri ! Que tu es beau ! Les dames de Saint-Pierre vont être folles de toi !

– J'espère bien que non ! répondit-il en riant.

Il s'écarta presque aussitôt pour présenter le jeune homme qui s'était éloigné de quelques pas par politesse.

– Olympe, je te présente monsieur Christian de Chabot. Il faisait route vers Saint-Domingue quand son bateau a été dérouté par les Anglais...

– C'est donc vrai ? On dit que depuis le soulèvement des esclaves, Saint-Domingue est à feu et à sang... s'enquit

Olympe, sans avoir pris la peine de vraiment regarder le jeune homme.

– Les Anglais protègent les Blancs en les prenant sur leurs bateaux. Moi qui imaginais retrouver ma plantation, j'ai dû renoncer à ce projet... précisa le jeune homme en s'inclinant et en prenant la main d'Olympe pour la baiser.

Désorientée par la délicatesse du geste, Olympe prit enfin le temps de l'observer tandis qu'il se redressait. Elle fut frappée par la pâleur de son visage et en même temps séduite par la noblesse de son regard et la beauté de ses traits. Elle fut si troublée qu'elle mit quelque temps avant de poursuivre :

– Quel dommage ! Qu'allez-vous faire ?

– Je dois rentrer en France pour défendre mes biens. Il semble que messieurs Danton et Robespierre aient l'intention de nous mettre sur la paille...

– Monsieur, nous ne laisserons pas un compatriote dans une mauvaise auberge. Vous m'obligeriez en venant habiter chez nous le temps d'attendre le prochain bateau...

Et sur ces mots qu'elle avait prononcés avec empressement, Olympe avança d'un pas et se rapprocha de Christian de Chabot, comme pour ne pas laisser à celui-ci la possibilité de refuser l'invitation. Il le comprit, et, pour montrer que la proposition lui agréait, il salua et lui adressa un sourire. Elle sentit son visage devenir écarlate et se détourna pour dissimuler son émotion. Le regard de cet homme la troublait. Non qu'il fût déplacé, mais parce qu'elle n'avait plus l'habitude d'être regardée de cette façon.

Olympe en fut désorientée tout au long du déjeuner qui se déroula dans la maison de ville de Théophile, toujours occupée par les parents Rochant. Il est vrai que Christian de Chabot trouvait la jeune femme d'une grande beauté. Olympe avait toujours été une femme séduisante, mais on eût dit qu'elle l'avait oublié elle-même, ne recevant plus de compliments depuis longtemps. Un peu gênée par ses regards, elle ne montra guère d'appétit pour le repas dont sa mère avait cru bon de devoir s'excuser auprès de leur hôte :

– Vous nous pardonnerez la simplicité de ma table, monsieur, et vous nous ferez l'honneur, j'espère, de votre présence à une petite fête, ce soir. Mais à cette heure, je n'ai qu'un sauté de cabri et un gratin de christophines à vous offrir.

– Madame, en ces temps troublés, j'aurais mauvaise grâce à me montrer difficile... lui avait-il aimablement répondu.

La conversation avait continué sur le registre de la politique, monsieur de Rochant revenant sur les événements qui avaient secoué la France et sur leurs répercussions en Martinique.

– Vous avez raison. Ici, depuis que l'Assemblée a approuvé l'égalité politique des gens de couleur, l'agitation est à son comble.

– À la procession de la Fête-Dieu, les mulâtres ont voulu défiler derrière le drapeau, avec les Blancs ! ajouta madame de Rochant sur un ton indigné.

– Et pourquoi pas, maman ? dit François. Un peu moins de privilèges et un peu plus d'égalité ne nous tueront pas...

Un court silence suivit sa remarque, et tous se tournèrent vers lui.

– Les mulâtres sont dangereux, cher ami, reprit calmement Christian de Chabot. Ils se servent de leur sang blanc pour revendiquer les mêmes droits que nous et de leur sang noir pour attiser la haine des esclaves.

– Heureusement, les mulâtres vivent en ville. À la campagne, les Noirs ne les aiment pas et s'en méfient, renchérit Olympe sur un ton un peu pédant, comme pour soutenir les propos de l'homme qu'à son tour elle ne quittait plus des yeux.

– Que sais-tu de ce que pensent les Noirs ? demanda sèchement François en se tournant vers sa sœur. Tu parles de politique avec ta femme de chambre ?

– Tu es devenu complètement idiot ! lança Olympe, vexée.

– Fort heureusement, ajouta monsieur de Rochant avec une moue dédaigneuse, dans les champs de canne, personne n'a entendu parler de la Déclaration des droits de l'Homme...

– Vous croyez ? demanda à nouveau ironiquement François.

Et il ne put s'empêcher de regarder avec froideur ces gens qui étaient les siens, et dont l'aveuglement lui faisait honte.

– Ta sœur a raison, mon cher fils, conclut madame de Rochant d'un air sévère. Tu es devenu... agaçant.

François se résolut à ne plus intervenir durant le déjeuner, et il en eut d'autant moins envie que la conversation roulait maintenant tout bonnement sur le temps qu'il faisait. Mais le soir même, il allait de nouveau être regardé comme un homme d'humeur et d'idées déplacées. Sa mère l'avait pourtant prié, avant l'arrivée des convives, de modérer les paroles absurdes qu'il avait trouvé bon de prononcer au déjeuner.

Dans le salon, une vingtaine d'invités réunis pour fêter son retour discutaient autour des verres présentés sur des plateaux d'argent par des esclaves en livrée et perruque blanche.

Madame de Rochant, qui avait renoncé à donner de grandes réceptions, s'était résolue à recevoir quelques amis de temps en temps : on parlait, on se restaurait et on dansait. Ces réunions, qui lui avaient évité des dépenses inconsidérées, n'en étaient pas moins gaies, avait-elle remarqué.

Ce soir-là, la plupart des convives, issus de la bonne société des planteurs pierrotins, flattés d'être reçus chez l'intendant, étaient élégamment vêtus. Les dames portaient leurs plus belles toilettes, mais Olympe était la reine de la soirée. Elle avait choisi pour l'occasion sa robe de bal de taffetas parme. Si cette toilette avait laissé Théophile indifférent, ce ne fut pas le cas de Christian de Chabot, qui ne pouvait quitter des yeux cette jeune femme resplendissante. Oui, pensait-il, elle est la plus belle. Et il était vrai qu'Olympe, retrouvant la frivolité d'un salon, semblait avoir recouvré aussi son éclat et sa fraîcheur d'antan. Elle virevoltait, heureuse de se rapprocher de dames qu'elle n'avait pas revues depuis le jour de son mariage, heureuse de saluer Nicolas de La Rivière et Hubert de Sainte-Colombe, devenus des familiers de ses parents.

Dans l'assemblée, une seule personne, donc, paraissait distante sinon maussade : François, qui n'avait jamais eu de goût pour ce genre de festivités, encore moins depuis son entrée en religion. Il fit néanmoins ce qu'il put pour paraître de bonne compagnie, accepta de bonne grâce d'être présenté au supérieur des dominicains que monsieur de Rochant n'avait invité que pour les faire se rencontrer. C'était un homme d'une soixantaine d'années, au visage grave, et qui portait d'une manière un peu raide le même habit que François. Entouré de monsieur de Rochant et de La Rivière, il s'adressait au nouveau frère sur un ton docte :

– La tâche est rude dans ce pays, vous verrez. Au lieu d'évangéliser les nègres, les planteurs les poussent à vivre comme des animaux.

– Mon père, dit La Rivière amusé, nous n'avons pas la preuve que les nègres aient une âme !

– La vraie question est de savoir si les Blancs en ont une ! Quand on considère leur barbarie à l'égard des Noirs, on se demande qui est humain et qui ne l'est pas.

François n'avait pu s'empêcher de parler très haut pour répondre au propos de La Rivière, si bien que tout le monde l'avait entendu. Les conversations se turent, tous les yeux se braquèrent sur lui. Le supérieur des dominicains en particulier paraissait mécontent de cette intervention, et il s'apprêtait à répliquer quand Olympe surgit au milieu du groupe, légère et froufroutante. Elle prit le bras de son frère.

– Ah, François ! Il faut absolument que je te parle...

Elle adressa un large sourire aux trois hommes qui entouraient son frère :

– Messieurs, je vous l'enlève... ajouta-t-elle en l'entraînant à l'écart. Puis à voix basse :

– Si tu continues à dire des bêtises, tu vas avoir des ennuis avec ta hiérarchie. Ton supérieur est à la botte des planteurs !

– Heureusement, répondit François, je suis sous la protection de ma petite sœur chérie...

Puis il eut le désir plus tendre d'une conversation seul à seule avec Olympe, en quête d'un peu de sincérité et de simplicité.

– Raconte-moi ce que tu deviens. Es-tu heureuse ?

– Je ne suis pas malheureuse... même si j'ai perdu tout espoir d'aimer mon mari. Je sais qu'il couche avec Rosalie et une dizaine d'autres négresses sur l'habitation, mais du moment que l'autre fille ne s'approche plus de la Grande Case, je ferme les yeux...

– Tant mieux, tes lettres étaient pleines d'une haine qui me faisait peur...

– Dieu a entendu mes prières. L'enfant est mort, la garce a payé !

– Mon Dieu, Olympe ! Tu n'as donc aucune pitié ?

– Je te dis que je ferme les yeux sur les coucheries de Théophile et ça ne te suffit pas ? Que faut-il que je fasse pour trouver grâce à tes yeux ? Que j'affranchisse tous mes esclaves et que je rentre en France à la nage ? demanda-t-elle sur un ton agacé.

Ils n'eurent pas le temps de poursuivre. On avait attaqué un quadrille au violon et Christian de Chabot s'était précipité vers Olympe.

– François, me laisserez-vous danser avec votre ravissante sœur ?

– Il y a longtemps que je me passe de sa permission, monsieur, dit Olympe avec un sourire charmeur.

Elle passa devant son frère sans un regard et commença à danser. Cela faisait si longtemps qu'elle ne l'avait fait ! Il lui semblait dans cet instant que c'était un moyen agréable d'échapper aux conversations maussades et au poids de la vie. Et puis, au-delà de l'agrément d'un salon, il y avait cette joie : les yeux sur elle d'un homme qui ne lui déplaisait pas.

François regardait sa sœur, et il fut frappé par son air heureux ; lui se sentait un étranger dans cette assemblée, l'attitude du supérieur l'attristait, il avait envie de quitter ces lieux. Il continuait cependant d'observer Olympe qui dansait avec Christian de Chabot. Il était trop évident qu'ils étaient séduits l'un par l'autre, et que François n'était sans doute pas le seul à le remarquer. Elle est imprudente, pensa-t-il. Et pourtant, cette image échappait à la vanité de la soirée : sa sœur et Christian dansant, et peut-être amoureux. Quant à Olympe, elle goûtait de nouveau ce quelque chose qui vous sauvait de tout, comme si elle avait oublié qu'un homme pouvait la trouver belle, comme si elle avait oublié qu'elle-même pouvait être séduite. Elle aurait voulu que la danse ne se termine jamais. Quand elle s'acheva, elle prit Christian par la main et l'entraîna dans le boudoir contigu au salon, qui était plongé dans la pénombre.

– Venez... dit-elle en chuchotant. Asseyons-nous pour causer...

– Je ne veux pas m'asseoir, je veux mourir à vos pieds, madame. Vos yeux sont des poignards qui me transpercent... répondit-il dans un murmure.

– Ah non, ne mourez pas. Maintenant que je vous ai à moi, je serais furieuse de vous perdre...

Elle s'était assise sur le petit sofa, et Christian, agenouillé devant elle, lui prit la main.

– Que la vie est étrange, poursuivit-il. Dire que j'ai affronté les flots et les navires anglais pour conquérir une déesse... que dis-je, une nymphe !

– Vous êtes gentil, mais je préfère déesse...

Et ils se mirent à rire, comme cela n'était pas arrivé à Olympe depuis des années. Et soudain elle s'arrêta, prenant conscience de ce rire franc qui lui rappelait son enfance. Une image en particulier lui revint : celle du ballon bleu azur orné d'or aux chiffres du roi de France, qui s'élevait majestueusement au-dessus du château de Versailles. Elle avait tellement ri ce jour-là ! C'était un vol à ballon perdu : le ballon s'envolait au gré du vent. Sans doute ne le rattraperait-on jamais. Elle avait treize ans, et c'était avant d'être guidée par une mère autoritaire. Oui, Olympe avait été cela : joyeuse, à la fois insouciante et sentimentale. Elle fut prise, dans ce boudoir, du sentiment étrange que l'âge de tous les possibles était derrière elle. Mais elle se souvint aussi qu'à son arrivée en Martinique, elle avait songé au ballon des frères Montgolfier.

Signifiait-il pour elle la fin de son enfance ? Ou lui parlait-il encore de liberté ? Christian fut touché par la lueur de détresse qui pointait dans le bleu de ses yeux. Elle aurait voulu lui demander de l'emmener tout de suite loin, très loin, ailleurs, là-bas. Cela ne dura que quelques secondes, durant lesquelles Olympe prit encore conscience des mensonges qu'elle s'était bâtis et de ses résignations apparentes. Elle croisa le regard de Christian, eut l'air de s'éveiller d'un rêve et lui adressa un sourire pour le rassurer. Retrouvant toute sa contenance, elle se laissa aller à rire de nouveau, d'un rire plus léger cependant, comme si elle se moquait de la folie de ses propres pensées. Il rit à son tour, et elle le pria de la faire danser. Ils se levèrent et retournèrent au salon.

Elle avait éprouvé un sentiment de plaisir infini. Ils avaient dansé durant des heures, et ce ne fut qu'après le départ des derniers invités qu'ils se décidèrent eux aussi à aller se reposer. Olympe ne ferma pas l'œil de la nuit, obsédée par la pensée de revoir son cavalier.

Le lendemain matin, elle ne tenait pas en place entre les mains de Rosalie qui l'habillait et qui la rappela au calme plusieurs fois, bien qu'elle eût deviné les raisons de son excitation. Olympe ne put d'ailleurs s'empêcher de mettre celle-ci dans la confidence :

— Monsieur de Chabot m'a demandé de l'appeler Christian. Ce n'est pas très convenable, n'est-ce pas ?

— Vous n'avez pas besoin de le conter à toute la compagnie.

— N'est-ce pas qu'il est beau ?

— Si la mouche à miel aime le sirop, elle trouve toujours le moyen d'y goûter... dit Rosalie en se redressant.

C'est alors qu'elle aperçut Chabot dans la rue, juste sous les fenêtres d'Olympe. Il semblait flâner, mais son regard était rivé sur ce premier étage.

— Han han, dit Rosalie, votre doudou est en bas...

Olympe courait déjà à la fenêtre, encore en jupons, quand Rosalie l'arrêta et l'en éloigna :

– Jésus du ciel ! La poule ne montre pas qu'elle attend le coq.

Et, baissant la voix :

– Il n'y a personne, vous pouvez le faire monter...

– Lui, ici ? Mais tu es folle. Je vais me trouver mal...

Rosalie était à la fenêtre et adressait un signe pour indiquer que la voie était libre et qu'on pouvait monter. Olympe n'eut pas l'air de se trouver mal. Au comble de l'excitation, elle tournait en rond comme une enfant consciente de faire une bêtise. Rosalie lui tendit un élégant déshabillé. Le temps que sa maîtresse l'enfile, on frappait à la porte. À peine Rosalie l'ouvrait-t-elle que Christian entra et qu'Olympe se jeta dans ses bras. Ils s'embrassèrent passionnément tandis que Rosalie s'éclipsait. Elle avait tout fait pour rendre la Ti-béké-a malheureuse ; aujourd'hui, elle organisait ses rendez-vous galants. Malheureuse, cette femme l'avait été, après tout, et le bonheur s'offrait à elle. Pourquoi devrait-elle y renoncer ?

Si, entre les bras d'un homme, une femme était en train de renaître, une autre était sur le point de mourir. Ce matin-là, trop faible pour se lever, Adèle était restée allongée sur sa paillasse. Son père s'était approché pour essayer d'en obtenir un mot. Même si elle l'avait pu, elle ne lui aurait pas répondu. Il suffisait à Amédée de regarder sa fille pour savoir qu'elle devait être soignée au plus vite. Il savait qu'il n'avait plus qu'un recours, et il la força à se lever. Adèle se laissa soutenir et conduire sans résister vers la Grande Case.

Amédée marqua un temps d'arrêt dans le salon, car Adèle était près de s'évanouir. Il lui demanda un dernier effort, la supplia de faire encore quelques pas : il fallait que le maître la voie et autorise les soins !

Quand ils arrivèrent devant le cabinet de travail, Amédée tourna la poignée et poussa doucement la porte du pied. Il y eut un moment de silence. Théophile avait sursauté ; Jacquier était là, et tous deux s'étaient tournés sans comprendre ce qui se passait. Amédée fit un pas en avant et apparut avec sa fille. Ce qu'il ignorait, c'était que Jacquier était venu informer Théophile de l'état d'Adèle. Le maître pouvait à présent s'en rendre compte : Adèle avait considérablement maigri, son visage était creusé, ses lèvres desséchées, ses paupières purulentes. Leurs yeux se croisèrent, mais malgré sa faiblesse, le regard d'Adèle était dur, et Théophile comprit qu'elle n'était pas venue ici tout à fait de son plein gré. Lui qui n'éprouvait que rarement de la pitié retrouvait brusquement devant lui la seule femme qui lui ait jamais manqué, sans qu'il puisse même se l'avouer. Il ne l'avait pas vue depuis des mois. Il fut désarmé.

– Qu'est-ce qu'elle fait là ? demanda-t-il sur un ton brutal pour cacher son trouble.

– Elle est très faible, maître. Je vous l'ai amenée pour que vous voyiez vous-même...

– C'est bon, j'ai vu, dit-il en se retournant vers Jacquier. Mets-la à l'hôpital.

À peine avait-il prononcé ces mots qu'Adèle s'évanouit. Ce fut Jacquier qui s'avança vers elle et qui prit son pouls.

– Et après, maître ? Elle va mourir si elle retourne à la canne, poursuivit Amédée.

Jacquier prit Adèle dans ses bras et la souleva comme une plume. Il était de l'avis d'Amédée. Il crut bon d'intervenir :

– C'est pas bon qu'elle crève. Elle peut s'occuper du linge.

– Mais madame ne veut pas qu'elle approche de la Grande Case... renchérit Amédée.

Le bref échange donnait le sentiment que l'intendant et le commandeur s'étaient concertés pour influencer Théophile et le pousser subtilement à prendre la bonne décision. Jacquier et Amédée n'avaient à la vérité rien prémédité ; ils avaient appris depuis longtemps de quelle façon parler à Théophile.

Et tout se déroula comme ils l'avaient imaginé. Le maître prit l'air agacé :

– C'est moi qui commande ici !

Il lui fallait feindre que le cas d'Adèle était à traiter comme celui de n'importe quel autre esclave.

– Tu la soignes et tu la fais travailler dans le coin. Plus de champ de canne.

Jacquier fit un signe de la tête et sortit en portant Adèle, toujours inconsciente, dans ses bras. Amédée, soulagé, tournait les talons pour quitter le cabinet quand Théophile l'arrêta :

– Dis donc, tu parles toujours anglais, toi ?

– Je suis né à la Jamaïque, maître. L'anglais est ma langue de naissance.

– Eh bien, c'est le moment de t'en servir, mon vieux ! Si tu me montres de quoi tu es capable avec les Anglais, je fais de toi un homme libre !

Et Théophile s'installa à son bureau avec un air de satisfaction revenue, tandis qu'Amédée le considérait avec perplexité. Théophile lui expliqua qu'il ferait appel à lui et que le plus tôt serait le mieux. L'intendant quitta le bureau pensif, se demandant où le maître voulait en venir avec cette histoire d'Anglais et cette façon nouvelle de lui faire miroiter sa liberté.

Après des années de solitude, Olympe se retrouvait éperdument amoureuse. Elle avait le sentiment d'être redevenue la jeune femme spontanée et gaie de jadis. Aussi émue, en outre, qu'une adolescente en son premier amour, aussi radieuse qu'à son arrivée en Martinique, elle semblait ressusciter. Son esprit n'était plus occupé que de Christian, elle n'imaginait plus de vivre sans lui, et, comme Rosalie était là pour lui souffler comment s'y prendre, elle avait tâché d'organiser un rendez-vous pour passer deux heures entre ses bras. Son frère pouvait l'y aider ; aussi l'avait-elle prié, sachant l'intérêt qu'il portait à la flore de l'île, de l'accompagner au jardin botanique, lui en vantant avec enthousiasme la magnificence. Il avait prétexté avoir beaucoup à faire, mais elle avait insisté, lui exprimant le souhait de se retrouver seule avec lui. François avait fini par accepter, et ils profitèrent de la belle journée ensoleillée pour se promener dans les allées, accompagnés de Rosalie et de son ombrelle. François s'extasiait devant les centaines d'espèces d'arbres et de plantes réunies là. Il était heureux aussi de pouvoir enfin parler librement avec sa sœur. S'il savait bien qu'Olympe ne pouvait partager ses idées concernant l'esclavage, il savait aussi que jamais elle ne l'en blâmerait gravement et qu'elle était au fond d'une nature curieuse et ouverte. Il essayait donc de lui expliquer sa façon de voir, comment les choses devaient évoluer peu à peu, les échos favorables qu'il avait trouvés à Paris. Mais il avait beau parler, Olympe rêvait sans l'écouter.

– Mon supérieur est certes un saint homme, disait François, je sens qu'il veut bien faire en baptisant à tour de bras, mais je ne peux pas m'occuper des âmes en ignorant les corps...

– Quels corps ? demanda distraitement Olympe.

Elle avait aussitôt songé au corps contre lequel elle avait ce matin même passé un moment délicieux ! François crut que sa sœur s'intéressait enfin à ce qu'il lui disait et poursuivit de plus belle :

– Ceux des esclaves ! Les malheureux sont affamés, blessés, malades, et on voudrait qu'ils écoutent la parole de Dieu. J'ai appris les pratiques de la chirurgie au séminaire. Sans me vanter...

Il s'interrompit net en s'apercevant soudain que le visage d'Olympe était illuminé d'un large sourire. Il douta qu'elle sourît de ce qu'il était en train de dire, et n'eut qu'à suivre son regard : au bout de l'allée, Christian de Chabot venait d'apparaître. Olympe fit un effort pour se retenir de courir vers lui. Elle se tourna vers son frère qui se mit à rire franchement :

– C'était donc cela, ton grand désir de me voir tranquillement ?

– Et pourquoi pas ? Je voulais vous voir tous les deux !

Il allait lui rétorquer sur un ton badin qu'il n'était pas convenable de mentir ainsi à son frère, mais n'en eut pas le temps : deux religieuses arrivaient, et l'une d'elles s'arrêta en reconnaissant Olympe.

– Madame Bonaventure ?

– Oui ? dit Olympe.

– Je suis sœur Agnès... On m'a tellement parlé de vous, et je n'ai jamais eu l'occasion de vous remercier pour vos bienfaits envers nos orphelins... Soyez bénie, madame...

Elle s'inclina et alla rejoindre l'autre sœur qui poursuivait son chemin. Olympe n'y comprenait rien.

– Tu t'occupes des orphelins, maintenant ? lui demanda François. Tu es de plus en plus mystérieuse, ma chère sœur !

– Elle m'a prise pour une autre, c'est évident ! François, je dois rejoindre Christian. Retrouve-moi dans deux heures, par pitié ! Deux heures, c'est tout ce que je demande ! Je l'aime, François !

Et sans attendre sa réponse, elle s'envola vers Christian de Chabot qui attendait maintenant à l'ombre d'un flamboyant. François songea que ces deux heures seraient utiles pour éclaircir ce qui le tracassait. Un orphelinat tenu par une communauté de religieuses aux alentours de Saint-Pierre ? Il se renseigna. Il n'y en avait qu'un, qui était situé à la sortie de la ville.

Il trouva le couvent, et ce n'est qu'après avoir sonné la cloche qu'il se rendit compte qu'il n'avait aucune idée de ce qu'il allait pouvoir dire pour expliquer sa visite. Sans doute son habit viendrait-il à propos, et il réfléchissait à la meilleure façon d'engager la conversation. La porte s'ouvrait déjà. Il reconnut avec soulagement le visage d'une des deux religieuses qu'ils avaient croisées une heure auparavant. C'était celui de la sœur Agnès.

– Bonjour, ma sœur, dit-il. Nous nous sommes croisés au jardin botanique... Je suis le frère de madame Bonaventure...

– Oh, mais quelle bonne surprise ! Je ne savais pas que madame Bonaventure avait un frère. Vous voulez voir le petit, je suppose ?

– Le petit ? demanda-t-il interloqué, en examinant la religieuse comme si elle eût tenu le fil d'un destin.

– Mais... le petit nègre ! s'exclama-t-elle.

– Ah oui ! Le petit nègre ! Évidemment que je veux le voir ! Excusez-moi, je suis terriblement distrait... dit-il en s'inclinant avec un sourire.

Elle fit un signe d'assentiment, lui rendit son sourire et ouvrit la porte plus largement pour l'inviter à la suivre. Il profita de ce qu'elle le précédait pour extraire un mouchoir de sa poche et essuyer la sueur qui perlait à son front. Cette chaleur moite et humide, François était heureux de la retrouver. Il transpirait parce qu'il faisait chaud, mais aussi parce qu'il était ému et troublé. Il commençait à pressentir ce qui allait lui être révélé. « Le petit nègre », avait dit la religieuse, et elle venait à nouveau de lui parler d'Olympe. Il n'y avait pas de confusion possible.

François suivit la sœur jusqu'à un jardin à l'arrière du couvent où une autre religieuse était en train de faire le catéchisme à une vingtaine d'enfants de toutes les couleurs. Ils étaient assis en rond autour d'elle, et répétaient une prière à la Vierge Marie. François fut pris d'une nouvelle suée, toute d'émotion cette fois. Il suivit des yeux sœur Agnès qui s'approchait discrètement d'un enfant noir et chuchotait à son oreille. L'enfant se leva en lui donnant la main et se laissa conduire jusqu'à François. Une lueur de curiosité et de gaieté brillait dans ses yeux.

– Voilà notre petit Jean-Baptiste ! N'est-ce pas qu'il est adorable !

François fit ce qu'il put pour lui adresser un sourire chaleureux, mais il était encore stupéfait.

– C'est donc là le protégé de ma sœur ? demanda-t-il. Vous

savez qu'elle est si modeste qu'elle ne m'a jamais raconté l'histoire...

– Que le Bon Dieu la protège, elle est si bonne ! dit sœur Agnès de ce ton simple qui répondait à la bonhomie de sa physionomie.

Puis, pour que Jean-Baptiste ne l'entende pas, elle s'approcha de François et baissa la voix :

– Son mari voulait supprimer l'enfant, mais votre sœur a ordonné au commandeur noir de nous le confier.

– Le commandeur noir... ? demanda François sans comprendre. Le commandeur noir ? répéta-t-il en manquant de s'étrangler. Amédée ? Il ne l'a donc pas tué ?

– Surtout, ne dites rien à personne ! le conjura sœur Agnès. Il ne faut pas qu'on découvre son pieux mensonge. Elle nous fait porter des fruits et des légumes mais toujours en cachette, vous savez...

Alors, François ne put s'empêcher de se pencher, de prendre l'enfant dans ses bras et de l'embrasser.

– J'arrive seulement de métropole mais vous pouvez vous adresser à moi pour tout ce qui concerne Jean-Baptiste. Si ma sœur est sa marraine, je serai son parrain.

François avait gagné en allure et en vigueur ; souvent singulier, parfois résolu, le visage adouci de bonté devant les enfants, il leur plaisait d'emblée. Jean-Baptiste ne s'y trompa pas, et il posa la tête contre son épaule.

CHAPITRE 11

Non, Olympe, il n'est pas mort, cet enfant, et Dieu n'a pas entendu tes prières ! Il a décidé qu'il vivrait, et c'est aujourd'hui un beau petit homme d'un peu plus de deux ans.

Sur le chemin du retour vers la ville, François repensa à la haine de sa sœur lui annonçant que l'enfant d'Adèle était mort. Combien il se réjouissait, lui, qu'il soit vivant ! Déterminé à le revoir et à être son parrain comme il venait de le confier à sœur Agnès, il était résolu à ne révéler son existence à personne. Mais il en parlerait à Amédée, dont François venait d'apprendre qu'il était allé jusqu'à se faire passer pour le commandeur de l'habitation pour épargner l'enfant. Ils ne seraient pas trop de deux pour que la vie de ce petit Créole soit celle d'un homme digne et libre. Pour l'heure, il lui fallait aller retrouver sa sœur et faire en sorte que sa position de femme mariée ne soit pas compromise.

À l'habitation, le bruit avait couru qu'Adèle était à l'hôpital, et Man Josèph s'y était aussitôt rendue pour constater par elle-même la gravité de son état. Elle en était revenue découragée : ses plantes ne pourraient sauver Adèle. Et là, debout dans sa cuisine, tout en préparant un blaff d'oursins pour le dîner, elle remâchait l'accumulation des malheurs des derniers

211

temps et maugréait toute seule que la pauvre petite était perdue. Elle préleva soigneusement la chair des oursins, essuya ses mains à un torchon, alla chercher du thym et du piment à l'arrière de la Grande Case ; de retour à la cuisine, elle mit de l'eau à bouillir dans un grand faitout, continuant à monologuer à mi-voix en créole.

Amédée apparut sur le seuil de la porte, n'osant trop entrer. Mais Man Josèph savait qu'il était là, debout, derrière elle. Elle ne se retourna pas. Il finit par se racler la gorge.

– Tu es allée voir Adèle ?

Man Josèph se retourna, mécontente.

– Ta fille se laisse mourir, Amédée. Pas étonnant ! Tu as tué son enfant et Manon lui a montré le mauvais exemple en supprimant sa propre vie !

– Manon est auprès du Bon Dieu ! Il lui a pardonné !

Man Josèph haussa les épaules, comme agacée d'être la seule à avoir une claire vision des choses :

– Oh, Manon est ici, Amédée ! Son âme rôde autour de nous ! Elle attend son heure ! dit-elle en essuyant ses mains sur son tablier.

Or, une haute silhouette claire, un capuchon noir à moitié rabattu sur les yeux, se détacha dans l'encadrement de la porte arrière de la cuisine et fit sursauter Man Josèph et Amédée.

– Bonjour, ma commè, dit la silhouette en entrant.

C'était la voix de François. Man Josèph l'avait reconnue. Il rabattit son capuchon en arrière en leur adressant un large sourire.

– Jésus, Marie, Joseph ! dit Man Josèph.

– Monsieur François ! ajouta Amédée, soulagé.

Tous deux se précipitèrent vers lui. Ils savaient qu'il était arrivé deux jours auparavant, mais ils n'avaient pas espéré une visite aussi tôt. François passa un bras autour des épaules de Man Josèph et tendit la main à Amédée.

– Je vais vous servir à boire au salon, monsieur François. Et je vais faire prévenir le maître. Il est dans les champs de canne à cette heure-ci...

– Pas tout de suite, s'il te plaît, l'arrêta François en allant s'asseoir sur le banc de bois, sous la fenêtre.

Il est un peu fatigué, pensa Man Josèph. Au bâton et à la besace qu'il portait en bandoulière, on devinait qu'il était venu de Saint-Pierre à pied. François n'était pas fatigué, il était simplement heureux de les retrouver ; c'étaient eux et non pas le maître qu'il venait voir. Il prit le temps de les considérer – il ne les avait pas vus depuis presque trois ans ! C'est par les lettres de sa sœur qu'il avait appris que la vie n'avait pas été facile pour eux depuis son départ.

– Comment allez-vous, mes amis ? demanda-t-il enfin.

– Le mieux du monde, monsieur, répondit Amédée avec un sourire forcé.

– Menteur ! s'exclama Man Josèph.

Et elle se tourna vers François :

– Adèle va mourir. Dieu veut punir cet homme-là !

Amédée fit un pas en avant.

– Je n'ai pas tué mon petit-fils, monsieur François. Je l'ai abandonné à la grâce de Dieu dans la forêt...

– Tu l'as livré aux zombis, le pauvre petit ! lança Man Josèph d'un ton sarcastique.

François se décida à venir au secours d'un Amédée troublé ou ému, et non pas coupable. Son mensonge même signifiait une crainte des pires reproches. Mais cela n'avait pas suffi : pour tout le monde à l'habitation, l'enfant était mort, et personne n'avait compris comment l'intendant avait pu abandonner son petit-fils dans la forêt. Tous s'étaient montrés hostiles. Seule Rosalie avait été capable de paroles réconfortantes dans sa disgrâce. Et lui, combien de fois avait-il dû résister à l'envie de dire la vérité à sa fille qui le regardait avec des yeux remplis de haine !

– Ne le tourmente pas, Man Josèph, dit François.

Puis en se tournant vers Amédée :

– Emmène-moi voir Adèle. Cette vieille-là, elle ne sait pas soigner les gens !

Avant de quitter la cuisine, il ajouta encore, avec une once

213

de taquinerie, à l'attention de Man Josèph qui le toisait, amusée, les poings sur les hanches :

– J'ai étudié les plantes en France, je suis devenu un meilleur docteur-feuilles que toi...

– Meilleur parleur en tout cas ! lui rétorqua-t-elle en riant. Un vrai rara-la-semaine-sainte !

Man Josèph entendit François qui riait lui aussi alors qu'il s'éloignait avec Amédée. Elle resta un instant sur le seuil de la porte de la cuisine, pensive, avec l'air d'avoir retrouvé un peu de confiance cependant. C'était d'avoir revu monsieur François qui lui faisait cet effet. Il était différent des autres, elle l'avait toujours su. Mais de l'avoir retrouvé en dominicain l'avait moins rassurée que de remarquer qu'il n'avait point trop changé – peut-être l'expression du visage un peu plus sérieuse, se dit-elle – et qu'il n'avait perdu ni son humour, ni le brillant de ses yeux, ni la simplicité de ses manières.

On appelait « hôpital » une case construite en bois qui se trouvait tout en bas de la rue Cases-nègres, près de celle de Jacquier. Certes, elle était vaste, mais nue et misérable. On disait « hôpital » pour ne pas dire « mouroir ». Des murs de bois tenant à peine debout, des couches faites de branches sèches. Pas une planche de bois ni une paillasse de feuilles pour ceux qui d'ici ressortaient le plus souvent froids. Au centre de la case cependant, un brasero qu'une vieille esclave habillée de loques semblait veiller, le visage impassible et les yeux fixés sur les flammes. Elle était assise sur un tronçon d'arbre et faisait office de garde-malade. En réalité, elle veillait les mourants. On n'aurait su dire si elle priait ou si elle chantait tout bas, si elle rêvait à son Afrique natale ou si elle pensait à sa propre mort : elle se balançait très légèrement et ses lèvres remuaient sans cesse. Parfois, un son sortait de sa bouche, entre chant et cri.

En entrant, Amédée et François la saluèrent alors qu'elle semblait ne même pas les avoir vus. Amédée conduisit François jusqu'à la couche d'Adèle, au fond de la case. La voyant étendue à demi consciente et considérablement amaigrie,

François comprit que Man Josèph avait raison : Adèle était en train de mourir. Il se baissa pour l'examiner, prit son pouls, souleva ses paupières, toucha son front. Amédée le regardait faire avec l'espoir qu'il infirmerait le diagnostic de Man Josèph et qu'il saurait, lui, comment la soigner.

– Elle est très faible, dit François en se relevant. Je vais lui donner quelque chose pour soutenir le cœur...

Il sortit de sa besace une des plantes fraîches qu'il avait cueillies dans la forêt en venant de Saint-Pierre, saisit un coui qui traînait, prit de l'eau dans une dame-jeanne puis s'approcha du brasero. Il plaça le coui empli d'eau au-dessus des flammes et mit la plante dans l'eau pour la faire infuser. Amédée fit signe à la vieille de s'éloigner. Alors seulement elle sembla voir François, et, comme elle avait peur des Blancs, elle s'écarta et alla s'asseoir un peu plus loin sur un tas de broussailles.

François et Amédée étaient devant le brasero, à regarder l'eau qui commençait à bouillir.

– Je ne peux pas guérir ta fille, Amédée. C'est le chagrin qui la tue, dit calmement François en prenant soin de parler à voix basse.

Il espérait qu'Amédée allait de lui-même lui parler de l'enfant, et qu'il savait qu'en un sens, c'était le moyen de sauver sa fille. Il ne parla pas. François n'en fut au fond pas étonné. Il releva la tête et regarda Amédée droit dans les yeux.

– Il faut qu'elle voie son fils.

– Je ne comprends pas... dit Amédée en baissant les yeux.

– J'ai vu Jean-Baptiste.

– Taisez-vous ! Personne ne doit savoir ! Si le maître apprend qu'il est vivant, il nous tuera tous les deux !

– Adèle ne te trahira pas !

– Elle voudra le voir, le prendre avec elle ! Dents serrées comprendra tout de suite qui il est...

– Alors trouve quelque chose, Amédée. Sinon, tu la perdras comme tu as perdu ta femme !

Ils restèrent encore un moment les yeux fixés sur les flammes, avant que François ne se penche pour vérifier l'état de sa mixture. Ce serait bientôt prêt mais il allait avoir besoin d'aide pour faire boire Adèle.

Amédée savait que François ne soufflerait mot de ce qu'il avait découvert, et il était heureux de ne plus être seul à porter ce secret, de le partager avec un homme digne de confiance. Mais il savait aussi que François et Man Josèph avaient raison, et il réfléchit au moyen le plus sûr pour sauver sa fille. S'il écartait l'idée de parler de l'enfant, il n'y en avait qu'une autre possible, et il se décida le soir même à la mettre à exécution.

Quand la nuit fut tombée, Amédée marcha jusqu'au cimetière puis s'enfonça dans la forêt obscure. Il marcha longtemps, avançant avec difficulté. À plusieurs reprises, son visage fut griffé, il trébucha, il tomba. Il continuait cependant, hésitait parfois sur la direction à prendre, s'arrêtait, espérant percevoir des voix. Seuls les bruits de la nuit lui répondaient. Il marcha jusqu'à distinguer un tam-tam dans le lointain. Guidé par les battements réguliers non pas d'un mais de deux tambours, il entendit bientôt des voix de plus en plus distinctes. Il s'arrêta un instant lorsqu'elles furent tout à fait claires, et aperçut de loin des hommes groupés en cercle.

Parvenu à l'orée d'une clairière, Amédée pouvait maintenant parfaitement voir le spectacle : Koyaba se tenait debout au centre du cercle, un collier de cories autour du cou, le fourreau d'une épée lui battant les mollets, un poignard glissé dans son ceinturon. Autour de lui, quelques hommes de son clan, reconnaissables à d'autres colliers, et une quinzaine d'esclaves de jardin qui avaient fui tout récemment leurs plantations et que Koyaba essayait de rallier à sa cause. Il s'adressait à eux calmement :

– Les chacals restent des chacals et les Blancs des Blancs ! Les esclaves de Martinique doivent faire comme ceux de

Saint-Domingue et vaincre par la force ! Il faut faire la guerre aux Blancs !

On avait parlé du grand soulèvement qui avait eu lieu à Saint-Domingue. Amédée y voyait surtout bains de sang et catastrophes accumulées.

Il sortit de l'endroit où il se cachait, et s'avança jusqu'à Koyaba. Tous l'avaient suivi des yeux, sans intervenir cependant parce qu'on savait qui il était.

— Tu parles bien, Koyaba ! Tu veux être le chef de tous les Noirs de Martinique, mais qui es-tu ? D'où viens-tu ?

Trois hommes s'interposèrent :

— Assassin ! Ferme ta bouche, meurtrier ! Saloperie ! Il faut le tuer, il va nous vendre aux Blancs !

— Vous voulez me tuer ? Venez ! Je n'ai pas peur de vous !

Ils s'apprêtaient à se ruer sur lui quand Koyaba les arrêta d'un geste, s'approcha d'Amédée et posa la main sur son épaule.

— Écartez-vous ! ordonna-t-il.

Les trois hommes reculèrent, sans bien comprendre pourquoi sa magnanimité épargnait la vie de l'homme qui avait tué son fils. L'un d'eux trouva d'ailleurs bon de le rappeler :

— Il a tué ton fils !

— C'est le maître Bonaventure qui a tué mon fils ! Quand les couteaux se battent, le poulet ne doit pas mettre son cou au milieu. C'est le Blanc qui doit payer, et c'est moi qui vais le faire payer pour son crime.

Les hommes se détournèrent.

Amédée resta silencieux un moment. Il constatait qu'ici aussi on le considérait comme un meurtrier. Il lui était égal de mourir maintenant, tué par ceux qui combattaient pour le même but que lui.

— Ce n'était pas la peine de me défendre, dit-il à Koyaba. La vie me dégoûte. C'est pour Adèle que je suis venu.

— Qu'est-ce qu'elle a ?

— Elle ne veut plus vivre. Elle a besoin de toi.

— Je vais aller la voir. Je ne peux pas m'occuper d'elle en

ce moment, mais c'est toujours ma femme. Tu sais que nous allons nous battre contre les Blancs ?

Ce que savait Amédée, c'était que Koyaba avait participé activement aux révoltes depuis quatre ans, en Martinique. Mais qu'avaient-elles produit, sinon du sang versé pour rien ? C'était cela que Koyaba voulait ? Recommencer une lutte perdue d'avance ?

– Tu vas faire la guerre avec quoi ? Les Blancs sont forts, Koyaba. Nous devons être plus intelligents qu'eux. Si tu fais la guerre avec des coutelas contre des fusils, c'est stupide !

– Montre-moi où sont leurs fusils !

– Ça ne suffit pas. Les esclaves de la plantation ne sont pas des soldats, et toi tu n'es pas leur chef à tous !

– Tant pis, je ferai la guerre sans toi.

– Et Adèle ?

Koyaba se retourna.

– J'irai.

Amédée, sans être résigné, pensait qu'il y avait d'autres moyens d'obtenir cette liberté qui était son obsession, à lui aussi. Il n'avait jamais mis d'espoir dans le marronnage ; la lutte était bien trop inégale, et il fallait épargner ce sang qui avait déjà trop coulé en Martinique comme ailleurs. Sans doute remâchait-il trop ces hantises, comme on le lui reprochait souvent. Il venait seulement de retrouver confiance car il semblait que les choses bougeaient de nouveau. Raison de plus pour qu'Adèle continue à vivre ! La première révolte de 1789 avait été un échec. Depuis 1792, les royalistes avaient retrouvé leur superbe, l'économie de l'île était à nouveau prospère. Mais maintenant, en cette année 1793, c'était clair, le vent était à nouveau en train de tourner. Alors, Koyaba pouvait bien préparer une nouvelle révolte, lui, la seule chose qu'il attendait, c'était que l'esclavage soit condamné et la liberté imposée, comme à Saint-Domingue, sous l'autorité des commissaires de la République Sonthonax et Polverel.

*
**

François resta dormir à l'habitation. Théophile, privé de compagnie depuis le départ d'Olympe, ne fut au fond pas mécontent d'accueillir son beau-frère. Enfin, s'était-il dit, je pourrai converser avec quelqu'un !

Le lendemain, les deux hommes dînaient en tête à tête à la longue table éclairée de chandeliers, et dégustaient les crabes farcis que Man Josèph avait cuisinés pour François qui en était friand. Comme Rosalie était à Saint-Pierre avec Olympe et que Théophile n'avait pas cru bon de la remplacer, Amédée s'acquittait seul du service, sans perdre un mot de la conversation, d'autant que le calme était propice à un dialogue franc.

— Comment va ma femme ? demanda brusquement Théophile. Cela va faire deux mois qu'elle est partie ! Compte-t-elle rentrer un jour ?

— Je sais que vous lui manquez beaucoup.

Théophile eut un sourire ironique.

— Vous êtes devenu diplomate, cher ami. On m'a même dit que vous étiez républicain...

Diplomate, peut-être. Mais François n'aurait jamais fait sa remarque s'il ne lui avait fallu couvrir les folles amours de sa sœur. Quant à être républicain, oui, il l'était, et l'attitude hypocrite qu'il avait dû adopter chez ses parents deux jours auparavant lui avait tant coûté qu'il était heureux aujourd'hui d'afficher ses convictions. Bien sûr, il était républicain. Il lui semblait insensé de ne pas l'être.

— Pas vous ? demanda-t-il.

— Je ne sers qu'un seul maître, mon cher beau-frère. Moi-même. Je défendrai jusqu'à la mort n'importe quel système qui maintient l'esclavage. Et ce n'est pas le cas de la République.

François reconnaissait au moins un mérite à cet homme ambitieux et vaniteux, qui n'avait de foi qu'en son destin personnel, celui d'être franc. Ce n'était pas l'avis d'Amédée. Quand Théophile disait « l'esclavage, l'esclavage nécessaire », Amédée était convaincu qu'il y avait autre chose que l'argent qui le poussait à se montrer attaché aux privilèges contre vents et marées. Il y avait autre chose. Mais quoi ? Et qu'est-ce qui empêchait Théophile de l'affranchir ? Amédée l'ignorait. Il se fit la remarque qu'il n'était pas désagréable d'écouter les points de vue opposés de deux Blancs qui dînaient à la même table. Au fond, pensait-il, titillé par ce qu'il ne comprenait pas chez Théophile, il y a quelque chose de commun entre eux. Mais quoi ?

Un silence avait suivi les derniers mots de Théophile. Non que François n'eût rien à répondre ; ce dernier semblait prendre le temps de savourer les crabes farcis de Man Josèph, à moins qu'il ne voulût inviter Théophile à méditer ses propres paroles, à regarder à l'intérieur de lui-même. Tout ce que Théophile détestait au fond, et pourtant ce temps de silence fut suffisant pour que la question l'effleurât : quelles étaient ses propres raisons ? Il n'était pas un La Rivière ou un Sainte-Colombe, sa famille n'était pas implantée en Martinique depuis cinq générations ! Heureusement ou malheureusement pour lui, le silence fut rompu par l'irruption dans le salon de Nicolas de La Rivière en nage et affolé :

– Théophile ! Monsieur de Rochant vient d'être arrêté !

Théophile et François se levèrent d'un bond. La Rivière poursuivit :

– Un émissaire du gouvernement est arrivé de Paris chargé par la Convention d'imposer la République. Il a donné le choix à ton beau-père entre son allégeance, la prison ou l'exil !

Il se tourna vers François :

– Il embarque pour Trinidad demain. Avec votre mère.

Théophile jeta d'un geste brutal sa serviette sur la table.

– Et le gouverneur ? Il marche avec les républicains, évidemment !

Son regard rencontra celui de François.

– On est foutus, Théophile ! Toute la France est républicaine ! lâcha La Rivière.

– Nous ne sommes pas en France. Nous sommes en Martinique !

Et Bonaventure quitta la pièce en trombe, suivi par La Rivière. François allait les rejoindre, mais ses yeux s'arrêtèrent sur Amédée, debout et immobile près de la porte qui donnait sur le couloir de la cuisine, la tête baissée. Amédée sentit le regard insistant, releva la tête. Puis François quitta la pièce à son tour.

Après avoir débarrassé la table puis informé Man Josèph de ce qu'il venait d'apprendre, Amédée quitta la Grande Case et se dirigea vers l'hôpital pour prendre des nouvelles d'Adèle, dans l'espoir que la mixture de François aurait eu quelque effet. Sans doute aurait-il dû se réjouir de la nouvelle apportée par La Rivière. Mais il se sentait simplement terriblement las. Il n'en pouvait plus de toute cette fatigue accumulée, de ses inquiétudes concernant sa fille, du désir et de l'attente de la liberté.

Il arrivait au bas de la rue Cases-nègres quand il entendit soudain un sifflement. Presque aussitôt, Koyaba apparut, sortant de derrière l'hôpital où il s'était caché. Sans échanger un mot, les deux hommes entrèrent en enjambant le corps de la vieille esclave couchée sur une litière en travers de la porte et qui ne se réveilla pas.

Parvenus à la couche d'Adèle, ils la trouvèrent endormie elle aussi, étendue sur le dos, plongée dans un sommeil troublé de petits gémissements. Amédée la secoua doucement, elle sursauta puis ouvrit les yeux, et étouffa un cri en apercevant le visage de Koyaba penché sur le sien. Rassemblant ses forces, elle se redressa pour se blottir contre lui. Il l'entoura de ses bras tandis qu'elle murmurait, la tête contre sa poitrine, comme pour s'assurer qu'elle n'était pas en train de rêver :

– Koyaba... C'est toi ? C'est bien toi ?

Il acquiesçait en la serrant plus tendrement contre lui.

– Tu nous donnes du souci, Lousolo...

Comprenant que c'était son père qui lui amenait Koyaba, Adèle se tourna vers lui. Il lui adressa un sourire hésitant auquel elle répondit. Cependant, son état ne paraissait pas s'être amélioré, et Koyaba était bouleversé.

– Dans quel état tu es, Lousolo... Il faut reprendre des forces, tu sais. Je n'ai pas envie de voir mourir ma jolie petite femme...

Adèle, comme apaisée, eut un vrai sourire cette fois, et elle laissa de nouveau sa tête reposer contre la poitrine de l'homme qu'elle aimait.

Amédée crut bon de s'écarter pour les laisser à leurs retrouvailles et il se détourna pour sortir. Il constata alors qu'il n'était pas seul : devant lui, la silhouette sombre de Manon l'invitait d'un geste à la suivre. La stupeur d'Amédée était sans effroi, et il la suivit. Man Josèph avait donc raison...

À l'extérieur, dans le faible éclairage d'un fin croissant de lune, Amédée fut pris d'exaltation : Manon, sa femme chérie, revenue pour le voir ! Il ne distinguait pas bien son visage, il voyait seulement qu'elle était ruisselante d'eau et qu'elle le regardait, à quelques pas de distance, avec une inquiétante fixité. Il était à la fois heureux et tremblant, attendant qu'elle dise quelque chose. Manon ne disait rien. Il fit un pas en avant pour la toucher, mais elle recula. Il fit un nouveau pas, et Manon recula encore, comme pour conserver la distance entre eux. Persuadé néanmoins qu'elle était venue pour l'entraîner avec elle, il lui posa la question :

– Ou vini chéché mwen, doudou mwen ?

Elle répondit par un signe de tête négatif. Il insista, comme si sa présence soulageait l'immense lassitude qu'il avait éprouvée.

– Notre fille est bien, maintenant. Je peux venir avec toi. Tu me manques, doudou mwen.

Manon se demanda s'il la voyait encore avec les yeux de l'amour pour ne pas comprendre ce qu'elle était devenue.

– Je ne suis pas partie en Afrique, Amédée !

– Je sais. Je voudrais tant t'aider, ma femme chérie. Laisse-moi venir avec toi...

– J'ai changé, Amédée.

Comme pour illustrer ses propos, des spectres d'esclaves mutilés, éborgnés, en haillons, se rassemblèrent silencieusement autour d'elle. Ils avaient tous la même expression absente et lointaine.

Ce fut un nouveau choc pour Amédée. Il se tut et baissa la tête pour échapper à la vision d'horreur.

– Tu es une zombie ?

– J'attends l'âme du maître.

Alors il la regarda encore une fois, avec des yeux pleins de détresse comme s'ils se dessillaient soudain, puis il se signa. Manon aussitôt s'effaça doucement, suivie par le cortège de soucougnans. Amédée fut bien obligé d'admettre que la femme qui venait de lui apparaître ne ressemblait pas à la discrète Manon qu'il avait aimée. Elle était perdue pour lui.

Après leur arrestation, monsieur et madame de Rochant avaient passé une dernière nuit dans la maison de ville de Théophile, gardée par deux soldats en armes, chargés de les conduire le lendemain au port pour embarquer sur un bateau à destination de Trinidad. Christian de Chabot avait décidé de partir avec eux, espérant trouver ensuite un bateau qui le ramènerait en France.

Ce déjeuner dans leur maison était donc leur dernier repas à la Martinique. Il se composait de viandes froides, les esclaves prêtés par Théophile devant rentrer à l'habitation et ayant tout juste eu le temps de préparer les bagages, de fermer les volets de la maison et de composer ce déjeuner frugal dont Rosalie assurait seule le service. Le calme qui régnait était lugubre, on mangeait avec peu d'appétit, mais monsieur de Rochant, malgré la morosité ambiante, conservait son solide coup de fourchette. La présence des deux soldats qui montaient la garde devant la porte de la salle à manger renforçait la pesanteur de l'atmosphère de ce dernier repas avant l'exil pour Trinidad.

Seule Olympe, qui resterait ici le temps de fermer la maison avec Rosalie, n'était pas en tenue de voyage. Elle avait cette chance de profiter encore de ces quelques instants en compagnie de ses parents. Ce qui n'était pas le cas de François : la veille au soir, quand Théophile et lui s'étaient présentés à la porte, on ne leur avait pas permis d'entrer. Monsieur et madame de Rochant étaient donc condamnés à ne pas revoir leur fils avant leur départ ! Inquiets de quitter la Martinique, en étaient-ils pour autant mécontents ? À la vérité, ils n'avaient jamais aimé cette île dont Saint-Pierre fut d'ailleurs le seul lieu qu'ils aient bien connu. Monsieur de Rochant s'y était montré un piètre intendant, incapable de faire face aux situations auxquelles il s'était trouvé confronté. Aujourd'hui plus encore qu'hier, les Rochant prenaient l'île en horreur. En quittant la France cinq ans auparavant, ils avaient cru trouver ici un refuge heureux où le manque d'argent leur aurait été moins cruel qu'en métropole. Ils étaient allés de Charybde en Scylla. Un an à peine après leur arrivée, la révolution éclatait en France, avec ses répercussions dans les colonies. Et ici même, où ils avaient cru pouvoir être épargnés, on venait les arrêter. Devaient-ils s'en étonner ? Des nouvelles de la métropole qui parvenaient un mois plus tard aux îles du Vent, les plus récentes avaient été désastreuses. Louis XVI avait été guillotiné, et, de dîners en réunions, les discussions étaient allées bon train à Saint-Pierre. On parlait de l'exécution du roi, de la mort de ce Louis Capet après neuf siècles de règne de la dynastie, des vivats quand le bourreau Sanson avait montré à la foule la tête coupée, mais aussi du lourd silence qui s'était ensuite abattu sur la place de la Révolution. On s'était interrogé sur le sort de Marie-Antoinette, enfermée à la prison du Temple avec ses enfants et sa belle-sœur, et qui attendait son procès. Les Danton, Robespierre et Marat venaient de créer le Tribunal révolutionnaire ainsi que le Comité de salut public, déclarant que « c'est par la violence

que doit s'établir la liberté, et que le moment est venu d'organiser momentanément le despotisme de la Liberté ! ». Enfin,
on connaissait les répercussions de la révolution dans le reste
du monde. Tous les pays d'Europe se mobilisaient : l'Angleterre, l'Espagne, la Hollande mais aussi la Prusse et l'Autriche
se battaient contre la France, qui était d'ailleurs envahie à
toutes ses frontières.

Condamnation ou non par certains pays étrangers, pour
l'instant le fait était que le gouvernement avait envoyé un
émissaire pour arrêter les têtes royalistes de la Martinique, et
que monsieur de Rochant était l'une d'elles.

– Tu ne manges rien, Olympe ? demanda madame de
Rochant à sa fille qui chipotait. Tu es toute pâle !

– C'est ce plat. Il a un drôle de goût... répondit Olympe
sans pouvoir finir sa phrase. Elle se leva en renversant sa
chaise et quitta la pièce en courant.

– Du poison ! On nous a empoisonnés ! s'exclama madame
de Rochant qui se tourna vers Rosalie. Remporte tout ça à la
cuisine !

– Vous exagérez un peu, ma femme, intervint monsieur de
Rochant. Je mange depuis un moment et je me porte très bien.

Madame de Rochant dut convenir que son mari disait vrai :
il était le seul à montrer de l'appétit depuis un grand moment
déjà, et il se portait en effet tout à fait bien. Pourtant, les
craintes étaient fondées : depuis quelques mois, on parlait de
poison introduit par des esclaves dans la nourriture des Blancs.
On avait recensé quelques dizaines de cas d'empoisonnement,
en ville ou sur les habitations, et la peur envahissait l'île. Une
raison supplémentaire pour quitter ce pays au plus vite !

– Je suis contente de partir ! soupira madame de Rochant,
oubliant sa terreur du poison devant son mari qui terminait
son assiette.

– Ne vous réjouissez pas trop vite, dit Christian de Chabot.
Si nous parvenons un jour à rentrer en France, il se peut que
nous courions de grands dangers là-bas aussi...

Monsieur de Rochant releva la tête.

– Je suis heureux que vous veniez avec nous, monsieur. Au moins, nous nous soutiendrons mutuellement pendant le voyage.

Olympe, qui s'était précipitée dans sa chambre, vomissait dans une cuvette, sous l'œil attentif de Rosalie.

– Bravo, maîtresse. Vous les avez tous mené pou vini !

– De quoi tu parles ? demanda Olympe, nauséeuse, encore penchée sur la cuvette. Je ne comprends rien à ce que tu racontes...

– Votre maman a tellement peur du poison qu'elle n'a pas songé au petit manicou que vous avez dans votre boudin...

Rosalie avait lancé sa remarque d'un ton léger. Mais elle guettait la réaction d'Olympe qui releva lentement la tête, incrédule. Rosalie trouva bon de dire la chose plus clairement encore :

– Quand on met un pied dans un nid de fourmis, c'est normal d'être piqué.

Cette fois, Olympe laissa échapper un cri.

– Je suis enceinte ? Mais qu'est-ce que je vais devenir ? Je ne couche plus avec Théophile depuis des mois...

– Allons, grâce à Dieu, c'est encore la femme qui pilote l'homme ! Votre mari va venir. Faites la chatte et gardez-le dans votre lit. Il ne verra rien.

Olympe regardait Rosalie fixement, terrifiée, mais elle n'eut pas le temps de s'apitoyer sur son sort car elle entendit de grands coups à la porte d'entrée. Elle s'approcha de la fenêtre, et aperçut un soldat sans doute venu avertir que l'heure du départ avait sonné.

Sur ce même quai de Saint-Pierre, ils étaient arrivés pleins de suffisance, lui fier de sa nomination récente, elle satisfaite d'être l'épouse d'un homme important. Ils repartaient condamnés à l'exil. L'un comme l'autre donnaient cependant ce sentiment étrange d'être indifférents aux remous du monde, de rester les mêmes. Encadrés par les deux soldats qui avaient passé la nuit devant la porte de leur maison, ils surveillaient l'embarquement de leurs bagages avec l'attitude hautaine qui leur était familière. Madame de Rochant était une de ces femmes sûres d'être toujours dans leur bon droit, à qui on pouvait annoncer les plus grandes horreurs aussi bien qu'une parole sincère et sensible : elle les accueillait de la même façon détachée et avait oublié un instant plus tard ce qu'on lui avait dit. Cette capacité d'aveuglement égoïste avait du moins cet avantage qu'elle n'avait pas conscience des ratages de sa propre vie. Son époux, quant à lui, conservait son visage sévère, vaguement écœuré tout de même : il avait plus de quarante-cinq ans, et n'avait toujours pas supporté d'avoir perdu toute sa fortune au jeu. Oui, l'argent... Il se souvenait qu'Olympe s'était offusquée de ce nom de « Bonaventure » qu'elle allait devoir porter : trop court, trop simple, pas noble. Je te l'avais dit, Olympe, je ne pouvais rien pour toi. Je t'avais surtout dit que seul l'argent compte dans la vie. Et tu vois comme j'avais raison. Aujourd'hui, j'apprends qu'un nom vous envoie directement à la guillotine. Estime-toi heureuse de ne plus porter mon nom. Car si j'en crois ce qui se passe à Paris, je dois craindre pour ma vie. C'est terminé, Olympe. C'est la fin d'une époque.

François qui arrivait en courant voulut se précipiter vers ses parents, mais il se heurta aux deux soldats.

– Laissez-moi passer ! Je dois bénir mes parents avant leur départ.

Impressionnés par l'habit de dominicain, ils se consultèrent puis s'écartèrent.

Madame de Rochant se précipita vers son fils.

– François ! J'ai bien cru que nous allions partir sans te revoir !

– Théophile vous salue et vous souhaite bon voyage. Il n'a pas eu l'autorisation de venir jusqu'ici.

– Tu le remercieras, dit monsieur de Rochant qui avait rejoint sa femme et son fils.

François fronça les sourcils et regarda autour de lui, étonné.

– Monsieur de Chabot ne part pas avec vous ?

– Olympe s'est trouvée mal. Il a eu l'amabilité de la reconduire à sa chaise... expliqua sa mère.

Olympe avait en effet feint un malaise, et Christian l'avait raccompagnée. Enfin seuls, aussi émus l'un que l'autre, ils voulaient se faire leurs adieux à l'abri des regards indiscrets. Ils auraient voulu aussi s'embrasser, s'étreindre, ils ne le pouvaient pas. Avec des gestes malhabiles, ils tentaient de dissimuler leurs mains réunies sous l'ombrelle qu'Olympe avait placée sur ses genoux.

– Quand nous reverrons-nous ? Sans vous, ma vie n'a plus de sens...

– Dès que j'aurai rétabli ma fortune, je vous ferai venir. Vous direz à votre mari que vous ne supportez plus le climat. Cela ne prendra que quelques mois...

Il y eut un court silence. Olympe le regarda et sentit son visage devenir écarlate.

– Dans quelques mois, je... Nous serons deux à venir vous rejoindre...

– Vous voulez dire que...

– Notre enfant sera né.

Le premier instant de surprise passé, Christian de Chabot parut ravi.

– Je vous fais le serment d'être un père pour lui et d'en faire mon héritier. Je n'aurai de cesse que je ne vous aie tous les deux près de moi...

– Et moi, je fais le serment de vous rejoindre dès que vous me le permettrez...

Christian prit la main d'Olympe et la baisa une dernière fois.

– Alors, au revoir, Olympe. Souvenez-vous que je vous aime.

Et il referma doucement la porte de la chaise tandis qu'Olympe, sans le quitter des yeux, se mettait à sangloter éperdument. Il fit signe aux esclaves de l'emmener.

François avait fait ses adieux à ses parents, et eu juste le temps de saluer Christian de Chabot. Il chercha sa sœur, en vain. Alors il décida de marcher dans la ville, et il réfléchit au fait que ses parents n'avaient pas trouvé bon de lui dire le moindre mot depuis son retour quant au choix qu'il avait fait d'entrer dans les ordres. Ils n'avaient pas même cherché à savoir ce qui avait pu le pousser dans cette voie. François n'en fut pas humilié, mais il ressentit d'une façon plus nette que jamais, en ces sombres moments, qu'il n'avait pour parents que des fantoches aveugles. Et il pria pour leur âme.

CHAPITRE 12

À l'habitation, tous avaient été heureux et surpris de la guérison d'Adèle. Elle avait été sur pied en quelques jours et s'acquittait de nouveau de l'entretien du linge de la Grande Case, Jacquier lui ayant attribué la fonction qu'elle exerçait jadis.

Celui-ci fut d'ailleurs le premier étonné de cette guérison, ou du moins feignit-il de l'être. Il l'aperçut un matin, qui revenait de la clairière où elle était allée étendre le linge, son panier sur la hanche. Adèle marchait d'un pas énergique, avait repris du poids, et elle lui sembla d'une beauté extraordinaire, d'autant qu'elle portait de nouveau les habits accordés aux esclaves domestiques – un jupon, une chemise et une robe de toile. Elle approchait de la cuisine, et ne put faire autrement que de s'arrêter face à lui, planté comme une statue au milieu de la cour, l'observant sans détour malgré son visage hiératique.

– Je suis content de te voir si bien, Adèle, dit-il.

– Le frère de la Ti-béké-a est venu me soigner à l'hôpital, répondit-elle en le regardant dans les yeux.

Elle était pourtant gênée, ayant l'impression que le commandeur n'était pas dupe de la raison de sa guérison. Man Josèph sortit de la cuisine pour donner des épluchures aux cochons et vint au secours d'Adèle :

230

– Le frère de la Ti-béké-a est devenu meilleur guérisseur que moi !

Jacquier ne s'était pas même retourné.

– Alors c'est une chance pour nous tous qu'il soit revenu. Prends soin de toi, Adèle, dit-il avec un petit signe de tête.

Et il s'éloigna vers la rue Cases-nègres. Adèle le suivit du regard, soucieuse. Savait-il que Koyaba lui avait rendu visite à l'hôpital ? Elle entra dans la cuisine.

– Celui-là, on ne sait jamais ce qu'il a dans la tête ! Il me fait peur...

– C'est un diable, mais toi... je crois qu'il ne te fera rien, répondit la doyenne.

Pour qui me prend-elle ? se demanda Jacquier en s'éloignant. Il savait bien que c'était Man Josèph qui avait tout enseigné à François. Il savait qu'Adèle ne devait sa guérison qu'à une visite de Koyaba à l'hôpital. De son côté, Man Josèph savait que Jacquier n'était pas dupe de son mensonge. Tous deux étaient conscients d'une chose : si la doyenne était à la fois l'oreille attentive et la voix réconfortante ou sévère de l'habitation, le commandeur, lui, en était l'œil. Un œil auquel rien n'échappait, une bouche qui souvent restait close. Man Josèph et Jacquier ne se parlaient donc guère ; ils faisaient même en sorte que leurs regards ne se croisent pas. Lui se méfiait de celle qui connaissait les plantes et les poisons, et qui perpétuait les croyances et les coutumes de la lointaine Afrique. Quant à Man Josèph, elle était peut-être la seule à deviner la personnalité trouble de cet homme imperturbable, pas aussi insensible qu'il en avait l'air.

Théophile, lui, n'avait pas eu le loisir de constater l'amélioration de la santé d'Adèle. Il avait bien d'autres soucis en tête depuis l'arrestation et le départ de ses beaux-parents. Saint-Pierre ne voyait pas seulement renaître les affrontements entre royalistes et républicains. Le tumulte semblait beaucoup plus sérieux que celui qui s'était produit trois ans auparavant. Gauty venait de revenir. La situation tournait mal pour les planteurs, d'autant que le gouverneur, fort des succès républicains, promettait des affranchissements en nombre. Les conflits entre Blancs et libres de couleur reprenaient, l'économie se retrouvait fragile, les marchés promettaient d'être à nouveau perturbés. C'était déjà en partie le cas, les exportations vers la France ayant été arrêtées ; et il n'était plus question pour les négociants de s'endetter comme ils l'avaient fait pendant des années, à l'époque où le sucre était roi.

Dans la halle du port de Saint-Pierre où s'effectuaient la majorité des transactions de l'île, Théophile venait d'apprendre par le commissionnaire Mauduit qu'il ne serait pas payé de sitôt pour le sucre qu'il avait livré plus de deux semaines auparavant. Ce commissionnaire que Théophile connaissait depuis des années, un homme petit, gras et aux vêtements ridicules, au sourire ordinairement mielleux capable de vous vendre ou de vous faire acheter n'importe quoi, un homme que Théophile avait au fond toujours méprisé, était là, arborant fièrement une superbe cocarde tricolore épinglée sur son chapeau, toisant Théophile avec une hauteur nouvelle.

– Désolé, citoyen, mais tu seras payé comme tout le monde quand ton sucre sera vendu à Nantes.

Théophile l'attrapa par le col de sa veste.

– Citoyen ? Mais tu te prends pour qui, sale fumier ? Je suis monsieur Bonaventure !

– Vous autres les ci-devant planteurs, répondit Mauduit sans se démonter, vous vous êtes crus tout-puissants, mais ce temps-là est fini !

Théophile réussit à prendre sur lui et le lâcha à regret, pour tâcher de lui faire entendre raison :

– Je t'ai fourni un sucre d'une qualité exceptionnelle, dit-il en articulant exagérément, que tu devais payer comptant...

– Ça, c'était hier. Aujourd'hui, je me fous pas mal que votre sucre soit beau. Vous serez payé quand le sucre sera vendu à Nantes, pas avant !

Fou de rage, Théophile lui décocha un coup de poing fulgurant. Mauduit recula puis s'écroula, et Théophile alla le relever brutalement.

– Écoute-moi bien, « citoyen » Mauduit ! Je ne suis pas un de ces békés qui se laissent tondre la laine sur le dos. Si tu ne me paies pas mon sucre comme promis, je t'envoie en enfer !

Il le relâcha en le renvoyant en arrière. Les autres commissionnaires se mirent à le huer, et Théophile quitta les lieux hors de lui.

Il se rendit immédiatement au Cercle des planteurs, à quelques rues de la grande halle. C'était une vaste demeure dans laquelle les colons avaient l'habitude de se réunir, y compris pour s'adonner aux jeux de hasard, au rhum et au cigare. On jouait, on causait affaires.

Quand il poussa la porte, Théophile grimaça : il détestait cette atmosphère enfumée et lourde, et il avait surtout du mal à comprendre comment eux pouvaient tranquillement jouer aux cartes et boire des ti-punchs sans assez s'inquiéter des événements. Nicolas de la Rivière et Hubert de Sainte-Colombe étaient présents, confortablement assis dans de larges fauteuils, un cigare et un verre à la main. Ils parurent surpris par l'apparition de Théophile, qui n'avait pas mis les pieds au Cercle depuis des mois, et ils le saluèrent comme un revenant.

– Ah ! Mais c'est Bonaventure ! Où étiez-vous, mon cher ? On vous croyait mort... s'écria Sainte-Colombe.

– Ta femme était pourtant à Saint-Pierre... ajouta La Rivière.

– Raison de plus pour ne pas y être ! lâcha Théophile, sarcastique.

Sa remarque fut accueillie par un éclat de rire, tandis qu'il prenait place à la table où Sainte-Colombe et La Rivière étaient installés. Un esclave lui apporta aussitôt un ti-punch, que Théophile but d'un trait. Il reposa son verre.

— Je suis passé par la halle en arrivant. Ce Mauduit est devenu si arrogant que je lui ai fichu une raclée pour le calmer...

Un murmure de désapprobation parcourut l'assemblée. Les sourires disparurent. Théophile en parut légèrement étonné.

— Tu l'as frappé ? demanda finalement La Rivière. Devant les autres commissionnaires ?

— Parfaitement, répondit Théophile, qui n'avait toujours pas l'air de comprendre la réaction des planteurs.

— Tu t'es mis dans un mauvais cas, Théophile, finit par lâcher La Rivière.

— Mauduit est un patriote et les patriotes sont nos nouveaux maîtres, tenta d'expliquer Sainte-Colombe.

— Vous avez peur de cette racaille ?

— Le gouverneur a libéré mille esclaves hier. Mille, tu entends ? lança La Rivière comme pour obliger Théophile à bien voir la réalité.

— Si cela continue, nous subirons le même sort que les colons de Guadeloupe ! renchérit Sainte-Colombe.

— Mais non ! Nous sommes plus malins que les békés de Guadeloupe ! Vous me faites pitié avec vos pleurnicheries ! Qu'est-ce qui nous empêche d'aller trouver les Anglais pour leur demander de l'aide ?

Un silence suivit sa question, et Théophile en profita pour adresser un signe de la main réclamant un autre verre qu'il but d'un trait comme le premier.

— Mais enfin, mon cher, ce serait une trahison ! dit Sainte-Colombe.

— C'est nous qui sommes trahis ! reprit énergiquement Bonaventure. Regardez les colonies anglaises ! Pas question d'égalité ni d'affranchissement ! Le calme règne et les affaires se font ! Mes amis, il n'y a pas à hésiter : cédons la Martinique aux Anglais !

Un murmure de protestation s'éleva, que Nicolas de La Rivière fit taire d'un geste. Il se leva.

– Attendez... Il n'a peut-être pas tort... Nous sommes trop isolés. Nous avons besoin d'alliés.

Les planteurs se turent de nouveau, avec l'air de réfléchir à la proposition. Théophile ne s'attarda pas davantage, préférant les laisser à leur rumination, et rejoignit à pied sa maison de ville où il était décidé à passer la nuit. Sans doute savait-il qu'Olympe s'y trouvait encore, mais quand il fit irruption au salon, il parut surpris :

– Ah, tu es là ! s'exclama-t-il d'un air nonchalant.

Olympe, allongée sur une méridienne, sanglotait éperdument. Mais Rosalie, qui lui apportait un verre de rhum, trouva bon de fournir une explication quand Théophile demanda :

– Quelqu'un est mort ?

– Ma maîtresse vient de dire adieu à sa maman, elle l'a vue peut-être pour la dernière fois... expliqua-t-elle, adressant dans le même temps un regard à Olympe pour lui faire signe de se rapprocher de Théophile.

Rosalie avait son plan, et Olympe, qui parut enfin comprendre ce qu'elle lui ordonnait, essuya ses larmes et vint s'appuyer contre la poitrine de son mari. Il fut surpris de ce geste peu habituel et resta un moment coi, les bras écartés.

– Je me sens si seule maintenant qu'elle est partie, gémit Olympe hoquetante. Et toi qui n'arrivais pas... Je me sens tellement perdue.

Par-dessus l'épaule de Théophile, Rosalie l'encouragea. Alors, Olympe se serra plus tendrement contre Théophile, pour l'inviter à l'embrasser. Quoique de plus en plus surpris, il passa les bras autour de sa taille.

– ... Ravi d'apprendre que je peux encore être utile à quelque chose... dit-il à demi ironique.

– Oh ! Théophile, ne dis pas cela, c'est méchant. Je sais que j'ai été dure, mesquine avec toi... Je t'en ai voulu... bêtement... mais quand tu n'es pas là... je ne sais plus où j'en suis. Je te demande pardon, insista-t-elle en continuant à hoqueter.

Elle faisait son mea culpa ! Elle, cette femme suffisante, capable de demander pardon et de reconnaître ses torts ?

Théophile pensa qu'elle était décidément imprévisible. Olympe poursuivit fort bien sa saynète. Elle tendit ses lèvres à son mari qui l'embrassa de façon un peu mécanique d'abord, puis de plus en plus enthousiaste.

– Tu m'aimes encore un peu ? demanda Olympe en victime éplorée.

– J'avais oublié à quel point tu étais belle... murmura Théophile.

– Ramène-moi à la maison. Je veux rentrer chez nous...

Pour toute réponse, Théophile l'embrassa à nouveau, tandis qu'Olympe ouvrait brièvement les yeux vers Rosalie et croisait son regard approbateur. Oui, pensa Théophile en continuant d'embrasser sa femme, certainement, ils allaient rentrer à l'habitation, c'était encore ce qu'ils avaient de mieux à faire après ces mésaventures successives et dans la conjoncture actuelle. Là-bas c'était un havre de paix, là-bas ils pourraient essayer de reconstruire leur relation. Olympe s'abandonnait, Rosalie sortit.

Tout en faisant l'amour avec sa femme sur la méridienne du salon, Théophile pensa à Adèle qui était guérie, lui avait-on dit. Adèle qu'il n'avait pas tenue dans ses bras depuis bien longtemps, depuis trop longtemps. Adèle dont on lui avait dit qu'elle s'était réconciliée avec son père, avec cet homme précieux à qui il allait avoir recours une fois de plus pour négocier avec les Anglais. Les Anglais, c'était une chose, l'argent en était une autre ; et il songea qu'il retournerait le lendemain à la halle et qu'il arriverait bien à obtenir de ce salopard de Mauduit l'argent que celui-ci lui devait.

Quelques jours plus tard, Jacquier entrait dans le cabinet de Théophile où Amédée était occupé à faire les comptes. Il avait dans les mains deux bourses pleines d'or qu'il déposa sur le bureau.

– Tiens. Le maître a rapporté ça de Saint-Pierre. Il s'est battu pour qu'on le paye comptant.

Amédée entreprit de compter les pièces, en les empilant de façon à en faire plusieurs tas. Il s'interrompit et releva la tête : Jacquier restait là, à le regarder d'une étrange façon.

– Tu veux quelque chose ? demanda l'intendant.

– Tu as retrouvé ta fille, on dirait...

– Monsieur François lui a dit de faire la paix avec moi. C'est vraiment un saint homme.

– Tu crois aux miracles ?

– Je suis catholique, Dents serrées ! Bien sûr que j'y crois ! lança Amédée embarrassé, mais en haussant les épaules, comme pour souligner l'absurdité de la question.

Il percevait en même temps les sous-entendus. Où veut-il en venir ? Il est en train de me dire qu'il n'a pas cru à la guérison d'Adèle grâce aux soins prodigués par monsieur François, et qu'il sait que Koyaba est venu à l'hôpital. S'il a quelque chose à dire, eh bien qu'il le dise, pour une fois, et qu'il parle le premier !

Amédée dissimula son malaise en finissant de compter les pièces, et en les replaçant dans leurs bourses ; puis il ouvrit l'un des tiroirs du secrétaire, y prit une petite clé, alla ouvrir le coffre-fort au fond de la pièce. S'y trouvaient soigneusement rangés divers objets précieux et documents : des pistolets, des bourses, des piles de pièces d'or, des registres, des carnets et des lettres. Amédée déposa les bourses et referma le coffre. C'est alors que Jacquier reprit la parole, mais sur un autre registre que celui qu'Amédée attendait.

– Un seul Dieu, quand même, ce n'est pas assez. Nous, les Caraïbes, nous avons beaucoup de dieux. Ça marche mieux.

Amédée reprit sa place au secrétaire, rangea la clé.

– Tu trouves ? Ils ne vous ont pas beaucoup protégés des Blancs, tes dieux ! Tu es presque le dernier Indien Caraïbe des Antilles...

– Oui, mais moi, je suis libre.

Jacquier tourna les talons sur ces mots et quitta le cabinet en refermant doucement la porte. Il était libre, Amédée ne l'était pas, c'était ainsi. Pourtant, pensait ce dernier, que fait-il de sa liberté ? Il reste ici, dévoué à Théophile comme un fils dans l'ombre de son père. N'a-t-il pas mieux à faire que de fouetter et commander ? Amédée se rappela que Jacquier n'avait plus de famille ni nulle part où aller. Il dut reconnaître qu'il en savait peu sur cet homme secret. En se rasseyant pour achever son travail, il repensa à l'échange qu'ils venaient d'avoir. Une chose était presque certaine : Jacquier n'ignorait pas la visite de Koyaba à l'hôpital. Il était venu le mettre en garde, mais contre quoi ? Amédée se dit qu'il y réfléchirait plus tard. Pour l'instant, il lui fallait terminer les comptes de la sucrerie, et l'argent apporté tombait bien pour redresser une situation financière délicate.

Amédée travailla fort tard, si bien qu'à la nuit tombée, Adèle, de retour dans sa case pour dîner, n'y trouva pas son père. Elle résolut de se coucher, et, ayant ôté sa robe, s'appliquait à la défroisser avant de la suspendre à un crochet quand une ombre pénétra dans la case, lui arrachant un cri.

– Koyaba !

Elle se précipita dans ses bras.

– Tu es fou ! Dents serrées va te flairer comme un chien, dit-elle en s'efforçant de parler à voix basse.

– Dans quelques jours, on va descendre sur les Blancs. Ce métis de malheur peut nous dénoncer... Il faut l'éliminer...

– Mais si Dents serrées est tué, le maître saura tout de suite que quelque chose se prépare.

– Sauf si tu l'empoisonnes...

– Moi ? demanda Adèle, effrayée.

Koyaba lui tendit une petite fiole.

– Tiens. Le quimboiseur a préparé ça. Il mourra comme s'il avait été mordu par un serpent-lance. Et après nous attaquerons.

Adèle ne prit pas la fiole immédiatement, mais la gravité et la détermination de Koyaba eurent raison de son hésitation.

– D'accord ! Je le ferai.

À peine avait-elle saisi le poison qu'Amédée fit son entrée. D'abord interdit, il parut très vite contrarié :

– Qu'est-ce que tu fais là ? Tu sais ce qui arriverait si on te trouvait avec elle ?

Profitant de l'affrontement, Adèle fit disparaître la fiole dans les plis de son jupon.

– Je suis venu te demander des armes, dit Koyaba.

– Va-t'en ! Vous n'avez aucune chance !

Le visage d'Amédée s'était assombri.

– Alors, je pars, dit Koyaba.

Il s'approcha d'Adèle et lui effleura doucement la joue.

– Pense à moi, Lousolo !

Il quitta la case comme il était venu, ombre rapide avalée par la nuit. Adèle se retourna vers son père.

– Ou ka fè mwen honte ! Pourquoi tu as refusé de l'aider ?

Amédée releva la tête. Comme le visage de sa fille lui sembla dur dans cet instant ! Un visage qu'il ne lui connaissait pas... Il ne put s'empêcher de songer au temps où elle riait de bon cœur avec Manon en faisant le pitre. Ce temps-là était fini ; Adèle n'était plus une enfant. Il s'efforça au calme :

– Koyaba parle de libérer les Noirs, mais il ne pense qu'à se venger des Blancs. Il a été vaincu et son orgueil lui a chaviré la tête. Méfie-toi de lui !

– De Koyaba ? Mais papa, poursuivit-elle, les Blancs m'ont pris ma liberté, ma mère et mon fils ! Je n'ai plus rien à perdre ! Je ne suis plus ta gentille petite fille, je ne crois plus aux contes. J'ai plein de rage en moi, papa. Plein de rage. Je vais me battre avec Koyaba, je vais gagner ma liberté sans attendre les Blancs, parce qu'ils ne me la donneront jamais !

Amédée était à peine surpris par la détermination de sa fille. Elle était jeune et malheureuse, il était plus que normal qu'elle soit révoltée.

– Fais attention à toi. Je t'en supplie ! Je suis inquiet.

– Non. Je peux mourir, papa, ce n'est pas grave ! Mais tant que je vis, je veux me battre. Regarde-toi ! Ton boudin est plein mais tu as perdu ton honneur. Ils ont fait de toi un corps-cadavre.

Amédée s'apprêtait à répondre ; il y renonça. Il s'approcha de sa paillasse, ôta sa veste, sa chemise et le foulard noué sur sa tête, puis s'allongea sur son lit, les yeux grands ouverts. Adèle pensait en avoir suffisamment dit, et tous deux restèrent immobiles et silencieux, sans pouvoir fermer les yeux. Adèle se disait que son père songeait seulement à cette liberté dont il lui avait tant parlé. Elle se trompait pourtant : il était ému aux larmes en repensant au tableau qu'il avait vu en entrant dans sa case : face à face, un homme redevenu un guerrier africain et sa fille, née ici et qui n'avait jamais connu le pays natal de sa mère. Adèle et Koyaba avaient comme lui le désir de leur liberté, mais tout à l'heure ils complotaient aussi comme deux êtres dont les destins étaient liés.

Durant les semaines qui suivirent, Adèle se rendit souvent à l'orée de la forêt où elle retrouvait Koyaba. Celui-ci voulait repousser l'attaque contre les Blancs pour une révolte d'une envergure plus large. Aussi avait-il demandé à Adèle d'attendre pour empoisonner Jacquier – elle serait prévenue en temps et en heure du moment opportun.

Olympe et Théophile étaient revenus à l'habitation, apparemment mieux disposés l'un envers l'autre. C'est qu'Olympe avait annoncé à son mari qu'elle attendait de lui un enfant, et il avait paru un peu surpris mais satisfait de la nouvelle. Désireux que la grossesse de sa femme se déroule sereinement et conscient de l'animosité toujours mordante d'Olympe envers Adèle, il était résolu à éviter celle-ci, bien qu'il ait remarqué qu'elle avait encore gagné en beauté et en maturité. Cela fut facilité par le fait que Théophile passait l'essentiel de son temps à Saint-Pierre, au Cercle des planteurs, cherchant le moyen d'entrer en contact avec les Anglais.

Un jour cependant qu'il se trouvait à l'habitation, il fut

surpris de l'humeur impatiente de sa femme et, inquiet pour l'enfant, il décida de faire venir un médecin. Celui-ci imposa à la future mère un repos absolu, si bien qu'elle fut obligée de rester dans sa chambre, « au lit de préférence », avait dit le médecin, ce qui acheva de la rendre irascible. Impatiente et nerveuse, Olympe l'était. Ayant menti à Théophile sur sa paternité parce que ne sachant de quoi l'avenir serait fait avec Christian, elle n'attendait qu'une lettre qui lui intime l'ordre de le rejoindre en France. Des lettres de Christian, il en arrivait, que Rosalie allait chercher à Saint-Pierre, mais pas celle-là. Il écrivait à Olympe qu'il l'aimait, il se réjouissait de leur enfant à venir, il racontait avec maints détails son retour en France, faisait part des horreurs parisiennes, mais quant à venir le rejoindre, il n'en était pas question pour l'instant, c'était bien trop dangereux.

Condamnée au lit, Olympe avait cru trouver le moyen de venir à bout de son ennui : depuis quelques jours, elle apprenait à Rosalie à jouer aux cartes. Ce n'était pas gagné. Elles jouaient en silence ce jour-là, concentrées, quoique Olympe eût un air plus sérieux en apparence que Rosalie qui contemplait les cartes qu'elle avait en mains avec un sourire rêveur. C'était à son tour de jouer et elle jeta finalement une dame sur la table. Le visage d'Olympe se crispa aussitôt.

– C'est insupportable, à la fin ! Tu confonds le valet et la dame ! Tu ne vois pas que ça, c'est une dame ?

Rosalie parut examiner attentivement les deux cartes qu'Olympe lui montrait.

– Excusez-moi, maîtresse, mais le valet est si joli garçon, c'est sûrement un macoumé...

Olympe jeta impatiemment ses cartes sur la table.

– Je n'en peux plus ! Tu es trop stupide à la fin ! Tu ne sauras jamais jouer !

Et Rosalie la vit qui allait chercher, pour la cinquième fois de la journée, le paquet de lettres reliées par un large ruban qu'elle dissimulait sous les oreillers de dentelle du haut de son lit.

– Demande à Amédée quand arrive le prochain bateau. Il y aura peut-être une lettre...

– Il n'y a pas de bateau tous les jours. Vous avez eu une lettre hier, il n'y aura rien aujourd'hui.

– Arrête ! Arrête de me contrarier ! gémit Olympe. Va voir s'il y a du courrier ! Ensuite tu me feras un cacao ! Non, attends, d'abord le cacao, ensuite tu iras trouver Amédée...

– Jésus Marie ! s'exclama Rosalie. On dirait un djing-dingdjing dans une boîte en fer-blanc ! ajouta-t-elle en quittant la chambre, agacée par l'humeur versatile de sa maîtresse et préférant la laisser seule avec les lettres envoyées par son macoumé...

CHAPITRE 13

« C'est trop risqué », avait répondu Théophile à La Rivière quand celui-ci avait proposé que la réunion avec les émissaires anglais finalement contactés se déroule au Cercle. Il avait imposé que la rencontre ait lieu chez lui, où il était certain qu'ils seraient à l'abri d'une trahison. La Rivière et trois autres planteurs délégués avaient accepté, les émissaires anglais aussi. Amédée serait chargé de la traduction. Lui qui ne connaissait pas l'objet de la réunion, fut, durant les heures qui la précédèrent, en proie à un conflit intérieur. Il ressassait la question : que venaient faire ici des officiers anglais ? À vrai dire, il n'en savait rien, Théophile ayant pris l'habitude de se rendre seul au Cercle ces derniers temps. Ce qu'il savait en revanche, c'est que le maître lui avait promis de l'affranchir s'il était un bon interprète. Il se résolut donc à l'être. Il n'avait pas le choix, mais ce fut un moment grave quand il comprit les tenants et les aboutissants de l'entrevue : la recherche d'un accord pour s'opposer à la République. Amédée écouta les huit hommes exposer leurs points de vue, en assurant la traduction pour les deux officiers anglais qui ne parlaient pas le français. Théophile, habillé avec soin pour l'occasion et portant la perruque des grands jours, était incontestablement le maître du jeu.

Après une heure d'une discussion courtoise où l'échange

243

n'avançait pas, Théophile crut bon d'exposer les choses plus clairement.

– En résumé, nous voulons placer la Martinique sous la protection de l'Angleterre pour mettre en échec la République.

– Qu'entendez-vous par « protection » exactement ? demanda l'officier qui parlait le français.

– Nous devenons une possession anglaise.

Ces paroles furent soulignées par un murmure de protestation des trois délégués des planteurs. Et La Rivière prit aussitôt Théophile à part.

– Qu'est-ce qui te prend ? Tu vas trop loin !

– Si tu crois qu'ils vont mettre leur armée à notre disposition en échange de bonnes paroles, tu ne les connais pas !

Et il se retourna vers les Anglais avec assurance :

– Messieurs, voici les termes de notre proposition : nous nous engageons à favoriser le débarquement de vos troupes, à obtenir la reddition du gouverneur et la Martinique devient une colonie anglaise.

Amédée s'acquitta une nouvelle fois de la traduction. Les Anglais se levèrent, avec le sentiment qu'un pas avait enfin été fait. L'officier qui parlait le français s'approcha de Théophile.

– C'est très intéressant, monsieur Bonaventure. Nous allons faire part de votre proposition.

– À la bonne heure ! s'exclama Théophile. Je suis breton, mais j'aurais aussi bien pu naître anglais ou irlandais. La France, pour moi, c'est un mot. Et quand ce mot menace de me coûter ma fortune, je m'en débarrasse aussi vite que possible !

Amédée releva la tête, regarda son maître et ne crut pas utile de traduire le contenu de sa dernière remarque. La Rivière s'approcha de Théophile.

– À ce détail près que la Martinique ne t'appartient pas !

– La Martinique appartient à ceux qui la développent et en font quelque chose ! conclut Théophile, en se retournant vers ses hôtes pour ne pas prolonger l'aparté discourtois. Buvons !

Les émissaires refusèrent poliment le rhum, peut-être parce qu'ils avaient senti des dissensions entre Bonaventure et ses acolytes. Ils repartirent dans la nuit aussi discrètement qu'ils étaient venus, conduits en chaises jusqu'à Saint-Pierre. Les planteurs s'en retournèrent à cheval, après avoir salué froidement Théophile. Il n'en fut pas affecté. Il était au contraire enchanté de lui-même, et, après le départ de ses invités, il exprima le désir de prendre un bain.

Encore tout échauffé par la réunion et persuadé que les Anglais seraient intéressés par sa proposition, il savourait ce moment de détente, tandis qu'Amédée, occupé à ranger soigneusement défroques, perruque et souliers à boucles d'argent, demeurait silencieux.

— Pourquoi fais-tu cette tête ? J'ai bien joué, non ? finit-il par demander à son intendant, dont il ne s'expliquait pas la mine sombre.

— Vous avez fait peur aux planteurs !

— C'est une bande de couards ! Le temps qu'ils se décident, on se fera couper les couilles sur nos plantations comme en Guadeloupe !

— Vous devez les ménager ; sinon, ils vous lâcheront au moment où vous aurez besoin d'eux.

Théophile dut reconnaître qu'Amédée avait raison, il admira sa diplomatie, conscient qu'on lui reprochait souvent d'être trop brutal. Mais au fond, cela lui était bien égal, tout comme il ne trouva pas utile de s'interroger sur le fait qu'Amédée le conseillait quasiment contre ses propres intérêts. Le moment était-il venu pour celui-ci de rappeler une promesse faite ? Non, Amédée était décidé à se donner encore un peu de temps. D'ailleurs, leur discussion fut interrompue par l'irruption de Rosalie qui entra sans frapper dans la chambre.

— La maîtresse souhaite une bonne nuit à son mari. Elle vient de se coucher, elle est lasse.

— La journée a été bonne ? demanda Théophile.

— Elle devient folle à rester allongée toute la journée.

– Je m'en fous. J'ai eu assez de mal à le faire, ce gosse, je ne veux pas le perdre ! dit-il en se levant pour sortir de son bain.

Rosalie avait saisi une serviette, et elle s'approcha de Théophile, restant un instant à le contempler sans détour.

– C'est vrai que ce beau piment-là ne donne pas beaucoup de fruits ! Et pourtant, c'est le plus fort de l'habitation ! Il arrache la bouche !

Ils éclatèrent de rire, comme heureux de retrouver leur ancienne complicité, sans se soucier d'Amédée, taciturne, occupé à lustrer les bottes de son maître. Rosalie reculait vers le lit, faisant seulement semblant de se débattre, alors que Théophile feignait de réclamer qu'elle l'essuie avec la serviette.

– Attention ! Vous allez mouiller vos draps ! cria-t-elle, tandis qu'étendu sur elle, il était en train de l'embrasser.

Elle ne s'était pas rendu compte qu'une lettre s'échappait de sa robe. Amédée qui l'avait aperçue s'approchait déjà, comme pour prendre un chiffon sur la table. Il ramassa discrètement la lettre, la glissa dans la poche de son pantalon, posa sagement les bottes au pied du lit et quitta la chambre en entendant Théophile qui criait :

– C'est ta faute, Rosalie, tu m'excites trop !

De retour dans sa case, Amédée entreprit de décacheter la lettre. Quand Adèle rentra à son tour, elle trouva son père assis par terre, lisant à la lueur du brasero.

– Où étais-tu ? demanda Amédée sans lever les yeux.

– Tu le sais. Avec Koyaba.

– Je ne veux plus que tu le voies ! Il te monte la tête...

Elle en avait assez des leçons de morale, assez qu'on lui dicte sa conduite. À son tour, elle décida de l'interroger, dans le but d'abord de changer de sujet.

– C'est quoi, cette lettre ?

– Une lettre d'un Blanc qui a fait l'amour à la Ti-béké-a quand elle était à Saint-Pierre.

Adèle commença par rire, à demi incrédule, puis devint plus grave.

– La Ti-béké-a avec un chéri ? Mais l'enfant alors ? Ce n'est pas celui du maître ?

Amédée eut un petit sourire en repliant la lettre. Sa fille arrivait à la même conclusion que lui. Au fond, cela ne faisait que confirmer le doute qu'il avait eu quand la maîtresse avait annoncé à Théophile qu'elle attendait un enfant.

– Ça ne m'étonne pas. Le maître n'a jamais pu avoir d'enfant avec une esclave, pourquoi il en aurait avec sa femme blanche ?

Adèle considéra encore le visage de son père éclairé par la lueur du brasero, étonnée à la fois par son flegme et par sa perspicacité. Mais elle ne prêta pas plus d'attention à la révélation, car elle avait d'autres préoccupations : Koyaba venait de la prévenir de l'attaque imminente contre les Blancs et le moment était venu d'empoisonner Jacquier. Il lui laissait le soin de choisir la façon dont elle allait s'y prendre. Il lui avait donné une fiole, mais que croyait-il ? Qu'Adèle et Jacquier trinquaient quotidiennement ? Jacquier n'était pas né de la dernière pluie, et Adèle savait qu'il allait falloir se montrer habile et prudente.

Elle s'allongea sur sa paillasse pour réfléchir au moyen le plus sûr d'administrer le poison, mais le sommeil l'envahit presque aussitôt, si bien que le lendemain, elle n'était pas sûre de la solution qui lui était venue brusquement, à son réveil.

Surveillant les allées et venues de Jacquier, Adèle guettait son apparition à la Grande Case. Quand enfin elle l'aperçut qui montait les marches de la véranda, elle apparut avec un plateau chargé de carafes de jus de fruits. Elle le heurta et fit en sorte que du liquide se répande sur sa veste, poussant en même temps un cri d'horreur.

– Mwen ka di-ou padon !

Jacquier, surpris par cette maladresse inhabituelle, regarda son vêtement taché, tandis qu'Adèle tentait de l'essuyer avec un torchon.

– Je ne t'ai pas vu arriver, excusez-mwen, excusez-mwen !

– Ça va, ça suffit... dit Jacquier en s'écartant.

– Donne-moi ta veste, je vais arranger ça ! proposa Adèle avec un sourire. S'il te plaît, ça me fait plaisir...

Décontenancé par son sourire, Jacquier ôta sa veste, en demandant quand elle serait prête. Il pourrait venir la chercher à la fin de la journée, dit Adèle, en ajoutant :

– Passe par ma case.

Jacquier acquiesça en la regardant fixement. Troublée, elle se détourna pour reprendre le plateau qu'elle avait posé par terre. Il la regarda s'éloigner, puis fit demi-tour, s'apercevant que son pantalon lui non plus n'avait pas été épargné.

Au même moment, Amédée, qui avait terminé les comptes dans le cabinet de travail, profitait d'une pause pour lire une gazette de la Martinique. Absorbé par sa lecture, il n'entendit pas Théophile qui venait d'entrer.

– Tu lis les nouvelles ?

– Le gouverneur a encore affranchi cent esclaves depuis la semaine dernière. Ils sont chargés de la défense de l'île...

– Conneries ! Les Blancs creusent leur tombe avec ces affranchissements !

Amédée referma posément le journal. Cette fois, c'était le moment. Théophile avait fait une promesse, Amédée s'était acquitté de la traduction avec les émissaires anglais, le moment était venu pour le maître de tenir parole.

– Pourquoi, maître ? Certains esclaves aiment leur travail, la liberté ne les empêcherait pas d'être utiles à leur maître...

– Tu parles ! Ils doivent tous décamper, à la minute même où ils sont libres !

Amédée se redressa.

– Non, maître, dit-il courageusement. Moi, par exemple, je ne partirais pas. Je continuerais à m'occuper de la plantation, même libre...

D'abord stupéfait, Théophile partit d'un grand éclat de rire.

– Tu veux que je t'affranchisse ? Toi ? Mais il faudrait que je sois fou !

– Vous l'avez promis...

Amédée sentit les muscles de son corps et les traits de son visage se tendre.

– Et après ? Tu veux me faire croire que tu resterais ici, alors que tu sais lire, écrire et que tu parles deux langues ? Mais, bougre d'âne, tu foncerais t'installer à Saint-Pierre en me remerciant d'avoir été aussi con !

– Je n'abandonnerais pas ma fille.

L'argument joua contre lui. Théophile ne l'avait jamais dit, mais il avait été étonné qu'Amédée ait pu accomplir lui-même l'infanticide. N'avait-il pas exécuté le geste sans résistance intérieure ?

– Vu comment tu t'es débarrassé de ton petit-fils, je ne miserais pas là-dessus ! Je ne te libérerai jamais, Amédée, tu peux me croire !

Amédée sentit son visage se décomposer, mais l'irruption d'un Jacquier assombri fit diversion et l'empêcha de poursuivre une conversation vaine.

– Les nègres préparent un mauvais coup, annonça Jacquier.

Amédée se figea. Jacquier était donc au courant de ce qui se tramait dans les villages marrons. Bien sûr, comment avait-il pu être assez bête ? Et quel intérêt aurait eu Jacquier, lui qui était libre comme il le lui avait si cruellement fait remarquer, quel intérêt aurait-il eu à ne pas prévenir Théophile ?

– Et voilà ! À force d'affranchir à tour de bras, on les excite ! Bon, Jacquier, tu vérifies les fusils, je vais prévenir mes voisins... Amédée, tu ouvres tes yeux et tes oreilles, je veux savoir ce qui se dit dans les rues cases-nègres...

Amédée resta un long moment immobile dans le cabinet, après que Théophile et Jacquier l'eurent quitté. Non seulement le maître ne l'affranchirait jamais, mais il avait l'audace de lui demander de l'aider à déjouer la révolte ! Il pensa qu'il s'était aussi bien assassiné lui-même, la veille, en acceptant de servir de traducteur. Il se laissa aller aux sanglots, la tête entre ses mains. Et tout en maudissant Théophile, il ne pouvait que se reposer la question de la raison profonde qui empêchait le maître de l'affranchir. Non, ce n'était pas seulement que son instruction était précieuse, c'était que le maître craignait que lui, lui Amédée, ne s'en allât. Il n'était donc pas un esclave parmi d'autres, il était à la fois la chose, le père et le fils du maître. Théophile était un dominant attaché autant à ses prérogatives qu'à son clan. Bien sûr, on doutait qu'il pût s'attacher, mais c'était pourtant cela, *cela*. Quoi qu'il en soit, en dépit de ses promesses répétées, le maître ne l'affranchirait jamais. Sa parole ne valait rien. Adèle avait raison de se battre aux côtés de Koyaba.

À la nuit tombée, Adèle attendait de mettre à exécution la seconde partie de son plan. Mais il était sur le point d'échouer car la journée était déjà avancée et Jacquier n'était toujours pas revenu chercher sa veste. Elle tournait nerveusement dans sa case, sans comprendre pourquoi les choses ne se déroulaient pas comme elle les avait prévues. À l'idée d'un échec, elle avait l'impression d'avoir commis une faute envers Koyaba, se reprochant son manque d'habileté. Bien sûr, Jacquier avait lu un trouble dans ses yeux.

Ce fut alors qu'elle croyait tout perdu qu'elle l'aperçut qui passait dans la cour, sans l'intention cependant de venir chercher le vêtement nettoyé, puisqu'il se dirigeait vers la rue Cases-nègres. C'était maintenant ou jamais.

– Eh, Jacquier ! Ta veste est prête !

Il s'arrêta, sembla hésiter, puis se dirigea lentement vers la case. Adèle lui adressait maintenant un large sourire mais le temps qu'il mit à arriver lui parut une éternité. Entrée dans la case pour l'obliger à l'y suivre, elle ne put voir l'expression de son visage tandis qu'il marchait de son pas calme vers cette femme qui était, il le devinait, en train de se jouer de lui. Irait-elle jusqu'à le tuer ? Son visage resta impénétrable quand il entra : un masque de cire, comme toujours.

– Regarde ! dit Adèle sur un ton enjoué. Elle est comme neuve ! Brossée et recousue, là, et là.

– Merci.

– Assieds-toi, je vais la plier comme il faut.

Jacquier s'assit, geste qui ici ne lui ressemblait pas. Il ne quittait pas des yeux Adèle tandis qu'elle retirait une compote en train de cuire dans un canari. Il la regardait faire, elle qui faisait tout pour le mettre en confiance. Mais ses intentions ne mirent guère longtemps à se révéler.

– C'est les goyaves de mon jardin, dit-elle. J'en ai eu beaucoup ce mois-ci... Tu veux goûter ? Elle posa le bout de ses lèvres sur une cuillère de bois. Ouh, dit-elle en remplissant d'autorité une écuelle, elle est bonne ! Où est-ce que tu manges, toi ? On ne te voit jamais dans la Grande Case...

Jacquier fit un second geste qui ne lui ressemblait pas : il prit l'écuelle qu'Adèle lui tendait.

– Chez moi. C'est moi qui me fais à manger.

– Tu sais cuisiner ?

– J'ai grandi seul avec ma mère. On mangeait des crabes, et elle parlait aux morts. C'était un temps très doux, confia-t-il à voix basse.

Elle abandonna devant ces confidences sa comédie, et poursuivit sur un ton plus grave.

– Elle est morte quand tu étais petit ?

– Elle s'est noyée.

Adèle se tut, sincèrement émue. L'homme énigmatique poursuivit sur un ton neutre :

– Les morts sont venus la chercher un jour de tempête. On habitait sur la plage. Une vague l'a prise devant moi. J'ai voulu partir avec elle, mais la mer n'a pas voulu de moi. Les vagues m'ont jeté sur le sable, au moins dix fois... Le matin, la tempête a cessé et j'étais seul.

Il y eut un court silence.

– Et... tu as encore du chagrin après toutes ces années ?

Il attendit pour répondre. Elle perçut dans ses yeux une étincelle fugace.

– Non. Elle a pris mon âme avec elle.

Adèle frissonna. C'est ce moment qu'il choisit pour porter une cuillère de compote à sa bouche. D'une tape sèche, elle la fit tomber sur le sol, lui arracha l'écuelle des mains et baissa les yeux.

– Va-t'en ! Tiens, prends ta veste...

Elle lui mit sa veste dans ses bras et le poussa dehors. Sur le seuil, il se retourna et la regarda avec curiosité :

– Pourquoi tu fais ça ? J'aurais pris ton poison. Ça m'est égal.

Elle ne répondit pas ; il disparut dans la nuit.

Elle était pétrifiée de ce qu'elle allait devoir dire à Koyaba. Mais celui-ci était préoccupé par des préparatifs plus urgents avant l'attaque contre les Blancs. Il est vrai que dans la forêt comme sur les habitations alentour la tension était à son comble.

Seule Olympe paraissait ne pas en avoir conscience, passant ses journées entre son lit et les fauteuils du salon, enchaînant les patiences, ayant renoncé à Rosalie comme partenaire de jeux de cartes.

Ce soir-là, elle était allongée sur la méridienne, occupée à faire une patience de plus, tout en dégustant du cacao et en dévorant le mont-blanc que Rosalie venait de lui apporter : elle en était devenue friande depuis qu'elle était enceinte. Elle louait Man Josèph de savoir confectionner un gâteau aussi délicieux, vantant la délicatesse de la génoise légère fourrée à la crème de coco, et ne mangeant guère d'autre aliment depuis des semaines. « Légère », ce n'était pas le mot, pensait Rosalie, qui craignait que sa maîtresse ne tombe malade, mais qui avait renoncé à la contrarier. Finalement, Olympe avait bien le droit de manger ce qu'elle voulait : son enfant aimerait les gourmandises créoles, et voilà tout !

Soudain, Olympe releva la tête : elle venait d'entendre le galop d'un cheval qui arrivait.

– Rosalie ! Va voir ! On dirait que quelqu'un vient !

Rosalie s'approcha des fenêtres et sourit en apercevant le cavalier qui mettait pied à terre.

– Vous allez être contente, maîtresse ! C'est monsieur François !

Olympe se leva avec un cri de joie.

– Oh, quelle chance ! dit-elle en avançant jusqu'à la porte pour accueillir son frère.

François entrait déjà, manifestement pressé, sans savoir de quelle manière il allait présenter la nouvelle à sa sœur. Elle retarda elle-même l'annonce, de sa voix chantante toujours teintée d'un soupçon de reproche vaniteux :

– Alors, mon frère ? On se souvient qu'on a une sœur ? On a pitié d'une pauvre impotente ?

Il prit la main qu'elle lui tendait, la baisa, la mine grave. Il n'y avait pas cent façons d'annoncer la triste nouvelle :

– Olympe... J'ai des nouvelles de France. C'est terrible...

– Quoi ? Qu'est-ce qui se passe ? demanda-t-elle tout à coup inquiète. Il est arrivé quelque chose aux parents ?

François ne parvint d'abord pas à parler. Pas aux parents, Olympe. Tu sais bien que les parents, dès leur retour de Trinidad, sont allés se réfugier en Auvergne. Eux ont compris ! Mais lui... C'était uniquement pour toi qu'il avait décidé de rester à Paris. Dans la capitale qu'il aurait dû fuir, où règne la Terreur, où les têtes tombent. Mais il croyait que tu l'y rejoindrais plus facilement !

– C'est Christian... finit-il par dire doucement.

– Non ! Pas Christian ! cria Olympe.

Ses yeux implorèrent François, tandis que Rosalie se dépêchait d'aller fermer la porte du salon.

– Il est mort. On l'a guillotiné.

Il n'y eut que son nouveau cri, épouvantable, comme si on l'avait tuée elle aussi, et puis elle s'évanouit.

253

En ces mêmes moments, les choses s'accéléraient dans la forêt. Des tambours résonnaient, rapides et sourds, tandis que Koyaba, entouré d'une centaine d'hommes déjà prêts, s'adressait aux esclaves venus rejoindre le village marron. Hésitants encore, en haillons, ces derniers regardaient ce chef fougueux.

– L'heure est venue de partir au combat ! Nous n'avons guère de fusils mais nous sommes assez forts pour repousser les balles des Blancs avec nos mains !

Les nouveaux arrivants écoutaient Koyaba en silence, quand Adèle sortit d'un fourré et vint se ranger à son côté.

– Mes frères, j'ai vu ma mère en rêve ! dit-elle sans laisser le murmure de surprise se développer. Vous savez qu'elle a voulu rejoindre la Guinée sous la mer et que le maître blanc lui a refusé la veillée funèbre. Maintenant, il la voit et il a peur ! Il se demande ce qu'elle veut... Ce qu'elle veut ? C'est facile ! Elle veut qu'on lui donne la paix ! Elle veut que le Blanc qui l'a fait trop souffrir lui demande pardon ! Elle veut voir sa fille libre, son peuple libre !

– Vivre libre ou mourir ! s'écria Koyaba.

Cette fois, tous se rallièrent à son cri, en brandissant coutelas, bâtons et flambeaux, tandis que les roulements de tambour reprenaient de plus belle.

L'annonce de la mort de Christian précipita l'accouchement. Olympe perdit du sang et ce fut encore Man Josèph que Rosalie courut chercher dans la cuisine. Elle ne l'y trouva pas. Man Josèph était allée s'allonger dans sa case, ce qui lui arrivait rarement. C'était, expliqua-t-elle à Rosalie, que sa jambe la faisait cruellement souffrir depuis des jours, rien à voir avec les pluies de l'hivernage en cette pleine saison de carême, simplement le signe d'autres malheurs à venir. Elle eut du mal à se lever et marcha en boitant jusqu'à la chambre d'Olympe.

L'enfant arrivait, avec plus d'un mois d'avance sur les jours prévus par le médecin qu'on n'avait plus le temps d'aller chercher. Ce que Man Josèph ne comprenait pas bien, c'était pourquoi Olympe était dans un état pareil : pour le plus beau jour de sa vie, voilà qu'elle était transformée en fontaine de larmes ! Il y avait plus grave que la simple appréhension de mettre un enfant au monde. Quand elle en demanda la raison à Rosalie, celle-ci se montra très pressée d'aller chercher le maître pour le prévenir.

Rosalie emprunta le couloir qui menait au cabinet de travail. Théophile ne s'y trouvait pas. Un autre y était occupé à sortir les pistolets du coffre-fort. C'était Amédée. Il en glissait trois dans sa ceinture et remplissait un sac de pièces d'or. Il agissait comme dans une sorte de transe, et il sursauta quand la porte s'ouvrit.

– Amédée ! Tu n'as pas vu le maître ? L'enfant arrive !

Elle s'interrompit, quand Amédée se retourna brusquement, un pistolet pointé sur elle.

– Ferme la porte, dit-il en reprenant sa place devant le coffre.

Rosalie s'exécuta puis resta un instant à le regarder, incapable d'en croire ses yeux.

– Qu'est-ce que tu fais ? Tu te sauves ?

– Viens avec moi. Je vais rejoindre Koyaba.

– Pour faire quoi ? Vivre comme une sauvage avec ces Bossales marrons ? Tu es fou !

Rosalie lut une immense détresse dans son regard.

– Rosalie, les Blancs ne tiennent pas leurs promesses. Il faut se battre. Nous nous sommes trop résignés...

– Alors pars ! Vite ! Si je ne reviens pas près de la Tibéké-a, monsieur François va venir me chercher ! Dépêche-toi, je ne dirai rien, je te le jure...

– Adieu ma commère. Je ne te l'ai jamais dit, mais tu es vraiment la plus belle femme de l'habitation...

Elle eut un sourire plein de larmes, il avait déjà disparu par la porte-fenêtre qui donnait sur l'arrière de la Grande Case.

Amédée courait à toutes jambes en descendant la rue Cases-nègres, et rejoignit la forêt puis le village marron où l'on acclamait Koyaba ; il y trouva aussi Adèle, qui se tenait un peu en retrait, les yeux fixés sur l'homme qu'elle aimait. Elle aperçut son père qui arrivait, essoufflé, et qui se précipita vers Koyaba.

– Koyaba ! Tiens ! C'est tout ce que j'ai pu trouver ! dit-il en déposant à ses pieds trois pistolets et un petit sac d'or.

– Merci, grand frère ! Je savais que tu te joindrais à nous.

Amédée sortit encore de la poche de son pantalon une clé qu'il tendit à Koyaba.

– C'est la clé de la caisse à fusils cachée sous la véranda. Mais il faut attendre la nuit pour approcher de la Grande Case...

Koyaba n'eut pas le temps de la saisir, Adèle s'en était déjà emparée.

– Je vais retourner là-bas et ouvrir la caisse. Ça ira plus vite ! dit-elle.

– Mais non ! Reste ici, dit Amédée, c'est trop dangereux !

– Pourquoi ? Personne ne me surveille. Et puis quand je vous verrai arriver, je commencerai à mettre le feu...

– Elle a raison, dit Koyaba. S'il y a le feu, les Blancs ne penseront pas aux fusils...

Il se tourna vers Adèle :

– Vas-y.

Adèle disparut, suivie des yeux par son père. Il lui fallut un certain temps pour traverser la forêt, et elle comprit pourquoi elle venait d'agir ainsi : elle voulait se faire pardonner de n'avoir pas empoisonné Jacquier. Elle se fit la remarque que Koyaba ne lui avait toujours pas demandé de comptes à ce sujet. Elle se dit aussi qu'elle n'avait pas cru bon de lui en parler, et elle se sentit coupable. C'était trop tard maintenant, elle ne voulait plus y penser, elle se félicitait que son père les ait rejoints !

Quand elle arriva à l'habitation, elle apprit qu'Olympe était sur le point d'accoucher. Sa première pensée fut pour son propre enfant, celui qu'on lui avait arraché. La seconde fut pour la femme blanche qui n'avait jamais dissimulé son antipathie envers elle. Elle ne l'aimait pas, elle non plus, mais elle ne lui souhaitait pas de ressentir la douleur qu'elle-même avait connue.

Olympe connaissait une autre douleur : elle venait de perdre l'homme qu'elle aimait, le père de l'enfant qu'elle allait mettre au monde. L'état dans lequel elle se trouvait commençait à inquiéter sérieusement Man Josèph, d'autant que ni Rosalie ni François ne parvenaient à empêcher Olympe de pleurer. Et puis Man Josèph ne comprenait ni ce nom de « Christian » qu'Olympe ne cessait de répéter en pleurant ni qu'il fût possible qu'une femme soit sur le point de s'évanouir quand il lui fallait enfanter. Pour Rosalie, Théophile ne devait rien deviner de ce qui se passait en ce moment, et elle tentait de bâillonner de ses mains sa maîtresse pour la faire taire. Trahir son secret ? Il semblait qu'Olympe s'en moquait totalement en cet instant. Man Josèph finit par perdre patience :

– Christian ? Mais c'est qui, ce Christian ?

François entrait dans la pièce avec un bol de tisane à la main.

– Tiens, Man Josèph, donne-lui ça, ça va soulager la douleur.

– C'est trop tard. Le bébé est presque là. Maintenant, il faut pousser.

– Elle ne doit plus crier, dit François en se tournant vers Rosalie. On entend tout au salon...

– Le maître écoute, expliqua cette dernière à Man Josèph. Et ce n'est pas son nom qu'il entend...

Les yeux de Man Josèph coururent de François à Rosalie, de Rosalie à François, et elle sut que Théophile n'était pas le père, lui qui attendait, pour une fois nerveux, et faisant les cent pas... Après l'avoir cherché partout, Rosalie l'avait vu arriver à cheval, après une de ces promenades qu'il avait l'habitude de faire quand il était contrarié.

Ce fut pendant qu'ils parlaient qu'Olympe donna naissance à l'enfant. Man Josèph se pencha aussitôt pour tirer délicatement le corps du bébé.

– Jésus, Marie, Joseph, ça y est, le voilà ! dit-elle, sans parvenir à dissimuler son émotion.

Combien de fois Man Josèph avait-elle aidé des femmes à mettre au monde ! Et pourtant, chaque fois était différente, chaque fois était une nouvelle fois, chaque fois elle était émue.

– C'est une fille ! annonça-t-elle avec un large sourire. Une jolie petite fille blanche comme du lait... Alléluia !

Olympe ne criait plus. Elle n'exprima aucune joie. Elle laissa sa tête retomber sur ses oreillers, tandis que François lui caressait les cheveux avec émotion. Son frère lui tendit ensuite le bol de tisane qu'elle but avidement ; si au moins cela pouvait l'aider à dormir... C'était bien la seule chose qu'elle souhaitait maintenant : dormir, dormir pour oublier. Elle avait regardé Man Josèph couper le cordon, entendu le cri du bébé ; elle ferma les yeux. Deux larmes coulèrent sur son visage encore pâli, tandis que Man Josèph était déjà occupée à baigner la petite avec des gestes rapides et expérimentés. Quand elle eut terminé, Rosalie la lui prit des mains d'une façon impatiente, comme si cette enfant lui avait appartenu. Elle l'enveloppa dans un linge propre et quitta la pièce.

Man Josèph revint près d'Olympe : elle lui demandait un dernier effort pour l'expulsion du placenta. Olympe ne réouvrit les yeux que pour lui adresser un regard de détresse, et Man Josèph comprit qu'elle allait devoir opérer sans l'aide de l'accouchée. De ses deux grandes mains habiles, elle exerça des pressions souples sur le ventre jusqu'à ce que le placenta soit expulsé. Elle ne dit à personne que c'était bien plus une poupée qu'une femme vivante qu'elle avait senti donner la vie.

La nuit était tombée sur l'habitation, avec, en apparence, son cortège ordinaire de silence et de bruits étranges. Olympe avait fini par s'endormir. Théophile avait regardé l'enfant que lui avait présenté Rosalie avec une certaine émotion. Oui, pour la première fois depuis qu'elle le connaissait, Rosalie avait vu de l'émotion paraître sur le visage du maître. Elle avait mis le nouveau-né dans ses bras d'autorité, il l'avait accepté maladroitement, s'était penché sur le visage rouge et fripé et avait même déposé un semblant de baiser sur son front. Certes, ce n'était pas le garçon espéré qui serait l'héritier de sa fortune, mais enfin il était père. Il tendit l'enfant à Rosalie.

– Constance, dit-il, Constance Bonaventure.

La nouvelle de la naissance s'était répandue sur l'habitation comme une traînée de poudre. Adèle, elle, se fichait bien de ce qui pouvait se passer dans la Grande Case. Elle allait devoir mettre le feu à la sucrerie et au moulin, et elle avait pris soin de réactiver le brasero, prête à enflammer une branche au moindre signal. Elle restait debout sur le seuil de sa case, guettant l'arrivée d'un éclaireur la prévenant du moment opportun.

Pour seul éclaireur, elle aperçut Jacquier qui se dirigeait en hâte vers la Grande Case, d'un pas plus énergique que jamais, et elle sortit pour s'avancer à sa rencontre. Savait-il ce qui se préparait ? Elle se plaça sur son chemin comme pour lui barrer le passage.

– Alors, Dents serrées, on ne dit plus bonjour ?

Il la toisa de la tête aux pieds, glacial :

– Tu n'es pas dans la forêt ?

– Moi ? J'ai bien trop peur des soucougnans ! dit Adèle sur un ton désinvolte.

Jacquier la repoussa pour passer, pas dupe de sa comédie.

– Va te cacher. Il va se passer des choses terribles !

Adèle lui attrapa le bras.

– Attends un peu. Ça ka rivé-ou ? On ne peut même plus parler ?

Jacquier ne prit pas la peine de répondre, l'écarta brutalement et continua son chemin. Oui, Jacquier savait. Il savait que les Noirs, groupés dans la forêt, étaient nombreux, bien plus nombreux que les Blancs.

CHAPITRE 14

Les choses se passèrent très vite. Jacquier était allé prévenir Théophile, puis Adèle l'avait vu partir au grand galop, couché sur son cheval. Elle ne savait pas où il allait, mais elle prit conscience à ce moment de la faute qu'elle avait commise en l'épargnant... Il se rendait chez La Rivière où il fut bref : une centaine de marrons allaient donner l'assaut à l'habitation Bonaventure, on n'avait plus le temps de faire appel à la milice, on avait besoin d'aide. Il repartit aussitôt pour porter le même avertissement à Morel.

La Rivière n'avait guère le choix : si les insurgés triomphaient chez Théophile, il y avait toutes les chances qu'ils soient rejoints par les esclaves de celui-ci, et que ce soient près de cent cinquante hommes qui fassent alors route vers chez lui. D'habitation en habitation, des dizaines d'esclaves viendraient grossir les rangs des marrons ; on serait dépassé. Il n'y avait pas une minute à perdre, et La Rivière calcula rapidement : contre les Noirs armés de bâtons, de coutelas, de quelques fusils au plus, on pouvait compter sur vingt cavaliers tous pourvus d'armes à feu, sur les chiens et sur quelques esclaves dignes de confiance qu'on parviendrait à réquisitionner. On était au milieu de la nuit, et la première chose à faire était de mettre tout le monde debout.

La Rivière réveilla son commandeur : il partait sur le champ chez Bonaventure et lui laissait le soin de réunir les contre-

260

maîtres et les hommes utiles, de distribuer les armes, de préparer les chiens.

De son côté, après le départ de Jacquier, Théophile s'était senti bien seul : Amédée était introuvable, il lui était certainement arrivé quelque chose. Jacquier avait parlé de l'imminence de la révolte des marrons ; pour le reste, il s'était tu. Pris d'une angoisse sourde, Théophile parcourait l'habitation à cheval, persuadé qu'Amédée croupissait blessé dans un coin.

– Amédée ! hurlait-il, Amédée, tu es là ?

Au même moment, dans la forêt, les voix des conques de lambis et des tambours résonnaient plus furieuses et déterminées que jamais, et Koyaba donna le signal du départ. Les éclaireurs chargés des incendies étaient partis depuis plus de deux heures, et le feu devait commencer à danser chez Bonaventure, chez La Rivière et Morel. C'était Amédée qui avait suggéré de mettre le feu aux deux habitations les plus proches : occupés à lutter contre les flammes, Morel et La Rivière ne pourraient venir prêter main-forte à Théophile. Jacquier ne savait pas tout du projet. Mais pour ce qui était de l'habitation Bonaventure, il était au courant : il n'avait pas mis longtemps à constater la disparition d'Amédée et s'était aussitôt enfoncé dans la forêt. Il n'avait pas été étonné de le trouver aux côtés de Koyaba : le père avait rejoint sa fille. C'était à ce moment qu'il avait pris connaissance de l'imminence de l'attaque, du projet d'incendie, du vol des pistolets, de la remise de la clé de la caisse à fusils.

En revenant de chez Morel, le commandeur fit un tour rapide du côté des bâtiments de la sucrerie, puis se dirigea vers le moulin. Adèle avait eu l'imprudence de laisser la porte entrouverte alors qu'un éclaireur venait de lui donner de loin le signal. Jacquier n'eut qu'à pousser la porte. Il resta un bref instant à regarder Adèle occupée à arroser le sol de tafia, se demandant comment elle avait pu avoir l'audace de faire semblant de ne rien savoir. Il n'eut pas besoin de la menacer de son arme pour qu'elle interrompe son geste, il saisit simplement le flambeau qu'elle avait aussi eu l'imprudence de poser dans un coin, puis tendit la main et réclama la clé de la caisse à fusils.

Des voix et des aboiements approchaient : la troupe de Morel et La Rivière, seul. Jacquier fit signe à Adèle de sortir devant lui. Théophile qui arrivait à son tour ne trouva plus utile de demander à Adèle où était son père. Il réalisa la trahison d'Amédée. Il ordonna qu'on mette Adèle à l'abri et Jacquier l'escorta jusqu'à la Grande Case pour l'empêcher d'aller prévenir Koyaba et l'inciter à se replier.

Ils n'étaient encore qu'une dizaine cependant, et La Rivière ne comprenait pas pourquoi ses hommes tardaient. Il en apprit la raison une heure plus tard, quand ils arrivèrent enfin, accompagnés des chiens : on avait réussi à intercepter un homme muni d'une torche, mais un autre avait eu le temps d'enflammer l'aile droite de la sucrerie, et il avait fallu une bonne heure pour rassembler les esclaves, transporter les seaux d'eau depuis le puits et maîtriser le feu. Morel parut contrarié : on avait probablement le même projet sur sa plantation, et seule une poignée d'hommes y étaient restés. Ce n'était plus le moment de penser au feu, pourtant.

Quand les marrons quittèrent la forêt pour attaquer l'habitation Bonaventure, les Blancs les attendaient avec leurs armes à feu et leurs meutes de chiens. Koyaba pensait trouver une habitation dont les bâtiments flamberaient et la voie libre pour liquider Bonaventure et sa femme, entraîner ses esclaves à se joindre à lui, partir à l'assaut des habitations voisines. Que s'était-il passé ?

Il y eut d'abord un silence, et l'étonnement de Koyaba qui n'apercevait nulle trace de fumée. Amédée lui suggéra de renoncer, mais des aboiements de chiens déchirèrent le silence, et les cris des marrons leur répondirent aussitôt. Les Blancs étaient là, c'était perdu d'avance ; Koyaba n'eut pas le temps d'intervenir : les marrons s'étaient déjà élancés.

Jacquier redoutait depuis des mois cette nuit de révolte où

Théophile maudit le Bossale que sa femme lui avait fait acheter contre son gré et qui avait réussi à rassembler les fugitifs. Des Noirs et des Blancs allaient mourir. Ils étaient égaux dans la mort, mais le combat ne le fut pas.

La petite troupe des planteurs régla l'affaire en trois heures de temps. L'attaque par surprise avait été déjouée, et que pouvait une armée de va-nu-pieds à bâtons et machettes, harcelés par des chiens qui se jetaient sur eux et face à des cavaliers bons tireurs ? Les marrons tombaient les uns après les autres, ils couraient en tous sens pour essayer de désarçonner les cavaliers et de les frapper à terre, la demi-douzaine d'entre eux qui possédait des pistolets et des fusils tirait maladroitement. Koyaba avait réussi à poignarder un Blanc et avait couru pour partir chercher les esclaves de Théophile et les convaincre de venir se battre, mais il se heurta à Jacquier à cheval, qui menait bonne garde devant l'abri où étaient enfermés les esclaves. Jacquier était vivant, Jacquier qui avait épié les faits et gestes des marrons, Jacquier, le seul à ne pas craindre de passer ses nuits dans la forêt moite et mystérieuse et qui les avait dénoncés.

Le commandeur pointa son pistolet, sembla hésiter. L'autre était déjà reparti au plus fort des affrontements pour ordonner aux marrons de se replier. François, à cheval lui aussi, apparut, parcourant le champ de bataille, tentant de faire cesser le combat. Il avait beau crier « Arrêtez ! Mais arrêtez-vous ! » personne ne l'écoutait. Il descendit plusieurs fois de sa monture dans l'espoir de tirer à l'écart un blessé, mais tous les esclaves qu'il approchait étaient morts. La révolte tournait au massacre. Les marrons restants l'avaient compris : les uns s'enfuyaient vers les champs de canne, d'autres vers la forêt. La Rivière et ses hommes les poursuivirent, en se divisant en deux groupes. Koyaba heurta soudain un cheval, celui de Théophile. Celui-ci se retourna, eut un rictus de haine en reconnaissant Koyaba, visa et tira. Koyaba s'écroula, touché à la jambe droite. Théophile se précipitait pour l'achever quand il fut ceinturé par un homme qui essayait de le faire tomber à son tour. Il fit pivoter son cheval, voulut tirer sur l'homme qui s'enfuyait et s'arrêta net : c'était Amédée qui courait vers les champs. Il allait le rattraper mais Morel le tenait déjà en joue et l'obligeait à rejoindre un groupe de prisonniers qu'on avait réunis à l'écart. Quand Théophile revint à l'endroit où Koyaba était tombé, celui-ci ne s'y trouvait plus. Sur le champ de bataille, les coups de feu avaient cessé.

Théophile parcourait maintenant l'habitation pour dénombrer les cadavres. Quatre Blancs avaient été tués, pour combien de Noirs ? La plantation n'avait souffert que de dégâts insignifiants : deux cochons gisaient dans une mare de sang, des volailles avaient été emportées. La Rivière, Morel et leurs hommes furent bientôt de retour dans la cour, ramenant avec eux de nouveaux prisonniers.

On aperçut alors de la fumée dans le lointain, du côté de chez Morel, celle d'un incendie. Les éclaireurs avaient attendu le départ du béké et de ses hommes pour mettre le feu au moulin et à la sucrerie. Morel et ses hommes repartirent aussitôt, mais on n'avait plus besoin d'eux. La bataille était terminée.

François, au pas de son cheval, laissait errer son regard autour de lui, le visage blême, désespéré par les cadavres qui jonchaient le sol. Il s'arrêtait parfois, descendait de sa monture pour fermer des yeux ou faire le signe de la croix sur un front, remontait en selle pour poursuivre son sinistre chemin. Il s'enfonça bientôt dans la forêt où il avait aperçu un autre nuage de fumée. Le village des marrons avait été détruit au passage des hommes de La Rivière, il n'était plus que ruines fumantes, ajoupas écrasés, nouveaux cadavres. Et puis il se sentit agrippé, bascula sur sa selle avant d'atterrir sur le sol, vit un homme se jeter sur lui, un poignard à la main. C'était Koyaba. François eut beau lui crier de lâcher son arme, Koyaba l'étreignit, ils luttèrent corps à corps pendant quelques minutes, et ce fut lorsque Koyaba réussit à avoir le dessus et levait le bras pour frapper que François sentit le corps de son adversaire mollir et s'affaisser lourdement sur lui. Il avait perdu connaissance.

Haletant, François parvint à se dégager pour constater que la jambe droite de Koyaba saignait abondamment. Il déchira aussitôt une large bande de sa robe, et entreprit de poser un garrot pour arrêter l'hémorragie. Il avait à peine terminé qu'il entendit du bruit ; des chevaux approchaient. Il tira le corps de Koyaba tant bien que mal pour le cacher derrière des fougères, y amena ensuite sa monture, détacha la gourde accrochée à sa selle, redressa le corps toujours inerte, et entreprit de le faire boire. Koyaba finit par entrouvrir les yeux, et reconnut son sauveteur : c'était le frère de la femme blanche. Ce n'était pas le moment de parler. Les cavaliers passèrent tout près. François sortit alors de sa besace des plantes utiles.

*
**

À l'habitation Bonaventure, dans la lueur pâle de l'aube, apparut un cortège de planteurs blancs accompagnés de leurs commandeurs et de leurs contremaîtres. Ils menaient une dizaine d'esclaves, les mains attachées dans le dos, les chevilles entravées par une corde.

Adèle, Man Josèph et Rosalie sortirent de la Grande Case et s'avancèrent sur la véranda, silencieuses et terrifiées, regardant les prisonniers qu'on amenait sous le flamboyant dans la cour. Adèle étouffa un cri : elle venait d'apercevoir son père parmi eux ; il avait été violemment battu, comme en témoignaient ses vêtements déchirés, le sang qui coulait sur son visage et son œil gauche à moitié fermé. Ce n'était rien en comparaison de ce qui les attendait.

Adèle voulut s'élancer, mais Man Josèph la retint d'un geste étonnamment ferme :

– Reste ici ! Tu as fait assez de mal comme ça...

Théophile, La Rivière et Morel se concertèrent à voix basse, puis La Rivière adressa un signe de tête à un Blanc que les trois femmes ne connaissaient pas. Muni d'une corde, il

265

grimpa lestement sur une des branches basses du flamboyant, la plus solide, y jeta la corde au bout de laquelle apparut un nœud coulant. Un des contremaîtres poussa le premier condamné sous la corde.

– Mais ce n'est pas possible ! souffla Adèle. On ne peut pas les laisser faire ça !

– Et qu'est-ce que tu veux faire maintenant, malheureuse ? demanda Rosalie. Tout ce que tu diras, tout ce que tu feras va exciter la rage des Blancs !

– Dieu ait pitié de leurs âmes, dit Man Josèph en se signant.

Rosalie se signa à son tour, lentement, sans détacher son regard d'Amédée qui demeurait la tête baissée. Les yeux affolés d'Adèle allaient de Jacquier à Théophile sans parvenir à croire que l'un ou l'autre n'allait pas intervenir pour sauver son père ! Mais elle ne croisa pas leurs yeux : Jacquier avait baissé la tête, Théophile regardait fixement Amédée, Amédée qui l'avait abandonné et trahi.

Olympe fit son apparition, en chemise de nuit, sa longue chevelure blonde étalée sur son dos, semblable à un ange déplacé, dans cette aube grise. Elle portait son bébé, et elle restait là, sur la véranda, avec un air ahuri. Elle s'était réveillée au beau milieu de la nuit, au plus fort des affrontements, mais quand elle avait demandé à Rosalie la raison du vacarme, celle-ci l'avait rassurée : rien qui vaille la peine de s'inquiéter, il fallait se recoucher. Rosalie avait bercé le bébé et attendu qu'Olympe se rendorme. La même Rosalie poussait maintenant sa maîtresse à rentrer, pour lui épargner les horreurs qui allaient avoir lieu. Trop tard : Olympe venait d'apercevoir le corps du premier prisonnier gigotant au bout de la corde. Alors seulement elle sembla comprendre ce qui se passait, et elle se mit aussitôt à trembler de tous ses membres, en proie à une crise de nerfs. Le bébé réveillé se mit à hurler, et Théophile se précipita sur la véranda, furieux.

– Qu'est-ce qu'elle fait là ?

Pour toute réponse, Rosalie leva vers lui un visage affreusement lassé, prit l'enfant des bras d'Olympe, qui se mit à hurler à son tour et à se débattre tandis que Théophile essayait de la ramener à l'intérieur de la Grande Case. Elle ne répétait entre ses cris que : « Je ne veux pas rester ici... Je veux partir, je t'en supplie ! Laisse-moi partir ! »

Exaspéré, il la chargea dans ses bras comme un vulgaire paquet et la transporta jusqu'à sa chambre, tandis que Rosalie lui emboîtait le pas avec le bébé. Il la jeta sur son lit sans ménagement, et la regarda qui enfouissait sa tête sous les oreillers pour sangloter hystériquement. Il ne pouvait comprendre que l'homme pendu lui rappelait la condamnation de Christian. Ce n'était pas un Noir tué par des Blancs qu'elle avait vu, mais son mort à elle. Elle se moquait bien de son enfant, de son mari. La seule chose qu'elle désirait, c'était de fuir la maison et l'île où elle n'avait vécu que des malheurs successifs.

Théophile, impuissant à la comprendre autant qu'à la calmer, essayait de lui remettre entre les bras son enfant qu'elle repoussait avec dégoût, se remettant à crier :

– Je ne veux pas la voir ! Je ne veux pas d'elle ! Je veux partir ! Laissez-moi partir !

– Chut ! Calme-toi ! finit par dire Théophile plus doucement, lui-même effrayé par ce manquement maternel.

Ce fut en vain. Alors il se leva et se tourna vers Rosalie :

– Où est François ? Il pourrait se rendre utile pour une fois !

Mais Rosalie n'avait pas vu François, et elle ne redoutait qu'une chose : qu'Olympe ne finisse par prononcer le nom de Christian. Dans l'état où elle était, la maîtresse était capable de tout avouer et de se perdre pour toujours. Sa seule préoccupation, c'était que Théophile quitte la chambre au plus vite. Elle le repoussa :

– C'est pas grave, pawol en bouch pa chage ! Après l'accouchement, les femmes disent n'importe quoi...

– Ouais, eh bien, c'est pas le moment ! Surveille-la. Si elle sort de sa chambre, je t'étrangle de mes propres mains !

Il ne retourna pas dans la cour assister au sinistre spectacle

267

de la pendaison des prisonniers. Lui avait toujours répugné à ces spectacles. Et puis, une révolte comme celle de cette nuit, il n'en avait jamais connu et il avait eu peur, oui, peur pour sa peau. Pour fuir la mise à mort, Théophile se trouva la raison d'une vérification ; et il emprunta le couloir qui conduisait à son cabinet de travail. Quelque chose l'avait intrigué, et il voulait s'assurer qu'il ne s'était pas trompé : comment était-il possible qu'un de ces marrons de malheur eût entre les mains un de ses pistolets ?

Il fut rapidement rejoint par une Adèle suppliante. C'est que, dans la cour, La Rivière venait de faire avancer Amédée sous la potence.

– Maître, vous ne pouvez pas pendre mon père ! Il n'a rien à voir avec tout ça...

Mais Théophile ne lui accorda aucune attention ; il ouvrit la porte, s'arrêta net devant le coffre-fort ouvert, vidé de ses pistolets et d'une partie de son or. Adèle continuant à clamer l'innocence de son père, il l'attrapa violemment par les cheveux et lui mit la tête dans le coffre.

– Tu vois ça ? C'est lui qui avait la clé ! C'est ce fumier qui m'a volé mon or !

Et il ne la relâcha que pour l'envoyer rouler sur le sol. Mais ce n'était pas le moment de flancher, et elle revint, s'agrippa à ses vêtements, tomba finalement à genoux.

– Je vous en supplie, pour l'amour de votre petite fille, par la Sainte Vierge et Jésus Christ, il avait peur pour moi, il a cru que j'étais là-bas...

– Et pourquoi ? À cause de ton foutu nègre ?

Elle hésita quelques secondes. Si elle avait un peu de pouvoir sur lui, il fallait ravaler son orgueil. Elle serra les dents, se redressa, se composa un sourire et s'approcha de Théophile, douce comme du miel :

– Ça ou ka di la ? Mwen pas konett-li enco'... C'est avec vous que je veux être.

Et lentement, elle commença à défaire le nœud de son calicot. Mais devant cette offre, Théophile eut un rire nerveux.

– Tu crois que ça va suffire pour le sauver ? Je peux te prendre quand je veux, ma pauvre fille ! Tu es à moi !

De nouveau le temps était compté. Adèle connaissait les humeurs de l'homme. C'était tout ou rien, à qui perd ou gagne.

– On peut acheter un corps mais pas une âme. Si vous laissez vivre mon père...

Il la coupa, ironique :

– Tu me donnes ton âme ?

Nouvelle hésitation et ce même mince pouvoir de faire basculer la suite des événements. Être sa putain, cela ne suffisait pas. Il voulait plus. Elle le lui proposa :

– Je vous aimerai.

Cette fois, il ne riait plus. Il releva la tête en la regardant à la dérobée :

– Toi ? Tu serais capable de m'aimer ?

Le geste qu'elle allait faire lui parut par avance outré en de pareilles circonstances, et pourtant elle le fit. Son jupon tomba à ses pieds et elle apparut nue devant lui, découvrant ce corps magnifique qu'il osait à peine regarder. Il s'était rapproché de son bureau, et il restait là, sans voix devant la femme offerte, le visage tendu. Pourtant, quelque chose s'animait au profond de lui : une suée légère le long des tempes, les pulsations accélérées de son pouls à ses poignets. Ici et maintenant, il y avait quelque chose qu'il n'avait jamais éprouvé, pour aucune femme. Une sensation étrangère et pourtant bien réellement en lui, puissante et comme impossible à combattre. L'enchantement fut brisé quand la porte s'ouvrit sur le visage de Jacquier interdit.

Théophile s'était redressé :

– Quoi ? Qu'est-ce que tu veux ? aboya-t-il.

– Gueule fardée vous attend pour pendre Amédée. Il dit que c'est le chef !

– Connerie ! Si Amédée était le chef, ces imbéciles de marrons auraient gagné ! Dis-leur que je ne veux pas le pendre. Je lui couperai la main pour lui apprendre à voler.

Jacquier referma la porte. Théophile s'approcha des fenêtres donnant sur la cour, et aperçut dans la lumière froide de l'aube Amédée qu'on éloignait de l'arbre et qu'on mettait à l'écart. Adèle demeurait nue et muette, pétrifiée. Elle ne souriait plus. Théophile se retourna, l'aperçut ainsi, avec ses yeux tristes, sa bouche légèrement dédaigneuse et son air morne. Aucune larme ne coulait sur ses joues, mais Théophile eut le sentiment qu'elle pleurait de tout son corps. Il sourit avec un air moqueur :

– J'ai sauvé la vie de ton père. C'est bien ce que tu voulais, non ?

Et alors il s'approcha d'elle. Elle se laissa faire plus morte que vivante, mais ce fut un corps glacial qu'il sentit sous ses caresses. C'était donc cela, l'amour qu'elle venait de promettre ?

Durant la journée suivante, on ramassa encore des cadavres. Que faire de tous ces morts ? Sous les ordres de Jacquier, des esclaves les transportaient jusqu'au cimetière où l'on avait creusé une fosse commune. Créoles, Bossales, Mandingues, Nagos, Aradas, Mayombés, Ibos, Congos : d'où venaient-ils, qui étaient-ils, à qui appartenaient-ils ? Personne ne s'en souciait plus guère, on ferait les décomptes plus tard.

François, qui n'avait fait qu'une brève apparition au milieu de la matinée, avait demandé qu'on l'attende avant de refermer la fosse, afin qu'il puisse dire une prière pour que les âmes de ces êtres humains reposent en paix. Il repartait en forêt, où sans doute d'autres cadavres attendaient. À la vérité, c'était dans l'espoir de trouver des blessés qu'il pourrait soigner. Adèle avait passé la matinée à parcourir l'habitation à la recherche de Koyaba, s'arrêtant sur chaque cadavre qu'on emportait. Elle entra dans la cuisine et se laissa tomber sur un tabouret, épuisée, s'attendant à des reproches qui ne tardèrent pas.

– Alors tu es devenue la bouzin du maître, finalement ! Bien fait pour toi qui faisais la fière ! Tout ça pour un Africain de malheur ! dit Man Josèph.

– Tu as vu Koyaba ? Ils l'ont ramené ? demanda Adèle.

– J'espère qu'il est en train de rôtir en enfer, ce maudit ! Depuis le jour où il est arrivé sur cette plantation, c'est mort et chagrin !

On pouvait bien lui faire tous les reproches qu'on voulait – son orgueil, sa relation avec Koyaba, son père aux côtés des marrons, s'être donnée au maître –, ça ne changeait rien. La seule chose qui lui importait, c'était que Koyaba soit vivant et, pour l'instant, il ne faisait pas encore partie de ceux que l'on enterrait. Elle pouvait espérer. François allait bientôt lui donner raison. Il fit irruption dans la cuisine, sa robe déchirée et tachée de sang.

– Jésus Marie ! Monsieur François ! s'exclama Man Josèph.

– Donne-moi quelque chose à manger et à boire ! Je repars tout de suite.

– Oui, monsieur, bien sûr, dit Man Josèph, déjà occupée à saisir une gourde et à envelopper des galettes de cassave dans une feuille de bananier.

– Et Koyaba ? Ils l'ont tué ? s'enquit Adèle.

– Arrête avec celui-là ! C'est pas assez, tout ce malheur qu'on a à cause de toi ? Tu ferais mieux de penser à ton père au lieu de courir comme une chienne après ton nègre ! maugréa Man Josèph, rageusement cette fois.

François profita de ce qu'elle avait le dos tourné pour faire signe à Adèle qu'il avait quelque chose à lui dire. Elle s'empara aussitôt de la gourde.

– Venez. Je vais vous chercher de l'eau, dit-elle en quittant la cuisine.

Il lui emboîta le pas, après avoir empoché les galettes et remercié Man Josèph.

Quand ils se furent un peu éloignés, François ne résista pas plus longtemps au désir de lui révéler que Koyaba était vivant. Adèle eut du mal à dissimuler sa joie, mais il l'y aida en ajoutant qu'il devait quitter l'île au plus vite. Ils allaient donc être séparés. Ils marchèrent jusqu'au puits où Adèle s'appliqua à remplir la gourde. Elle l'accompagna jusqu'à l'orée de la forêt. Là, François fit halte brusquement.

– Toi, tu t'arrêtes là. Merci pour l'eau. Je continue tout seul, dit-il en tendant la main.

Adèle fit un signe de tête négatif.

– Je veux le voir.

– Ah non ! Ce n'est pas le moment ! Il doit partir tout de suite, je vais lui trouver une barque pour la Guadeloupe.

– Laissez-moi lui dire adieu ! Je vous jure que je ne le retarderai pas...

– Tu ne peux pas partir comme ça ! On va se demander où tu es passée.

– Personne ne s'occupera de moi aujourd'hui.

Elle avait raison, et après tout, allait-il l'empêcher de dire adieu à l'homme qu'elle aimait ? Faisant mine cependant d'être mécontent, il reprit sa route, Adèle sur ses talons, impressionnée autant qu'intriguée par cet homme qui sauvait la vie d'un Noir. Ils s'enfoncèrent dans la forêt.

Quand ils arrivèrent au village des marrons, Adèle eut à peine le temps de découvrir qu'il n'était plus qu'une étendue de cendres dont il se dégageait une odeur d'herbe et de terre brûlée. François l'entraînait vers une clairière à l'écart, ombragée de fougères, au centre de laquelle trônait un gommier rouge. Le cheval de François était toujours attaché à l'arbre et il hennit à leur arrivée.

Koyaba, assis contre l'arbre, ne releva pas la tête. Il souffrait en silence, les yeux fermés, ressassant la débâcle de la nuit précédente. Adèle n'apercevait pour l'instant que ses jambes allongées et elle s'approcha lentement de façon à voir son visage. Il transpirait abondamment, ses traits étaient crispés, son expression dure. En avançant encore, elle distingua mieux sa jambe droite entourée de larges bandes de tissu ensanglanté.

– Doudou mwen ! Tu es blessé ! dit-elle en se précipitant alors vers lui.

Il sursauta avec un mouvement de recul.

– Chienne ! Va-t'en ! Comment tu peux venir ici après ce que tu as fait ? Pourquoi elle est là ?

– Mais quoi ? Qu'est-ce que j'ai fait ?

– Dents serrées. Tu devais tuer Dents serrées et tu n'as rien fait ! C'est lui qui nous a dénoncés aux Blancs !

Elle était plus terrifiée par son agressivité et la haine qu'elle lisait dans ses yeux qu'accablée par ce qu'il lui reprochait.

– Je ne peux pas tuer, doudou mwen, dit-elle simplement.

Si elle ne pouvait pas tuer, que venait-elle faire ? Partager quoi ? Pas plus son angoisse que la féroce douleur de sa jambe droite ! Un autre jour, il aurait peut-être tenté de lui expliquer qu'il était un guerrier et que par sa faute à elle la bataille contre les Blancs avait été une défaite cuisante. Mais il souffrait et il était las. François ne lui laissa d'ailleurs pas le temps de dire son amertume. Il s'était approché et lui passait les bras sous le torse pour l'aider à se lever.

– Bon. Vous réglerez vos comptes plus tard. Tiens, appuie-toi sur moi... Quelques pas et je t'emporte sur le cheval... Il faut que tu quittes la Martinique ce soir. Je connais un pêcheur qui t'emmènera en Guadeloupe. On ne te connaît pas là-bas, tu passeras inaperçu.

– D'accord, dit Koyaba en se mettant sur ses pieds avec une grimace.

Au prix d'un grand effort, il réussit à marcher jusqu'au cheval en s'appuyant sur un bâton que François lui avait tendu. Le regard d'Adèle se brouilla. Des larmes lui vinrent aux yeux.

– Koyaba, ne m'en veux pas ! Laisse-moi venir avec toi ! Tu ne vas pas y arriver tout seul...

Il se retourna brusquement.

– Tu ne peux pas être la femme d'un chef. C'est ta tête qui est pourrie. Tu es trop esclave !

François fit appel aux dernières forces du blessé pour qu'il se hisse sur le cheval.

– N'aie pas peur, dit-il. Couche-toi bien sur l'encolure. Je vais marcher à côté...

273

Quand Koyaba fut installé, François saisit le licol et ils partirent à travers la forêt.

Des larmes coulaient sur le visage d'Adèle qui les regardait s'éloigner. Quand ils eurent disparu, elle se laissa tomber à genoux, le visage dans ses mains, et éclata en sanglots bruyants. Et elle maudissait le maître à qui elle avait vendu son âme en échange de la vie de son père, elle maudissait l'esclavage, elle maudissait l'homme qui venait de lui cracher ces mots au visage et qu'elle ne reverrait peut-être plus jamais, elle maudissait la terre entière et même ce Dieu dont on lui parlait depuis qu'elle était enfant. Cependant, Adèle sécha ses larmes. Pas de temps pour l'affliction, s'était-elle dit un jour. Et d'ailleurs, on allait s'inquiéter de son absence. Alors elle se leva, et elle se mit à courir à travers la forêt pour rentrer. Il restait à affronter le châtiment de son père, mais il y aurait une vie ensuite. Oui, ce qu'il fallait, c'était se redresser et tâcher d'oublier les horreurs auxquelles elle avait assisté. Se redresser parce qu'il n'y avait rien d'autre à faire, sinon mourir, et Adèle voulait vivre. Bientôt, elle aperçut les toits des bâtiments de l'habitation et elle ralentit le pas pour reprendre son souffle.

Le lendemain matin, tous les esclaves étaient réunis dans la cour pour assister au châtiment d'Amédée, le mulâtre à la peau sauvée, haut dans la hiérarchie, lui qu'on n'aurait jamais imaginé à cette place. Les visages fermés exprimaient une rage sourde et impuissante. Le silence fut bientôt déchiré par les premiers coups du tambour, particulièrement lents et solennels – ce fut du moins le sentiment qu'en eut Man Josèph. Depuis combien de temps n'avait-elle pas pleuré ? Elle était en larmes, tout comme Rosalie, et, debout sur la véranda devant la porte de la cuisine, elles se soutenaient l'une l'autre. François était à leurs côtés, la tête baissée, les mains jointes sur un chapelet ; il priait déjà. Impassible, Adèle s'était rangée aux côtés des esclaves dans la cour, ses yeux fixant on ne savait quel point au lointain. Théophile se tenait seul à l'avant de la véranda, comme à la proue d'un navire.

Amédée n'était pas Koyaba. Cependant, son visage baissé n'était pas un signe d'humilité ; il ne voulait simplement pas croiser les regards de ceux qu'il aimait. Lorsque Jacquier le fit s'approcher puis s'agenouiller devant le billot, il leva un instant les yeux : dans le flambloyant, le solitaire siffleur venait de triller un air joyeux. On dérogea aux habitudes : ce ne fut pas Théophile qui donna l'ordre, et ce ne fut pas Jacquier qui se chargea de l'exécution. Sans doute les deux hommes s'étaient-ils concertés, pensa Amédée. Jacquier adressa seulement un signe à un esclave qui s'approcha avec une hache. Adèle ferma les yeux. Un cri effrayant ; elle rouvrit les yeux, le sang n'en finissait pas de couler. Rosalie s'était évanouie dans les bras de Man Josèph, François s'approchait déjà avec un linge de coton. Adèle ne pensait qu'à fuir. Elle passa rapidement devant la véranda où elle entendit Théophile lui dire :

– Et voilà, chérie mwen ! N'oublie pas ta promesse.

Amédée n'avait pas perdu connaissance. Il s'était levé, avait repoussé Man Josèph et François. Il traversa la cour en titubant, tenant le linge autour de son moignon, et marcha seul jusqu'à sa case. Ce ne fut que lorsqu'il se trouva à l'intérieur qu'il tomba de tout son long sur le sol, inanimé. On le porta sur sa paillasse et Man Josèph posa un bandage très serré autour du moignon béant. Rosalie déposa quelques gouttes de tafia sur ses lèvres pour lui faire reprendre connaissance. Mais Amédée souffrit alors le martyre et déjà la fièvre l'agitait.

– Ma main... J'ai mal...

– Il bouge trop, dit Man Josèph. Donne-lui du thé.

Rosalie plaça le torse d'Amédée contre ses seins. Elle tentait de l'apaiser avec des gestes très doux, tout en approchant de ses lèvres un gobelet qu'elle lui fit boire à petites gorgées.

– Bois doucement, compè-mwen.

– Il faut enterrer sa main et dire une prière. Sinon, il va devenir fou, dit Man Josèph.

– Pourquoi tu me regardes ? Demande à Dents serrées ! Je ne sais pas ce qu'il en a fait !

Mais Amédée ne se calmait pas, il transpirait de plus belle et essayait maintenant d'arracher le bandage.

– Paix-là ! dit Man Josèph.

Puis elle se tourna vers Rosalie :

– Va chercher sa main. Tout de suite !

– Et c'est moi qui dois faire ça ? Salope d'Adèle ! C'est à elle d'aider son père ! Ah mais ça, quand la limace a le nez sale, elle se cache ! Viens, dit-elle en se relevant et en allongeant Amédée sur la paillasse, viens compè-mwen, pose ta tête là...

Et elle sortit tandis que Man Josèph prenait sa place au chevet d'Amédée. Rosalie fut surprise par le calme qui régnait dans la cour : pas un enfant n'y jouait, pas une poule n'y picorait. Non, il n'y avait là rien que ce billot rougeoyant sous le soleil et ces taches de sang noir dans la poussière. Elle la voyait d'ici : la main était toujours sur le billot. Elle marcha, raide, sentit un haut-le-cœur la soulever, atteignit cependant le billot, hésita, tendit finalement le bras. Avec une grimace, elle allait saisir la main avec le bas de son tablier, quand elle sursauta et interrompit son geste.

– Le maître dit qu'il faut laisser ça ici !

C'était Jacquier, derrière elle. Elle se retourna, furieuse :

– Et Man Josèph dit qu'il faut enterrer la main d'Amédée avec Manon ! Tu ne peux pas avoir un peu pitié, Dents serrées ? Ils ont payé, ils ont assez payé.

Ils se regardèrent un instant. Jacquier hocha la tête.

– Je ne t'ai pas vue.

Alors Rosalie surmonta son dégoût et ramassa la main d'un geste net, la déposant sur la paume de sa main gauche couverte d'un bout de son tablier. Elle l'y enfermait et faisait déjà demi-tour quand elle aperçut Adèle. Elle vint se planter devant elle, la dévisagea d'un air sévère, puis retira la main du tablier et la colla sous son nez. Adèle recula d'un bond avec un cri de frayeur. Rosalie ricana, méprisante.

– Tu ne fais même pas une bonne bouzin. Si c'était moi dans le lit du maître, ton père aurait gardé ses deux mains !

Tétanisée, Adèle tendit cependant le bras.

– Donne-la-moi. Je vais l'enterrer dans la tombe de ma mère.

Rosalie ne se le fit pas dire deux fois. Adèle s'empara de la main, l'enveloppa dans un pli de sa robe, et repartit en direction du cimetière.

Elle ne fut de retour dans sa case qu'à la nuit tombée. S'acquitter de la triste besogne l'avait soulagée, et elle s'était même endormie, à bout de fatigue, sur la tombe de sa mère. Man Josèph l'attendait pour quitter la case.

– Tu as bien dit les prières ?

Adèle hocha la tête et vint s'agenouiller devant la paillasse de son père. Man Josèph se leva alors lentement, à cause de la douleur revenue dans sa jambe. Avant de partir, elle crut bon de dire encore :

– C'est pour toi qu'il a rejoint les marrons, parce qu'il a tué ton fils. Il voulait que tu lui pardonnes. Vous êtes quittes maintenant.

Deux larmes roulèrent sur les joues d'Adèle, qui songea que Man Josèph avait raison. C'était bien par sa faute qu'il avait perdu une main. De nouvelles larmes coulaient sur ses joues, tandis qu'Amédée souriait presque. Il ne dormait pas, il avait entendu les paroles de Man Josèph. C'est que tu ne sais pas tout, Man Josèph. Tu as raison, j'ai besoin de me faire pardonner. Mais je n'ai pas tué mon petit-fils. Ma faute, c'est d'avoir menti à ma fille sur son sort. Man Josèph, tu te trompes encore : ce n'est pas seulement pour Adèle que j'ai rejoint les marrons. C'est à cause de l'homme qui n'a pas tenu parole. Je crois que j'ai péché par orgueil, que j'ai voulu lui montrer que je n'étais pas seulement une chose qui lui appartenait. Je crois bien que j'ai voulu lui montrer que je pouvais choisir ma vie.

Adèle s'approcha.

– Je n'ai pas voulu ça, papa mwen. Je te demande pardon.

Une ombre d'émotion passa sur le visage ravagé d'Amédée. Il releva la tête, ébaucha un sourire plus franc qu'Adèle distingua. Sa tête retomba et elle lui appliqua un linge mouillé sur le front.

CHAPITRE 15

Les premiers mois de cette année 1794 furent douloureux pour tout le monde. Durant les semaines qui suivirent la révolte des marrons, les pendaisons et le châtiment d'Amédée, une étrange atmosphère régna à l'habitation. Il semblait que tous avaient besoin de digérer les malheurs récents, que tous étaient épuisés. Quelque chose s'était délité, et au fond, c'était une relative douceur de vivre qui avait été affectée. On ne riait plus jamais, on travaillait en silence, on se sentait mal à l'aise, chacun taisait ses angoisses, et l'on aurait enfin tout donné pour revenir quelques années en arrière.

La jambe de Man Josèph la faisait maintenant souffrir continuellement ; elle n'en parlait pas. Amédée s'acquittait de son rôle de secrétaire auprès de Théophile, bien moins efficacement car il lui avait fallu apprendre à écrire de la main gauche. L'un et l'autre ne s'adressaient plus la parole que pour ces occasions, et il ne fut plus jamais question de cordialité ou de complicité entre eux. L'un comme l'autre s'étaient sentis trahis, et leur mutisme exprimait leur rancœur et leur amertume. Plus distant que jamais, Jacquier paraissait s'abriter derrière son visage de cire. Peut-être pensait-il qu'on lui en voulait de sa fidélité absolue à Théophile. À la vérité, il n'y avait pas un coupable. On en voulait au ciel, au soleil, à la terre, au diable ou à Dieu. C'était ainsi avec l'esclavage. Il y avait malgré tout les sourires et les gazouillements de la petite Constance, sinon pour égayer la Grande Case, du moins pour consoler une Rosalie épuisée d'avoir à s'occuper de l'enfant jour et nuit, à la place d'une mère peu aimante, mais encore d'avoir à soutenir la maîtresse blanche à l'humeur définitivement chagrine.

Seuls François, Adèle et Théophile avaient conservé en un sens une humeur constante, faisant face malgré tout. François partageait ses nuits entre l'habitation et le couvent des dominicains, mais passait le plus clair de son temps à parcourir l'île pour essayer de porter quelque secours aux esclaves qui en avaient besoin. Liés par leur pacte, Adèle et Théophile s'étaient rapprochés.

Man Josèph, elle, s'inquiétait pour Rosalie, chez qui la lassitude s'accompagnait de résignation, comme si elle avait perdu toute joie. À trente-cinq ans, sans doute prenait-elle conscience du temps qui s'écoulait et se faisait-elle à l'idée qu'elle n'aurait jamais d'enfant. L'attachement particulier qu'elle portait à la petite Constance en était une preuve. Rosalie était pourtant encore très belle, mais son visage accusait des marques de fatigue et elle accordait moins de soin à sa personne que par le passé. Le maître l'avait-il délaissée pour toujours ? Man Josèph connaissait cela pour l'avoir subi elle aussi. Elle relevait avec tristesse les détails où elle décelait que Rosalie avait renoncé à une part d'elle-même : des mèches folles qui s'échappaient de son foulard, ce regard tour à tour vide et teinté de mélancolie comme si la tristesse de sa maîtresse avait déteint sur elle, les soins même qu'elle prodiguait à l'enfant comme s'il lui avait appartenu.

Un jour cependant, Rosalie crut détenir un remède à sa fatigue comme à la mélancolie d'Olympe. Cela se passa au cours d'un de ces après-midi où celle-ci se trouvait, comme à l'accoutumée, allongée sur la méridienne du salon, les yeux rouges et la mine défaite, négligeant la tasse de tisane que Rosalie lui avait apportée. Depuis combien de jours Olympe ne faisait-elle que penser à son amour perdu ? Il est mort, tentait de lui expliquer Rosalie, qui tâchait de la contraindre à boire sa tisane, soutenant que c'était François qui l'ordonnait. Mais elle se heurtait à la plainte répétée en crescendo lancinant : « Je veux Christian, je veux Christian, je veux Christian ! » Ce jour-là, Rosalie, exaspérée, vit le moment où elle allait la gifler.

— A moué ! grinça-t-elle en se levant pour retenir son bras de frapper le visage larmoyant.

Mais elle se retourna soudain, comme saisie d'une inspiration subite.

— Je peux peut-être faire quelque chose pour vous, maîtresse... Ce n'est pas très chrétien, évidemment, c'est... magique.

— Peu importe, répondit Olympe. Fais quelque chose pour moi, Rosalie, je souffre trop.

Rosalie s'enhardit en s'approchant :

— Depuis que je suis toute petite, je vois les gens dans mes songes. Ma mère était comme ça elle aussi. On est des dormeuses. On pense à une personne avant de s'endormir, et quand on dort bien fort, elle vient nous voir et nous parler.

— Oh, essaie, je t'en prie ! Endors-toi ! Pense à Christian ! la supplia Olympe.

— Je peux me mettre là ? demanda Rosalie en désignant la méridienne. Il faut que je sois confortablement installée, et que vous attendiez un peu.

Olympe n'hésita pas à céder sa place sur la méridienne. Elle alla s'asseoir sur une chaise, tandis que la comédienne prenait ses aises, puis fermait les yeux, en murmurant : « Monsieur de Chabot, monsieur de Chabot... » Olympe sortit un jeu de cartes et commençait à faire une patience, quand elle entendit Rosalie ronfler.

Une heure plus tard, Rosalie fut éveillée en sursaut par un violent coup de vent qui avait fait claquer une persienne et ouvrit les yeux, sans trop savoir où elle était. Olympe avait déjà bondi :

— Ça y est ? Tu l'as vu ?

Bien sûr elle l'avait vu, qui, quoi, où ? De quoi lui parlait-on ? Puis elle se souvint. Elle se ressaisit rapidement, ferma les yeux et murmura :

– Chut... Il me parle... Qu'il est beau quand il sourit... Il... Pardon, monsieur ? Oui, je vais lui dire...

Elle avait conscience d'en faire trop, mais elle se tourna vers Olympe :

– Il dit qu'il vous aime.

– Moi aussi, moi aussi je t'aime, mon amour... répondit Olympe avec exaltation.

Rosalie ne craignit pas d'en rajouter :

– Attendez... Je crois qu'il veut encore me dire quelque chose...

Et elle se réinstalla sur la méridienne pour se rendormir. Olympe fut sur le point de protester mais n'osa pas, et retourna sagement devant la table de jeu.

Ainsi allait se dérouler désormais une bonne partie des journées d'Olympe et de Rosalie. Rosalie rattrapa le sommeil qu'elle avait perdu ; Olympe pleura de moins en moins. Théophile fut heureux de constater que sa femme avait retrouvé un visage quelque peu apaisé.

Lui n'était resté le même qu'en apparence. En réalité, il était comme le commandant d'un bateau en pleine mer un jour de tempête, dont le gouvernail se serait brisé. Il regrettait bien plus cruellement qu'il ne voulait se l'avouer la perte de son second, Amédée. Un vent favorable ? Il ne l'espérait plus, se consolait par instants parce que le père avait été remplacé par sa fille, avec laquelle il passait l'essentiel de son temps quand il était à l'habitation. N'avait-elle pas promis de l'aimer ?

Quelqu'un d'autre devait penser qu'il était temps que ses yeux se dessillent et voient clair dans la tourmente : Manon lui apparut une nouvelle fois. Cela se passa au milieu d'une de ces nuits où il ne parvenait pas à trouver le sommeil. Théophile fut pris de l'envie soudaine de voir son enfant, et il se dirigea vers la chambre d'Olympe. Ce fut le moment qu'elle choisit. Sinistre sous sa chevelure d'algues, elle se matérialisa près du berceau, et resta ainsi un instant à regarder l'enfant qui dormait, avant de tendre lentement le bras vers lui. Pour l'emmener ?

Théophile ouvrait déjà la porte et allait s'avancer vers le berceau quand il s'arrêta et recula d'un bond : elle était revenue, elle était là, devant lui, la détestable vision d'horreur qui l'avait effrayé une fois à son réveil.

– Va-t'en, zombi ! N'approche pas de ma fille !

Immobile, elle ne fit que cligner des paupières, continuant de le fixer sereinement tandis qu'il devenait de plus en plus blême et n'osait s'approcher du berceau.

– Qu'est-ce que tu veux ? C'est moi qui t'ai tuée ? C'est moi qui t'ai poussée dans l'eau peut-être ? Qu'est-ce que tu veux que je fasse maintenant ? C'est trop tard ! C'est trop tard pour tout !

Comme la vision ne se dissipait pas, il se mit à hurler : « Rosalie ! Rosalie ! »

Ce fut Adèle qui entra dans la pièce.

– Dis-lui de partir ! Dis-lui de laisser ma fille tranquille !

Mais Adèle avait beau regarder autour d'elle, elle ne voyait rien.

– C'est ma mère ? demanda-t-elle calmement.

– Tu ne la vois pas ?

– Elle s'en va toujours quand j'arrive.

Et comme pour lui donner raison, après un dernier regard à Théophile, Manon disparut, les laissant face à face, lui décomposé, elle regardant sans émotion cet homme qui avait peur. Adèle se détourna pour s'en aller, mais il lui attrapa le bras.

– Attends ! Ne laisse pas ma fille toute seule !

Il se trompait. Il n'avait pas compris.

– Ce n'est pas pour le bébé qu'elle vient. C'est pour vous.

– Comment tu le sais ? Elle t'a parlé ?

Adèle secoua la tête :

– Tout le monde le sait.

Cela ne faisait que confirmer ses craintes : Manon revenait uniquement pour lui. Il continuait de scruter l'obscurité de la chambre, cherchant à s'assurer que la vision avait bien disparu. Il essuya la sueur sur son visage.

– Alors, tu restes avec moi, dit-il durement.

Adèle le regardait toujours : il n'avait pas seulement peur de Manon. C'était aussi sa solitude qu'il ne supportait plus. Adèle le suivit jusqu'à sa chambre, et se laissa faire quand il l'attira à lui. Elle fut surprise par les gestes tendres et doux dont il se montra capable, des gestes qu'il n'avait jamais eus.

– Où vas-tu ? demanda-t-il quand elle eut quitté le lit, ramassant ses vêtements.

– Dans ma case, répondit-elle, surprise par sa question.

– M'emmerde pas, dit-il en désignant la natte à côté de son lit. À partir de maintenant, tu dors ici.

Elle s'allongea sur la natte et elle sentit bientôt la main de Théophile dans ses cheveux. Elle ouvrit les yeux : c'était bien une caresse. Il s'endormit rapidement. Elle demeura longtemps éveillée.

*
**

Quelques jours plus tard parvint en Martinique une nouvelle qui aurait dû, sinon ramener la joie à l'habitation, du moins redonner espoir aux esclaves. C'était bien d'un possible changement de destin qu'il s'agissait.

La nouvelle arrivait trop tard, mais François ne le savait pas encore. Pour l'instant, il courait vers le couvent où il venait d'apprendre que le supérieur avait convoqué tous les frères pour une information capitale.

Dans la vaste salle où se déroulaient les assemblées, le supérieur attendait que tous soient présents. Ils furent bientôt là, dans leurs robes identiques, à attendre que leur supérieur prenne la parole. Quand le silence fut total, la mine particulièrement sombre, celui-ci commença :

– Mes frères, j'ai reçu ce matin par une lettre de notre maison mère la confirmation...

Il fut contraint de s'interrompre. La porte d'entrée s'était ouverte et François se glissait à l'intérieur aussi discrètement que possible. Il poursuivit :

– Vous êtes en retard, frère François. Et pourtant, j'ai ici une nouvelle qui devrait vous réjouir... Qui devrait réjouir tous les chrétiens si la République n'était pas synonyme de guillotine et de sang versé. Hélas, elle ne me réjouit pas. J'ai peur, mes frères. J'ai peur pour nos vies et celle de nos frères blancs. En conséquence, je vous demande de ne pas divulguer ce que je vais vous annoncer et d'attendre la volonté de Dieu.

L'auditoire restait muet. Durant la courte pause qui suivit, François fixa son regard sur l'immense crucifix accroché au mur du fond de la salle nue. Et il pria. C'était cela, c'était enfin arrivé, les hommes n'étaient donc pas tous aveugles. Les autres frères avaient des airs navrés, pressentant le pire.

– À Paris, la Convention vient d'abolir l'esclavage.

François eut toutes les peines du monde à contenir sa joie parmi les visages consternés qui l'entouraient. Et il regretta de n'être pas là-bas à la partager avec ceux qu'il considérait comme ses vrais amis. Il chevaucha heureux vers l'habitation, en se disant qu'on y était peut-être déjà au courant et qu'on devait se féliciter de la nouvelle.

On riait à ce moment-là à l'habitation mais pour une autre raison. Car de l'abolition on ne savait encore rien. On riait parce que Rosalie, qui reprenait décidément des forces, avait trouvé un moyen de détendre un peu l'atmosphère. Elle venait d'entrer dans la cuisine, rejoignant Man Josèph et Amédée pour le déjeuner, portant dans ses bras la petite Constance qu'elle ne quittait plus. Man Josèph était déjà occupée à remplir les assiettes.

– Cette pauvre petite fille, dit Rosalie, elle va grandir sans sa maman. La Ti-béké-a ne s'occupe que de ses cartes et des contes que je lui fais sur son doudou blanc.

285

Et comme chaque fois que Rosalie évoquait l'homme qui avait été l'amant d'Olympe, elle répéta son inlassable refrain, se moquant de la crédulité de la maîtresse :

– Monsieur de Chabot, Rosalie vous adore, monsieur de Chabot, se mit-elle à chantonner.

L'effet ne manqua pas : ils éclatèrent de rire tous les trois. Depuis quelque temps, cette dérision égayait un peu leurs journées. Au milieu de ces rires, François entra, l'air radieux.

– Riez, mes bons amis ! Comme je vous comprends !

Les rires cessèrent. Les visages regardaient maintenant gravement un François à la mine réjouie. Celui-ci en fut étonné.

– Eh bien, embrassons-nous ! dit-il en ouvrant les bras à Man Josèph.

– Le rhum vous a pris la tête, monsieur François ? demanda celle-ci en reculant, presque scandalisée par sa familiarité.

– Alors vous ne savez pas ? On ne vous a rien dit ?

Aux visages qui l'observaient avec défiance, il comprit qu'ils ne savaient rien.

– Vous êtes libres, mes amis ! La Convention a voté l'abolition de l'esclavage dans toutes les colonies françaises !

On regardait François avec incrédulité.

– Je ne vous mens pas ! On en a fini avec cette barbarie ! C'est fini, vous êtes libres ! répéta-t-il avec enthousiasme.

Des sourires réapparurent timidement sur les visages. Man Josèph se laissa enfin embrasser par François, riant malgré elle, comme incapable d'y croire. Les yeux d'Amédée étaient emplis de larmes. François s'approcha pour lui donner l'accolade.

– Tu vois, Dieu a entendu ton cri !

Ils restaient là, hésitants, incapables de prononcer un mot, encore sceptiques. Peu à peu cependant, ils laissèrent éclater leur joie et s'embrassèrent, comme ayant besoin de la partager. Elle allait être de courte durée.

Adèle faisait son entrée dans la cuisine, glaciale. Elle n'eut pas besoin de leur demander la cause de la réjouissance. Elle savait ce que François était venu leur annoncer. Mais elle en savait plus que lui :

– Ce sont des contes, monsieur François, dit-elle calmement.

– Adèle, je ne plaisanterais pas sur un sujet aussi grave. La Convention a aboli l'esclavage !

– La Convention, c'est en France. Ici, le maître est parti chercher les Anglais !

Les sourires quittèrent brusquement les visages. Amédée, Rosalie et Man Josèph s'étaient tournés vers François dans l'espoir qu'il vienne à leur secours. Mais François était aussi effaré et désemparé qu'eux. Adèle devait dire vrai, bien sûr, elle qui était dans les confidences du maître.

Théophile avait en effet passé la journée à Saint-Pierre, occupé à s'entretenir avec des officiers anglais qu'il avait reçus chez lui. Les Anglais venaient de débarquer à Saint-Pierre comme ils avait débarqué au même moment à Case-Navire, à Trinité, au Marin et à Sainte-Luce. Et Théophile se rendait maintenant au Cercle des planteurs. Son arrivée fut saluée par un concert d'exclamations. On l'attendait. Les planteurs ne savaient plus sur quel pied danser : royalistes pour la majorité d'entre eux, fort attachés par ailleurs à la possession de leurs propriétés et de leurs esclaves, ils savaient que Théophile œuvrait depuis des semaines à la recherche du soutien des Anglais. La France était leur patrie mais venait d'abolir l'esclavage ; d'un autre côté la Guadeloupe avait repoussé les Anglais et avait vu le triomphe des Républicains. Bonaventure monta sur une table et ne fut pas long à prendre la parole :

– Mes amis, j'arrive du port. La flotte anglaise est là, prête à nous porter secours. Je propose que nous allions tous ensemble l'accueillir !

Au lieu des applaudissements qu'il espérait, un grand silence se fit dans la salle, durant lequel les planteurs se concertèrent du regard, sans savoir quel parti adopter. Sainte-Colombe fit un pas en avant.

– Mon cher, il s'agit tout de même de trahir la France ! L'abolition vaut-elle que l'on se déshonore ?

Sans laisser aux autres le temps de digérer l'objection de Sainte-Colombe, Théophile reprit vigoureusement :

– Il n'y a rien de pire pour nous que l'abolition ! Pour échapper à la ruine, on peut bien se passer de l'immense honneur d'être français !

– Vous, peut-être, Bonaventure ! Mais pas moi ! reprit Sainte-Colombe.

– Vous m'étonnez, Sainte-Colombe ! Avant l'honneur d'être français, il y a d'abord l'honneur d'être un homme, et ça, ça n'a pas l'air de vous déranger beaucoup !

Cette allusion aux manières efféminées de Sainte-Colombe était basse, et elle suscita des murmures, les uns indignés, les autres moqueurs. Une voix cria que c'était honteux. D'autres donnèrent raison à Bonaventure. Deux hommes soutinrent Sainte-Colombe, ajoutant qu'on l'avait provoqué et qu'il devait répondre. Mais celui-ci, les traits crispés, répondit qu'il méprisait une telle attaque et quitta le Cercle. La Rivière n'avait encore rien dit. C'est qu'il avait été présent à l'entrevue qui s'était déroulée chez Bonaventure, et favorable au débarquement des Anglais. Il hésitait pourtant et l'insulte à Sainte-Colombe qui était son ami le détermina à prendre son parti. Il écarta les hommes autour de lui et s'avança à son tour.

– La Guadeloupe a repoussé les Anglais ! Allons-nous être moins courageux ?

– Bel exemple en vérité ! Ils les ont repoussés et l'esclavage a été aboli ! C'est ça que vous voulez ? rétorqua Théophile en haussant le ton.

Il y eut un murmure d'approbation. Les planteurs étaient en train de se rallier à Bonaventure. Celui-ci le sentit et poursuivit, encouragé :

– Mes amis, laissons la Guadeloupe suivre son chemin ! Ici, en Martinique, il n'y aura pas d'abolition !

La Rivière comprit qu'il avait perdu la partie. Il tourna les talons et sortit à son tour. Les voix des planteurs s'amplifièrent jusqu'à des hourras et des vivats qui durèrent dix minutes.

Théophile fut porté en triomphe. Il devenait le chef de file de ceux qui n'étaient prêts ni à accepter la fin d'un monde ni à perdre une fortune bâtie par plusieurs générations.

Dès le lendemain, Théophile retrouva les trois officiers anglais qui étaient venus chez lui, et l'un d'eux l'accompagna jusqu'à la maison du gouverneur. Ils étaient escortés par quatre soldats anglais qui enfoncèrent la porte avec les crosses de leurs fusils et firent irruption dans la salle à manger où le gouverneur travaillait, entouré de Noirs affranchis et d'hommes blancs, comme lui ralliés à la République.

Théophile ne fut pas mécontent de forcer la porte de ce Gauty qui n'avait jamais soutenu les planteurs, qui était en outre arrivé ici en clamant son attachement au roi de France et qui l'avait trahi. Gauty doit avoir l'habitude des retournements, pensa Théophile. Trois ans auparavant, on l'avait renvoyé pour le remplacer par un homme plutôt hostile aux révolutionnaires. Il avait été rappelé, certes ! Mais c'était terminé. La Martinique n'était plus française. Adieu, Gauty, pensa Théophile. Et il se donna le plaisir de pointer son pistolet sur la figure aux petits yeux porcins.

– C'est fini, gouverneur ! Vos troupes se sont rendues !

Les soldats mirent en joue ceux des hommes présents qui avaient esquissé un mouvement hostile.

– Je suis navré pour vous, ajouta Théophile, mais la Martinique est désormais une colonie anglaise. Vous n'y pouvez plus rien !

Gauty se leva sans le quitter des yeux et dit avec mépris :

– Vous n'avez pas honte ? Vous n'êtes qu'un traître !

Les mots importaient peu. Ce que Théophile attendait, c'était un geste. Un geste douloureux à faire pour celui qui gouvernait la Martinique depuis plus de dix ans, à un intermède près. Un geste douloureux à faire pour celui qui avait accueilli avec un soulagement sincère la nouvelle de l'abolition de l'esclavage. Un geste douloureux enfin, et humiliant, pour un homme qui avait affranchi de son propre chef des dizaines d'esclaves et qui croyait sans doute aux valeurs de liberté et d'égalité proclamées par la République. Un geste d'autant plus difficile à faire que Théophile avait raison : Gauty était arrivé en Martinique avec pour unique devoir de servir le roi de France. Et il avait changé. Profondément. Ce geste, Gauty ne semblait pas prêt à l'exécuter.

– Le colonel attend, trouva bon de préciser Théophile en désignant l'officier anglais qui se tenait à ses côtés. Votre épée.

– Jamais ! dit Gauty.

Mais Théophile remarqua que la vivacité habituelle de ses yeux laissait place à une expression de résignation qu'il connaissait bien.

– Vous voulez vraiment être un héros et finir fusillé ? À votre place, j'irai m'exiler en Louisiane. Il paraît qu'il y a de très jolies femmes là-bas...

Il faisait allusion à la liaison que Gauty entretenait depuis des mois avec une mulâtresse affranchie, et qui était de notoriété publique. « L'amour, Bonaventure, eut envie de répondre Gauty, l'amour, vous ne savez pas ce que c'est. » Il se tut, parut hésiter, décrocha finalement son épée du baudrier et la tendit au colonel anglais.

– Vous voyez ? Ce n'est qu'un mauvais moment à passer... dit Théophile.

Gauty lui adressa un regard noir :

– Soyez sûr que nous nous retrouverons, Bonaventure.

– Vous savez où me trouver, Excellence. Je ne quitterai pas la Martinique.

Il accompagna ces mots d'une révérence, tandis que le gouverneur adressait un regard désolé aux hommes qui l'entouraient avant de suivre les soldats anglais qui le faisaient passer devant eux avec un certain respect.

Les troupes de Gauty ? Comment auraient-elles pu faire face ? Il n'avait que deux mille hommes pour seize mille soldats envoyés par les Anglais. Ceux-ci débarquèrent, et le même jour, le drapeau anglais claquant au vent remplaça le drapeau français dans le ciel de la Martinique. Les esclaves de Saint-Domingue et de Guadeloupe étaient libres. Ceux de la Martinique ne l'étaient pas. Rien n'avait changé pour eux : la révolution de 1789 ? Un lointain souvenir ; l'île retrouvait avec les Anglais l'administration de l'Ancien Régime.

Quelque part, se disait Amédée, les esclaves avaient retrouvé cette liberté qu'ils avaient les uns connue, les autres appris à imaginer. Balbutiements et réapprentissage d'une vie, un espace s'était ouvert, où l'on pouvait aller et venir sans maître ni commandeur, sans fouet ni supplice, un espace où l'on n'appartenait au fond à personne qu'à soi, même en continuant à travailler pour un autre. C'était loin, ailleurs, là-bas. Ici, la vie était la même, mais le pire était qu'elle avait repris son cours d'avant l'année 1789, comme si les événements d'après la révolution n'avaient jamais eu lieu. Cinq années d'espoir enterrées et oubliées. Cinq années d'un temps gelé.

CHAPITRE 16

En ce début d'année 1796, Théophile avait décidé d'embaucher un secrétaire pour remplacer Amédée qui, privé de sa main droite, n'avait plus les qualités requises pour exercer cette fonction – ce fut du moins la raison invoquée. Le nouveau venu arriva un beau jour de février, en pleine saison de carême. Il avait quitté sa Vendée natale, pluvieuse et glaciale, pour débarquer au cœur de la saison sèche. C'était un jeune homme de vingt ans aux cheveux bruns, très maigre et très blanc, qui portait des lunettes et dont la mise et l'allure générales trahissaient des origines modestes. Il avait eu le temps, durant la traversée, de se féliciter d'avoir fui une Vendée où sévissait encore une guerre interminable, et une République où avait régné la Terreur. Il avait songé à une maison à lui, loin de la misère paysanne et des massacres qui avaient coûté la vie à son père. Il avait rêvé d'un pays où il ferait bon vivre, pensé au salaire régulier promis par son employeur, aux économies qu'il ne manquerait pas de faire avant de retourner chez lui et y retrouver sa mère. Oui, malgré les sauvages dont on lui avait parlé, cela ne pouvait être pire que ce qu'il avait vécu ces derniers temps.

La chaleur lui avait paru insoutenable sur le bateau, mais ce fut pire quand il posa le pied à terre, et il crut qu'il ne survivrait pas au trajet en chaise à porteurs du port de Saint-Pierre à l'habitation.

Il fut accueilli par Jacquier qui le conduisit sans un mot à la petite maison particulière qui lui était attribuée, s'étonna de sa rusticité et de son délabrement mais n'osa pas faire de commentaire. À peine avait-il récupéré ses bagages que le commandeur revenait le chercher pour le conduire à la Grande Case où Théophile l'attendait. Celui-ci était justement en train d'examiner les registres des comptes avec Amédée qui écrivait de sa main gauche, lentement et maladroitement. Jacquier entra sans frapper comme il en avait l'habitude, ce qui eut l'air de surprendre le jeune homme, qui découvrit que l'homme qu'il croyait muet avait une voix.

— Monsieur Denis est là, dit Jacquier à l'attention de Théophile qui n'avait pas levé la tête.

Le jeune homme se tenait debout, le visage très rouge et les cheveux plaqués sur le crâne, fragile dans son pauvre habit noir. Il avait ôté ses lunettes pour mieux éponger sur son visage une transpiration dont il ne parvenait pas à comprendre qu'elle afflue sans cesse.

Théophile se leva et alla lui serrer la main.

— Ah ! Il était temps que vous arriviez, mon vieux ! Je n'avais plus que ce manchot pour tenir mes livres ! Il n'écrit plus, il gribouille ! Vous avez fait bon voyage ?

— Très éprouvant. J'ai cru mourir une douzaine de fois. Le soleil me brûle les poumons.

— Mais non, mais non ! Dans un mois, vous trouverez notre air délicieux !

Il se tourna vers Amédée.

— Amédée, voici monsieur Denis, mon nouveau secrétaire. Il va prendre ta place, je n'ai plus besoin de toi ici. Va lui montrer la purgerie et les stocks.

— C'est qu'il fait encore très chaud... commença le jeune homme sans même regarder Amédée.

— Il fera toujours très chaud, le coupa Théophile. Et Amédée ne sera pas toujours là pour vous aider...

— Bien, monsieur, finit-il par concéder.

Amédée se leva pour, machinalement, se munir de l'écritoire, de la plume et de l'encrier dont le jeune homme aurait besoin pour prendre des notes au cours de la visite de la sucrerie, mais celui-ci s'avança et les lui ôta avec une autorité muette.

Jacquier et Théophile les regardèrent sortir, le nouveau venu devant, Amédée derrière lui. Une fois la porte refermée, Jacquier ne put s'empêcher de lâcher :

– Pas solide, ce petit Blanc.

– T'occupe pas de lui ! Occupe-toi plutôt de vendre Amédée. Je ne veux plus le voir. Il me déprime avec sa patte en moins...

Cette fois, les traits du masque s'étaient tendus d'un seul coup, et les yeux exprimaient une incompréhension impuissante. Théophile n'en vit rien : il était revenu à son bureau pour vérifier des comptes, et il releva à peine la tête en entendant la porte se refermer.

Ce n'était pas seulement qu'Amédée lui faisait pitié avec cette main en moins qu'il avait lui-même donné l'ordre de trancher, c'était que Théophile ne supportait plus sa présence : leur dialogue était définitivement rompu. Distance, silence pesant, tourment des mots qui ne seraient jamais dits. Adèle l'avait compris. Dès l'arrivée du nouveau secrétaire, elle sut que Théophile voulait se débarrasser de son père le plus vite possible.

Ce matin-là, bien avant le lever du soleil, Adèle et Théophile étaient en train de faire l'amour, elle juchée sur lui, scrutant les signes du plaisir sur son visage aux yeux fermés.

Olympe, qui s'était réveillée plus tôt que d'habitude, commençait une patience sur son lit, bien calée sur ses oreillers de dentelle. Elle se figea en entendant des bruits à travers la cloison. Aucun doute : c'étaient les gémissements de plaisir de son mari. Elle s'arrêta de jouer, resta un instant immobile à les écouter s'amplifier, puis envoya valser plateau et jeu de cartes. Les gémissements s'interrompirent avant de reprendre crescendo, tandis qu'elle cachait sa tête sous les oreillers.

Adèle interrompit son savant va-et-vient et se laissa tomber sur le côté, tournant le dos à Théophile.

– Eh bien, quoi ? Qu'est-ce qui te prend ?

– Je pense à mon père...

Et elle se retourna pour le regarder dans les yeux. Il la secoua.

– Qu'est-ce qu'il vient faire là-dedans, ton père ?

– Vous voulez le vendre.

Il eut un instant d'hébétude, se reprit :

– Mais non ! C'est Jacquier qui t'a dit ça ?

– Alors, c'est vrai, vous voulez le vendre... Pourquoi vous ne le gardez pas ? Il vous accompagne depuis vos débuts, quand vous avez racheté l'habitation.

– C'est vrai, c'était mon premier esclave...

Manon ne lui laissa pas le temps de songer au passé, ni à la relation étrange qu'il avait entretenue avec cet homme, ni à la force qu'il en avait puisée, ni à cette honte qu'il ressentait confusément sans parvenir à l'exprimer. Venait-elle l'aider à expier ses fautes et ses crimes, ou pour le faire souffrir, le punir, l'empêcher d'en commettre davantage ?

La visiteuse apparut comme si elle avait traversé la cloison, dans son habituelle et terrifiante figure de cadavre en décomposition, mais un détail avait changé qui frappa Théophile. Il s'était redressé sur le lit, blême, les yeux fixés sur ce qui n'était pas un détail : autour de son cou, comme un morbide collier d'apparat, accrochée à un fil invisible, la main coupée d'Amédée pendait entre ses seins. Bonaventure poussa un cri de frayeur, dont Adèle comprit aussitôt la raison.

– Elle est là ? demanda-t-elle.

Il acquiesça lentement de la tête tandis qu'Adèle se redressait pour quitter le lit.

– Où vas-tu ?

– Je vais prévenir mon père !

Mais Théophile la retint par le bras, livide, en proie à une terreur qu'il avait du mal à dissimuler.

– Non ! Reste ici !

Malgré son effroi, il continuait de regarder la revenante flottant dans la pénombre, légèrement au-dessus du sol, celle qui s'était tuée et à qui il avait refusé la veillée funèbre. De son côté, Adèle observait Théophile avec une attention intense, non dénuée de sévérité : ne comprenait-il pas les raisons de l'apparition à cet instant ?

– Elle ne veut pas que mon père soit vendu... finit-elle par dire d'une voix douce.

– Ça va, j'ai compris !

Il se leva et alla ouvrir d'un geste brutal les persiennes pour laisser entrer le flot des premiers rayons du soleil. Manon avait disparu, Adèle avait gagné la partie. Elle avait une idée plus précise, mais elle attendit un peu pour en parler, sans profiter de la vulnérabilité de Théophile, alors qu'il était nu, assis par terre, épuisé et tremblant encore, se remettant lentement.

Dans la cuisine, on avait déjà préparé le petit déjeuner et on écoutait, émerveillés, les premiers mots de Constance, blonde et souriante, comme heureuse de la joie qu'elle percevait sur les visages suspendus à son babillage.

– Bravo, mon petit colibri ! Encore un mot ! l'encourageait Rosalie, fière comme un coq, que la petite pût prononcer les syllabes de son nom aussi bien que celles de « maman ».

Amédée, Man Josèph et Rosalie éclatèrent de rire tandis que la petite fille se relevait pour poursuivre ses exploits.

– Viens, ma doudou chérie ! J'ai préparé du toloman, dit Man Jospèh.

Constance se jeta dans ses jambes en riant.

La présence de cette enfant à la vitalité et à l'affection débordantes les avait consolés de bien des peines ces derniers temps. Une autre bonne nouvelle allait arriver, Adèle faisant une entrée triomphale dans la cuisine :

– J'ai gagné ! dit-elle avec un visage resplendissant.

– Tu as gagné quoi ? demanda Rosalie avec défiance.

Adèle se sentait le cœur si léger qu'elle s'adressa à son père avec volubilité :

– J'ai dit au maître que tu pouvais faire pacotilleur. C'est facile, tu peux tirer un âne avec une seule main...

– Amédée pacotilleur ? ricana Rosalie. Tu me dis qu'il va vendre des rubans et des dentelles à toutes les commères de Martinique ?

– Jalouse ! répondit Adèle en se tournant vers Rosalie. Tu n'es pas contente parce que ce n'est pas toi qui l'as sauvé !

– Paix bouche, vous deux ! les interrompit Amédée en fronçant les sourcils. Tu en es sûre, Adèle ?

Elle en était sûre, mais il y avait un détail qu'elle avait omis. Elle continua sur un ton plus posé :

– Oui mais j'ai menti. J'ai dit que tu avais l'argent pour acheter la marchandise, et que tu lui rapporterais deux francs chaque samedi.

Comment faire ? Adèle savait que son père n'avait pas d'argent pour acheter quelque marchandise que ce soit. C'était donc partie remise. Ils étaient consternés, à l'exception de Rosalie dont le visage retrouva en un instant une expression d'orgueil farouche et l'air victorieux de celle qui reprend la main. Elle adressa un regard de défi à Adèle et lança d'un trait :

– Moi, j'ai l'argent.

Tous se tournèrent vers elle.

– Le maître me donnait des bijoux autrefois.

– Et tu vas me les donner ? demanda Amédée sur le ton de quelqu'un qui connaît par avance la réponse, humilié aussi de se sentir le jouet des deux femmes.

– Qu'est-ce que tu crois ? dit Rosalie. Je ne donne rien, je te prête ! Tu me donneras de l'argent à moi aussi !

Le visage d'Amédée s'illumina :

– Et un petit bout de mon cœur chaque dimanche, belle Rosalie ! répondit-il avec un sourire séducteur.

Adèle les observa qui éclatèrent de rire, et enfin elle parut comprendre : Rosalie sauvait la situation mais ce n'était pas un geste gratuit. Et son regard allait de Rosalie à son père tandis qu'elle cherchait les mots pour dire quelque chose, avec le sentiment d'une entente intime entre eux.

L'arrivée soudaine sur le seuil de la porte du nouveau secrétaire ne lui en laissa pas le temps. Qu'est-ce qui pouvait bien amener ici le jeune homme arrivé quelques jours auparavant, et qui ne leur avait pas adressé un regard depuis son arrivée ? Il était pâle et défait.

— Vous voulez quelque chose ? demanda froidement Man Josèph.

— On m'a dit que vous faisiez des potions pour dormir...

— Est-ce bien l'heure de dormir, monsieur ? demanda ironiquement Amédée.

— Évidemment non, pas maintenant. Mais je ne dors plus. Je pense trop à mon père. Il a été exécuté, vous savez ?

Non, les esclaves ne le savaient pas. Personne ne connaissait son histoire, et à vrai dire elle n'intéressait personne. Il restait là cependant, comme pour trouver des auditeurs susceptibles de compassion. Il poursuivit tandis qu'ils le regardaient fixement.

— C'était un chouan. Nous étions tous chouans, en Vendée... Il a été massacré, et je me suis enfui sur un bateau...

Le jeune homme se tut, dans l'attente d'une parole réconfortante.

— Une bien triste histoire, se contenta de dire Amédée.

— Comme la nôtre, ajouta Adèle en sortant et en l'obligeant à s'écarter.

Les trois autres se détournèrent, et il sut que son histoire n'avait ému personne.

Quand il eut tourné les talons, Rosalie prit Amédée par la main et l'entraîna dans sa case pour lui remettre les bijoux. Le petit carré de madras se trouvait toujours à sa place sous la planche. Elle le déplia soigneusement, en sortit trois bracelets d'or et une paire de boucles d'oreilles qu'elle lui tendit. Il demeurait immobile, touché par son geste mais hésitant.

– C'est trop, chè. Je n'ai pas besoin de tout ça.

– Vas-y ! Prends ! Tu crois que je suis trop vieille pour qu'on m'en donne encore ? Ma vie n'est pas finie, je peux aider mon frère !

Ce fut au tour d'Amédée d'être vexé :

– Ton frère ? Tu crois que mon coco ne peut plus chanter ? Qu'on m'a coupé les balles ? Je ne suis pas ton frère !

Il tournait les talons, l'air furieux, quoique faisant seulement mine de partir. Rosalie le retint en riant.

– Arrête, doudou. Tu dois les prendre. Je serais trop malheureuse si on te vendait.

Alors Amédée se retourna, s'approcha et l'enlaça tendrement.

– Très, très malheureuse ?

– Je mourrais, sans toi, lui répondit-elle sur le ton de la comédie.

– Et moi, je veux faire ton bonheur, Rosalie, dit-il sur un registre plus grave.

– Alors rapporte-moi des rubans roses, dimanche ! poursuivit-elle avec son ton enjoué.

Et pour venir à bout de ses hésitations, elle lui mit d'autorité les bijoux dans la main. Il acceptait les bracelets, mais il lui demanda de garder les boucles d'oreilles pour le jour de son mariage. Rosalie sourit et parut émue. Puis Amédée tourna les talons.

Leur idylle allait marquer un temps nouveau à l'habitation. Non pas un temps de joie pleine, mais au moins celui d'une confiance en partie retrouvée.

Adèle n'avait jamais reparlé de l'enfant qu'on lui avait arraché, elle ne reparlait pas davantage de Koyaba. La seule qui n'en finissait pas d'inquiéter Rosalie, c'était Olympe, devenue experte dans l'art de la fuite. Après le subterfuge de Rosalie qui avait eu le mérite de la consoler quelque peu de la mort de son amant et de la remettre sur pied, elle revécut de variations sur le thème de la fuite qu'elle avait ressassé pendant de longs mois. Mais puisqu'elle ne pouvait matériellement s'enfuir, elle fuirait en restant ici. Oui, elle resterait dans cette maison qu'elle considérait comme une prison, mais elle y trouverait un refuge : celui du jeu.

Elle s'y plongea corps et âme. Depuis longtemps, elle enchaînait en solitaire les patiences, fascinée par le hasard et par ce monde qui ne tolérait pas d'entre-deux : c'était rouge ou noir, on perd ou on gagne. C'était un monde qui correspondait désormais à sa personnalité sans nuances. Olympe souhaitait apprendre d'autres jeux, et elle vit donc avec bonheur le moment où La Rivière et Sainte-Colombe, tout à fait réconciliés avec Théophile après ce que celui-ci avait présenté comme « un petit différend », prirent peu à peu l'habitude de venir passer chez elle des après-midi et ouvrir ainsi l'espace qui lui permettait non seulement de tromper l'ennui quotidien, mais encore d'échapper au monde réel, de retrouver un semblant d'excitation. Ce n'était pas tout : c'était l'argent de son mari qu'elle jouait, et peu lui importait de perdre. Il lui arrivait de retenir La Rivière sur le point de partir, pour le supplier de lui accorder une dernière partie... qui n'était jamais la dernière. Lui faisait mine d'être contrarié devant les pertes conséquentes d'Olympe. L'était-il ? N'avait-il pas une revanche à prendre sur Bonaventure, qui avait attaqué Sainte-Colombe et les avait traités avec peu d'égards devant les planteurs du Cercle ? Il lui prenait maintenant son argent, et presque sa femme. En effet, dès les premières parties de poker avec La Rivière, Olympe retrouva de son éclat, de sa verve, de sa vitalité, de sa beauté, comme pour séduire son partenaire de jeu, l'entraîner sur ce chemin de traverse, l'obliger à rester, pour jouer, encore et encore.

Rosalie, un jour, crut bon de mettre Théophile en garde. Le maître était en grande conversation avec un des officiers anglais qu'il avait jadis reçus chez lui, celui qui parlait le français, et qu'il considérait à présent comme une relation agréable. Ce colonel prenait d'ailleurs plaisir à passer un peu de son temps libre chez Théophile. La compagnie y était agréable, l'épouse fort belle. Oui, ravissante, se disait-il en regardant Olympe, dans une robe diaphane qui mettait sa poitrine en valeur, scintillante de bijoux, contrastant avec la simplicité de la tenue de son mari. Elle était en train de jouer avec La Rivière, un des planteurs du Cercle et Sainte-Colombe, ce dernier vêtu comme à l'accoutumée de couleurs délicates, à la dernière mode des Incroyables en France. Le commerce de la mode continuait en effet...

— Alors, colonel, vous êtes content de votre vie en Martinique ? demanda Théophile.

— Très satisfait, mon cher. Votre hospitalité est parfaite.

— Parce qu'en Guadeloupe, ce n'est pas la même histoire, à ce que j'entends !

— Oh, vous savez, on raconte beaucoup de choses. Nous finirons par gagner là-bas aussi...

Théophile s'était levé et marchait de long en large dans la pièce, apparemment remonté et brusquement contrarié.

— Inutile de le nier, cette armée de nègres vous a infligé votre pire défaite depuis le début de la guerre ! C'est très mauvais pour nous. D'autant plus qu'en Guadeloupe, les nègres sont libres depuis plus de deux ans ! Ils donnent l'exemple, mon cher ! Faites quelque chose.

— Facile à dire ! La guerre en Europe mobilise toutes nos forces. Quand nous aurons fait plier la République française, nous nous occuperons de ses colonies, rétorqua sèchement le colonel.

Sainte-Colombe ne put s'empêcher d'intervenir :

— Et si la France ne plie pas ? Vous comptez garder la Martinique, je suppose ?

Théophile crut bon de répondre à la place de l'officier :

– Et pourquoi pas ? Ce n'est pas désagréable d'être anglais !

Le colonel, sans doute agacé par ces propos, se leva. Il fit un petit salut à l'attention des joueurs, tandis que Rosalie en profitait pour passer avec un plateau chargé de verres de rhum et pour glisser à l'oreille de Théophile :

– Madame perd beaucoup. Gueule fardée est en train de la plumer.

Bonaventure n'accorda pas d'attention à cette mise en garde, préoccupé par le départ soudain de l'Anglais.

– Je vous raccompagne, cher ami.

Lorsque les deux hommes furent sortis, Sainte-Colombe laissa libre cours à son humeur :

– Cher ami ! Comme si ces gens-là avaient des amis ! Il n'y a que notre sucre qui les intéresse...

– Vous devriez dire à Théophile d'être plus prudent, ma chère, murmura La Rivière à Olympe. Si le vent tourne, il va se retrouver tout seul...

– Dites-le-lui vous-même. Moi je joue, répondit-elle.

– Et vous perdez... dit La Rivière en abattant victorieuse-ment ses cartes.

Elle lui adressa un sourire et lui tendit la main :

– Vous pourriez avoir la galanterie de me laisser gagner un peu...

– Hélas, dit-il en portant la main d'Olympe à ses lèvres, je n'ai aucune pitié. Au jeu comme en amour.

– Alors je souhaite ne jamais vous aimer, rétorqua-t-elle en lui adressant un sourire charmeur et en se levant pour rac-compagner Sainte-Colombe et l'autre planteur.

Elle voulait demeurer un instant avec La Rivière. C'était devenu une habitude : ils sortaient, et alors seulement il faisait état du montant de ses pertes. Olympe voulait éviter que cela se sache. Rosalie cependant était là à les épier, inquiète de l'imprudence de Théophile qui avait déjà salué ses hôtes et disparu.

Quand ils furent seuls sur la véranda, Olympe quitta son sourire de façade. Bien sûr, l'argent lui importait peu, mais elle savait qu'elle avait perdu beaucoup. Or, depuis quelque temps, il était devenu difficile de demander de l'argent à son mari. L'aparté ne dura guère. Sainte-Colombe et son compagnon avaient récupéré leurs chevaux, un esclave avait fait sortir de l'écurie celui de La Rivière.

— J'ai perdu beaucoup, n'est-ce pas ?

— Vous n'êtes pas obligée de me régler tout de suite. Pour une femme aussi exquise que vous, je patienterai... dit suavement La Rivière.

— Je dois attendre la prochaine vente de sucre...

— Ça tombe bien, il y en a une demain...

Surprise, Olympe sourit vaillamment :

— Dans ce cas, je vous ferai porter l'argent par Rosalie.

La Rivière s'inclina pour un galant baisemain.

— Ne me laissez pas languir de vous trop longtemps...

— J'ai trop besoin de nos parties, vous le savez bien...

Il la regarda, étonné de son obstination, prêt à dire quelque chose, mais il finit par descendre les marches de la véranda pour rejoindre Sainte-Colombe et l'autre planteur. Olympe resta un moment à regarder ses compagnons de jeu s'éloigner dans le crépuscule des champs de canne, en pensant à leur retour dès le lendemain, peut-être.

Ce n'était pas que Théophile ne fût pas inquiet des pertes de sa femme : il n'était simplement pas au courant des sommes qu'elle venait réclamer dans son dos à monsieur Denis. Il avait rejoint Adèle dans sa chambre et s'était couché rapidement. Cette dernière, à demi nue, postée devant la porte-fenêtre, observait Olympe demeurée seule sur la véranda.

— Gueule fardée cause bien tard avec ta femme... Tu n'es pas jaloux ?

— La Rivière ne la touchera pas. Il est comme moi, les Blanches l'ennuient...

Adèle s'approcha du lit avec un air sceptique. Théophile lui tendit aussitôt une petite boîte qu'elle enferma dans ses mains, intriguée, sans oser l'ouvrir.

– Ouvre ! dit-il.

Elle en sortit un bracelet d'or de toute beauté, et un sourire éclaira brièvement son visage. Le plaisir de recevoir un tel présent avait fait battre son cœur, mais sa joie se dissipa aussi vite.

– Eh bien, qu'est-ce que tu attends ? Passe-le ! dit Théophile, sans comprendre l'expression grave qui avait succédé au sourire.

– Pour quoi faire ? dit-elle en refermant la boîte et en la repoussant. Madame ne veut pas qu'on les porte !

– Je te le donne, le droit ! Vas-y, montre ! J'aime les bijoux sur une femme...

D'un geste lent, Adèle ouvrit de nouveau la boîte, en sortit le bracelet et le passa autour de son poignet. Il souriait, une petite flamme avait allumé ses yeux, il prit doucement la main d'Adèle pour admirer l'éclat du métal sur sa peau.

– C'est beau, l'or sur la peau noire... dit-il doucement.

Il y avait une lueur dans son regard, une lueur qui la troubla. Elle retira sa main en jetant à Théophile un regard presque narquois.

– C'est pour ça que c'est interdit. C'est trop beau sur nous, ça vous fait mal...

Elle avait réussi à briser l'instant de grâce étrange qui l'avait mise mal à l'aise. Il la regarda, surpris par la justesse de sa remarque, puis se retourna pour s'endormir. Adèle prit alors le temps de regarder le bijou, ne put contenir un autre sourire, puis ôta le bracelet et le rangea dans sa boîte.

Elle ne dormit pas beaucoup cette nuit-là, dans la chambre confortable à laquelle elle s'était habituée, loin de son père, près de cet homme qui l'étonnait autant par ses accès de colère subits que par ses instants de douceur. Vivant à ses côtés, elle appréhendait mieux ces deux facettes de son caractère. Elle se dit qu'elle était peut-être la seule à en avoir conscience. Mais elle chassa rapidement ces pensées, et se mit à songer à Koyaba. Koyaba qui se trouvait elle ne savait où maintenant, sans doute remis de sa blessure et libre. Oui, lui était libre et elle l'enviait ; pourtant, la vie lui paraissait moins cruelle depuis quelque temps, et elle était heureuse en outre pour son père, qui se rendait chaque semaine en ville pour vendre ses rubans : jamais elle ne l'avait vu aussi souriant.

Le lendemain, aux premiers rayons du soleil, Adèle eut bien du mal à rester au lit et elle finit par se lever sans bruit, emportant la boîte au bijou. Elle se rendit sur la tombe de sa mère, devant laquelle elle s'agenouilla pour creuser la terre au pied de la croix. Elle en sortit la coquille de noix de coco. À l'intérieur, dans un chiffon, scintillaient les bijoux que Théophile lui avait donnés récemment, à l'exception de la paire de boucles d'oreilles offerte quelques années auparavant. Le nouveau bracelet fut enterré avec les autres présents.

La journée qui suivit allait être riche d'événements. C'était un beau dimanche de carême, et Amédée se rendait comme à l'accoutumée à Saint-Pierre pour vendre ses rubans. S'il était souriant comme l'avait remarqué Adèle, ce n'était pas seulement qu'il se rendait en ville, portant une autre tenue que son costume noir, c'était parce que son nouveau métier lui permettait de faire une halte chaque dimanche au couvent des Sœurs pour embrasser le petit Jean-Baptiste qui avait grandi. Amédée s'arrêtait, déchargeait ses paniers, qui, sous les rubans qui en ornaient le dessus, regorgeaient des fruits et des légumes de son potager que les sœurs accueillaient avec joie.

Ce dimanche-là, alors qu'il se rendait à Saint-Pierre, son attention fut attirée par un petit rassemblement dans un coin de campagne habituellement désert.

Des esclaves formaient un cercle autour d'un couple, un homme et une femme aux cheveux blanchis, aux visages marqués et usés, mais qui avaient revêtu leurs plus beaux habits. En s'approchant, Amédée reconnut Colombine et Molière ; il les connaissait bien, puisque la première appartenait à Théophile, le second à La Rivière. Il comprit enfin de quoi il était question quand il aperçut François, portant une étole sur sa robe, debout derrière une petite table de bois dressée là pour l'occasion, et sur laquelle étaient disposés le calice et la patène. Amédée en croyait à peine ses yeux : François procédait à une cérémonie de mariage. Colombine, qui avait aperçu Amédée, lui adressa un sourire radieux.

– Molière, voulez-vous prendre pour épouse Colombine ici présente ?

– Je le veux.

– Colombine, voulez-vous prendre pour époux Molière ici présent ?

– Je le veux, répondit Colombine avec un large sourire.

À peine avaient-ils prononcé ces mots que La Rivière et son commandeur surgirent brusquement à cheval, alertés par le rassemblement.

– Mais qu'est-ce que c'est que ce foutoir ? cria La Rivière. Reconnaissant François, il se tourna vers lui.

– Qu'est-ce que vous faites là, mon père ?

– Vous interrompez un sacrement de l'Église, monsieur La Rivière !

– Quel sacrement ? Cette négresse est à Théophile, s'il avait voulu que mon Molière l'épouse, il m'en aurait parlé.

Il se tourna alors vers son commandeur.

– Albert, renvoie les singes dans leurs cages !

– Ils ont passé l'âge de demander votre autorisation ! lâcha François. Et il revint à Molière et Colombine :

– Je vous déclare mari et femme. Allez en paix.

Les mariés n'eurent que le temps de s'adresser un sourire. Ils étaient déjà séparés par le commandeur de La Rivière qui avait sorti son fouet et poussait déjà devant lui Molière et les trois hommes de son habitation. Les autres esclaves se dispersèrent aussitôt, deux d'entre eux entraînant Colombine qui regardait son Molière qu'on éloignait d'elle.

La Rivière fit tourner son cheval auprès de François.

– Vous vous croyez très fort, Rochant, mais vous n'êtes qu'un guignol ! Quand je vous vois, j'ai honte d'être catholique !

– Parce que vous vous croyez catholique ?

François sentit la cravache marquer son visage. Amédée se précipita à son secours, La Rivière était déjà reparti.

– Monsieur François ! Vous avez mal ? Laissez-moi voir...

– Ne t'inquiète pas, dit François en se redressant. Ça chauffe un peu, mais ce n'est rien...

Le sang apparaissait sous une longue zébrure, et Amédée resta près du frère qui n'hésitait pas à braver les lois, et qui était le seul avec lequel il pouvait parler du petit Jean-Baptiste. François ôta son étole, la plia et la rangea dans sa besace, avec le calice et la patène.

– Alors, comment trouves-tu ton nouveau métier ? demanda François, comme pour montrer que l'incident était clos.

– À vrai dire, je ne suis pas mécontent, monsieur. Parfois, j'ai presque le sentiment d'être libre...

François lui adressa un sourire et ils s'éloignèrent tous les deux en bavardant.

*
* *

Au même moment, on avait d'autres soucis à l'habitation, dont on crut d'abord pouvoir venir à bout facilement. Olympe avait vu Théophile partir dans la matinée à Saint-Pierre. La vente de sucre dont lui avait parlé La Rivière la veille devait avoir eu lieu et sans doute son mari en avait-il rapporté l'argent, un argent dont elle avait cruellement besoin.

Elle entra sans frapper dans le cabinet de travail, y trouva le jeune Denis penché sur les registres. Celui-ci se leva précipitamment, et elle ne fut pas dupe du geste qui accusait une attitude plus défensive que courtoise. Lui craignait par avance ce qu'elle allait lui demander, et elle ne remarqua pas qu'il était plus blafard et débraillé que de coutume.

– J'ai besoin de deux cents écus d'or, Denis. Ne vous inquiétez pas, j'en ai parlé à mon mari, il est d'accord, dit-elle sur un ton n'autorisant pas la discussion.

– Madame... balbutia Denis, décomposé. C'est que je... je

307

vous ai déjà donné cent écus la semaine passée, et il ne m'a pas semblé que...

— Que quoi ? le coupa-t-elle.

— Monsieur Bonaventure n'avait pas l'air au courant...

— Ah bon ? J'ai dû oublier de lui en parler. Maintenant cessez d'ergoter et donnez-moi mes deux cents écus.

— Je suis désolé, madame. Je n'ai pas cette somme. Tenez, regardez vous-même...

Denis s'approcha du coffre pour l'ouvrir et le montrer à une Olympe qui pâlit à son tour : il était vide. Il ne pouvait pas le dire plus tôt, cet abruti ! pensa-t-elle, se demandant ce que Théophile avait bien pu faire de l'argent de la vente. Elle s'était donc trompée. Dans l'immédiat, ce qui l'affola ne fut pas de ne pas pouvoir payer La Rivière, mais la perspective de ne pas jouer de la journée. Il faudrait qu'elle parvienne à faire patienter son partenaire de jeu...

Pour l'instant, La Rivière ne pensait pas à cette dette. Après avoir quitté François, il s'était rendu au couvent pour faire part au supérieur des dominicains du délit commis par un de ses prêtres.

Le supérieur ne fut pas long à réunir une assemblée et à convoquer le frère François qui lui donnait décidément bien du souci. Il était cette fois allé trop loin.

Dans la salle, quatre frères, dont le père supérieur, étaient assis derrière la grande table. François se tenait devant eux, refusant de baisser la tête mais aussi de croiser leurs regards, particulièrement celui du supérieur dont le visage était plus sévère encore qu'à l'habitude. Le grand crucifix fixé derrière la table où présidait le supérieur retenait seul l'attention de François, sans regret pour les actes de sa matinée. Ce regard n'échappa pas au supérieur, et eut le don de l'agacer. Il prit finalement la parole :

— Vous savez parfaitement que le Code Noir interdit aux esclaves de se marier sans l'autorisation de leurs maîtres. Vous n'avez pas le droit non plus de les soigner. Les esclaves sont des biens meubles et vous ne devez pas empiéter sur les prérogatives de leur propriétaire...

François savait qu'on attendait de lui la reconnaissance de sa faute, une manifestation de repentir. Mais il répondit avec vivacité :

– Des biens meubles ? Mais ouvrez les yeux ! Ce sont des hommes, des femmes, des enfants ! Si nous ne pouvons pas changer le système, notre premier devoir est de soulager leurs souffrances !

Un murmure de protestation s'éleva. Le supérieur ne sembla pas s'en émouvoir et il tapa sur le bureau à l'aide d'une règle de bois pour demander le retour au silence.

– Frère ! Le Christ a dit : « Malheur à celui par qui le scandale arrive ! »...

– Je ne considère pas mon action auprès des esclaves comme un scandale, répondit François sur un ton calme mais déterminé.

– J'ai écrit à Rome à votre sujet, frère François, et j'attends la décision de nos supérieurs sur votre avenir dans la Congrégation... En attendant, ou vous acceptez de vous soumettre à notre règle, ou vous quittez le couvent.

Le supérieur connaissait par avance la réponse. Le regard de François restait concentré sur le crucifix, au-dessus de ses juges. La phrase fut prononcée sans hésitation :

– Je prendrai mes affaires ce soir.

Alors seulement il daigna regarder les chrétiens assis devant lui, sans mépris, mais avec une immense commisération, avant de tourner les talons et de quitter la salle.

Le seul à avoir jamais adressé un regard à Denis, c'était Jacquier. L'homme silencieux avait deviné une souffrance sous l'allure chétive du jeune homme, à peine sorti d'une adolescence sans doute rude et mal-aimée. Ce jour-là, après sa journée de travail, le garçon s'était rendu à Saint-Pierre à pied et en était revenu avec une bouteille de rhum qu'il ne s'était pas seulement empressé d'ouvrir : il l'avait bue tout entière, dans sa petite maison de briques à l'écart du carré des esclaves, cette maison qu'il avait rêvée confortable et qui était aussi misérable qu'un trou à rats. Il avait bu à même la bouteille, se moquant de sa solitude, pensant qu'il allait crever ici comme un animal malade. Le trajet jusqu'à Saint-Pierre lui avait pourtant fait du bien et il avait même eu le sentiment de retrouver un peu de vigueur en marchant. Pas pour longtemps ! Était-ce la visite d'Olympe qui avait achevé de le rendre malade ? Ou simplement ce fichu climat avec sa chaleur qui n'en finissait pas ? Maintenant, il était assis sur son lit en caleçon, tremblait des pieds à la tête, et le rhum lui brûlait l'estomac. Soudain, Denis releva la tête : Jacquier entrait chez lui. Sans frapper, et cette manie le mettait hors de lui. Le tutoiement qu'on se permettait à son égard aussi. Il regarda simplement le commandeur avec des yeux injectés.

– Monsieur te demande.

Denis laissa retomber sa tête.

– Tu es soûl ?

Jacquier s'approcha, prit la bouteille des mains du garçon. Elle était vide, mais le plus inquiétant, c'étaient ces tremblements...

– Reste couché, je vais dire à Man Josèph de venir te soigner.

Denis fit un effort pour relever la tête. Ses yeux étaient implorants.

– Non, dit-il. Je ne veux pas que cette négresse m'approche. J'ai peur, Jacquier. J'ai peur des Noirs.

– Quels Noirs ?

– Je ne sais pas ! Tous ! Ils me regardent comme si j'étais un insecte. Ils se demandent combien de temps je vais tenir...

Jacquier le considéra un instant.

– Il n'y a pas que les Noirs.

Quand il fut sorti, Denis s'écroula sur son lit, grelottant de fièvre. Il savait qu'il n'était pas seulement soûl. C'était bien plus grave. Mais qu'est-ce qui était grave, ici ?

Le soir du même jour, en revenant de Saint-Pierre, Amédée comprit trop tard l'erreur qu'il avait commise lorsque, déchargeant ses paniers à la porte du couvent et pris d'un regret, il s'était ravisé et avait décidé de garder une dizaine de belles mangues mûres qui seraient les bienvenues pour le dîner

Rosalie en les découvrant allait donner une tournure inattendue à la suite des événements. Émerveillée par les rubans et la dentelle dans les paniers, elle s'était approchée de l'âne qu'Amédée avait mené jusque devant la cuisine, et elle ne fut pas longue à découvrir les fruits. Et voici qu'elle poursuivait Amédée, furieuse :

– Ne joue pas à cache-cache avec moi ! Tu as une autre femme, espèce de vieux bouc !

Tout en courant, Amédée réfléchissait à une raison pour expliquer la présence des fruits au fond des paniers.

– Qu'est-ce que tu me dis là, doudou lanmou mwen ? Tu es le soleil de ma vie ! Où j'irais trouver une plus belle femme que toi ?

Adèle arrivait pour assister à la course poursuite en riant de bon cœur au côté de Man Josèph. Rosalie fit une halte devant l'âne, saisit une mangue et la brandit, prête à la lancer sur Amédée.

– Et ça, c'est pour qui ? Tu es pacotilleur, tu n'as pas le droit d'aller au marché ! C'est des cadeaux, oui ! Dis-moi son nom, je vais lui montrer qui est la plus forte !

Amédée aurait bien voulu recouvrir mieux les fruits dans les paniers, et empêcher que sa fille ne les voie. Trop tard : après avoir ri, Adèle avait froncé les sourcils. Qu'est-ce que c'était que cet appareil ?

– Paix bouche, Rosalie ! Il a bien le droit de faire ce qu'il veut, tu n'es pas mariée avec lui ! dit-elle d'abord, en cachant sa curiosité.

– Vas-y, donne-lui raison ! Si ce vieux bouc balade son

piment dans toute la Martinique, le maître le vendra et toi, tu n'auras que tes yeux pour pleurer !

Tout de même, pensa Adèle, Amédée devait cacher quelque chose, Rosalie disait vrai. Celle-ci, se drapant dans sa dignité, rentrait à la cuisine. Amédée crut bon de rassurer sa fille :

– Ne l'écoute pas. Elle est gentille, mais sa tête part, de temps en temps.

Le lendemain matin, Jacquier se rendit de nouveau chez Denis, parce que Théophile l'avait attendu pour travailler et qu'il n'était toujours pas apparu à neuf heures passées. Il le trouva mort, recroquevillé sur son lit. Mort sans doute depuis plusieurs heures déjà, d'après l'odeur qui se dégageait. Il alla prévenir Théophile qui daigna se rendre dans la petite maison, et qui découvrit le cadavre.

– Merde ! Je n'ai vraiment pas besoin de ça !

Jacquier s'approcha du lit et poussa le corps de façon à le retourner sur le dos. Les yeux étaient encore ouverts, la bouche aussi. Une petite clé pendait sur la poitrine, attachée autour du cou à un morceau de ficelle. Le commandeur l'arracha d'un geste sec.

– La clé du coffre, dit-il, en la tendant à Théophile qui quittait la pièce.

– Enterre-le tout de suite. Il chlingue déjà.

Un pauvre gamin, pensa Jacquier, en marchant au côté de Théophile vers la Grande Case. Il allait l'enterrer, bien sûr, mais on devait aussi aller déclarer son décès.

Théophile et Jacquier entrèrent ensemble dans le cabinet de travail, et le maître alla aussitôt ouvrir le coffre. Il découvrit qu'il était vide, et resta un instant sans voix : où était passé l'argent de la vente du sucre, l'argent qu'il avait apporté à Denis la veille au soir ?

– Mon or ? dit-il d'abord d'une voix calme.

Il haussa rapidement le ton :

– L'or de la dernière vente ? Jacquier ! C'est quand même pas ce crevard de Denis qui l'a volé ?

Jacquier demeurait silencieux. Tout le monde savait ici. Tout le monde sauf le maître. Théophile s'empara d'un pistolet et posa le canon sur la poitrine du commandeur.

– C'est toi ?

Il se mit à hurler :

– C'est toi ? Réponds ou je te crève !

– C'est votre femme.

– Quoi, ma femme ? Ma femme a pris mon or ?

Jacquier se contentait de regarder droit dans les yeux Théophile qui s'était laissé tomber dans un fauteuil. Bien sûr, c'était sa femme ! Il se souvenait maintenant de la mise en garde de Rosalie. Cela faisait des mois qu'elle jouait. Il avait baissé son arme, le visage fermé.

– Va la chercher !

Lorsque Olympe entra dans le cabinet, elle était accompagnée de Rosalie.

– Tu voulais me voir ? demanda-t-elle d'un ton détaché.

– Il paraît que c'est toi qui as pillé le coffre, dit-il calmement. Où est mon or ?

– Tu peux crier, je ne l'ai plus, répondit Olympe, sans paraître autrement affectée.

Il se leva et s'approcha d'elle.

– Comment ça, tu ne l'as plus ? Plus de trois cents francs ! Qu'est-ce que tu en as fait ?

Il articulait ses mots, mais elle avait déjà fort bien compris la question et ses conséquences.

– Je peux bien m'amuser un peu, non ? Si tu paies des bijoux à ta négresse, pourquoi n'en profiterais-je pas, moi aussi ?

Le bras de Théophile partit aussi vite que l'éclair. Puisqu'il n'y avait pas moyen de lui faire comprendre avec des mots... La gifle fut retentissante. Olympe ne flancha pas. Pas une larme ne monta à ses yeux, elle ne porta pas même la main à sa joue. Elle restait là, debout, indifférente à la colère de son mari.

– Ne vous fâchez pas, maître ! C'est Gueule fardée qui l'entraîne à jouer tous les soirs... dit Rosalie.

Rosalie venait toujours à son secours, mais Olympe ne cherchait pas d'excuse, elle ne regrettait rien. Elle continuerait à jouer. Oui, elle continuerait à jouer, dût-il la gifler ainsi chaque jour. Elle jouerait parce que c'était sa seule échappatoire. Mais à quoi bon expliquer quoi que ce soit ? Elle quitta le cabinet.

– Et toi, pourquoi tu ne m'as rien dit ? demanda Théophile à Rosalie.

– Est-ce que le bouc écoute la vieille chèvre ? Vous êtes comme un jeune marié avec vos Anglais, et vous ne voyez rien de ce qui se passe sous vos yeux !

Théophile s'approcha du coffre et en fit rageusement claquer la porte.

Rosalie et Jacquier sortirent à leur tour, laissant le maître seul avec sa colère. Une pensée ensuite effleura celui-ci, puis lui apparut, clairement. La Rivière, Sainte-Colombe, les planteurs, Olympe et ses parents, Denis ! Tous dans le même sac ! Leur faiblesse, leur dégénérescence, leur fourberie, leurs calculs, leurs mensonges, leurs craintes, leur ennui et leur manque de courage ! Qu'avait-il à voir avec eux ? C'était de Jacquier, Adèle et Amédée, Rosalie et Man Josèph qu'il se sentait proche ! Est-ce que ce n'était pas eux, son clan ? Est-ce que ce n'était pas de ce clan-là qu'il puisait sa force ? Amédée ne l'avait trahi que parce que lui avait manqué à sa parole, évidemment ! C'était par sa faute qu'il l'avait perdu ! Il n'était pourtant ni noir ni indien, lui, Théophile ! Un de ceux qui trouvaient grâce à ses yeux, c'était François. Un homme étonnant. Tout cela était insensé. Il sortit pour aller seller son cheval à l'écurie et galoper quelques heures. Cela l'apaiserait, il en avait l'habitude.

*
**

Le dimanche suivant, quand Amédée partit pour Saint-Pierre avec l'âne afin de vendre ses rubans, Adèle le suivit. À l'entrée de Saint-Pierre, elle le vit, depuis l'arbre derrière lequel elle était cachée, s'assurer que personne ne l'observait, puis attacher la bête à la porte de la grosse bâtisse blanche surmontée d'une grande croix de bois... Amédée délia ses paniers et entra. Alors seulement Adèle s'approcha, et resta cachée à l'angle du bâtiment, de façon à voir son père sortir. Elle attendit presque vingt minutes, entendit la porte qui s'ouvrait de nouveau. Le cœur battant, plaquée contre le mur, Adèle avança la tête : Amédée détachait l'âne et faisait un signe de la main à un enfant qu'une religieuse tenait par la main.

– Au revoir, tonton ! dit une petite voix.

– Je reviens bientôt, 'tit doudou !

Quand la porte fut refermée et son père un peu éloigné, Adèle se présenta au-devant de lui. Il la regarda, médusé.

– Qu'est-ce que tu fais là, toi ? Tu me suis ?

– C'est qui, cet enfant ? Le tien ?

Un long silence suivit. Amédée fut presque étonné que la vérité ne l'ait pas effleurée, et hésita à peine :

– C'est ton fils.

Elle avait baissé la tête, stupéfaite, incrédule.

– Je ne te crois pas, s'écria-t-elle, tandis que le silence et le regard de son père finissaient de lui ôter ses doutes.

Alors elle se mit à courir vers la porte du couvent, et elle tendait déjà la main vers la poignée de cuivre quand il l'arrêta, lui retenant le bras.

– Tu es folle ! Qu'est-ce que tu vas faire ?

– Je veux voir mon fils ! Laisse-moi !

Il la ceintura, mais elle se débattait rageusement et même le frappait. Il fallait lui faire entendre raison, et surtout éviter qu'on ne les entende.

– Arrête ! dit Amédée à mi-voix. Il est orphelin, il faut qu'il soit orphelin ! Sinon ils le rendront au maître. Tu

315

comprends ce que ça veut dire ? Il sera esclave, esclave jusqu'à la mort !

Adèle tremblait, le souffle coupé ; elle finit par s'écarter. Bien sûr, il avait raison. Mais elle se demandait comment il avait pu lui cacher la vérité pendant toutes ces années. Ils étaient haletants tous deux, lui le regard brillant d'un feu étrange, elle les yeux pleins de larmes.

– Je t'en supplie, je veux voir mon fils.

– Je vais m'arranger.

Elle se rapprocha et tomba dans ses bras. Elle resta longtemps ainsi, et son père la serrait contre lui, ce père sur qui elle s'était trompée : comment avait-elle pu être assez sotte pour croire qu'il avait été capable de tuer l'enfant ? Amédée avait en outre passé six années à se heurter aux regards qui lui reprochaient l'infanticide. Il n'avait pas plié, il avait avec justice renoncé à dire la vérité, parce que c'était l'unique moyen de sauver le petit.

Adèle crut qu'elle ne réussirait pas à patienter toute une semaine. Théophile ne se l'expliqua pas, mais il remarqua que quelque chose avait changé en elle – son humeur, une étincelle dans son regard. Elle fut surprise que son propre regard sur le maître change : puisque son enfant était vivant, il n'en était plus l'assassin. Elle avait beau se répéter que c'était lui qui avait ordonné le meurtre, il en était dédouané malgré lui.

Le dimanche suivant arriva, et ce fut le cœur battant, mais chapitrée par son père, qu'Adèle laissa celui-ci la présenter à sœur Agnès qui tenait Jean-Baptiste par la main. Elle avait emprunté une robe à Rosalie sous le prétexte d'aller vendre des rubans avec Amédée, et, munie d'un petit panier, elle se tenait là, respectueusement, la tête baissée, craignant que la religieuse ne lût sur son visage l'émotion qui bouillait en elle.

– Adèle est lingère chez nous. Madame l'envoie pour faire des habits à Jean-Baptiste.

– Je reconnais la générosité de madame Bonaventure. Tu

lui diras qu'elle tombe à pic ! Ce jeune homme va faire sa première communion la semaine prochaine...

Elle caressa la tête de Jean-Baptiste :

– Appelez-moi quand vous aurez fini, que je vous ouvre la porte...

Elle s'éloigna, et Adèle sentit son cœur battre plus fort encore. Elle se baissa de façon à se trouver à la hauteur de son fils.

– Comment tu t'appelles ? demanda-t-il.

Elle crut qu'elle ne pourrait jamais parler.

– Je m'appelle... maman, murmura-t-elle d'une voix rauque.

Jean-Baptiste se jeta alors dans ses bras. Elle sentit là, tout contre le sien, le corps de son enfant. Elle l'étreignit en retenant ses larmes. Amédée intervint :

– Il ne faut le dire à personne, Jean-Baptiste. C'est très important. Personne ne doit savoir qu'Adèle est ta maman.

– Pourquoi ? demanda l'enfant.

– Parce qu'on ne pourrait plus jamais se voir. Tu comprends ?

Jean-Baptiste hocha gravement la tête. Ce qu'il avait compris, c'était que sa mère avait mis six années à venir le voir. Il y avait forcément une raison importante à cela. Il ne dirait rien. Amédée redoutait le retour imminent de sœur Agnès.

– La sœur ne va pas tarder. Dépêche-toi, dit-il à Adèle.

Elle s'empressa de sortir une ficelle de son panier et s'appliqua à prendre les mesures du petit Jean-Baptiste. Elle avait terminé. Sœur Agnès revenait.

CHAPITRE 17

Six années encore s'écoulèrent, sans grand changement à l'habitation et dans le reste de l'île. Théophile, privé de secrétaire, avait pris l'habitude d'effectuer lui-même les comptes, moyen efficace de surveiller les dépenses de sa femme. Olympe continuait à jouer, et il ne l'en empêchait pas ; c'était son seul plaisir, c'était son seul refuge. Constance était devenue une ravissante petite fille, qui passait bien plus de temps auprès de Rosalie, Man Josèph et Amédée qu'auprès de ses parents. Son père cependant prenait parfois plaisir à s'occuper d'elle, lui apprenait à lire, à écrire et à monter à cheval. Il fut convenu qu'un précepteur viendrait une fois par semaine pour parfaire son éducation. Rosalie avait auprès d'elle bien plus qu'un rôle privilégié : Constance était l'enfant qu'elle n'avait pas eu... Amédée et Rosalie filaient le parfait amour. La jambe gauche de Man Josèph ne la faisait plus souffrir. Tout à fait installée dans sa place de cocotte, Adèle se rendait en cachette au couvent chaque dimanche : les instants volés qu'elle passait avec son fils étaient devenus sa grande préoccupation.

Un dimanche du mois de mai 1802, le vent tourna. Ce jour-là, Adèle se trouvait au couvent en compagnie de son fils qui venait de fêter son douzième anniversaire, et elle prenait de nouveau ses mesures pour lui confectionner un pantalon, attristée par la pauvreté de ses vêtements. Les siens en revanche étaient d'une autre qualité : elle portait une robe simple mais seyante, non pas taillée dans la toile grossière à laquelle elle avait été habituée si longtemps, mais dans un coton léger. Elle avait terminé, elle se releva.

– Au revoir, chéri mwen. Sois sage. Quand je reviendrai, tu auras un beau pantalon neuf... dit-elle avec un sourire.

Elle embrassa son fils et s'éloigna avec sœur Agnès qui l'attendait pour la raccompagner. Mais quand la religieuse ouvrit la porte du couvent, elles entendirent une clameur qui provenait de Saint-Pierre. Dans une des rues principales, des gens couraient, en proie à une agitation inaccoutumée. Des soldats français en rangs marchaient dans la rue. En s'avançant un peu en direction du port, Adèle et la religieuse aperçurent le drapeau anglais qui descendait du mât. Quelques minutes plus tard, on y hissait le drapeau français. Adèle salua la sœur et rentra rapidement à l'habitation.

Théophile n'y était pas. Il était à Saint-Pierre, où il venait d'apprendre que la Martinique redevenait française, et il marchait d'un pas énergique vers le palais du général anglais qui avait succédé à Gauty. Il s'y présenta alors que des hommes chargeaient des malles dans une voiture postée à l'extérieur.

Il ne trouva personne pour le faire annoncer, et il débeula directement dans le cabinet, où le général s'entretenait avec le colonel que Théophile connaissait bien. On vidait la pièce, on emplissait des malles, on emportait des colis.

Les deux hommes s'interrompirent. Théophile salua le général :

– Milord !

– Que se passe-t-il, monsieur Bonaventure ? demanda le colonel, craignant que Théophile n'importunât son supérieur.

– J'apprends que Bonaparte a signé un traité avec vous !

– En effet, un traité à Amiens, mon cher ! Signé en mars dernier. Nous gardons nos établissements d'Égypte, l'île de Ceylan et Trinidad. En échange, nous rendons la Martinique.

C'était donc vrai. Théophile mit quelque temps à avaler la nouvelle qu'on lui confirmait, tandis que le colonel se penchait vers le général pour lui traduire, à voix basse, la raison de cette visite impromptue. Le général glissa quelques mots à l'oreille de son compatriote, sans se départir de l'air hautain avec lequel il examinait le planteur.

– Le général Winston vous offre la protection de la couronne britannique. Vous pouvez partir avec nous si vous le désirez !

– Quitter ma plantation ? Abandonner tout ce que j'ai à ces salopards de bonapartistes ! Jamais !

– Bonaparte a la réputation d'être rancunier. Vous allez avoir des ennuis.

– Il ne peut pas se mettre à dos tous les Blancs de Martinique ! Le prochain gouverneur sera obligé de négocier avec nous...

Il furent interrompus par l'arrivée solennelle d'un soldat anglais qui apportait le drapeau plié avec soin. L'homme salua au garde-à-vous avant de se retirer, tandis que le général remettait le drapeau au colonel qui s'appliqua à le ranger dans une boîte ornée d'une couronne. Ils étaient prêts à partir.

Le général avait déjà quitté les lieux sans avoir pris la peine de saluer Théophile.

– Adieu, monsieur Bonaventure. Bon courage ! lança le colonel en passant devant celui-ci.

Théophile resta un long moment seul dans le lieu désert, maudissant les Anglais et se reprochant ses marques d'amitié. Mais il n'était pas question de s'avouer vaincu. Il quitta le palais et se rendit au Cercle des planteurs.

L'ambiance y était animée. La grande pièce du rez-de-chaussée avait été décorée de cocardes tricolores, et La Rivière était en train d'accrocher au mur un portrait de Bonaparte. Sainte-Colombe était présent lui aussi. Dès que le portrait fut accroché, La Rivière leva son verre dans sa direction :

– Au Premier Consul !

Tous les planteurs l'imitèrent en levant leur verre.

Théophile venait d'entrer et les observait, qui lui tournaient tous le dos, le bras levé, portant leur toast.

– Bande de lâches ! Vous vous couchez déjà ?

Les planteurs se retournèrent, à l'exception d'un homme, au fond de la pièce, qui ne bougea pas.

– Tas de bouffons ! poursuivit Théophile. Vous trouvez qu'il y a de quoi se réjouir ?

– Et pourquoi pas ? Bonaparte a rétabli l'esclavage !

Théophile connaissait cette voix : c'était celle de La Rivière.

– Regarde le résultat ! En Guadeloupe, les nègres refusent de redevenir esclaves ! En Martinique, grâce aux Anglais, nous avons maintenu la paix !

– Mais Bonaparte va rétablir l'ordre en Guadeloupe comme à Saint-Domingue ! s'écria La Rivière.

– Il n'y arrivera pas ! dit Théophile en avançant dans la pièce, au milieu des hommes qui s'écartaient sur son passage. Les nègres ont connu la liberté, ils n'y renonceront pas pour faire plaisir au Consul. Avec ce foutu nègre de colonel Delgrès à leur tête, ils iront jusqu'au bout, je te le garantis ! ajouta-t-il en s'arrêtant face à La Rivière et en le défiant du regard.

– Le colonel Delgrès est mort !

C'était Sainte-Colombe qui était intervenu. Tous le regardèrent avec inquiétude. Il poursuivit, ravi de son petit effet :

– Il s'est suicidé hier avec ses troupes.

– Suicidé ? demanda La Rivière, sidéré.

– Il a préféré se faire sauter avec ses hommes plutôt que de se rendre. Un sacré bonhomme, tout de même ! dit Sainte-Colombe d'un trait, content de lui.

On se taisait toujours, abasourdi par la nouvelle, mais tous savaient que Sainte-Colombe tenait ses informations de source sûre.

– Eh bien, dans ce cas, la révolte des Noirs de Guadeloupe est vaincue ! reprit triomphalement La Rivière, ravi que Sainte-Colombe ait apporté de l'eau à son moulin.

Ce fut son tour de s'avancer face à Théophile et de le toiser. Il poursuivit :

– Le venin qui se propageait jusqu'ici, en Martinique, va cesser de pourrir la tête de nos nègres.

Il se retourna vers le portrait, leva son verre dans sa direction.

– Mes amis, je propose un toast à la paix !

Théophile n'avait pas bougé. Il regardait maintenant d'un air méprisant ces hommes qui n'avaient jamais eu le courage de leurs opinions. Ils saluaient l'avènement du premier consul comme ils avaient salué les Anglais. Il allait tourner les talons, mais il reprit la parole :

– Les nègres ont plus de courage que vous ! Le nouveau gouverneur ne gobera jamais vos serments de fidélité au consul ! Tout le monde va avoir des comptes à rendre !

Il allait partir pour de bon quand l'homme qui était demeuré le dos tourné à son arrivée lui fit face. C'était Gauty, Gauty avec sa silhouette corpulente, Gauty que Théophile avait fait destituer, Gauty qui le toisait de ses petits yeux dans lesquels brillait l'éclat des grands jours, Gauty qui souriait avec ruse. Gauty qui s'était dit républicain, avait affranchi des esclaves, et qui ressurgissait ici alors que Bonaparte venait de rétablir l'esclavage...

– Pas tout le monde, Bonaventure. Seulement vous... dit Gauty.

Théophile fixa La Rivière dans l'attente d'une explication. Celui-ci secouait la tête, faussement navré :

– Je t'avais prévenu, Théophile...

Bonaventure n'eut pas le temps de s'enfuir. Des soldats français entraient dans la salle. Que pouvait-il faire d'autre qu'attendre ? Attendre que les soldats lui lient les mains et le poussent dehors, vers la prison. Gauty s'était approché mais ne trouvait pas utile d'ajouter quoi que ce soit. Les deux hommes restèrent un instant face à face, muets l'un et l'autre.

À l'extérieur, un détachement de soldats stationnait, et leur présence avait attiré de nombreux badauds devant la porte de l'hôtel particulier. Un peu à l'écart, Amédée tenait son âne par la bride.

On fit sortir Théophile, les mains liées, encadré par deux soldats. Gauty apparut à ses côtés. Il adressa un signe à la foule, et le silence se fit.

– Théophile Bonaventure, par ordre du consul Bonaparte, vous êtes accusé de haute trahison. Je vous arrête.

Théophile se tourna vers lui :

– Tu jouis, hein, espèce de fumier ?

– Mettez-le aux fers ! ordonna Gauty.

Les soldats entraînaient Théophile, quand celui-ci aperçut Amédée qui avait attaché son âne et s'était avancé de façon à se trouver au premier rang des badauds.

– Amédée ! Dis à ma femme de m'attendre pour le dîner ! Le gouverneur ne me retiendra pas longtemps !

La réflexion laissa Amédée pantois. Il renonça à aller travailler ; il fallait rentrer au plus vite.

Deux heures plus tard, il arrivait à l'habitation. La Rivière y était déjà. Il n'avait pas perdu une minute, et Amédée ne comprit que trop bien la raison de sa visite. Ainsi profitait-il de l'arrestation de Théophile pour venir réclamer à Olympe l'argent de ses dettes de jeu ?

Amédée ne se trompait pas. Il envoya Rosalie servir des rafraîchissements au salon pour savoir de quoi il retournait exactement. Celle-ci, tout en s'affairant, suivait avec attention la conversation entre Olympe et La Rivière. On arriva au cœur du sujet. La Rivière n'y alla pas par quatre chemins.

– Olympe, je suis vraiment navré d'aborder le sujet en des circonstances aussi éprouvantes, mais les choses risquent d'aller mal pour moi aussi... Théophile a bien dû vous laisser de l'argent...

Olympe n'avait pas l'air de comprendre la gravité de la situation, elle virevoltait dans une magnifique robe de soie bleue, plus désinvolte que jamais, ne semblant pas affectée

par l'arrestation de son mari. Elle ne voyait pas non plus que
La Rivière était sérieux.

– Pas un sou ! répondit-elle d'un ton léger. Je vous assure,
mon cher, je vous réglerais si je le pouvais, mais nous n'avons
eu aucune rentrée d'argent récemment !

– Chère amie, je vois que vous ne comprenez pas bien...

– Je peux vous signer une reconnaissance de dettes en
bonne et due forme, proposa Olympe avec le même air
dégagé.

– Une de plus, vous voulez dire ? J'en ai déjà trois ou
quatre. Allons, soyons sérieux. Vous avez sûrement des
bijoux...

Pour toute réponse, Olympe s'approcha d'un buffet, ouvrit
un tiroir, en sortit une bourse qu'elle tendit à La Rivière. Il
la prit mais ne l'ouvrit pas tout de suite – elle était bien peu
garnie. Il demeura silencieux, suivit des yeux Olympe qui
s'était approchée des fenêtres, le regard fixé sur la grande
allée menant aux champs de canne.

– Je les ai tous vendus ! Où croyez-vous que je trouve
l'argent pour jouer ? Cela fait des années que Théophile surveille mes dépenses. Il a bien fallu que je me débrouille...

La Rivière en fut réduit à ouvrir la bourse quasi vide, en
sortit quelques pièces d'or et secoua la tête.

– Mais il n'y a rien là-dedans !

– Je sais bien ! Que voulez-vous que j'y fasse ? dit-elle en
se retournant.

Il la toisa, furieux cette fois :

– Il vous reste quelques atouts...

Il ne se hasardait pas, sachant parfaitement où il voulait en
venir.

– Comment ? dit-elle en riant. Vous voudriez que je
devienne votre maîtresse ?

Il éclata de rire à son tour :

– Vous vous flattez, ma chère. Pour mille cinq cents francs
or, je suis un peu plus exigeant.

Olympe ne riait plus. Ce n'était pas seulement son orgueil

qui était blessé, elle ne supportait pas la vulgarité de son inter-
locuteur, et elle se demanda comment elle avait pu tolérer sa
présence, toutes ces années.

Rosalie, sagement postée près de la porte, la tête baissée,
avait écouté. Elle quitta discrètement la pièce.

Dans la cuisine, Adèle, Man Josèph et Amédée commen-
taient les événements :

– Je lui ai toujours dit que les planteurs n'étaient pas ses
amis. Ils se sont servis de lui, et maintenant, ils ne le connais-
sent plus ! disait Amédée.

– Gueule fardée est arrivé comme un chien galeux. Il veut
que la Ti-béké-a lui donne son argent, ajouta Adèle.

– Il peut bien demander tout ce qu'il veut. Il n'y en a plus,
d'argent.

Rosalie fit irruption dans la cuisine :

– La Ti-béké-a va nous vendre à Gueule fardée !

Une demi-heure plus tard, les esclaves étaient rassemblés
dans la cour, dans un silence total. Jacquier paraissait extrêmement nerveux, regardant tour à tour La Rivière et Olympe,
se demandant comment empêcher ce qui allait se passer.

Ignorant le commandeur, La Rivière adressa un signe de
tête à un esclave muni d'un tambour. Les premiers coups
résonnèrent lentement, tandis que le planteur se mettait à marcher à pas mesurés au milieu du groupe, prenant soin d'examiner les esclaves avec la plus grande attention.

Amédée, qui ne faisait plus partie des esclaves domestiques, se retrouvait parmi les esclaves de jardin. Debout sur la
véranda avec Man Josèph, Adèle tenait la petite Constance
par la main. Rosalie abritait avec l'ombrelle ordinaire
Olympe, qui, l'air excédé, suivait les déambulations de La
Rivière.

Constance ne comprenait rien au spectacle qui se déroulait
sous ses yeux.

– Pourquoi il prend les gens comme ça, le monsieur ?
demanda-t-elle à Man Josèph à mi-voix.

– Parce qu'on lui doit de l'argent, répondit Man Josèph.

– Mais ce sont des gens ! s'exclama l'enfant en haussant le ton.

Tous l'avaient entendue. Olympe dit avec impatience :

– Ce ne sont pas « des gens », ce sont des nègres, ma chérie !

– Mais Rosalie, c'est pas une nègre, tu ne vas pas la donner... poursuivit Constance, anxieuse.

La Rivière revint à la véranda, apparemment agacé :

– Vous trouvez vraiment que c'est la place d'une enfant ?

– Retourne dans la maison, dit Olympe à sa fille. Je te promets qu'on ne vendra pas Rosalie...

Elle fit signe à Rosalie de rentrer, elle aussi.

La Rivière retourna faire son choix, continuant d'observer calmement les hommes et les femmes. Lorsqu'il adressait à l'un ou à l'une un petit signe de tête, c'était qu'il l'avait désigné, qu'il ou elle devait quitter le centre de la cour pour se mettre à l'écart. Jacquier assistait impuissant au rachat, suivant des yeux chaque esclave choisi. Adèle regarda anxieusement La Rivière passer devant Amédée. Son regard s'attarda sur lui, il sembla hésiter. Amédée lui adressa un sourire, puis se gratta ostensiblement la tête avec son moignon. La Rivière renonça. Profitant de ce qu'il avait le dos tourné, Amédée adressa à Adèle un sourire victorieux qu'Olympe ne manqua pas de remarquer. Cette dernière s'approcha de La Rivière pour lui parler à voix basse, désignant de la main Adèle sur la véranda :

– Prenez donc celle-là, vous me débarrasserez...

– Mais c'est... commença La Rivière.

– Je sais qui c'est, dit Olympe sur un ton cassant. Il paraît qu'elle a beaucoup de talents... Si on aime les négresses, naturellement.

Amédée avait entendu. Il sortit aussitôt du rang et s'avança vers La Rivière :

– Si je peux me permettre, monsieur, vous ne pouvez pas prendre la cocotte du maître...

L'intervention d'Amédée joua contre Adèle. Il venait de blesser La Rivière dans son orgueil.

– Et qui va m'en empêcher ? Toi ?

– Le maître sera enragé contre vous.

– Les colères de Théophile impressionnent beaucoup les esclaves, dit Olympe sur un ton ironique.

La Rivière eut l'air de réfléchir.

– Nous aurions tous préféré faire autrement ! Mais vous avez raison, cette fille vaut cher, elle épongera à elle seule une bonne partie de votre dette...

– Eh bien, voilà, le compte y est ! s'exclama Olympe d'un air ravi.

Jacquier ne bougeait pas et la regardait. Elle se tourna vers lui :

– Eh bien, Jacquier ? Qu'est-ce que vous attendez ? Mettez-la avec les autres !

Elle se tourna vers La Rivière :

– Ils ont peur de Théophile, mais quand il sortira de prison, il aura bien d'autres choses en tête, croyez-moi...

Adèle n'avait rien entendu de cette conversation. Cependant, en voyant Olympe la désigner, Jacquier venir vers elle et Amédée baisser la tête, elle comprit. Son visage eut une expression d'épouvante, puis elle se tourna vers la rue Cases-nègres. Elle avait lâché la main de Constance, sauté les marches de la véranda sans s'en rendre compte. Elle courait à toutes jambes. Il fallait courir ; elle pensa à Koyaba, au jour où il s'était enfui. Elle entendit un piétinement de bottes et sentit la présence d'un homme derrière elle qui la rattrapait rapidement. C'était Jacquier qui la ceinturait pour la ramener.

– Par pitié, laisse-moi partir !

– Je ne peux pas. Pardon !

Ce fut alors qu'elle eut une idée – la seule façon de s'en sortir :

– Prends mes bijoux sous la croix. Rachète-moi à Gueule fardée !

Jacquier fit un signe d'assentiment. Adèle se laissa conduire jusqu'au petit groupe d'hommes et de femmes vendus, surveillé par trois esclaves désignés par Jacquier. Puis, tandis que les autres regagnaient leurs cases, et qu'Olympe entrait avec La Rivière et Amédée dans la Grande Case, Jacquier alla au plus vite à la tombe de Manon, fouilla la terre au pied de la croix. Il trouva la noix de coco qui contenait les bijoux...

Dans le cabinet de travail de Théophile, Olympe et La Rivière finissaient d'établir l'acte de vente. Amédée, attablé au bureau, écrivait de la main gauche.

— Tâche de t'appliquer, Amédée, lui dit Olympe.

Elle se tourna vers La Rivière :

— L'Indien ne sait pas écrire et le jeune comptable est mort. Je n'ai plus que lui pour rédiger. Marque encore, dit-elle en se retournant vers Amédée : « Saturnin, nègre créole ». Il est magnifique, celui-ci, vous avez bien choisi. Quel âge a-t-il ? demanda-t-elle à Amédée.

La Rivière ne le laissa pas répondre :

— Au moins vingt-huit ou trente ans.

— Comment ? s'exclama Olympe. Saturnin, trente ans ?

Elle partit d'un grand éclat de rire :

— Dans ce cas, j'en ai quarante !

— Si vous le dites, dit La Rivière, pas mécontent de son tac au tac.

Le sourire d'Olympe disparut. Elle en avait assez d'être malmenée, elle voulait en finir.

— Ne soyez pas goujat. C'est inutile, je vous assure !

Elle s'approcha d'Amédée :

— Ensuite... Byzance. Il n'est pas jeune, mais il sait faire plein de choses, ça m'ennuie beaucoup de le vendre...

— Six cents francs ! lança La Rivière.

— Sept cents ! renchérit Olympe en souriant. Je connais les prix. Note bien, Amédée : sept cents. Bon, qu'est-ce qui nous reste ? Évidemment, Adèle, négresse créole...

Amédée s'était arrêté d'écrire. Il releva la tête et regarda Olympe fixement. La Rivière attendait, apparemment curieux de connaître l'âge d'Adèle. Amédée ne disait mot.

– Eh bien ? demanda-t-il, impatient. Elle a quel âge, ta fille ?

– Vous ne pouvez pas faire ça, maîtresse, déclara Amédée d'une voix sourde.

D'où lui venait le droit d'intervenir ? Sans doute n'avait-il pas bien compris que c'était elle seule qui décidait maintenant. Elle lui arracha la feuille des mains, saisit la plume qu'il avait posée et se mit à compléter rageusement.

– Oh si, je vais le faire ! C'est moi qui commande maintenant... Crois-moi, vous allez regretter Théophile !

Elle griffonna ensuite sa signature au bas de la feuille, tandis que La Rivière se contentait d'éclater du même rire qui l'avait exaspérée tout à l'heure. Amédée avait baissé la tête. C'était fini. Sa fille était vendue, vendue à un homme méprisable. Qu'allait-elle devenir ? Olympe et La Rivière ne s'embarrassèrent guère de sa détresse, et ils quittèrent aussitôt la pièce pour rejoindre le groupe d'esclaves vendus, maintenant sous la garde d'Albert, le commandeur de La Rivière. Adèle était parmi eux, et cherchait désespérément des yeux Jacquier qui n'arrivait pas. Elle remarqua que son père n'était pas là, pas plus que Man Josèph et Rosalie. Aucun d'eux ne voulait donc assister à ce qui se passait.

Sur la véranda, Olympe tendit enfin l'acte de vente.

– Voici votre papier, mon cher. Vous m'escroquez, mais je n'y peux rien...

La Rivière s'inclina pour la saluer, sans lui prendre la main pour la baiser comme il avait l'habitude de le faire. D'ailleurs, elle ne la lui avait pas offerte.

– À bientôt, chère amie. Vous ne m'en voulez pas trop, j'espère...

– Bien moins depuis que vous avez pris cette négresse. Je la hais à un point que vous n'imaginez pas...

Il s'était approché de sa monture amenée par un esclave et l'enfourchait déjà.

– Je vous ferai parvenir des nouvelles de Théophile ! cria-t-il avant de partir.

La remarque la fit se retourner.

– Prenez votre temps. Rien ne presse.

La Rivière ne put s'empêcher de considérer Olympe un instant en silence, stupéfait de son cynisme. Son air ahuri déclencha en retour un léger rire. Puis elle retrouva son sérieux :

– Ne me dites pas que je vous choque ! Vous venez d'acheter sa maîtresse, c'est tout de même plus grave !

Elle rentrait quand elle l'entendit lui crier :

– C'était uniquement pour vous rendre service !

Sur le seuil de la porte du salon, elle se retourna encore une fois. Ils n'en finiraient donc jamais de chercher chacun à avoir le dernier mot, comme pour faire retomber la responsabilité d'une faute sur l'autre.

– Quel hypocrite vous faites !

Il donna le signal du départ et le cortège s'ébranla lentement, le cheval de La Rivière en tête, celui de son commandeur à l'arrière.

Adèle, les pieds et les mains liés, marchait avec les autres, mais elle ne cessait de regarder derrière elle, vers la Grande Case, dans l'espoir d'apercevoir Jacquier venant à son secours. Le seul regard qu'elle croisa fut celui d'Olympe, encore postée devant la porte du salon, qui la regardait avec un demi-sourire aux lèvres et leva même la main pour un petit signe d'adieu.

Jacquier n'était pas stupide. Jamais il n'aurait racheté Adèle à La Rivière sous les yeux d'Olympe. Elle s'en serait mêlée, aurait prétexté que les bijoux étaient à elle, n'aurait pas hésité à accuser la favorite de vol. Non. C'était seul à seul qu'il fallait traiter avec le planteur.

À cheval à l'orée de la forêt, immobile, Jacquier attendit que le cortège se fût un peu éloigné pour le rejoindre au galop, puis il chevaucha un instant au côté de La Rivière.

– On doit parler, monsieur...

– Mazette, Dents serrées qui se décoince ! Qu'est-ce que tu veux, l'Indien ?

Jacquier sortit de la poche de son pantalon les bijoux enveloppés dans un morceau de tissu et les montra à La Rivière.

– Je veux racheter la fille.

La Rivière partit d'un grand éclat de rire, prit cependant les bijoux en main.

– Eh bien, j'aurai tout vu ! L'Indien qui veut se payer la négresse du maître ! Tu as du culot, mon gaillard !

Ils chevauchaient en avant, si bien qu'Adèle pouvait les observer. Son regard allait de l'un à l'autre, elle essayait de croire au marchandage.

– Ce n'est pas pour moi que je la rachète.

– Tiens donc ! Et tu veux me faire avaler ça !

Son ton s'était durci.

– Eh bien, tu vois, je ne ferai pas une chose pareille à un ami ! Il ne mérite quand même pas ça !

Et il lui jeta les bijoux à la figure.

– Garde-les pour t'acheter une autre femme ! Et vise un peu moins haut la prochaine fois !

Jacquier avait arrêté son cheval. Adèle passait maintenant devant lui. Elle lui jeta un regard désespéré. L'Indien regardait la troupe qui s'éloignait, remâchant sa rage impuissante.

Adèle n'avait donc plus que la solution de s'enfuir de chez La Rivière, comme Koyaba s'était enfui de chez Théophile.

Une demi-heure plus tard, elle crut devenir folle quand elle devina où ils allaient. La Rivière n'empruntait pas du tout le chemin qui menait à son habitation, ils avaient dépassé le carrefour. C'était donc à Saint-Pierre qu'on les emmenait. À Saint-Pierre où le planteur allait les revendre ? Comment Adèle avait-elle pu penser qu'il garderait pour lui les esclaves de Théophile ? Un instant, elle crut perdre tout espoir. Elle serait vendue à un béké inconnu, emmenée peut-être à l'autre bout de l'île ! Elle pensa à son père et à son enfant. Elle eut envie de crier sa haine. À quoi cela servirait-il ? Elle redressa la tête, son orgueil ne l'avait pas encore abandonnée.

La grande halle à proximité du port où s'effectuait la majorité des ventes d'esclaves, Adèle ne la connaissait pas. Presque tous les esclaves achetés ou rachetés par La Rivière avaient eu le malheur de la connaître, eux, d'y avoir passé un moment court mais suffisamment douloureux pour ne jamais vouloir y retourner. Ils savaient ce qui les y attendait : être traités comme du bétail, du sucre ou du cacao, être humiliés par des Blancs qui vous ouvraient la bouche pour voir l'état de votre dentition et vous tâtaient les bras pour évaluer votre musculature. Étiez-vous suffisamment fort pour passer le restant de votre vie à couper la canne ou à transporter sac après sac ? Savoir que l'avenir ne vous réserverait jamais rien d'autre, préférer mourir en rêvant de rejoindre votre Afrique natale. Revenir à la halle, c'était se souvenir de nouveau d'une autre vie, une vie heureuse et familiale. Y revenir, c'était raviver la souffrance et la honte, être de nouveau confronté aux démons blancs qui allaient vous échanger contre quelques poignées de pièces d'or.

Mais les esclaves de Théophile furent surpris : rien à voir avec l'atmosphère qu'ils avaient connue. La salle était presque vide, non pas de Blancs, mais d'esclaves. Trois petits groupes seulement dans le vaste espace où des centaines d'Africains s'entassaient, jadis. Les esclaves comprirent la raison de l'accueil chaleureux réservé à La Rivière : on le saluait, on le félicitait d'arriver avec une marchandise devenue rare. Il n'avait pas été nécessaire d'annoncer la vente plusieurs jours à l'avance. Le bouche à oreille avait bien fonctionné, et les quelques planteurs présents furent bientôt rejoints par d'autres négociants. Adèle et les autres réalisaient qu'en pleine pénurie ils valaient beaucoup d'argent. La Rivière avait fait une bonne affaire.

Deux heures plus tard, presque tout le beau monde pierrotin était réuni dans la halle. On s'activait pour servir des rafraîchissements et du rhum, la bonne humeur régnait. Il n'y avait pourtant là que peu d'esclaves à acheter, mais le bruit avait couru que c'était ceux de Bonaventure et on savait qu'ils étaient en bon état.

Mauduit, chargé de la vente, les avait fait monter sur une estrade de bois afin de mieux les présenter aux clients qui passaient, en buvant et en bavardant. Il n'avait pas cru utile de les attacher, mais n'avait pas pris le risque de détacher cette Adèle qui ne pensait qu'à s'enfuir. À l'exception de cette dernière, tous avaient le regard éteint ou craintif. Elle arborait par contraste un visage fier, et défiait l'assemblée du regard. Cela n'échappa à personne. Sainte-Colombe qui venait d'arriver se penchait justement vers La Rivière :

— Ce n'est pas la cocotte de Bonaventure, celle-là ?

— Si ! Mais il est toujours en prison et sa femme s'est fait un plaisir de me la vendre. Vous la voulez ?

— Une femme ? Ah, mon cher, j'en ai toujours trop, des femmes. Il regardait autour de lui. Ce sont les hommes qui manquent...

La Rivière se mit à toussoter à cette remarque ambiguë.

— Il y a de moins en moins de marchandise, c'est vrai ! dit-il pour masquer sa gêne.

Ils s'interrompirent pour écouter Mauduit vanter les qualités de la marchandise auprès de nouveaux arrivants, dont beaucoup ne quittaient pas Adèle des yeux :

— Une beauté exceptionnelle, monsieur, regardez ça. Bonne pour le lit, bonne pour la reproduction, jeune, solide, saine ! Et créole ! Éduquée sur une habitation, sachant s'occuper du linge, coudre... Mise à prix : mille francs or !

— Plus cinquante ! cria un planteur.

— Plus cent ! renchérit un autre.

Adèle les regardait avec dédain et elle cracha par terre dans leur direction.

– Plus deux cents pour son caractère ! reprit le premier planteur.

La remarque fut accueillie par un éclat de rire général.

Adèle les regardait, plus enragée que jamais, tandis que les autres esclaves, abattus, craignaient que son attitude ouvertement combative ne joue contre eux. Sa présence sur l'estrade avait créé un petit événement, et les planteurs ne s'y pressaient pas seulement amusés ; ils étaient maintenant surexcités et continuaient de faire monter les enchères, que Mauduit recevait avec une satisfaction non dissimulée, sans se départir cependant d'un peu d'inquiétude.

– Mille deux cents ? Mille deux cents pour Monsieur ! Mille deux cents, qui dit mieux ? Mille trois cents ! Mille trois cents, messieurs...

Il était en nage et s'interrompit pour saisir un verre d'eau sur un plateau. Il était surtout dépassé par la tournure que prenaient les événements, et inquiet à l'idée que Bonaventure n'apprenne la façon dont s'était déroulée la vente de celle que tous ici considéraient comme sa cocotte. Il ne se souvenait que trop bien du coup de poing décoché par Théophile le jour où il lui avait annoncé un retard dans le paiement d'une de ses cargaisons de sucre. Il but, s'épongea le front, puis se pencha vers La Rivière qui se tenait à droite de l'estrade.

– J'espère que vous savez ce que vous faites ! Bonaventure est capable de nous tuer !

– J'ai le titre de propriété, Mauduit. Bonaventure est en prison et cette fille m'appartient !

Mauduit n'était pas convaincu, mais c'était de toute façon trop tard. Il s'épongea à nouveau le front, remonta son large pantalon comme pour se donner du courage avant de reprendre le combat. Sa veste à carreaux, trop large elle aussi, la cocarde tricolore qui y était épinglée et la grosse bague qu'il portait à la main droite lui donnaient l'air d'être déguisé. Le bougre en avait pourtant connu d'autres, il n'avait pas la réputation d'être tendre en affaires.

– Mille trois cents... qui dit mieux ? Mille quatre cents ! Mille quatre cents à ma droite...

Il s'était tourné vers ce côté de la salle, mais sentit qu'à sa gauche on lui tapotait l'épaule. Il n'eut que le temps de se retourner et prit en pleine figure le coup de poing qu'il redoutait. Il s'écroula sur l'estrade, tandis que Théophile s'acharnait sur lui. La Rivière s'était précipité et essayait en vain d'arracher sa victime à Bonaventure. Celui-ci n'abandonna Mauduit que pour se retourner et frapper de la même façon La Rivière. Puis il s'approcha de lui, les traits crispés, écumant de rage.

– Alors, fumier, tu croyais qu'on allait m'envoyer aux galères ?

La Rivière brandit son titre de propriété.

– Je suis dans mon droit, figure-toi ! Ce sont les dettes de jeu de ta femme !

Théophile lui arracha la feuille de papier et la déchira, sans même prendre la peine d'y jeter un œil.

– Je me fous de ma femme ! hurla-t-il, le bras tendu dans la direction d'Adèle. Regardez-la bien ! Elle est à moi ! La prochaine fois, vérifiez que je suis bien mort avant de commencer les enchères !

Il s'approcha d'elle pour la libérer brutalement de ses liens avant de les jeter à terre. Il lui prit la main, et c'est ensemble qu'ils traversèrent la halle, presque en courant, comme deux voleurs en fuite. Avant de sortir, il fit pourtant halte sur le seuil de la porte, et cria à l'attention de La Rivière :

– Ne t'avise pas de remettre les pieds chez moi ! Ni toi ni aucun de ces minables ! Allez lécher le cul du consul ! Il paraît qu'il adore ça !

Sa sortie laissa l'assemblée médusée. Sa violence n'avait laissé à personne la latitude d'intervenir. Alors seulement on s'approcha de Mauduit pour venir à son secours. Il ne s'était pas relevé, il était vilainement meurtri. On le nettoya, on appliqua de l'eau froide sur les hématomes, il reprit peu à peu connaissance. Quant à La Rivière, il avait le nez en sang, et se retrouvait avec dix esclaves sur le dos, un titre de propriété

en miettes et donc l'obligation de les rendre à leur propriétaire. Sainte-Colombe lui conseilla de les faire ramener par
son commandeur.

À l'extérieur, le cheval de Théophile attendait. Que faire
d'Adèle maintenant, dans l'état où elle était ? La faire rentrer
à pied ? Elle tremblait encore d'humiliation, et Théophile crut
même voir une larme perler dans ses yeux. Il se sentit tout à
coup mal à l'aise. Alors il s'approcha et lui demanda doucement :
– Ils ne t'ont pas fait de mal ?
Elle fit signe que non, et, dans un élan involontaire, elle
s'élança vers lui et se mit à sangloter contre son torse. Il lui
caressa gauchement les cheveux. Pour une fois, pour cette fois
seulement, elle lui était reconnaissante de son geste.
– Tu trembles, tu ne peux pas marcher. Tu vas monter
derrière moi, dit-il en s'écartant pour dissimuler son trouble.
Elle, monter à cheval ? Théophile enfourcha sa monture et
désigna à Adèle l'étrier où passer le pied gauche d'abord,
précisa-t-il. Elle se hissa derrière lui, ne sut trop quoi faire de
ses jambes et de ses bras, craignit de tomber. Un petit coup
de talon et le cheval se mit à trotter. Elle eut peur, attrapa
Théophile par la taille. Lui la sentait se cramponner à lui.
Cette femme, cette femme qu'il était venu chercher parce
qu'elle lui appartenait... Elle dut l'enlacer quand ils quittèrent
la ville et que Théophile lança le cheval au galop. Elle regarda
le soleil disparaître derrière la mer, se serra plus franchement
contre lui, puis finit par fermer les yeux. Ils regagnèrent
l'habitation dans la nuit tombante des mornes.

Constance se balançait tristement sur une escarpolette sus-
pendue à une branche, quand elle aperçut au loin, dans l'allée
qui venait des champs, le cheval qui arrivait au galop. Elle
connaissait cette allure puissante. C'était lui, c'était son père !
Elle courut à la Grande Case pour annoncer son retour, puis
s'élança à sa rencontre en ouvrant les bras.

– Papa ! C'est papa, c'est papa !

Elle courait vers son père de toute la force de ses jambes ;
lui modéra son cheval et attrapa sa fille au vol pour la mettre
devant lui.

Il arriva bientôt devant la Grande Case, tandis qu'Olympe
et Rosalie avaient fait leur apparition sur la véranda.

Olympe aperçut Adèle avant même de voir son mari. Elle
ne voyait qu'elle, à qui Théophile avait même tendu la main
pour l'aider à descendre de monture. Son visage se décomposa.

– Jésus Marie Joseph ! lui souffla Rosalie. Je vous avais
dit de ne pas la vendre ! Il y a longtemps qu'elle a son âme !

Par bonheur, Man Josèph et Jacquier avaient surgi à leur
tour, visiblement soulagés, non pas seulement de revoir Adèle
mais aussi de retrouver Théophile. Car c'était bien à lui
qu'était destinée l'exclamation de Man Josèph :

– Vous nous avez fait trop peur !

– Comment ça ? dit-il en riant. Vous me connaissez, non ?
On ne peut pas avoir ma peau si facilement !

Il jucha Constance sur ses épaules, tout en regardant sa
femme d'un air narquois, tandis que le petit groupe se resser-
rait pour faire bloc autour de lui.

– Comment ? Comment tu as fait ? balbutia Olympe en
essayant de retrouver sa contenance.

Elle paraissait si déconfite que Théophile éclata de nouveau
de rire :

– J'ai versé une coquette somme au gouverneur pour qu'il
me laisse libre en attendant mon jugement. Si j'avais su que
cela te ferait autant de peine, je l'aurais prié de me garder !

Les genoux d'Olympe chancelaient ; elle resta un instant
immobile à les regarder passer devant elle les uns après les
autres pour regagner la Grande Case. Elle surprit le regard
qu'échangèrent Adèle et Jacquier, se fit la réflexion qu'elle
était seule au monde, tourna la tête quand elle entendit Théophile s'adresser à Man Josèph :

– À partir de maintenant, Adèle mangera à la cuisine et dormira dans ma chambre.

Elle savait bien qu'Adèle dormait dans la chambre de Théophile depuis des mois. Mais il venait de faire un pas de plus : en prononçant ces mots de façon que tous les entendent, il officialisait la relation. Elle avait tout à l'heure vendu sa putain et ses esclaves avec un orgueil satisfait, elle venait d'être humiliée et de perdre son reste de crédit auprès de ceux dont elle croiserait chaque jour le regard. Elle fut tirée de ses réflexions par d'autres paroles, venant justement de la putain qui, à son tour, passait devant elle, épuisée, couverte de poussière, et qui murmura entre ses dents, avec un sourire menaçant :

– Mwen ké pijé-ou !

Olympe se tourna vers Rosalie, égarée :

– Qu'est-ce qu'elle a dit ?

– Elle a dit... « Bien le bonjour, maîtresse. »

Adèle avait dit : « J'aurai ta peau. » Mais à quoi bon s'acharner sur l'épouse vaincue ? pensait Rosalie en lui emboîtant le pas.

Une semaine plus tard eut lieu le jugement de Théophile.

Il se déroula chez le gouverneur, dans la salle du Conseil, en présence d'Olympe, qui avait insisté pour être présente, et de nombreux planteurs du Cercle, parmi lesquels Sainte-Colombe et La Rivière, satisfaits tous deux que justice soit faite.

Rosalie et Constance attendaient au jardin, où la petite fille se dégourdissait les jambes.

Le gouverneur venait de suspendre l'audience pour délibérer avec ses magistrats assesseurs, et le silence régnait dans la salle. Olympe restait de marbre, assise à l'écart, l'esprit occupé à rassembler ses souvenirs et ses espérances déchues ; les soldats postés devant la porte semblaient des statues. Restait l'étrange face-à-face entre Théophile et les autres planteurs, eux qui s'étaient rassis, lui choisissant de rester debout pendant la délibération, et n'hésitant pas à les dévisager les uns après les autres : leurs mines graves, leurs têtes baissées, leurs regards fuyants, les coups d'œil furtifs jetés au portrait de Bonaparte qui trônait en bonne place sur le mur du fond, leurs chuchotements... Il s'amusa du visage tuméfié de La Rivière, héritage du coup de poing de la semaine précédente. Et il continuait à les regarder, eux qui tout de même devaient se sentir gênés : ils avaient approuvé Louis XVI, certains d'entre eux la République, puis les Anglais ; ils acceptaient maintenant Bonaparte. Quel manque de tempérament ! Théophile payait pour ceux qui l'avaient applaudi et porté en triomphe quand il s'était agi de rechercher le secours des Anglais. Il se rendait compte que lui-même aimait autant et plus que l'argent son pouvoir sur ses esclaves, au fond sa seule famille, quand eux se pliaient sans honte à la puissance politique quelle qu'elle fût, pourvu qu'elle pérennisât leur situation et leur fortune.

Un valet en livrée fit son entrée dans la salle en annonçant solennellement :

– Monsieur le gouverneur de la Martinique !

On se leva. Gauty entra, suivi par les magistrats assesseurs, tenant à la main une feuille de papier roulée. Ils avancèrent jusqu'à la grande table de bois de l'estrade. Sur un signe du gouverneur, on se rassit, à l'exception de Théophile qui avait cette fois obligation de rester debout.

Le jugement fut rendu en quelques mots, le verdict tomba, lu par le gouverneur d'une voix sûre :

– Par la grâce du consul Bonaparte, le 10 thermidor de l'an VIII, eu égard à sa trahison vis-à-vis de la Nation française, eu égard à son alliance avec des puissances étrangères, nous déclarons que le sieur Théophile Bonaventure est condamné à une amende d'un million de livres, payable en annuités de cent mille livres par an.

Théophile avait bondi :

339

– Fumier ! Mon habitation rapporte à peine cette somme en un an ! Je suis ruiné !

Il y eut un murmure dans la salle, et puis un bourdonnement dans les oreilles de Théophile qui l'empêcha d'entendre une observation du gouverneur. Il ne croisa pas le regard de sa femme, pas plus que celui de La Rivière où brillait une petite lueur de satisfaction. Atterré, il ne fit que se tourner vers les fenêtres qui donnaient sur le jardin : Constance en tenue de ville arpentait la pelouse sous la surveillance de Rosalie qui la suivait et lui apprenait à tenir son ombrelle comme une dame. Il pensa qu'il n'aurait plus l'argent nécessaire aux honoraires du précepteur de sa fille, pas plus qu'il n'en aurait pour embaucher un nouveau secrétaire comme il en avait eu le projet.

Les hommes quittaient déjà la salle, alors qu'Olympe restait debout, immobile, les yeux fixés sur cet homme à qui elle était mariée, incapable cependant de le maudire en cet instant précis. Il était seul avec son désarroi, lui qui s'était toujours montré content de lui. Un homme ruiné qui n'était plus rien. Son père ne l'avait-il pas prévenue ? « Sans argent, avait dit monsieur de Rochant à sa fille, on n'est finalement pas grand-chose. » Mais Olympe voyait aussi ses parties de cartes à jamais envolées, et c'était à cela qu'elle songeait quand elle vit Théophile faire un geste lourd de sens : il retirait la perruque qu'il avait coiffée pour l'occasion, et la posait sur la petite table des accusés. Il capitulait.

CHAPITRE 18

Les sept années qui suivirent furent comme un mois de septembre éternel, avec des cyclones dévastateurs, des ouragans, de ces furieuses tempêtes qui laissent derrière elles un paysage désolé. Elles s'écoulèrent comme si l'hivernage n'avait pas de fin. Une entreprise de destruction semblait s'être mise en marche. Tout se détériora à l'habitation, comme une gangrène qui aurait rongé un corps malade. Même la parole était en faillite. La canne invincible semblait cependant dresser ses tiges comme pour faire un pied de nez à la mauvaise fée penchée sur un des berceaux de l'esclavage. Dans le corps palpitant subsistaient cependant des tressautements. À l'habitation, ces secousses étaient celles de la bataille que se livraient deux femmes, l'une noire, l'autre blanche.

Il faisait chaud en ce début d'année 1809. Un grincement perçait à intervalles réguliers le silence d'un milieu de journée de carême. Il provenait du hamac sur lequel Adèle était couchée, et se balançait à un rythme régulier. Revanche ostentatoire sur les tenues grises qu'elle avait portées pendant des années, elle était vêtue d'une robe d'un rouge éclatant. Elle s'ennuyait à mourir, morose, et se demandait à quoi elle allait bien pouvoir occuper le reste du jour.

Puis elle suivit des yeux Constance qui revenait du jardin. C'était maintenant une ravissante jeune fille de quinze ans,

341

aux cheveux blonds tombant sur ses épaules. Une chevelure dont elle a hérité de sa mère, pensa Adèle en la regardant passer, quoique la sienne fût ondulée et non pas raide comme celle d'Olympe. Adèle détailla encore la robe blanche qu'elle portait, sans crinoline ni jupon, et elle se demanda ce qui animait la jeune fille qui marchait d'un pas léger vers la Grande Case. Adèle se sentait quasiment incapable de bouger, et elle resta un moment sur le hamac, un genou replié, l'autre jambe pendant nonchalamment au-dehors. Enfin, elle se décida à descendre.

Au salon où entrait Constance, l'atmosphère n'avait plus rien de la fraîcheur passée. Tout y semblait fané, des couleurs des sièges et de l'or terni des cadres aux vases disposés aux mêmes endroits que jadis, mais vides. Il avait fallu vendre des meubles pour obtenir quelque argent, et leur absence avait fini de donner à la pièce un caractère d'abandon triste.

Dans un coin du salon, Olympe, assise devant une petite table de jeu qu'elle avait empêché qu'on emporte, en était réduite à s'occuper de nouveau en solitaire, enchaînant les patiences, agacée quand elle perdait, peu satisfaite quand elle gagnait, incapable cependant de faire autre chose. Elle avait vieilli. La robe de soie violette à volants qui eût convenu pour une sortie en ville engonçait sa taille devenue un peu épaisse, et, pour une journée passée à l'habitation, elle était bien trop parée, fût-ce dans l'intention de faire concurrence à Adèle. Son visage disait, autant que des tristesses, une vie passée à ne rien faire que se replier sur soi-même, et le rouge posé largement sur ses joues en accentuait les rides qui s'y étaient creusées. Elle n'avait cependant pas renoncé à son air hautain, renforcé par des yeux comme déterminés à rester secs, Olympe ayant abandonné son habitude des larmes. Elle avait à la fois épaissi et séché.

À ses côtés, la fidèle Rosalie, malgré ses quarante ans passés, n'avait rien perdu de son éclat, souligné au contraire par la gaule blanche ornée de dentelles qu'elle portait. Les manches trois-quarts évasées laissaient apparaître ses beaux bras, et le foulard de madras qui ceinturait sa taille en accentuait encore la finesse. Sa figure avait gagné en maturité, et elle s'appliquait à un ouvrage de couture avec un air concentré et des mains habiles.

Elle considéra sévèrement Constance :

– Vous êtes sortie avec ce soleil ? Par tous les saints du ciel, vous voulez devenir aussi noire qu'une esclave ?

La jeune fille, habituée à ses remontrances, ne crut pas utile de répondre, et n'en eut d'ailleurs pas le temps : Adèle venait de faire son entrée, qui dorénavant glaçait toujours l'atmosphère. Elle venait de poser avec soin un air de triomphe sur son visage, et elle marchait d'un pas nonchalant, la tête haute, en faisant bruisser ses jupes. Depuis quelque temps, on redoutait sa présence, elle se montrait odieuse, comme par esprit de domination.

Sans lever les yeux de ses cartes, Olympe s'était raidie.

Ignorant ostensiblement les trois femmes, Adèle se dirigea vers le grand buffet qui occupait encore un mur entier du salon. Elle l'ouvrit, se saisit d'une assiette de faïence blanche rehaussée d'un liseré d'or, tandis que Rosalie, relevant les yeux de son ouvrage, se demandait si elle n'avait rien de mieux à faire que de provoquer Olympe. Tout se passa comme Rosalie s'y attendait, et celle-ci détestait cette comédie renouvelée.

Olympe jeta ses cartes sur la table.

– Ferme ce buffet ! Il n'y a rien pour toi là-dedans !

Adèle recula, changeant son air de défi pour de grands yeux innocents.

– Mais j'ai faim ! Dans quoi je vais manger ?

– Sors d'ici ! Cette vaisselle fait partie de ma dot. Moi vivante, personne n'y touchera...

Adèle fit mine de s'éventer avec l'assiette. Sa dot ! Elle voulait sans doute parler des quelques pièces d'or que ses parents lui avaient laissées avant de repartir ?

– Allez-y, dit-elle d'une voix suave. Empêchez-moi de la prendre.

Constance s'était approchée de sa mère et la tirait doucement par le bras.

— Maman, ne fais pas attention à elle... Tu vois bien qu'elle veut t'énerver...

— Alors je dois laisser cette bouzin me piller ? s'écria Olympe. Lui donner tout ce qu'elle veut ? Je n'ai plus le droit de rien faire ?

Adèle en profita pour revenir à la charge, ouvrir de nouveau le buffet, y prendre cette fois une assiette à entremets.

— Ah oui. Il me faut aussi une assiette à dessert... dit-elle comme se parlant à elle-même, en se saisissant d'une troisième assiette.

Elle avait gagné : Olympe hurla, lui arracha les assiettes des mains et les jeta à terre. Elles se brisèrent, et Olympe s'emparait maintenant de toutes les pièces du service et leur faisait subir, les unes après les autres, le même sort. Adèle éclata d'un rire moqueur, Rosalie était furieuse, Constance pleurait en essayant de maîtriser sa mère :

— Maman ! Maman, arrête ! Je t'en supplie !

Elle s'approcha d'Adèle et la saisit aux épaules.

— Va-t'en ! Laisse-la tranquille !

Adèle se raidit et la repoussa avec brutalité. Il était temps d'intervenir. Rosalie se leva.

— Maîtresse ! Non ! Arrêtez !

Elle se tourna vers Adèle :

— Quitté-i-ça !

Adèle pouvait s'en aller, satisfaite. Elle marcha jusqu'à la porte en bâillant ostensiblement, se mit à chantonner, jeta un dernier regard derrière elle avant de quitter la pièce : Olympe, à genoux au milieu de sa vaisselle brisée, tentait d'en rassembler les morceaux.

Dans le cabinet de travail de Théophile aussi, les murs avaient jauni, les meubles étaient poussiéreux, les sièges usés. Assis à son secrétaire, Théophile trouvait des prétextes pour repousser le moment d'une comptabilité démoralisante. Lui aussi avait vieilli, tout en étant resté mince et séduisant.

Jacquier, qui revenait de la sucrerie avec une mauvaise nouvelle, fit une pause derrière la porte avant d'entrer. Son visage n'accusait pas une ride. On aurait dit que le temps passait sur lui sans laisser de trace, et plus que jamais il donnait le sentiment d'être un homme de pierre polie, capable de rouler à travers les tempêtes. On n'en était plus à cela près, se dit-il. Il tourna la poignée.

– Le moulin n'a plus de toit.

Théophile le regarda un instant sans répondre, et dit ensuite sur un ton las et ironique à la fois :

– Et où veux-tu que je trouve l'argent ? Cette foutue amende me pompe tout ce que j'ai ! Depuis cinq ans, je n'ai pas pu investir un centime !

Jacquier pouvait tourner les talons. Il quitta le cabinet pour céder la place à Constance qui entrait, en larmes.

– Papa, il faut que tu fasses quelque chose ! Elles se sont encore battues ! Adèle va la rendre folle !

Un poussée de tendresse le fit se lever : Théophile n'aimait pas voir sa fille ainsi, son jeune et beau visage rougi par les pleurs.

Il la prit dans ses bras et lui caressa les cheveux.

– Ne pleure pas... Ce sont des affaires de femmes, ne t'en occupe pas...

– Laisse-nous partir ! Maman aimerait tellement aller à Saint-Pierre ! Ta maison est vide, tu n'y vas jamais... C'est son rêve, papa... Juste le temps qu'on aille mieux. Nous prendrions Rosalie et Byzance pour nous protéger.

Il baissa la tête pour ne plus voir ses yeux suppliants auxquels il résistait mal. Elle demandait si peu, cette grande jeune fille qui était sa seule joie et sa consolation, gaie malgré la tourmente, cherchant à réconforter les uns et les autres, et d'abord sa mère en détresse.

– Mais qu'est-ce que je deviendrais sans toi ? demanda-t-il, en sentant qu'il faiblissait.

– Je ne resterai pas longtemps, je te le promets. J'aime l'habitation, moi, tu sais bien... Mais ça va mal finir si on ne les sépare pas... Je t'en prie, papa, dis oui...

Il releva la tête et sourit.

– Qu'est-ce que tu veux que je fasse d'autre ? Je ne sais pas te dire non.

Elle lui sauta au cou pour l'embrasser puis sortit pour aller annoncer la nouvelle à sa mère.

Théophile s'approcha des fenêtres qui donnaient sur la cour. C'était vrai. Constance aimait l'habitation. Elle était comme lui. Sa force de caractère et sa joie de vivre, elle les avait puisées de ceux auprès de qui elle avait grandi : Rosalie, Man Josèph et Amédée. Qu'avait-elle de comparable avec les femmes blanches qu'il avait connues ? Rien de leur suffisance en tout cas. Elle était simple, belle et généreuse, rebelle à sa façon, ne craignant pas plus les rigueurs du soleil que la proclamation de ses sentiments pour ceux qu'elle aimait, se fichant bien de la couleur de leur peau et de la distance des conditions. Rosalie était pour elle comme une seconde mère, et elle n'avait jamais hésité à aller se réfugier entre les bras confortables de Man Josèph pour se faire consoler d'un chagrin. Quant à Olympe, elle était bien plus l'enfant de Constance que sa mère ; la petite ne s'en était pourtant jamais plainte, et elle acceptait son rôle avec dévotion et courage. Elle aimait à discuter avec son oncle François, bien que ses visites se fussent raréfiées depuis qu'on lui avait accordé une paroisse. François qui se disait débordé par l'ampleur de la tâche, s'exténuant à faire comprendre la nécessité d'en finir avec l'esclavage.

Mais moi, qui se soucie de moi ? se demandait Théophile. Et le toit du moulin ? Personne ne viendrait l'aider à résoudre ce problème.

Il soupira et revint s'installer à son secrétaire, décidé à reprendre les comptes que personne ne ferait à sa place. La pensée lui vint à l'esprit qu'Amédée aurait sans doute trouvé une solution au problème du moulin, mais cela faisait bien longtemps qu'il avait renoncé à demander quelque conseil que ce fût à son ancien secrétaire.

Celui-ci avait d'autres soucis. Il n'était préoccupé que de la liberté de son petit-fils et du mal qu'on disait de sa fille. Il avait vent des scènes qu'elle provoquait, et il pensait qu'il était temps que cesse ce tourbillon de haine qui entraînait deux femmes vers un gouffre.

Adèle entra dans sa case alors qu'il faisait réchauffer son repas sur le brasero. Cela faisait longtemps qu'il ne mangeait plus dans la cuisine de la Grande Case, et somme toute, il n'en était pas mécontent. Elle apparut, froufroutante dans sa robe rouge, et feignit de s'étonner du visage sombre de son père.

— Tu es contente de toi ?

— Moi ? Pourquoi ?

— Ce n'est pas assez que tu sois une cocotte ? Il faut en plus que tu fasses un nouveau scandale et que tout le monde médise de toi ! Tu sais ce que tu es devenue, Adèle ? Une sale bête ! On te sourit mais on t'évite, on a peur de toi, de tes crises, de tes caprices. On va finir par se venger...

Adèle était sur le point de protester, elle se ravisa. Comme si elle n'était pas consciente de la justesse de ces reproches ! Mais quelqu'un cherchait-il à la comprendre ? S'interrogeait-on sur les raisons qui l'avaient rendue aussi dure ? Elle haussa les épaules et vint s'asseoir en face de son père.

— Tu sais ce qui me rend folle, papa ? C'est de la voir avec sa fille, tandis que moi, je cache mon fils, je ne peux pas le voir... Je me fais tellement de souci pour lui, il va avoir dix-neuf ans !

— Aie confiance et courage, reprit-il, plus calmement. Les sœurs lui ont donné une bonne éducation.

Les paroles de son père n'avaient pas de quoi rassurer Adèle. Son ressentiment en fut au contraire ranimé.

— Confiance ! Confiance en quoi ? En la saloperie de la

347

vie ? Jean-Baptiste est noir. Quand les sœurs le mettront à la porte du couvent, il sera esclave du gouverneur !

Amédée s'était levé sans répondre. Elle l'observa qui fouillait dans ses affaires, il revint lui tendre une petite bourse de velours.

– Regarde. Je mets de l'argent de côté pour qu'il rachète sa liberté.

Elle le toisa cette fois avec amertume. Il lui avait tout appris, pourquoi faisait-il aujourd'hui preuve d'un tel aveuglement ?

– Tu en as pour combien de temps ? Vingt ans ? Le temps qu'on soit morts tous les deux ? Regarde-moi, papa. C'est vrai que je suis devenue mauvaise comme une bête sauvage ! Mon cœur est dur ? Mais il n'y a jamais eu de pitié pour nous, il n'y a jamais eu de place pour l'amour. Chaque fois que le bonheur a montré le bout de son nez, il s'est enfui parce que j'étais noire. Je ne ressens plus rien dans mon corps et dans mon âme que la peur, la peur pour mon fils. Chaque jour je deviens plus méchante parce que, chaque jour, je cherche aussi comment trouver de l'argent pour racheter sa liberté, mais beaucoup d'argent, et vite, moi !

Amédée était consterné. Ce cri du cœur n'était pas seulement un aveu de détresse, il lui montrait que sa fille n'était plus la même. Il mesura la distance qui les séparait, et il se sentit soudain un pauvre diable face à elle qui s'exprimait maintenant dans un français plus correct que le sien, qui frayait avec le maître et s'habillait en robe de dentelle, mais qui ne croyait plus à rien. Non, pas même à ce Dieu dont il allait lui parler. D'ailleurs, elle n'y avait jamais cru que par habitude.

– Tu dois quand même avoir confiance, Adèle. Il y a un Dieu même pour nous...

De quel Dieu parlait-il et pourquoi se voiler la face ? Fallait-il donc avaler tout en silence, sans qu'il soit légitime de se révolter et de chercher les moyens les plus sûrs pour gagner sa liberté ? Cette phrase qu'il venait de prononcer, Amédée y croyait-il sincèrement, ou ne l'avait-il hasardée qu'en désespoir de cause et pour éviter la vérité qu'elle venait de lui jeter au visage ?

— Mon fils sera un homme libre, papa. Même si je dois tuer pour ça.

Sur ces mots, elle se leva et quitta la case, laissant son père en proie à une vraie terreur. Celui-ci ne put s'empêcher de lever les yeux vers le petit crucifix accroché au mur, tout en se remémorant qu'Adèle s'était montrée, quelques années auparavant, incapable de tuer Jacquier comme Koyaba le lui avait demandé. Et aujourd'hui ? Comme tu as changé, Adèle, et comme tu me fais peur ! C'était cela qu'il avait envie de dire. Mais elle avait disparu, il se sentit lâche et il se dit qu'elle avait peut-être raison.

Adèle ne savait pas encore qu'elle échafauderait le soir même un plan pour gagner de l'argent.

Après le dîner, elle avait regagné sa chambre de bonne heure, l'ancienne chambre de Théophile dans laquelle elle s'était installée, la chambre d'un couple partageant rêves et cauchemars depuis quelques années. Tout y indiquait une présence féminine : les robes suspendues à des cintres sur un portant, les pots et les brosses qui encombraient une petite coiffeuse. Mais une sorte d'ordre y régnait, chaque objet ayant sa fonction, sa valeur et sa place.

Théophile ne fut pas long à la rejoindre. Quand il entra, il trouva Adèle assise devant la coiffeuse, l'air pensif. Il alla s'asseoir sur le lit pour retirer ses bottes.

— Je vais à Saint-Pierre demain. Il faut que je voie le gouverneur. J'emmène Olympe.

L'occasion était inespérée : c'était maintenant ou jamais, c'était elle ou Olympe. Olympe a demandé à s'installer à Saint-Pierre et il a accepté. Impossible ! Si Olympe prenait possession de la maison, Adèle n'aurait jamais plus la chance d'approcher la ville, lieu de tous les maux peut-être, mais aussi des audaces et des possibles. Là-bas seulement était le moyen.

— Pourquoi elle ? Pourquoi pas moi ?

Il sourit de sa réaction violente.

— Qu'est-ce que tu veux foutre à Saint-Pierre ? Si c'est pour dépenser de l'argent, je te préviens tout de suite, je suis lessivé.

— Pourquoi toujours dépenser ? Tu crois que je ne peux pas en gagner, de l'argent ? Si j'habitais Saint-Pierre, j'en gagnerais plein !

Théophile était maintenant hilare.

— Mais ma pauvre fille, tu ne sais rien faire ! À part l'amour et là, tu m'excuses, mais je garde ce talent pour moi...

Il pouvait bien lui présenter ce visage goguenard, elle devait s'installer à Saint-Pierre coûte que coûte. La liberté de Jean-Baptiste était en jeu.

Elle s'approcha de Théophile, se laissa enlacer puis se fit câline et séductrice.

— Tu as besoin d'argent, Théophile. Laisse-moi t'aider... J'ai un moyen, je sais ce qui rapporte.

— C'est impossible. Si j'installe ma maîtresse noire en ville, les planteurs sont foutus de brûler ma maison...

Elle protesta :

— Sauf si on leur donne de quoi s'amuser. Je connais les Blancs, va ! Je sais ce qu'ils aiment...

Comme Théophile allait intervenir, elle posa un doigt sur sa bouche pour l'en empêcher :

— On peut faire de l'or tous les deux, à Saint-Pierre. Je te le promets...

Et elle le renversa doucement en arrière, de façon à s'allonger sur lui. Il n'était pas dupe de son entreprise, à cet instant précis. Mais ses baisers, cette façon qu'elle avait d'embrasser et de mordre à la fois, de mesurer chaque geste, d'onduler lentement, de savoir donner et se donner, simplement ce temps qu'elle prenait pour aimer le corps de l'autre, cette vague à la fois douce et ardente, cette générosité et cette disponibilité, cela, il ne pouvait y renoncer. Pourquoi cette pensée lui revenait-elle maintenant ? Il songeait à la Maman dlo, la sirène des Tropiques. Était-elle séductrice comme celle qui ondulait sur lui ? C'était elle, bien sûr, la femme fatale qui aurait raison de son corps et de son âme. C'était sa sirène, son idole, elle pouvait bien lui chanter de sa voix traîtresse tous les mensonges du monde : quand elle le chevauchait, il était à elle et elle le savait.

Elle avait ôté sa robe et s'appliquait maintenant à le déshabiller. Il se demandait comment une telle métamorphose était possible : Adèle dure et dédaigneuse avec son regard morne, et maintenant, l'autre face, douce comme une caresse, enchanteresse et langoureuse avec ses yeux mi-clos. Théophile se sentait enveloppé, elle allait l'entraîner dans des profondeurs délicieuses. Il ferma les yeux pour ne pas voir les diamants noirs dans les siens, ni le demi-sourire de sa bouche, ni les longs cheveux ensorceleurs qu'elle avait détachés, la divine diablesse, la sirène couleur d'ébène. Il sentit son corps s'adapter au sien, sa peau sans défaut contre la sienne, leurs transpirations et leurs parfums mêlés, il ne désira plus que se laisser mener vers cet autre monde...

Le lendemain matin, Adèle courut en tous sens pour ne rien oublier de ce qu'elle voulait emporter. Une charrette chargée de malles attendait maintenant devant la véranda, et Fanny, une jeune esclave créole de seize ans, belle comme un cœur avec ses tresses et ses rondeurs d'adolescente, avait grimpé à l'arrière et trouvé tant bien que mal sa place entre deux malles. Il avait en effet été convenu que Théophile et Adèle emmèneraient avec eux Fanny et Byzance, un Noir d'une quarantaine d'années aux cheveux grisonnants et au corps solide.

Adèle venait de dire au revoir à son père, et elle rejoignait maintenant la charrette avec une démarche altière. Sa relative nonchalance avait fait place à un vrai port de reine, sa robe bleue regorgeait de volants.

Elle monta à l'avant, au côté de Jacquier qui tenait déjà les

351

rênes. Théophile était à cheval, et il tendit à Fanny un petit coffre de bois.

– Garde ça pendant le trajet. Tu me le donneras quand nous arriverons.

Il s'avança pour donner le signal du départ à Jacquier. Celui-ci perçut un soupir profond à côté de lui : Adèle quittait la terre et la boue, la canne et le sucre. Enfin !

Théophile se retourna pour adresser un dernier regard au trio qui se tenait sur la véranda : Olympe entourée de Rosalie et de Constance, proches les unes des autres comme pour mieux se soutenir dans leur déception.

Il allait faire le signe de se mettre en route, quand il l'aperçut, assise sur la branche basse d'un arbre, toujours ruisselante d'eau, observant leur départ pour la ville : Manon avec son terrible sourire de morte. Son visage pâlit et il ferma les yeux pour échapper à la vision de cauchemar, mais quand il les rouvrit, elle était toujours là, à balancer ses jambes tranquillement. Alors il donna un violent coup de talons contre les flancs du cheval qui s'élança, tandis que Jacquier, surpris, lâchait les rênes avec un petit claquement de langue pour que la charrette s'ébranle à sa suite.

Sur la véranda, les trois femmes les regardaient s'éloigner, entre les champs de canne. Constance passa un bras autour des épaules de sa mère.

– Moi aussi je suis déçue, maman... Mais on ira plus tard, quand elle sera revenue...

Olympe se dégagea du bras de sa fille, et, les yeux fixés sur la route de terre où la charrette disparaissait, elle prononça ces mots glaçants :

– Les gens se tordront de rire, ma chérie. Non, c'est fini pour moi, Saint-Pierre. Je suis emmurée vivante dans cette maison que je déteste. À mon enterrement, les gens diront : « Olympe de Rochant ? Je croyais qu'elle était morte depuis longtemps... »

Rosalie et Constance échangèrent un regard consterné. Sur la branche de l'arbre, Manon avait disparu.

CHAPITRE 19

La première chose à faire en arrivant : ouvrir les volets dans les pièces poussiéreuses de la maison pour que l'air y entre, assèche l'humidité, chasse l'odeur de renfermé qui s'était installée depuis toutes ces années. Fanny avait fait une visite rapide, tandis qu'Adèle examinait la pièce où Théophile venait de se laisser tomber dans un des fauteuils encore recouvert d'un drap.

– Quelle belle maison ! lança Adèle. C'est dommage de l'avoir abandonnée si longtemps ! Je vais en faire quelque chose de bien, tu vas voir !

Théophile la regardait faire avec un œil moqueur.

– J'ai un cadeau pour toi, dit-il en se levant.

Il fit signe à Fanny d'approcher. Celle-ci tenait toujours entre ses mains le petit coffre de bois. Elle le lui remit, sans oser regarder Adèle. Il l'ouvrit, et en sortit un collier à cadenas sur lequel était inscrit le numéro matricule d'Adèle.

– Tiens. Au cas où tu te prendrais pour une femme libre...

Lorsque Adèle aperçut le collier de cuivre, elle recula.

– Non, ce n'est pas la peine. Je te jure que je ne ferai rien...

– Ou tu portes ce collier, ou tu rentres à l'habitation. Choisis.

Décomposée, elle laissa Théophile lui passer le collier, puis le mettre en place de façon que le numéro soit bien visible sur le devant. Il le referma puis cassa la clé à l'intérieur du cadenas.

– Ce n'est pas seulement pour toi. Tout le monde doit savoir que tu m'appartiens.

Adèle le regarda quitter la pièce, tremblante de rage et d'humiliation, se ressaisit en croisant le regard de Fanny qui avait assisté à la scène et qui baissa les yeux.

Peu importait ce collier d'ignominie. On était dimanche et Adèle avait des projets en tête. Elle attendit que Théophile soit sorti pour quitter à son tour la maison. La ville était un mystère pour elle.

Elle traversa Saint-Pierre d'un pas rapide, à la fois curieuse et surprise de pouvoir marcher librement dans les rues. Bien sûr, elle portait ce collier, mais elle avait pris soin de le dissimuler sous un petit foulard de soie, et cette escapade lui redonnait courage. Adèle n'avait cependant pas le temps de s'attarder sur ce qui attirait son regard : les maisons à balcons, les places et les fontaines, les ateliers de menuiserie, les petits magasins et les grandes boutiques, et tous ces gens qui portaient des chaussures. Des Noirs, des mulâtres, des Blancs. Tous pressés, courant et parlant haut, des charpentiers portant des planches de bois sur leur dos, des marchands aux paniers regorgeant de fruits et de légumes, des enfants bruyants, c'était fascinant. Adèle marchait en se répétant qu'elle était ici pour travailler, et non pour se distraire. Elle se trompa plusieurs fois de chemin, essayant de se souvenir des indications que François lui avait données.

Elle arriva enfin sur une placette où se dressait une petite bâtisse surmontée d'une croix de bois. Elle s'arrêta sur le seuil. Une église ouverte, misérable et assez obscure, mais une église quand même. C'était l'église de François.

Jean-Baptiste, qui devait bientôt quitter le couvent, y passait beaucoup de temps. Il avait été entendu que François l'hébergerait dans la petite maison en dur à proximité de l'église où lui-même habitait, le temps pour le garçon de trouver un travail et un logement.

Ils étaient tous deux en train de discuter, et Adèle resta immobile un instant, à regarder le jeune homme qui venait de fêter son dix-neuvième anniversaire, grand et élégant dans la chemise blanche et la redingote noire qu'elle avait elle-même confectionnées. Elle entra timidement dans l'église. Jean-Baptiste l'aperçut, se précipita à sa rencontre et la serra dans ses bras.

– Maman ! Tu as pu venir, finalement !

Oui, elle avait pu, d'abord pour le bonheur de serrer dans ses bras ce fils qui la dépassait d'une tête. Lui ne comprenait pas pourquoi elle riait et pleurait en même temps. Oui, elle avait réussi à venir à Saint-Pierre et elle était résolue à y rester.

– Que tu es beau ! dit-elle en reculant pour mieux l'admirer. Chaque fois que je te vois, j'ai l'impression que tu es un peu plus grand !

La robe ivoire de François faisait une tache claire dans l'obscurité, et Adèle s'avança vers lui, laissant pourtant ses yeux errer sur les murs, s'arrêter ici sur un crucifix, là sur l'autel de bois rustique. Malgré la sobriété du lieu, elle était impressionnée, et reprise de la crainte qu'elle avait éprouvée en entrant. C'est qu'elle ne priait presque plus jamais.

– Alors, c'est votre église ?

– Les choses évoluent, tu vois... Il y a dix ans, on voulait m'excommunier, aujourd'hui, on me concède une paroisse... dit François avec un sourire.

Jean-Baptiste avait suivi sa mère, et François ne fut pas long à saisir la raison de l'assombrissement soudain de son visage : il venait de découvrir le collier de cuivre sous le foulard, et il n'en détachait plus ses yeux.

– C'est quoi, ça ?

Adèle réajusta son foulard.

– Je suis esclave, Jean-Baptiste. Je suis obligée de le porter, dit-elle posément.

Jean-Baptiste paraissait horrifié.

– Mais tu n'as pas honte ?

La question ne fit qu'augmenter l'embarras d'Adèle. Elle ne baissa pas la tête, mais n'eut pas le courage de répondre. François vint à son secours :

– Honte de quoi ? D'être esclave ? Tu crois que ta mère a eu le choix ?

La sévérité qu'il avait mise dans sa réponse poussa Jean-Baptiste à se taire, mais celui-ci s'écarta, de mauvaise humeur. Plus que cela : le jeune homme était révolté, et non pas seulement mécontent d'avoir été ainsi repris ; il avait honte de cette marque ignoble. Et il ne parvenait pas à comprendre que sa mère puisse l'accepter. Sans doute ne pouvait-il pas comprendre non plus qu'elle disposait de peu de temps, et que c'était déjà une folie d'être venue jusqu'ici. François intervint de nouveau :

– Bon, les sœurs m'ont dit qu'il fallait qu'il parte, mais il n'a pas d'acte de naissance, pas d'existence légale et il est noir...

– Et alors ? dit Jean-Baptiste. Il suffit de m'en faire faire, des papiers !

– Tais-toi ! ordonna Adèle, à la fois confirmée dans ses craintes et énervée par l'ignorance de son fils. Je sais bien ce que ça signifie, ajouta-t-elle. Qu'est-ce qu'on peut faire ?

– Le plus simple, c'est d'abord d'aller voir l'officier d'état civil et de trouver un gros mensonge pour le faire inscrire en tant que libre...

Ce que François était en train de dire, c'était qu'il allait lui-même s'en charger. Adèle le regarda avec reconnaissance :

– Merci... murmura-t-elle.

Ils échangèrent un sourire confiant, mais leurs yeux inquiets disaient l'issue très incertaine des démarches.

Il était maintenant l'heure de rentrer. Adèle n'avait que trop tardé et il n'était pas question que Théophile, revenu peut-être avant elle, l'interroge sur la raison de son absence.

*
**

En sortant de chez le gouverneur, Théophile n'avait pourtant nullement l'intention de rentrer chez lui. Gauty, qu'il avait trouvé tout à coup mieux disposé envers lui, l'avait informé que des ventes étaient annoncées pour le milieu d'après-midi, et, comme la halle ne se trouvait qu'à quelques rues, Bonaventure s'y rendit rapidement.

Non loin du bâtiment, il tomba sur La Rivière qui y allait lui aussi. Celui-ci chercha à l'éviter mais Théophile vint se planter devant lui, sans dissimuler un mélange de hauteur et d'embarras. Les deux hommes avaient eu l'occasion de se croiser, mais ne s'étaient pas adressé la parole depuis plus de cinq ans. La Rivière avait pris un sérieux coup de vieux, Théophile pensa que c'était là une parfaite entrée en matière, et il avait une raison de provoquer leur réconciliation : Adèle lui avait confié son projet d'accueillir les planteurs dans sa maison.

– Écoute... On devient vieux tous les deux. On ne va pas se bouder toute la vie !

Il tendit la main :

– Je me suis un peu énervé. J'ai eu tort.

Après une seconde d'hésitation, La Rivière accepta sa main mais Théophile sentit que le cœur n'y était pas. Ils marchèrent cependant côte à côte jusqu'à la halle, et Bonaventure engagea la conversation en demandant à La Rivière comment allaient ses affaires.

– Pas fort. Le blocus anglais freine les ventes.

– Napoléon s'en fout. Il ne croit plus aux colonies. Il n'y a qu'à voir comme il encourage le sucre de betterave en France...

La Rivière l'interrompit pour l'empêcher de tenir à voix haute des propos trop libres.

– Ne parle pas si fort ! Il y a des mouchards partout !

– Tu as peur des mouchards, toi ?

– Tout le monde en a assez, Théophile. Le sucre ne se vend pas et on a de plus en plus de mal à trouver des esclaves ! Si la traite ne reprend pas normalement, nous en serons réduits à couper la canne nous-mêmes !

L'inquiétude de La Rivière amusa Théophile. Celui-ci n'en laissa rien paraître. L'autre n'avait-il pas été un des premiers à acclamer Bonaparte consul, puis Napoléon empereur ? Les planteurs étaient largement responsables de la situation, et ils allaient peut-être enfin prendre conscience des erreurs commises au cours des dernières années. Mais Théophile voulait pour l'instant profiter de la confidence. Les planteurs n'avaient plus le moral ? C'était le moment de les divertir. Il jeta un coup d'œil circulaire et baissa cette fois la voix :

– Écoute, pourquoi ne venez-vous pas jouer aux cartes chez moi ce soir ? On pourra causer sans avoir peur des espions...

Ils étaient arrivés, et La Rivière ne répondit pas tout de suite à la proposition.

La vaste halle se trouvait remplie d'une foule de Blancs qui discutaient par petits groupes, et dont les visages témoignaient de cette inquiétude exprimée par La Rivière. On causait affaires, on déplorait la pénurie de marchandises, on n'arrivait plus à écouler les stocks de sucre, on craignait la ruine.

Théophile ne se soucia pas des regards à la dérobée que lui adressèrent bon nombre de planteurs, comme étonnés de le voir en vie. Il est vrai qu'il ne s'était guère montré ici, les derniers temps. S'étonnait-on de revoir celui qui ne s'était pas réjoui de l'avènement de Napoléon, le seul aussi à avoir été jugé et condamné, le seul enfin qui, malgré l'amende dont il avait écopé, paraissait encore vigoureux et pas prêt à désarmer ?

Des esclaves passaient parmi les planteurs avec leurs plateaux de verres de rhum et de rafraîchissements ; d'autres faisaient rouler de gros tonneaux en direction de la sortie.

Théophile n'avait pas quitté La Rivière. Celui-ci fit remarquer qu'il y avait beaucoup de commissionnaires présents aujourd'hui, et il désigna un homme en particulier, métis, très beau, habillé de façon élégante, qui devait avoir entre vingt-cinq et trente ans. Théophile ne le connaissait pas. Son nom ? Ambroise Jones. La Rivière précisa :

– Père anglais, mère sénégalaise. Il achète le sucre dans toute la Caraïbe, il le vend en Amérique. Là-bas, il charge des armes et des produits manufacturés. Un requin, mais très intelligent. Et riche. Viens, je vais te présenter.

Théophile suivit La Rivière jusqu'à Ambroise Jones, occupé avec un groupe de planteurs qui s'adressaient à lui avec respect, sur un pied d'égalité, bien qu'il fût métis.

– Monsieur Jones, dit La Rivière en interrompant discrètement la conversation, permettez-moi de vous présenter Théophile Bonaventure...

Ambroise Jones s'écarta du groupe en s'excusant, et serra les mains de La Rivière et Théophile. Sa main s'attarda dans celle de ce dernier.

– J'ai beaucoup entendu parler de vous, monsieur... Vous avez le courage de vos opinions, d'après ce que j'ai compris...

– Je m'en flatte en tout cas, répondit Bonaventure qui découvrait que son procès avait fait parler de lui.

– Alors ? demanda La Rivière, comment trouvez-vous notre production de sucre ?

– J'avoue que je suis un peu déçu par la qualité d'ensemble... dit franchement Ambroise Jones.

– C'est que vous n'avez pas vu mon sucre, monsieur Jones ! dit Théophile. Il est si blanc qu'on le croit déjà raffiné...

Ambroise Jones le scruta avec curiosité. C'était intéressant, très intéressant. Il demanda où l'on pouvait voir cette merveille. L'hésitation de Théophile ne dura qu'un instant. Il répondit avec chaleur :

– Mais... sur mon habitation, cher monsieur ! Je me ferai un plaisir de vous y conduire moi-même, si vous le désirez...

Ambroise Jones réfléchit en observant Bonaventure. L'invitation lui faisait penser qu'il était à la hauteur de sa réputation.

On ne lui avait pas menti, celui-là était différent des autres planteurs. Il allait accepter quand un colon vint le solliciter.

La Rivière profita de la diversion pour chuchoter à l'oreille de Théophile, sur un ton incrédule :

— Tu invites un homme de couleur ?

— L'argent n'a pas de couleur, se contenta de répondre Théophile.

Le regard de La Rivière marqua de la désapprobation. Cela ne l'empêcha pas, avant de tourner les talons, de demander :

— Et ce soir, chez toi ?

— Ça marche toujours ! Je vous rejoindrai ! répondit Théophile en s'éloignant.

Il retrouva Ambroise Jones qui serra encore quelques mains, puis les deux hommes quittèrent la halle et partirent à cheval en direction de l'habitation.

Ils y arrivèrent avant qu'une pluie diluvienne ne s'abatte, mais de celle-ci ils se félicitèrent, s'accordant sur le fait qu'il n'avait pas assez plu et que la sécheresse ne favorisait pas la repousse. Ils entrèrent dans le salon désert.

Théophile fit tout de même une remarque de politesse banale sur la chance qu'ils avaient eue d'échapper à un tel déluge, puis il invita Ambroise Jones à s'asseoir et lui proposa une tasse de cacao.

Son hôte l'accepta ; Théophile appela Rosalie, surprise du retour de son maître, plus encore de le trouver en compagnie d'un homme de couleur. Elle retourna sans mot dire à la cuisine, et reparut bientôt, avec deux tasses de cacao fumant. Elle allait quitter la pièce quand Théophile l'interpella :

— Rosalie ! Tu prépareras la chambre de monsieur Jones. Il va rester ici cette nuit.

Il voulait prendre le temps de montrer son sucre à Jones, somme toute pas mécontent d'héberger généreusement un homme qui lui avait confié que, n'ayant pas d'endroit où dormir à Saint-Pierre, il pensait repartir le soir même pour Trinité où un ami lui prêtait sa maison.

Rosalie quitta la pièce après une révérence, tandis

qu'Ambroise Jones examinait le décor usé sans paraître surpris : il avait entendu parler du procès de Bonaventure et de
la forte amende à laquelle il avait été condamné. Pas question
cependant d'aborder le sujet. Il allait plutôt interroger le planteur sur la technique qu'il utilisait pour la fabrication de son
sucre quand un froissement de soie les fit se retourner.
Olympe faisait son entrée. Elle avait aperçu Ambroise Jones
et paraissait intriguée. Elle s'approcha d'un pas hésitant, ne
le salua pas, se contenta de l'examiner impoliment.

Sa robe froissée et son chignon défait trahissaient une
journée de somnolence, et elle vacillait légèrement. Elle est
ivre, pensa Jones, en remarquant ses yeux rouges et brillants.

– Vous êtes qui, vous ? demanda-t-elle enfin d'une voix
traînante.

Jones se leva et s'inclina respectueusement. Théophile le
présenta sans cérémonie :

– Olympe, monsieur Jones est notre invité. Il vient voir
mon sucre.

Elle tendit enfin sa main, sur laquelle Jones s'inclina impec-
cablement. Olympe le fixa d'une autre façon, avec une intense
curiosité cette fois.

– Soyez le bienvenu, monsieur Jones. Vous avez une drôle
de couleur... De peau, je veux dire. Vous avez du sang noir ?

Elle eut un petit rire.

– Non, ce n'est pas possible. Théophile n'inviterait jamais
quelqu'un qui a du sang noir ! Ou alors dans son lit... N'est-ce
pas, Théophile ? demanda-t-elle en se retournant.

Théophile saisit vigoureusement le bras de sa femme en se
forçant à sourire :

– Tu n'es pas dans ton bon sens, ma chère. Viens.

Il se tourna vers Jones :

– Excusez-nous...

– Déjà ? demanda Olympe en se laissant entraîner. Mais
je n'ai pas pu parler avec monsieur Jones ! déplora-t-elle, le
trouble de sa voix ne laissant guère de doute sur son état.

Resté seul, Ambroise Jones alluma un cigare et arpenta le

salon. Il se fit la remarque que ce n'était pas la première fois qu'il constatait la triste évolution de certaines Blanches aux îles du Vent. Bonaventure n'avait plus un sou, sa femme buvait, une sale histoire, tout cela...

Théophile avait entraîné Olympe jusqu'à sa chambre, elle avait maugréé qu'il lui faisait mal, se plaignant de ne pas avoir pu poursuivre la conversation avec l'homme à l'étrange couleur de peau, au salon. Il la poussa sur son lit.

– Espèce d'ivrogne, tu veux te venger, c'est ça ? Quand nous serons complètement ruinés, qu'est-ce que tu feras ? Tu crois que tes parents vont t'aider dans leur Auvergne pourrie ? Ils ne savent même plus qu'ils ont une fille, tes parents ! Ils t'ont oubliée ! Tout le monde t'a oubliée !

Elle se releva et le regarda avec un demi-sourire :

– Pour que tu sois aussi furieux, c'est qu'il est vraiment noir !

Il eut envie de la frapper, l'attrapa brutalement par un poignet pour la faire taire, s'interrompit : ce n'était plus Olympe qui était devant lui. C'était elle, Manon. Manon qui le regardait fixement avec son sourire grimaçant, Manon au visage de cadavre, Manon avec son corps de pourriture infâme.

Il recula, blême, tandis que l'image de l'esclave défunte disparaissait et qu'Olympe se trouvait de nouveau devant lui, massant le poignet qu'il avait serré.

Théophile appela Rosalie, qui accourut.

– Où étais-tu ? s'écria-t-il, furieux. Tu ne peux pas t'occuper de cette folle ?

Il quitta la pièce en claquant la porte, laissant Rosalie perplexe, plus surprise par la pâleur du visage de Théophile que par l'état de sa maîtresse auquel elle s'habituait. Olympe venait de trouver, après le départ d'Adèle pour Saint-Pierre, ce nouveau refuge, l'alcool, cette autre fuite.

Dans le salon, Ambroise Jones finissait de fumer son cigare en regardant la pluie tomber, quand, émergeant de la verdure du jardin comme une apparition sous le rideau de pluie, il aperçut une créature blonde qui se dirigeait d'un pas paisible vers la maison, son visage pur tendu vers le ciel, alors que sa robe blanche collait à sa peau, révélant un corps ravissant, moulant ses formes de façon presque impudique. Jones ouvrit la porte et s'avança sur la véranda pour l'inviter à venir se mettre à l'abri, mais elle n'avait pas l'air pressé et semblait au contraire prendre plaisir à l'averse. Il était aussi subjugué que stupéfait.

Constance aperçut à son tour l'homme abrité sous l'auvent, et sembla réaliser qu'il la contemplait. Elle lui adressa un sourire hésitant, en continuant à avancer. Quelle grâce dans cette façon d'accepter la pluie chaude des tropiques ! On l'aurait dit sortie de la terre ou tombée du ciel, mais Jones fut plus surpris encore quand elle aborda les marches. Elle ne laissa que le temps à leurs yeux de se rencontrer, puis dit :

– Êtes-vous un prince ? Êtes-vous venu me sauver ?

La pensée lui traversa l'esprit qu'elle était folle et que décidément le destin des femmes blanches était malheureux, ici.

– Pourquoi vous sauver ?

L'apparition eut un autre sourire.

– J'attends le prince charmant. Je me disais que c'était peut-être vous...

– Je regrette, non. Mais demandez-moi ce que vous voulez, je remuerai ciel et terre pour vous l'offrir...

Elle rit franchement cette fois.

– Il faut que je fasse un vœu, alors ? C'est encore mieux...

Elle ferma les yeux comme pour y réfléchir, mais Rosalie ne lui laissa pas le temps de le formuler. Elle avait jailli de la Grande Case à la manière d'un diable sortant d'une boîte, et se précipitait avec un parapluie au-devant de Constance avec un air courroucé.

– Constance Bonaventure ! Regardez-vous ! Vous croyez que c'est une tenue pour une jeune fille ! Rentrez immédiatement ! Vous allez attraper la mort !

Il fallait obéir. Constance adressa encore un sourire à l'homme providentiel, puis passa devant lui.

– Mon premier vœu, c'est que vous ne partiez pas, dit-elle sans se soucier de Rosalie.

Celle-ci n'accorda pas un regard à Jones. Lui, fasciné par l'audace de la jeune femme, la regardait disparaître dans la maison.

Elle s'appelait Constance, elle vivait et avait sans doute grandi ici, elle attendait le prince charmant... Jones en déduisit qu'elle était la fille de Théophile et de l'épouse qu'il avait vue tout à l'heure. Constance Bonaventure, qui avait besoin d'être sauvée ! Il resta un instant sur la véranda, perplexe, pensant à cette jeune beauté offerte à l'amour. Folle ? Mais qui dit : « folle » ?

À Saint-Pierre, on était préoccupé par tout autre chose. Adèle avait passé l'après-midi à nettoyer la maison avec l'aide de Fanny et de Byzance, Théophile l'ayant assurée qu'il ferait son possible pour attirer les planteurs chez lui.

Aux alentours de vingt et une heures, on frappa à la porte. La Rivière avait fait part à ses connaissances de l'invitation de Théophile, et quelques planteurs s'étaient joints à lui, curieux d'un endroit où l'on promettait de s'amuser.

Adèle ouvrit la porte. Devant elle, une douzaine d'hommes, au premier rang desquels La Rivière. Son visage pâlit.

– Tiens, tiens ! s'amusa-t-il. Une vieille connaissance...

Adèle se ressaisit.

– Quel plaisir de vous voir, monsieur La Rivière, cela fait longtemps, n'est-ce pas ?

– Oui, et je vois que tu n'as pas changé !

Son regard s'arrêta sur le collier qu'elle portait autour du cou :

– Mazette ! Chasse gardée ! Il ne prend plus de risque, le vieux filou !

Elle s'effaça, ouvrant largement la porte pour permettre au groupe d'entrer. Les planteurs passèrent devant elle les uns après les autres, tous les yeux s'arrêtant sur le collier qu'elle avait décidé de porter ouvertement. C'était la comédie de l'humble servante qu'elle s'était décidée à jouer. Aussi avait-elle quitté ses dentelles et ses bijoux pour endosser une robe marron usée, choisie pour son ras du cou qui mettait en valeur le collier.

Adèle introduisit les hommes dans le salon, dont une partie était cachée par un grand rideau rouge.

— Installez-vous, dit-elle. Mon maître va revenir d'un moment à l'autre.

Et sur ces mots, elle tira le rideau pour dévoiler des tables sur lesquelles étaient disposés des paquets de cartes. Un peu à l'écart, une autre petite table pour la banque, sa cassette et ses jetons, et une écritoire pour les reconnaissances de dettes. Byzance et Fanny, postés dans un coin de la pièce, se tenaient prêts, avec des plateaux chargés de verres et de carafes.

Les planteurs étaient venus dans l'espoir de s'amuser, certes, mais poussés aussi par la curiosité à l'égard d'un homme que tous croyaient ruiné. Le cercle de jeu soigneusement préparé les décontenança. Un murmure approbateur parcourut leur groupe, tandis que La Rivière n'hésitait pas à applaudir franchement en se récriant :

— Bon Dieu, pour un homme qui n'a soi-disant plus un sou, Théophile a bien fait les choses ! Tu es sûre qu'on peut commencer sans lui ?

— Ne vous inquiétez pas, répondit Adèle en faisant signe à Byzance et Fanny de passer avec leurs plateaux.

Il fallait venir à bout des hésitations des planteurs à s'installer dans la maison d'un homme condamné en partie par leur faute, et qui n'était même pas présent. Ce fut La Rivière qui donna le coup d'envoi :

— Eh bien allons-y, mes amis ! C'est toujours ça que Napoléon n'aura pas !

Après tout, ils avaient de quoi se divertir ici mieux qu'ailleurs et on les y invitait. Quel motif de refuser ? On s'assit, on alluma des cigares, on distribua les cartes, on prit un verre de rhum puis un autre. On se laissa griser par l'ambiance devenue chaleureuse, on ne vit pas le temps passer.

Adèle, assise à la petite table de la banque, jetait de temps en temps un coup d'œil aux chandeliers dont les bougies se consumaient lentement, sans rien laisser paraître de sa satisfaction : tout se déroulait comme elle l'avait prévu ; les planteurs perdaient sans se plaindre.

À minuit, elle était toujours à sa place, observant les hommes maintenant ivres ou ensommeillés, mais dont beaucoup jouaient encore.

Il manquait quelque chose pour les contenter pleinement. Adèle en prit conscience quand La Rivière, Fanny passant devant lui, lui caressa ostensiblement les fesses. La jeune esclave avait sursauté et s'était tournée vers Adèle avec des yeux affolés. Celle-ci lui fit signe de ne pas s'offusquer davantage.

La Rivière éclata aussitôt de son gros rire :

— Pas la peine d'être aussi farouche ! dit-il à l'intention de Fanny. Je paie bien, tu sais.

Puis il se tourna vers Adèle.

— Tu diras à Théophile que la seule chose qui manque ici, ce sont les femmes ! À ce propos, il me doit toujours une belle négresse, ce vieux filou...

Sa remarque déclencha un éclat de rire général. Il se remit à jouer sans voir dans son dos le regard de haine d'Adèle. Elle songea qu'il ne se serait jamais permis une pareille remarque en présence de Théophile. Il avait moins fait le fier quand ce dernier l'avait ridiculisé et envoyé rouler à terre. Il ne s'agissait cependant plus de se bagarrer. Seulement de gagner de l'argent et de racheter son fils. Mais il était tard et Adèle se demanda ce qui pouvait avoir retenu Théophile...

*
**

Ce qui l'avait retenu, c'était Ambroise Jones. Jones et la perspective de lui vendre son sucre à un bon prix. Il venait justement de lui faire visiter la sucrerie, et les deux hommes étaient de retour à la Grande Case pour prolonger la soirée en buvant un verre, en fumant un cigare et en parlant de leur affaire.

Théophile attendait le verdict de Jones, qui ne tarda pas :

— La qualité de votre sucre est vraiment impressionnante, mon cher. Je suis prêt à vous acheter la moitié de votre production.

Théophile triomphait intérieurement, mais il joua la perplexité.

— Écoutez, on pourrait peut-être s'arranger. Une partie déclarée, embarquée au vu et su de tout le monde, et une partie non déclarée livrée de nuit dans la petite crique, au bas de l'habitation...

— À cause des taxes, je suppose ?

— On ne peut rien vous cacher.

— Pourquoi pas ? Je peux faire en sorte d'amener un bateau dans votre crique... Il me faut juste un peu de temps pour contacter le capitaine...

Théophile se leva pour ne pas trop montrer son contentement. Cette vente arrivait à point nommé. Ce n'était pas tout : enfin quelqu'un reconnaissait la qualité exceptionnelle de son sucre, et ne se montrait pas hostile à cet arrangement à l'amiable qui évitait de payer des taxes devenues exorbitantes. S'il n'y avait qu'un petit problème de temps, ce n'était rien.

— Mon cher, vous êtes invité aussi longtemps que vous le voudrez !

Jones se leva à son tour.

— Auriez-vous un esclave à me louer si je dois rester quelques jours ? Je n'ai pas l'habitude de me passer de domestique...

— Je vais dire à Amédée de s'occuper de vous. Vous verrez, il est très bien. En attendant, finissez votre cigare, je vais me coucher. Je suis rompu.

– Je ne vais pas tarder moi non plus, dit Jones en se rasseyant.

Il demeura un instant seul dans le salon, se répétant que ce Bonaventure n'était décidément pas un homme comme les autres. Son sucre était un miracle, l'homme était assez franc, même si l'on ne pouvait être dupe de sa cordialité : Bonaventure avait un cruel besoin d'argent, et c'était la raison qui lui faisait recevoir chez lui le commerçant noir qu'il était. Son épouse elle-même l'avait affirmé.

Jones était plongé dans ses pensées, quand la jeune femme de l'averse surgit à pas de loup derrière lui. Il la devina, se retourna, elle lui fit signe de se taire en posant un doigt sur ses lèvres, et l'invita d'un geste à la suivre dans le jardin. Il éteignit son cigare dans un cendrier et la suivit. Il ne pleuvait plus.

Dès qu'ils furent sortis, Constance lui prit la main et l'entraîna vers un coin du parc où trônait un somptueux frangipanier avec ses branches noueuses et ses grappes de fleurs blanches dont se dégageait un parfum délicat mêlé d'odeurs de feuillage humide. Elle lui montra les superbes fleurs d'un balisier, les larges feuilles rubanées et les épis d'un alpinia. Jones connaissait ces arbres et ces plantes, mais il s'amusait de voir à quel point elles enchantaient la jeune femme.

– Tenez, regardez par là... C'est beau, non ? répétait-elle en allant d'un buisson à un autre tandis qu'il se tenait silencieux.

La lueur pâle de la lune ne faisait que renforcer le mystère du moment.

Elle ôta soudain ses chaussures sous l'œil sidéré de Jones, et se mit à tournoyer sur elle-même, les bras écartés, le visage de nouveau orienté vers le ciel, avant de lui confier :

– J'adore ça ! Si vous saviez comme l'herbe est douce sous les pieds... Dans la journée, c'est impossible, Rosalie me tuerait ! Mais la nuit...

Il était aussi conquis que médusé par le plaisir que manifestait la jeune femme. Elle s'arrêta de tournoyer et se mit à rire devant l'expression de son visage.

– Vous en faites une tête ! Dans cinq minutes, vous allez me dire que vous avez peur des zombis. N'ayez pas peur. Ici, c'est mon jardin secret.

Elle lui prit de nouveau la main pour l'entraîner, et il fut surpris de sentir que celle de la jeune femme était glacée. Il l'enferma entre les siennes pour la réchauffer, lui fit remarquer qu'elle tremblait de froid.

– Non. Enfin oui, dit-elle légèrement troublée. Mais ce n'est pas grave, je tremble facilement.

Il ôta sa veste et la posa sur ses épaules.

– Tenez, mettez ça, dit-il doucement.

Elle le remercia d'une voix à peine audible, mais retrouva rapidement son entrain. Elle ne savait finalement rien de cet homme.

– Comment vous appelez-vous ? À part monsieur Jones...

– Ambroise.

Elle se tut de nouveau ; elle trouvait de la noblesse à ce prénom et à sa sonorité. Ils échangèrent un sourire.

– Moi, c'est Constance.

Il le savait déjà. Elle voulut se promener, ils marchèrent main dans la main, ne sachant pas que quelqu'un les surveillait. Quand ils se furent éloignés, une ombre se détacha d'un arbre et s'accroupit sur l'herbe pour les épier encore. C'était Jacquier.

Au même moment, à Saint-Pierre, le salon avait retrouvé son calme. Les planteurs étaient partis. Adèle comptait soigneusement l'argent qu'ils avaient laissé. Byzance était en train de ranger les tables et les chaises. Adèle avait mal à la tête d'avoir si longtemps respiré la fumée des cigares dont le brouillard emplissait encore la pièce. Quand elle eut terminé, elle enferma les pièces dans la cassette, puis se leva pour aller ouvrir les fenêtres. Ce fut alors qu'elle remarqua la disparition de Fanny.

– Où est Fanny ? demanda-t-elle à Byzance. Elle n'est pas avec toi ?

– Elle est montée.

– Montée où ?

Byzance parut gêné.

– Là-haut. Avec un Blanc.

Adèle demeura quelques secondes interdite, puis revint à la table de la banque comme si de rien n'était.

– Bon, va te coucher, dit-elle à Byzance. Tu termineras demain.

Byzance n'était pas mécontent d'aller dormir. Il quitta la pièce après un bonsoir en créole. Adèle ouvrit de nouveau la cassette posée sur la table, tira une petite bourse de velours de la poche de sa robe et l'emplit rapidement de pièces d'or. Elle l'attacha à sa ceinture, sous son petit tablier, puis entreprit posément de recompter les pièces qui restaient dans la cassette. Fanny reparut.

– Te voilà, toi ! Il est tard.

Adèle connaissait bien cette pose mêlée de honte et de fierté.

Fanny approcha lentement en se tortillant tandis qu'Adèle découvrait deux boucles d'or à ses oreilles.

– C'est à moi, dit-elle. Cadeau.

– C'est Gueule fardée qui te les a données ?

Fanny hocha la tête, craignant les remontrances qui ne manqueraient pas. Mais Adèle ne lui accordait déjà plus d'attention et achevait son comptage.

– Ou pa faché ? demanda Fanny.

– Non. Va te coucher maintenant. Je n'ai plus besoin de toi.

Fanny ne se le fit pas dire deux fois, et Adèle demeura seule dans le salon transformé en tripot. Elle referma la cassette, resta encore un instant assise dans la pièce qui n'était plus éclairée que d'une simple bougie, constata que la fumée avait disparu, finit par se lever. Elle ferma les fenêtres les unes après les autres, tira de nouveau le grand rideau rouge et jeta un dernier regard au salon avant de mouiller son index pour éteindre la bougie.

*
**

Quelques jours plus tard, François accompagné de Jean-Baptiste se présenta au bureau d'état civil où ils furent reçus par un officier qui ne paraissait pas un mauvais bougre, mais qui ne sembla guère sensible à l'élégance de Jean-Baptiste, qui portait sa chemise blanche et sa redingote noire, mais avait réussi en outre à dénicher une cravate qu'il avait nouée avec fierté. La cravate ne suscita pas de considération particulière, mais la robe de François incita l'officier à s'adresser à lui avec respect. Comment, cependant, se résoudre à croire, comme le lui soutint François, que Jean-Baptiste était l'enfant d'un Blanc ? L'officier répétait qu'il avait besoin d'une preuve. François savait qu'il se heurterait à des obstacles, mais il ne s'avouait pas vaincu et il insista, espérant une certaine indulgence. L'homme ne pliait pas.

— Mais vous avez bien un certificat de naissance, ou de vente, je ne sais pas ! Il n'est pas sorti d'un chou tout de même, ce gaillard !

Il fallait tenter le tout pour le tout. François fit mine d'être gêné par la confidence à laquelle on l'obligeait et baissa la tête.

— Écoutez, c'est très embarrassant... C'est mon fils, voyez-vous...

— Votre fils ? demanda l'officier en manquant de s'étrangler.

François eut beau lui raconter la triste histoire d'un péché de jeunesse commis avec une femme métisse libre, l'éducation de l'enfant par les sœurs hospitalières, rien n'y fit : l'officier ne parvenait pas à croire que ce Jean-Baptiste noir comme du cirage était de lui.

Honteux de la comédie que François s'évertuait à jouer, Jean-Baptiste s'était levé, ruminant une colère qu'il contenait mal.

François en rajoutait, feignant de s'étonner de l'incrédulité de l'officier, lui demanda s'il ne trouvait pas que Jean-Baptiste était son portrait. Habitué à ce genre de contes, l'officier crut utile de le mettre en garde :

– Je ne sais pas ce que sa mère vous a raconté mais je mettrai ma main à couper qu'elle s'est fait engrosser par un nègre et qu'elle vous fait porter le chapeau, sauf votre respect, mon père.

– Puisque je vous dis que c'est mon fils ! À quoi voyez-vous qu'il est noir ?

L'officier argua qu'il y avait des preuves imparables, si la couleur de peau n'était pas suffisamment convaincante. Il demanda à Jean-Baptiste de lui montrer sa main droite, et obligea François à se pencher pour examiner la lisière de l'ongle. Très brune, c'était une caractéristique de la race. François ne voyait rien.

Sans doute las d'une discussion qui durait maintenant depuis presque une heure, l'officier se tourna de nouveau vers Jean-Baptiste :

– Bon, dit-il. Baisse ta culotte.

– Pardon ? demanda Jean-Baptiste qui croyait avoir mal entendu.

– Vous êtes fou ? ajouta François.

– La dernière preuve, ce sont les génitales. Les siennes sont certainement noires comme de l'encre, sinon il aurait baissé son pantalon depuis longtemps...

François et Jean-Baptiste échangèrent un regard effaré. François comprenait surtout qu'il avait perdu la partie. Il soupira.

– Bon. Admettons qu'il soit noir. Je peux quand même l'adopter ?

– Certes non ! S'il est noir, il est forcément esclave.

– Mais puisque je vous dis qu'il n'appartient à personne ! s'exclama François plus exaspéré encore que découragé.

– Dans ce cas, il appartient à l'État. Maintenant, vous pouvez toujours le racheter, expliqua l'officier qui conservait son calme.

Jean-Baptiste était à bout. Il s'approcha de l'officier, se campa sur ses jambes et écarta les bras comme pour se faire admirer.

– Dites-moi, monsieur, d'après vous, je vaux combien ?

L'officier surpris eut un mouvement de recul, et François se félicita de n'être pas tombé sur un homme trop méchant. Il n'était pas question de provoquer un scandale, et François sentait que Jean-Baptiste y était prêt. Il lui demanda de l'attendre dehors, et le poussa vers la porte. Jean-Baptiste la referma derrière lui violemment.

La tentative avait échoué. Il ne restait qu'une chose à faire. François revint vers l'officier, avec un sourire forcé.

– Je vais vous donner un premier acompte, dit-il en sortant une bourse de la poche de sa robe, et en la tendant au fonctionnaire qui l'ouvrit.

Un « acompte », pensa François quand l'homme eut fini de compter. C'était en réalité toutes ses économies !

Le lendemain, Adèle se présentait de nouveau à l'église. Elle avait couru, espérant que François et Jean-Baptiste s'y trouveraient, redoutant le retour de Théophile d'un moment à l'autre et sachant qu'elle ne pourrait s'éclipser ainsi régulièrement. C'était une folie que cette nouvelle escapade, mais elle avait gagné de l'argent, et François en avait certainement besoin.

Avant de pousser la porte, elle eut la pensée de prier pour qu'ils soient là. Elle ne pria pas, mais entra, nerveuse, impatiente. Ils étaient là. Elle ne prit pas la peine de leur dire bonjour, remarqua cependant que son fils ne venait pas à sa rencontre pour l'embrasser. Elle se précipita vers François.

– Alors ? Où ça en est ?

– C'est compliqué. Assieds-toi, je vais t'expliquer.

Elle ne pouvait pas rester longtemps. Théophile était parti depuis une semaine, et s'il ne la trouvait pas à son retour, il la chercherait partout.

– J'ai été déclaré esclave. François a été obligé de me racheter au gouverneur !

Jean-Baptiste avait parlé sur un ton à la fois sarcastique et grandiloquent, mais ses paroles n'eurent pas l'effet escompté, ce qui renforça son sentiment de se sentir exclu, alors que c'était pourtant bien de sa vie qu'il était question !

Adèle et François lui semblaient comploter dans son dos en l'ignorant complètement.

– Maintenant il faut encore que je l'affranchisse. Ensuite il sera déclaré libre, expliqua François en se passant la main sur le front.

Il n'osait le dire : il n'avait plus un sou et ne voyait pas comment affranchir Jean-Baptiste sans argent. Adèle devina la raison de son embarras. Bien sûr, qu'elle était sotte : elle était venue pour cela et elle l'oubliait ! Elle sortit de la poche de son tablier une bourse qu'elle tendit à François.

– Tenez. Je travaille maintenant. J'ai de l'argent.

Le visage de François s'éclaira. Jean-Baptiste revenait à la charge :

– Tu appelles ça un travail ? Tout le monde sait que tu es la cocotte d'un Blanc !

Il mériterait une fessée, pensa François. Adèle le gifla froidement. Il n'en fut pas calmé pour autant, regarda sa mère avec mépris :

– Tu peux garder ton sale argent ! La liberté qui s'achète en rampant devant les Blancs, je n'en veux pas !

Il quitta l'église, furieux. François et Adèle le regardèrent sortir. Ce n'était pas d'une fessée qu'il avait besoin. Jean-Baptiste se comportait simplement en jeune coq qui ne savait rien de la vie.

– Il n'a jamais vu l'habitation ? demanda François.

– Non, dit Adèle en sursautant. Je lui ai interdit d'aller là-bas.

Était-ce qu'elle craignait qu'on devine qu'il était son fils ? Non, ce n'était pas la vraie raison. Il avait eu la chance d'être éduqué dans un couvent, à l'abri de toute cette misère, et elle ne voulait pas qu'il voie la crasse dans laquelle elle avait grandi. Elle se redressa :

– Ne vous inquiétez pas pour moi. Je préfère qu'il se croie riche.

François la laissa repartir comme elle était venue, mais bien différente de la petite Adèle qu'il avait connue ! Elle prenait le destin de son fils en main, elle travaillait dans le but d'en faire un homme libre ! Il comprenait son désir d'oublier son existence d'autrefois, et de ne plus avoir à retourner à l'habitation. Pourtant, c'était là qu'avait commencé l'histoire de Jean-Baptiste.

*
* *

À l'habitation justement, on aurait bien eu besoin d'Adèle. Il s'y passait des choses qui ne plaisaient à personne. Constance n'avait jamais paru aussi heureuse, et elle laissait libre cours aux sentiments qu'elle éprouvait pour Ambroise Jones sans chercher à s'en cacher.

Lui était plus lucide : cette jeune femme dont il était en train de tomber éperdument amoureux était blanche, il était noir. Leur amour était-il viable ? Il essayait de se raisonner, s'abandonnant pourtant à des sentiments qui, au fond, lui semblaient légitimes.

Ce qu'il ne savait pas, c'était qu'on œuvrait dans son dos pour empêcher que les choses n'aillent plus loin ; et Rosalie venait même d'annoncer à Constance que Jones allait repartir bientôt, espérant que celui-ci ne la démentirait pas. Elle se trompait.

Lorsque Constance, désespérée, fit irruption dans la chambre de son bien-aimé, elle sembla ne prêter aucune attention au fait que celui-ci était nu dans une baignoire qui trônait au centre de la pièce. Elle était en larmes, et le supplia de ne pas l'abandonner. Horrifié par cette intrusion, il se leva, parut réaliser qu'il était nu, se rassit précipitamment dans son bain en rassurant la jeune femme :

– Enfin, Constance ! Qui vous a dit que je partais ?

– Rosalie.

– Eh bien, elle se trompe ! Votre père m'a invité à rester encore quelques jours. Je comptais vous le dire mais dans des circonstances... plus convenables pour une jeune fille, répondit-il sans dissimuler sa gêne.

Alors seulement elle ouvrit de grands yeux, réalisant soudain moins le scandale que la cocasserie de la situation, remarquant qu'il avait l'air un peu ridicule, ainsi coincé dans la baignoire, les mains pudiquement posées sur son sexe.

– Mais vous êtes nu ! s'exclama-t-elle, passant sans transition des larmes à un franc éclat de rire.

Oui, il était nu. Et il craignait que quelqu'un ne les surprenne dans ce drôle de face-à-face. Il eut à peine formulé cette pensée qu'Amédée entra dans la pièce, portant un broc d'eau chaude. Celui-ci demeura interdit en découvrant Constance en pareille situation. Mort de honte, Jones bafouilla un prétexte aussi risible que la tête qu'il faisait :

– Ah, Amédée ! Heu... Mademoiselle Constance venait justement me dire... Enfin, me dire qu'elle s'était trompée de porte.

Amédée le regarda sans mot dire, tandis que Constance, peu sensible au malaise, manifestait son ordinaire gaieté :

– Vous n'avez pas besoin de mentir à Amédée. C'est mon ami, il ne dira rien ! Ne t'inquiète pas, Amédée, je m'en vais !

Elle envoya un baiser à Jones.

– À tout à l'heure !

Et elle quitta la pièce, laissant Amédée verser l'eau chaude dans la baignoire, le visage fermé. Jones ne trouva pas utile d'ajouter quoi que ce fût ; et d'ailleurs quel besoin avait-il de se justifier ? Il était libre et riche, de quel droit se permettrait-on de le juger ? Il ferma les yeux pour ne plus voir Amédée, ce serviteur à la discrétion exemplaire que Théophile lui avait loué pour quelques jours. De son côté, Amédée avait dû renoncer à son activité de pacotilleur, aux allées et venues en ville, il était redevenu un esclave de service, à la différence près qu'il servait un homme noir. Mais un Noir jeune et libre tandis que lui, Amédée, arborait une main unique et des cheveux blancs.

Une heure plus tard, il entra dans la cuisine dans l'espoir d'y trouver Rosalie. Il n'y avait là que Mabelle, la nouvelle cuisinière, toute ronde, au tempérament jovial à défaut d'être jolie. Théophile l'avait achetée quelques semaines auparavant, pour suppléer une Man Josèph fatiguée.

Mabelle eut un sifflement admiratif. Elle ne se lassait pas de contempler Amédée dans son costume noir ; elle le trouvait très séduisant ainsi, bien plus à son goût que dans sa tenue de pacotilleur.

– Mazette, Amédée ! Que tu es beau ! dit-elle en effleurant le col de sa veste. Un vrai monsieur ! Dis donc, si le maître te loue à ce métis anglo, là, combien ça fait pour toi ?

Amédée fut amusé :

– Si c'est mon argent qui t'intéresse, tu vas être déçue... Le maître m'accorde seulement la moitié de ce que lui donne Ambroise Jones... Je gagne moins qu'avec mon âne.

Une moue de déception se peignit sur le visage de Mabelle. Mais après tout, il était infirme et vieux. Elle garda sa réflexion pour elle. Rosalie faisait son entrée dans la cuisine, et Amédée se précipitait :

– Rosalie, j'ai vu des choses déplaisantes entre Constance et le métis.

– Quelles choses ?

– Des polissonneries.

Le mot que Mabelle jugea désuet la fit éclater de rire, et les deux autres la dévisagèrent sans aménité.

– Pourquoi ris-tu ? demanda Amédée. Ti-Colibri ne peut pas épouser un métis. Elle doit épouser un Blanc.

– Ma pauvre petite ! dit Rosalie. Elle est si seule, elle tomberait amoureuse d'un bout de bois...

– Le métis n'est pas en bois, renchérit Amédée. Tu ne peux pas fermer les yeux, Rosalie. Le cœur de Ti-Colibri est en flammes, mais c'est nous qui allons brûler...

Mabelle ne paraissait pas bien les comprendre ; elle s'en alla pour finir d'éplucher ses christophines et prélever la chair des crabes qu'elle voulait farcir.

– Quelle complication ! soupira-t-elle distinctement. Chez mes anciens maîtres, les Blancs étaient des Blancs et les Noirs des Noirs, c'était simple !

Comme elle avait le dos tourné, elle ne vit pas le regard de dédain de Rosalie, mais elle entendit en revanche fort bien sa remarque :

– En dehors de sa mangeoire, est-ce que la truie comprend le monde ?

Amédée ne put s'empêcher de rire, et suivit des yeux Rosalie qui sortait la tête haute, tandis que Mabelle se retournait pour tirer la langue, et ajoutait que Rosalie était jalouse parce que les hommes préféraient les femmes jeunes.

– Pas tous les hommes, dit Amédée, rêveur cette fois, songeant que sa Rosalie n'était pas si vieille que cela...

CHAPITRE 20

Adèle ignorait ce qui se passait à l'habitation. Elle allait devancer pourtant la suite des événements. Devenue avide d'un argent nécessaire non plus à la liberté de son fils mais aux besoins de celui-ci pour qu'il ait de quoi vivre décemment, elle était décidée à ne reculer devant rien. Elle avait conscience aussi que l'occasion ne se représenterait pas deux fois de prouver à Théophile ses capacités. En s'absentant de Saint-Pierre, celui-ci lui avait laissé les mains libres pour transformer sa maison en tripot – que Fanny préférait appeler « cabaret », disant que le mot était plus joli. Il n'était pas question de le décevoir. Par orgueil comme par nécessité, Adèle avait trouvé le moyen de constituer leurs pécules respectifs sans avoir de comptes à rendre. En quinze jours, la maison était devenue un des lieux obligés de Saint-Pierre, les planteurs du Cercle avaient pris l'habitude de s'y rendre quotidiennement.

Adèle faisait bien les choses : on jouait, on buvait, on pouvait même causer affaires, on ne craignait pas d'afficher ses opinions, de rire haut. Ce n'était pas tout. Elle avait cru bon de suivre le conseil de La Rivière : il leur fallait des jolies femmes. Elle leur en donnait. Elles étaient blanches, noires ou métisses, habillées de tenues aguichantes. Elles passaient parmi les planteurs pour proposer à boire – on pouvait s'isoler avec elles à l'étage. Il avait fallu ajouter des tables au salon pour accueillir des hommes toujours plus nombreux. Les planteurs blancs furent bientôt rejoints par quelques mulâtres, riches à en juger par leurs vêtements. Y avait-il de quoi être grisée ? Adèle ne semblait nullement dépassée par la tournure des choses. Elle gérait son monde d'une main ferme, et regardait avec indifférence, mais avec le souci de quelques règles, les planteurs se distraire. Tout le monde n'y trouvait-il pas son compte ? Elle se surprit à rêver de racheter sa propre liberté. Mais il faudrait du temps. Pour l'instant, elle tenait la banque avec un sérieux irréprochable, et ses robes, plus sévères même qu'auparavant, mettaient en évidence le collier qu'elle portait toujours. Une façon de rappeler qu'elle travaillait pour Théophile.

Un soir, Hubert de Sainte-Colombe avait joué et beaucoup perdu. Décidé à s'arrêter, il s'approchait de la banque pour y laisser une coquette somme.

– Tiens ! dit-il à Adèle. Avec ce que j'ai perdu ce soir, tu diras à Théophile de boire au moins à ma santé !

– Je n'y manquerai pas.

Il ne partait pas, semblait hésiter, baissa finalement la voix et demanda à Adèle s'il y avait moyen de parler tranquillement. Elle le regarda, surprise, puis se leva avec grâce et l'entraîna vers une fenêtre à l'écart des tables de jeu.

– Allez-y, personne ne peut nous entendre ici.

– Je dois me marier. Très vite.

– Vous ?

Sainte-Colombe aimait les hommes, Adèle le savait, lui-même ne s'en cachait guère. Elle le laissa balbutier la suite :

– C'est-à-dire que... J'ai quelques soucis qu'un mariage pourrait arranger.

Elle commençait à comprendre, mais elle leva un sourcil interrogateur pour l'encourager. Il finit par se jeter à l'eau :

– J'ai été surpris avec un homme, voilà. Un nègre, par-dessus le marché. Évidemment, on le pendra. Je m'en suis sorti parce que je suis blanc et riche mais... je dois faire taire les rumeurs au plus vite.

Adèle parut réfléchir quelques secondes, puis le regarda dans les yeux.

– J'ai peut-être quelqu'un... Une demoiselle créole, très jolie, parfaite. Mais je ne peux rien vous promettre...

– Mille francs or pour toi si le mariage se fait.

Ils n'eurent pas le temps de poursuivre. Théophile venait d'arriver, et des acclamations saluaient son entrée au salon. Lui n'avait pas imaginé qu'un pareil succès fût possible, il en croyait à peine ses yeux et demeurait immobile sur le seuil, souriant et étonné.

– Salut, mes amis ! finit-il par dire.

La Rivière se décida à venir lui donner une grande claque dans le dos :

– Mon vieux, en ton absence, ta maison est devenue le rendez-vous de tous les planteurs de Martinique ! C'est le seul endroit où on s'amuse !

– Eh bien, je vais en profiter un peu moi aussi, dit-il en attrapant sur un plateau qui se présentait un verre, qu'il leva aussitôt. À la santé de Napoléon !

On ne l'imita pas mais on éclata de rire. Ses yeux ne cherchaient qu'elle. Ils la trouvèrent, revenue devant la petite table, assise bien droite dans sa robe au ras du cou et portant son collier. Ils échangèrent un regard d'intelligence. Voilà donc à quoi elle avait œuvré. Le moins qu'on puisse dire, c'est qu'elle avait réussi.

À la même heure, à l'habitation, on s'était souhaité une bonne nuit depuis longtemps, et chacun s'était retiré pour aller se coucher, les uns dans leur chambre, les autres dans leur case. Le dîner, où Théophile était encore présent, avait été particulièrement tendu, parce que Olympe avait une fois de plus trop bu et s'était montrée agressive quand il avait annoncé qu'il passerait la nuit à Saint-Pierre. Ivre, elle s'était mise à l'insulter, maugréant contre celle qu'elle appelait sa putain, et qui devait revenir à sa place, dans la boue où elle était née. C'était elle, l'épouse, qui aurait dû profiter de la maison en ville. Il avait eu beau expliquer qu'il se rendait à Saint-Pierre justement pour savoir où en était leur situation de fortune, elle n'avait rien voulu entendre et n'avait accepté d'aller se coucher, bien après le départ de son mari, que parce que Rosalie lui avait promis de rester auprès d'elle le temps qu'elle s'endorme.

Après l'avoir bordée comme une enfant malade, Rosalie était demeurée à son côté, assise sur une chaise dans l'obscurité, attendant qu'Olympe trouve un peu de paix, Olympe qui aurait presque demandé à être bercée dans des bras réconfortants. Ce ne fut que lorsqu'elle entendit la respiration de son sommeil que Rosalie se leva pour regagner sa planche de bois.

Quelqu'un attendait qu'elle ait quitté la Grande Case pour sortir de sa chambre à pas de loup. Constance, elle, n'avait nullement l'intention de dormir. Rosalie rentrée chez elle, elle sortit pour rejoindre son jardin secret, s'y déchaussa et profita de la douceur de la nuit pour marcher joyeusement, pensant aux regards ardents qu'elle avait adressés à Ambroise Jones durant le dîner. Lui avait baissé les yeux. Elle avait même voulu lui dire clairement son projet de le rejoindre dans sa chambre après que tous se seraient couchés. Or il s'était retiré très vite après le dîner. Constance revint de sa promenade.

Il ne semblait pas l'avoir devinée. Jones était en train d'écrire sagement à la lueur d'une bougie, quand il entendit du bruit à l'extérieur. Presque aussitôt, il vit apparaître Constance qui entrait par la porte-fenêtre de sa chambre. Il se précipita au-devant d'elle, referma rapidement les persiennes.

– Constance ! Qu'est-ce que vous faites ?

Elle se tenait là, hésitante dans sa robe blanche, ses chaussures à la main.

– Vous n'êtes pas resté longtemps, après le dîner... Vous êtes fâché ?

Il lui prit les mains, les serra dans les siennes. À la vérité, il aurait voulu être à la fois rassurant et distant. Mais il était aussi ému et maladroit qu'elle.

– Fâché ? Contre vous ? Quelle folle ! Je suis parti parce que...

Il baissa la tête, incapable d'en dire plus. Constance sentit son cœur battre plus fort dans sa poitrine, ses jambes trembler ; elle leva le visage vers lui pour l'obliger à la regarder.

– Parce que ?

– Parce que j'ai peur de moi-même. J'ai peur que mes sentiments pour vous...

Elle ne lui laissa pas le temps de finir sa phrase. Ses mains se nouèrent aux siennes, son visage s'était illuminé.

– Vous avez des sentiments pour moi ? Oh, Ambroise, je peux vous le dire, moi, je n'ai pas honte ! Je vous aime, je vous aime à la folie !

Il était bouleversé, et pourtant il ne fallait pas, cet amour était impossible, il le savait mieux que personne, c'était à lui de le lui dire, puisqu'elle refusait de regarder la situation en face. Ah, Constance ! Divine Constance qui ne voit pas la chose qui saute aux yeux des autres – la couleur de ma peau, la couleur qui m'appartient et qui fait ce que je suis, cette couleur dont je suis fier, moi, mais...

Il posa délicatement un doigt sur sa bouche.

– Chut, il ne faut pas.

– Qui va m'en empêcher ? Vous ? Je vous écoute. Dites-moi que vous ne m'aimez pas et je sors tout de suite.

C'était au-delà de ses forces. Il la prit dans ses bras et l'étreignit.

– Je vous aime. Je vous adore. Je veux que...

Il se tut. Il fallait qu'il ait la force de renoncer, qu'il résiste à l'entraîner dans un naufrage. Mais elle le regardait avec des yeux d'espoir, heureuse, en proie à une extase nouvelle à laquelle elle ne renoncerait pour rien au monde.

– Dans une autre vie, oui, vous auriez été ma femme, finit-il par dire d'une voix sourde.

– Je veux être votre femme. Dans cette vie et dans nulle autre.

Son visage était toujours tendu vers le sien. Il lui caressa tendrement les cheveux, et allait la raccompagner à la porte mais elle se dressa sur la pointe des pieds et déposa un baiser sur ses lèvres. Un autre baiser et encore un autre. Ils finirent par s'embrasser passionnément. Constance n'avait soudain plus rien d'une enfant. Elle commença à déboutonner sa guimpe, s'énerva de ne pas y parvenir, en arracha finalement les boutons. Le craquement sec ramena Jones à ses scrupules, mais elle lui souriait toujours et avait commencé à se déshabiller. Elle se donnait simplement à lui.

Au matin, Constance dormait encore quand François et Jean-Baptiste arrivèrent. François n'en avait rien dit, mais le comportement de Jean-Baptiste envers sa mère l'avait chagriné, et il pensait qu'il était nécessaire que le jeune homme voie d'où il venait. Le meilleur moyen était de lui montrer l'habitation. Il craignait de se heurter à un refus ; Jean-Baptiste insista pour s'y rendre au plus vite.

Muni de la besace en bandoulière qui ne le quittait pas, François traversait la cour du quartier des esclaves, accompagné par le jeune homme qui regardait autour de lui, effaré, répétant, comme incapable de dire autre chose :

– Que c'est pauvre !

François n'était pas mécontent de l'effet produit par cette leçon. Il désigna la case d'Amédée :

– C'est ici que tu es né. Quand ta mère a accouché, par terre, sur une paillasse, elle avait dix-sept ans. On t'a arraché de ses bras et ton grand-père a reçu l'ordre de te tuer...

– Je sais, dit Jean-Baptiste en le coupant. Il me l'a dit.

Apercevant Man Josèph assise dans un fauteuil devant la cuisine, François entraîna Jean-Baptiste.

– Viens, allons présenter nos respects à l'ancêtre.

Cela faisait déjà un moment qu'elle les observait, assise dans un vrai fauteuil, se demandant qui pouvait bien être ce jeune garçon.

En vieillissant, Man Josèph n'avait rien perdu de son généreux embonpoint, mais ses cheveux étaient maintenant tout blancs, et chacune des rides de son visage semblait raconter un fragment de son histoire. N'ayant plus à s'activer à la cuisine, elle avait quitté son tablier plein de taches et revêtu une robe de bonne qualité, comme si elle se tenait prête à quitter ce monde et à entrer dans le paradis lumineux auquel elle croyait.

Trônant dans son fauteuil, signe du statut qu'elle avait acquis, elle passait ses journées à fumer une longue pipe de bois, parlant parfois toute seule en créole ou fredonnant des mélopées de son pays. Man Josèph prenait enfin le temps de rêver, mais nul n'aurait su dire de quoi ses rêves étaient faits. Elle ne se déplaçait plus guère, ayant adopté l'attitude d'une souveraine domestique qu'on vient saluer.

François arriva à elle, souriant, suivi par le garçon à la mine renfrognée. Ce François, arrivé ici en jeune homme suffisant et aveugle, revenu clairvoyant, elle l'avait vu naître en quelque sorte, la chenille était devenue papillon. Man Josèph se rappela la première fois où il l'avait sollicitée en faisant mine d'avoir mal à l'estomac.

– Alors, monsieur François, vous avez mal au ventre ? dit-elle en riant.

Il se mit à rire lui aussi, et crut bon de donner une explication à Jean-Baptiste :

– C'est une vieille histoire. Elle m'a tout appris.

Il se tourna vers Man Jospèh :

– Salut à toi, Man Josèph. Je t'ai amené un visiteur. Tu le reconnais ?

Jean-Baptiste était le portrait de Koyaba, Man Josèph ne mit pas longtemps à s'en apercevoir.

– Jésus, Marie, Joseph ! C'est le fils de l'Africain ?

– Vous connaissez mon père ? demanda Jean-Baptiste fraîchement.

Man Josèph ignora la question et se tourna vers François,
se signa, prit un air fâché : pourquoi l'amener ici, c'est de la
folie !

– On ne peut plus rien lui faire, dit François. C'est un libre
maintenant.

Alors elle se retourna vers Jean-Baptiste et prit le temps de
l'observer, impénétrable, sans plus sourire. Il était noir et il
était libre, il ne semblait pas avoir conscience de ce que cela
signifiait.

– Vous ne voulez pas me parler de mon père ? répéta Jean-
Baptiste, moins sûr de lui sous le regard perçant de cette
vieille femme.

Mais leur attention fut attirée par Constance qui arrivait en
courant, essoufflée, resplendissante. Elle venait de se lever et
d'apprendre que François était là.

– Oncle François ! Vous êtes venu voir maman ? Que je
suis contente !

– J'arrive, répondit François. Tiens, je te présente mon...
assistant, Jean-Baptiste.

– Bonjour, monsieur, dit poliment Constance, tandis qu'il
s'inclinait avec une aisance qui lui rappela celle d'Ambroise
Jones.

– Mes respects, mademoiselle.

François expliqua qu'il lui faisait visiter l'habitation, et il
accompagna ces mots d'un regard circulaire sur la cour ; ses
yeux s'arrêtèrent sur le poteau qui servait aux exécutions.

– Cet endroit a tellement compté dans ma vie. Plus que la
France... où j'ai grandi pourtant. D'une certaine façon, c'est
ici que je suis né.

Il avait dit cela gravement, et si Constance et Jean-Baptiste
en furent un peu surpris, Man Josèph, elle, mesura la portée
de ses paroles. Elle hocha la tête avec un regard de tendresse,
cependant que Constance prenait la main de son oncle :
Olympe avait besoin de voir son frère.

François abandonna Jean-Baptiste aux bons soins de Man Josèph ; il n'en avait pas pour longtemps, il reviendrait le chercher.

Jean-Baptiste, le voyant s'éloigner vers la Grande Case avec Constance, se sentit désemparé, planté dans cette cour comme un étranger, de surcroît en tête à tête avec une femme qui l'intimidait.

François et Constance trouvèrent Olympe au salon, assise à sa table comme à l'accoutumée, occupée à une de ses inlassables patiences. Elle ne daigna pas lever les yeux quand François entra en clamant un vigoureux bonjour. Constance pensa qu'il était préférable de laisser son oncle et sa mère seuls. Olympe prit le temps de terminer sa partie, la rata, se laissa embrasser enfin, presque malgré elle.

– Te voilà ! Monsieur est trop bon, dit-elle en marchant jusqu'à une fenêtre. Ça y est ? Tu as vu tous les nègres de l'habitation ? Il n'en reste vraiment plus aucun ? Je ne voudrais pas gâcher ton précieux temps !

– Olympe, s'il te plaît, arrête...

– Quoi ? Je n'ai même plus le droit de récriminer ? Il faudrait que j'aie l'air heureux alors que les miens m'abandonnent, que je suis seule à crever, jour après jour, année après année !

Il connaissait ce regard vacillant, et son agressivité quand elle avait trop bu.

– Tu es ivre. Où est Rosalie ? Rosalie ! appela-t-il.

Olympe baissa la tête comme une enfant coupable. Elle avait bu, c'était vrai, mais l'alcool ne lui faisait pas dire que des inepties. Qui se souciait d'elle ? Et comment expliquer à son frère que la vie lui était devenue si insupportable que l'alcool était le seul moyen de fuir l'ennui et la réalité décevante ? L'alcool devenu l'ami intime. Tu te trompes, François, l'alcool n'a pas que des défauts. Les premiers verres troublent agréablement l'esprit, ils délient la langue, permettent d'être drôle tout en rendant supportable ce qui vous entoure. Puis l'acuité s'affirme, et les verres suivants, s'ils rendent légèrement agressif, c'est qu'ils renforcent un sentiment d'invincibilité, et vous font accueillir les bras ouverts le premier qui voudrait s'y frotter. Les derniers verres assomment plus sûrement qu'un coup de bâton, et permettent de dormir d'un sommeil sans rêves, ayant lui-même cette qualité de faire passer le temps. C'est encore l'alcool qui m'a désappris à paraître, à m'insurger contre tout ce que nos gentils parents ont cru bon d'enfoncer dans nos têtes fragiles. L'horreur du paraître, François ! Souviens-toi, à la cour du roi quand nous étions enfants. L'alcool me permet d'être, François, d'être moi dans ce que je suis de pire. Mais si tu savais, François, si tu savais comme de cela au moins je lui suis redevable. Tu crois comme les autres que je n'ai pas de cœur. Mais j'ai un cœur, moi aussi, il est peut-être moins respectable que le tien, mais il existe, et je le sens battre chaque jour dans ma poitrine.

Elle s'avança vers son frère.

– Tu as honte de moi, toi aussi ?

Il la regardait, ému maintenant. Il la prit dans ses bras, et elle se laissa cajoler comme une poupée.

– J'ai horreur de te voir comme ça... lui murmura-t-il à l'oreille.

– Pourquoi les choses ont-elles aussi mal tourné, François ? Pourquoi est-ce que rien n'a marché comme je voulais ?

– Tu connais la réponse, ma petite sœur chérie.

Non, elle ne savait pas. Elle cherchait une explication, elle n'en trouvait aucune de sûre. Elle secoua la tête pour dire à son frère qu'il se trompait. François s'écarta pour la regarder dans les yeux. Il lui adressa un sourire d'indulgence, il savait qu'elle n'allait pas aimer sa réponse personnelle à cette question.

– L'esclavage. Dieu nous punit, un par un.

Olympe se renfrogna et se détacha de lui. Elle lui proposa une tasse de cacao, s'irrita que Rosalie ne soit pas là pour l'accueillir comme il convenait. Mais il dit que cela n'avait pas d'importance : on l'attendait ailleurs, sa journée ne faisait que commencer, le temps lui semblait filer comme l'éclair. Elle eut une grimace : s'il savait comment chaque journée s'étirait en longueur pour elle, et combien chaque minute passée lui semblait presque une victoire. Elle n'en dit rien, lui fit promettre de revenir la voir de temps en temps, de ne pas l'abandonner. Il demanda en échange qu'elle modère sa consommation d'alcool. Olympe répondit par un sourire vague, puis le raccompagna sur la véranda. Ils s'embrassèrent. Elle était sincèrement émue à son tour. Mais que son frère aille où on l'attendait, et courage !

Un quart d'heure plus tard, François et Jean-Baptiste quittaient l'habitation. Olympe n'avait pas bougé de la véranda. François lui fit un grand signe d'adieu auquel elle répondit.

François aurait bien voulu savoir comment s'était passé le tête-à-tête avec Man Josèph, mais Jean-Baptiste n'avait pas envie d'en parler. Bien sûr, il était remué : on ne rencontrait pas Man Josèph impunément ; elle semblait avoir reçu la mission de changer votre vision du monde.

Les deux hommes se retournèrent ; quelqu'un les appelait : Amédée arrivait en courant, essoufflé, sidéré par la présence de Jean-Baptiste.

— Alors, c'est vrai ce qu'on m'a dit ? Vous l'avez amené ?

— Il ne m'a pas « amené » ! C'est moi qui ai voulu venir ! Quand allez-vous cesser de me traiter comme un gosse, maman et toi ?

Amédée paraissait inquiet tout de même :

— Tu vas le dire à ta mère ? Elle ne va pas être contente...

— Tant pis ! Je ne suis pas comme elle ! Je n'ai pas honte d'être ce que je suis.

Amédée eut un sourire amer. Il parut sur le point de dire quelque chose, puis se ravisa. Son visage était devenu singulièrement grave.

— Va la voir ce soir. Dis-lui de revenir ici. On a besoin d'elle.

– Qu'est-ce qui se passe, Amédée ? Vous avez des soucis ? demanda François.

Amédée ne répondit pas, les quitta, marchant le dos légèrement voûté, comme accablé. Bien sûr, ils ont des soucis, pensa François. Il entendit Amédée lui crier, sans se retourner :

– Bonne route, mon père !

Le soir même, à Saint-Pierre, Jean-Baptiste attendait, posté à un coin de rue devant la maison de ville de Théophile. Il resta ainsi plus de trois heures, à guetter l'apparition de sa mère à la porte. Il aperçut des hommes qui entraient et qui sortaient, certains à moitié ivres. Il eut enfin l'occasion de se montrer, alors qu'Adèle regardait s'éloigner un visiteur fort éméché.

Quand elle aperçut Jean-Baptiste qui lui faisait signe, elle courut vers lui : que venait-il faire ici ? C'était une folie ! Il lui dit qu'Amédée voulait la voir, que c'était important. Elle rentra tandis qu'il disparaissait dans la nuit.

Le lendemain, Adèle alla à l'habitation sous le prétexte d'y prendre des robes, et apprit d'Amédée et Rosalie la relation qui s'était nouée entre Constance et Ambroise Jones. Bien plus, ils avaient le projet de s'enfuir ensemble et de se marier. Adèle pensa à la requête de Sainte-Colombe, s'étonna des hasards de la vie. Elle avait parlé d'une jeune fille créole en pensant à Constance, jamais elle n'aurait imaginé que sa proposition tomberait si à propos...

Le soir suivant, dans la crique où Manon s'était donné la mort, une barque approcha du rivage, portant Ambroise Jones en tenue de voyage et un marin métis qui ramait lentement.

Quand la barque accosta, Ambroise Jones sauta prestement sur le sable et se dirigea vers une silhouette de femme qui se dessinait sous un cocotier, le visage dissimulé par un large capuchon.

Jones traversa la plage tandis que la femme se détachait de l'arbre pour venir à sa rencontre. Quand il fut à quelques pas, elle ôta son capuchon : ce n'était pas Constance, c'était une noire inconnue de lui, c'était Adèle.

— Qui êtes-vous ? Où est Constance ?

— Constance ne viendra pas.

— Mais enfin de quoi vous mêlez-vous ? Qui êtes-vous ?

— Vous ne pouvez pas l'épouser, monsieur Jones. Vous savez ce que diront les gens d'une Blanche qui couche avec un homme de couleur...

— Je vous remercie, mais je suis assez riche pour protéger ma femme !

— Et nous, monsieur Jones ? Qui nous protégera de la colère du maître ?

Il y eut un court silence. Puis Jones déclara d'un trait que ce n'était pas son affaire.

— Je vais aller la chercher moi-même ! Je ne l'abandonnerai pas dans cet endroit pourri !

Il bouscula Adèle pour passer. Il n'alla pas loin. Comme surgi de nulle part, Jacquier l'assomma d'un net coup de bâton. Ambroise Jones s'écroula sur le sable sans connaissance. Jacquier tira le corps jusqu'à la mer, le souleva et l'installa dans la barque.

— Emmène-le, dit Jacquier au marin. La dame ne viendra pas.

Intimidé par la stature imposante du commandeur, le marin empoigna les rames.

La barque se dandinait maintenant vers le large, et Jacquier rejoignit Adèle.

— Vite, dit-elle. Je dois rentrer à Saint-Pierre avant le jour...

Ils repartirent ensemble dans la nuit, sombres et silencieux.

Le soleil était déjà haut dans le ciel quand Constance, allongée sur son lit en tenue de voyage, se réveilla un peu pâteuse, surprise qu'il fasse déjà grand jour. Rosalie était assise sur une chaise à ses côtés et l'avait veillée toute la nuit. Constance se redressa, étonnée d'avoir dormi tout habillée, puis son regard tomba sur une tasse vide, sur la table de nuit. Elle poussa un cri de bête blessée.

– Non ! Pitié, non !

Rosalie tentait de la calmer.

– Doucement, mon petit colibri, doucement... dit-elle en tendant les bras pour l'embrasser.

Mais Constance s'écartait pour l'éviter.

– Qu'est-ce que tu m'as fait boire ? Qu'est-ce que tu as fait, Rosalie ?

Elle se mit à hurler :

– Pourquoi ?

L'air égaré, elle laissa finalement Rosalie la prendre dans ses bras et la serrer contre son cœur. De grosses larmes roulaient sur son visage.

– Pardon, mon petit colibri. Pardonne-moi, je t'en supplie. Il n'y avait pas d'autre façon de t'empêcher de partir...

Constance la repoussa pour se lever.

– Il m'attend ! Je sais qu'il m'attend !

Il coûtait à Rosalie de dire que c'était vrai : il l'avait attendue, mais son bateau avait quitté la Martinique au lever du soleil.

– Qu'est-ce qu'elle a ? demanda une voix lasse sur le seuil de la porte.

Olympe regardait d'un air étonné le visage de sa fille ravagé par les larmes. Sa vue provoqua un véritable sursaut d'hystérie, et Constance se remit à hurler :

– Va-t'en ! Je ne veux pas te voir ! Je ne veux pas devenir une épave comme toi ! Vous croyez que vous avez gagné, mais vous ne pouvez pas m'obliger à vivre ! Je me tuerai ! Je vous jure que je me tuerai plutôt que de rester ici !

Olympe s'avança en ouvrant les bras d'une façon inhabituelle chez elle.

– S'il te plaît, non... Ne fais pas ça. Je t'en prie, ma fille chérie, ne fais pas ça !

Constance reculait, les yeux fous de détresse.

– Ne m'approche pas ! Ne me touche pas !

Elle se laissa retomber sur son lit, en sanglots. Olympe vint s'asseoir à ses côtés, sans oser la toucher d'abord, mais prise d'une tendresse infinie. Les yeux fixes, elle se mit à parler d'une voix claire :

– Je n'ai pas toujours été comme ça, tu sais... Moi aussi j'ai voulu partir. Moi aussi j'ai aimé un homme. Il a été tué en France et je suis restée ici avec toi... J'ai laissé le chagrin me dévorer, mais il y a toi. Tu es la plus belle chose qui me soit arrivée...

Elle s'approcha davantage pour caresser les cheveux de sa fille, qui finit par se loger dans ses bras. Olympe lui dévoilait un amour secret, mais elle lui disait surtout pour la première fois qu'elle l'aimait. Cette mère qu'elle croyait sans cœur parlait enfin. Constance la voyait à travers ses larmes en pensant à toutes ces années de malentendus. Constance avait attendu si longtemps un geste, un mot qui n'étaient pas venus. Fallait-il donc qu'Olympe ouvre son cœur maintenant, quand Constance voulait tout quitter ?

Rosalie préféra quitter la pièce. Constance sanglotait maintenant sur l'épaule d'Olympe qui lui parlait à l'oreille :

– Ça passera, ma chérie, tu verras... Un matin, on se réveille et on souffre moins...

– Tu dis ça, mais tu as l'air de souffrir tellement, maman...

– Ce n'est pas seulement mon amour perdu qui me fait mal, ma chérie. C'est ma vie, ce que j'ai fait de ma vie... dit Olympe avec nostalgie.

Jacquier et Amédée, arrivés à Saint-Pierre peu avant cette scène à l'habitation, avaient trouvé Théophile qui entamait son déjeuner. Il ne parvenait pas à croire ce que les deux hommes étaient venus lui annoncer, et il se taisait, tandis qu'Adèle, postée près de la porte, pressentait ce qui allait se passer. Théophile sembla rassembler ses pensées, puis il se leva soudain.

– Parti ? Comment ça, il est parti ?

Fanny, chargée du service, entrait à ce moment et disparut sur un signe d'Adèle.

– Oui, je vous le répète, cette nuit, dit Amédée. Quand je suis entré dans sa chambre ce matin, elle était vide. Il n'y avait plus sa valise, ni aucune de ses affaires.

– J'ai été au port, renchérit Jacquier. Son bateau a mis les voiles à l'aube.

– Le fumier ! Il devait embarquer la moitié de ma cargaison aujourd'hui ! Il m'a roulé dans la farine, le négro ! Oh, je vais le retrouver celui-là ! Et quand je lui mettrai la main dessus, il va le sentir passer, ce voleur !

Adèle fit un pas pour intervenir, et livra la première partie de son plan :

– Tu vas clamer partout qu'on t'a roulé ? Tu veux faire rire les gens ? Laisse tomber au contraire. Tu gardes les arrhes, et tu racontes que finalement, vous n'avez pas fait affaire. Les gens n'y penseront même pas...

Théophile traversait et retraversait le salon, remâchant sa colère, se reprochant son hospitalité à l'égard d'un homme qui avait doublement abusé de sa confiance. Adèle avait raison cependant. Jacquier et Amédée étaient plantés au milieu du salon. Théophile finit par les consulter du regard. Ils approuvèrent Adèle tous deux de la tête.

– Bon, d'accord ! Qu'il aille au diable après tout ! Rentrez à l'habitation, je vais rester ici le temps de vendre la marchandise...

Après qu'Amédée et Jacquier furent sortis, Théophile alla se rasseoir pour poursuivre son déjeuner, mais il n'avait plus d'appétit et il se releva, nerveux, incapable de tenir en place. Adèle observait cette agitation, et elle pensa que le moment était opportun pour dévoiler la seconde partie de son plan.

– Si tu as besoin d'argent, tu peux demander un prêt à Sainte-Colombe... hasarda-t-elle prudemment.

– Qu'est-ce que tu fricotes avec Sainte-Colombe, toi ?

– Mais... rien ! se défendit-elle, d'un air faussement

dégagé. Absolument rien ! Comme il est très riche, je pense juste que ce serait un beau parti pour ta fille...

Il s'arrêta net, certain d'avoir mal entendu, stupéfait :

– Marier Constance avec ce sagouin ? Mais tu n'y penses pas ! Il risque la corde pour ses mœurs, ce... pervers ! Attends ! C'est lui qui t'a demandé de faire l'entremetteuse ?

– Mais non. Qu'est-ce que tu vas imaginer ? Il ne sait même pas que j'existe !

Elle demeura bien droite quand il se campa face à elle, caressant le collier autour de son cou. Il ne savait où elle voulait en venir avec cette histoire de Sainte-Colombe, mais il savait qu'elle pouvait se moquer de lui. Il planta ses yeux dans les siens. Elle n'oublierait jamais les mots qu'il prononça :

– Je sais que tu ne me donnes pas tout l'argent que tu gagnes avec ton tripot. Je sais que tu me roules, que tu mets de l'argent de côté. Je te connais bien, tu sais. Mais je ne te laisserai jamais racheter ta liberté. Même si je devais vendre tous mes esclaves et crever de faim avec toi... Je ne te laisserai jamais partir...

Elle en eut froid dans le dos. Ainsi, peu importait l'argent qu'elle lui volait, la seule chose certaine, c'était qu'il ne la laisserait jamais acquérir sa liberté.

Elle ne baissa pas les yeux, quoiqu'elle se sentît pétrifiée. Il déposa un baiser sur sa joue et quitta la pièce, presque guilleret. Adèle eut une bouffée de haine, puis pensa à son fils enfin libre, et que François avait promis d'aider à trouver un travail.

Depuis quelques jours, François se renseignait effectivement, ici et là. Un notaire de Saint-Pierre était à la recherche d'un clerc. Il se présenta à l'étude accompagné de Jean-Baptiste.

Un esclave les introduisit dans une antichambre. Ils y attendirent plus d'une heure, et Jean-Baptiste en fut exaspéré. Quand une porte s'ouvrit enfin, un homme à longues moustaches apparut, examina le jeune homme des pieds à la tête avec une moue de dégoût, les fit entrer dans son cabinet.

François se lança dans un long monologue, énumérant les compétences de Jean-Baptiste : il savait lire et écrire, avait quelques rudiments de comptabilité, était sérieux, ponctuel, prêt à apprendre et à s'acquitter des tâches qu'on lui attribuerait avec une efficacité exemplaire.

Cependant, l'homme aux longues moustaches continuait de détailler la physionomie de Jean-Baptiste avec froideur, en évitant de croiser son regard. Le jeune homme avait envie de faire basculer la bibliothèque qui se trouvait derrière lui. Ou encore de soulever le secrétaire pour le renverser en arrière. Comme il laissait errer son regard, ses yeux s'arrêtèrent sur un chandelier et il se demanda si l'on pourrait s'en servir pour assommer quelqu'un. Partir en courant serait peut-être la solution la plus sage. L'homme aux moustaches le regardait maintenant en clignant des yeux, comme s'il n'était pas certain de bien voir. Le notaire ne pouvait-il porter des lunettes, si sa vue était trouble ? Jean-Baptiste allait se lever en criant qu'il était noir, vraiment noir, pour que l'autre cesse ces simagrées, mais voici qu'il se retournait vers François.

– Je veux bien faire un essai, mon père, mais vous me garantissez qu'il sait lire et écrire ?

Jean-Baptiste se félicita d'avoir résisté à ses pulsions.

– Bien entendu, cher maître ! Vous ne trouverez pas meilleur clerc que lui dans toute la Martinique ! Tenez, dans dix jours, je reviendrai et vous me remercierez...

Le notaire se leva et serra la main de François.

– Si vous le dites, mon père...

– Merci, maître, dit François avec un large sourire, heureux de cette victoire.

Il se tourna vers Jean-Baptiste :

– Travaille bien, mon garçon !

Et il quitta la pièce. Jean-Baptiste était casé, il allait apprendre et travailler, gagner sa vie, vivre librement. Adèle allait être soulagée !

Demeuré seul avec Jean-Baptiste, le notaire parut mal à l'aise, pinça les lèvres, se dirigea vers un placard. Il l'ouvrit, en sortit un seau et un balai qu'il tendit.

– Tiens, commence donc par ça ! Au moins tu te rendras utile ! On verra ensuite, pour les écritures...

Jean-Baptiste le regarda lisser la pointe de ses moustaches, hésita à lui casser la figure, marcha finalement jusqu'à la porte et sortit.

Le lendemain soir, il se rendait dans une taverne de Saint-Pierre qu'il fréquentait depuis plusieurs semaines, et où de jeunes métis libres avaient pris l'habitude de se réunir. C'était là qu'ils réfléchissaient à une lutte efficace contre l'esclavage, c'était là surtout qu'ils dansaient la Laguia, une danse guerrière symbolique de leur résistance et de leurs combats à venir. Danse violente mimant un affrontement et se terminant par la mort du plus faible. L'adversaire, pour ces initiés, c'était le Blanc en particulier et l'esclavage en général. Il fallait y mettre fin. Danser la Laguia, c'était comme un prélude à une révolte qui n'allait pas tarder.

La taverne regorgeait de ces jeunes gens ardents. Jean-Baptiste s'y était lié d'amitié avec des garçons de son âge, et ce soir l'un d'eux mimait justement la lutte, dansant face à un autre, au milieu d'un cercle formé par une assistance déchaînée, tandis que le tambour résonnait.

Jean-Baptiste les observa d'un œil sombre et alla s'asseoir à l'écart.

Quand le combat prit fin, des hurlements se firent entendre pour acclamer le vainqueur attendu, un ami de Jean-Baptiste, haletant d'épuisement. Le jeune homme victorieux aperçut Jean-Baptiste et le héla joyeusement :

– Oh ! Jean-Baptiste ! Viens t'entraîner !

Celui-ci leva les yeux sans répondre et sans dissimuler sa

mauvaise humeur. On se trompait, on n'avait rien compris, danser la Laguia était dérisoire, la lutte se passait ailleurs. Le tambour qui s'était tu un moment reprit de plus belle tandis que deux nouveaux danseurs prenaient place au centre du cercle.

L'ami de Jean-Baptiste s'assit face à lui.

– Où étais-tu hier soir ? On s'est réunis sans toi !

– C'est de la parlote, vos réunions ! Ce n'est pas comme ça qu'on fera avancer les choses !

– Alors, comment, d'après toi ?

– Toi et moi, on croit qu'on connaît les esclaves mais en réalité on ne sait rien d'eux. On se bat pour eux mais on ne s'est jamais donné la peine de les écouter... Il faut aller dans les cases ! Sur les habitations !

– Mazette ! s'exclama son ami avec un air moqueur. Tu veux aller prêcher la bonne parole dans les champs de canne ?

Son ton amusé irrita Jean-Baptiste.

– Oui. C'est exactement ce que je vais faire.

Il désigna d'un geste méprisant le groupe de jeunes athlètes.

– Amusez-vous bien !

Et il sortit de la taverne. Son ami se demanda quelle mouche l'avait piqué, se rassit, ayant le besoin de souffler. Le magnétisme du tambour était tel qu'il retourna dans le cercle encourager les lutteurs. Mais il était pensif, car le sérieux de Jean-Baptiste l'avait ébranlé.

À l'habitation on avait la satisfaction de s'être débarrassé du métis, et la souffrance de Constance avait au moins ceci de bon qu'Olympe s'occupait elle-même de consoler sa fille. Elle l'avait veillée plusieurs jours sans cesser de lui manifester sa tendresse, et ce fut en partie cela qui fit se relever Constance : elle avait perdu l'homme qu'elle aimait, mais gagné une mère.

Rosalie ne fut pas longue à comprendre qu'une nouvelle difficulté se présentait. Constance n'avait pas saigné ce mois-ci, dormait plus que de coutume et se plaignait de nausées qui lui faisaient bouder la cuisine de Mabelle – vexée quand on lui soutenait que la cuisine de Man Josèph n'avait jamais rendu malade qui que ce fût.

Deux semaines plus tard, Rosalie était certaine que les plats n'étaient en rien responsables du manque d'appétit de Constance. Elle en parla finalement à Amédée. Constance ne pouvait garder l'enfant de Jones ; il était cependant nécessaire de conduire l'affaire avec la plus grande discrétion. Il fut convenu qu'Amédée rapporterait de Saint-Pierre les pousses d'ananas nécessaires à l'avortement.

Le dimanche suivant, revenant du marché, Amédée posta son âne devant la cuisine pour décharger ses paniers. Mabelle l'accueillit avec des reproches : il en avait mis, du temps, madame avait réclamé son absinthe au moins deux fois ! Amédée fouilla dans un panier à la recherche de la bouteille, et la tendit à Mabelle tout en déballant diverses marchandises.

– Tiens ! J'ai ses dragées aussi, et le tissu pour la robe de Constance...

Mabelle s'emparait des paquets, mais restait à tourner autour des paniers, curieuse, d'autant plus excitée que l'achat de ces marchandises était interdit par le Code Noir.

– Et mon foulard ? Tu as pensé à mon foulard ?

Amédée l'avait mis quelque part par là... Elle voulut l'aider et chercha, soulevant les fruits et les légumes. Ses yeux tombèrent sur un bocal rempli d'une décoction trouble. Elle fronça les sourcils, prit le bocal et l'examina avec curiosité.

– Mais qu'est-ce que c'est ? De la décoction de pousses d'ananas ? Amédée !

Amédée lui arracha le bocal des mains en lui demandant de se mêler de ce qui la regardait, et le dissimula précipitamment sous des ignames, tandis qu'elle prenait l'air narquois.

– Oh, oh ! Qui a un polichinelle dans le tiroir sur l'habitation ? Un petit polichinelle qu'il faut faire sauter ?

– Tu parles trop, ma commè. C'est pour ça que tu n'as pas d'amoureux. Les hommes n'aiment pas les femmes qui parlent trop.

– Parler est un petit péché, mon chè. Avorter, ça c'est un grand, grand péché !

Amédée lui jeta un regard furibond, attrapa son âne par la bride et s'éloigna.

Mabelle allait rentrer dans la cuisine quand elle se figea : Jacquier était planté sur le seuil, appuyé contre le chambranle de la porte, suivant des yeux Amédée et son âne.

– C'est pour qui, les pousses d'ananas ? demanda-t-il avec flegme.

Elle lui répondit simplement qu'elle ne savait pas de quoi il voulait parler.

Le soir même, Rosalie expliquait la situation à Constance. Malgré son désespoir, elle se laissa convaincre que c'était la bonne solution. Rosalie la fit venir dans sa case après le dîner, de façon à opérer à l'abri des regards indiscrets, et Constance laissa Rosalie lui administrer les pousses d'ananas sans broncher. Deux heures plus tard, en boule sur la planche de bois, les mains crispées sur le ventre, elle souffrait et pleurait en silence. Il y avait du sang partout, et dans une cuvette un magma rougeâtre que Rosalie voulait aller jeter dans un coin du jardin et recouvrir de terre.

Quand elle sortit de sa case avec la cuvette, elle se heurta à Théophile, prévenu par Jacquier qui l'accompagnait. Il lui ferma le passage, en lui demandant où elle allait. Son regard s'arrêta sur la cuvette que Rosalie n'avait pas eu le temps de dissimuler.

– Alors c'est vrai ce qu'on raconte ! Et moi qui ne voulais pas le croire ! Tu me dégoûtes, tiens !

Il lui attrapa brutalement le bras.

– Allez, viens ! On va voir lequel tu as fait sauter cette fois-ci...

Il la repoussa à l'intérieur de sa case en lui emboîtant le pas. Horrifié, incrédule, outragé. Là, sur la planche de bois misérable, c'était sa fille qui était allongée.

– Pitié, maître ! Pitié pour votre petite fille ! s'exclama Rosalie.

– Qui est le père ? demanda-t-il froidement.

Rosalie ne répondit pas. Théophile se mit à la frapper avec rage.

– Tu ne m'as pas entendu ? Je te demande qui est le père ?

Se heurtant de nouveau à un silence, il devint fou furieux et recommença à la frapper, mais Rosalie encaissait les coups sans broncher. Théophile finit par s'arrêter.

– Tu crois que tu es la plus forte, n'est-ce pas ? Ma plantation est un bordel et ma fille une putain ! Et toi, tu conduis la musique !

Il se détourna pour quitter les lieux et ordonna à Jacquier :

– Amène-la au juge, dis-lui que c'est une avorteuse ! Il peut faire ce qu'il veut, moi je ne veux plus la voir !

Mabelle avait dit « péché », mais avorter était un crime passible de la peine de mort. Jacquier le savait. Il prit Rosalie par le bras, elle se laissa entraîner sans résistance.

Le lendemain matin, Jacquier conduisait Rosalie à Saint-Pierre pour la remettre entre les mains du juge. Après quoi, il alla prévenir Adèle de ce qui s'était passé. Amédée viendrait retrouver sa fille plus tard, entre dix heures et midi.

Aux environs de onze heures, Amédée était avec son âne devant la maison. Adèle ouvrit pour la seconde fois la porte et se précipita à sa rencontre.

– Alors, c'est vrai ? Cette petite crétine était enceinte du métis ! Pourquoi tu ne m'as rien dit ?

– Rosalie se méfie de toi. Elle ne voulait pas que tu saches. Elle voulait se débrouiller toute seule.

– Et maintenant, elle va être pendue ! Alléluia !

401

L'expression de dureté sur le visage d'Adèle contrastait avec la panique d'Amédée. Elle savait bien pourquoi Jacquier était venu la voir, et maintenant Amédée. Ils pensaient qu'elle était la seule à pouvoir convaincre Théophile de revenir sur sa décision.

Amédée regardait sa fille avec des yeux pleins de détresse.

– Adèle ! Tu dois demander à Théophile d'avoir pitié ! Il faut qu'il dise au juge qu'il la reprend ! Il faut que tu fasses quelque chose ! Rosalie est... très importante pour moi.

– Importante ? demanda Adèle, incrédule. Qu'est-ce qui t'arrive, papa ?

– J'aime cette femme, Adèle, répondit-il d'une voix sourde.

Elle dissimula sa surprise et hocha gravement la tête.

– Je vais parler à Théophile, dit-elle.

Tandis qu'Amédée l'embrassait et la serrait contre lui, Adèle pensa qu'ainsi l'amour vrai était possible, malgré les malheurs, malgré l'horreur de l'esclavage. Adèle avait cru à une amourette. Elle se rendait compte que son père était profondément épris de Rosalie. Il l'aimait de cet amour qu'elle n'éprouvait plus pour personne, elle.

Le même jour, survint un incident qui n'allait pas faciliter les choses. Jean-Baptiste n'en finissait pas d'accumuler les erreurs. Il avait mis ses paroles à exécution, et n'avait rien trouvé de mieux à faire que de se rendre à plusieurs reprises sur le territoire particulier de Jacquier, pour inciter les esclaves de jardin à la révolte, sans savoir que, quelques années auparavant, son père avait appelé à la lutte dans cette même clairière, tout près de l'habitation.

Comme son père, Jean-Baptiste les exhortait à la rébellion. Mais la dizaine d'hommes qui l'entouraient écoutaient avec défiance le jeune homme bien vêtu qui s'exprimait dans un français parfait, moins impressionnés par son éloquence que méfiants.

– Voilà comment les Noirs paient pour les crimes des Blancs ! Ils appellent ça la Justice mais il n'y a pas de justice ! Il n'y a que la volonté d'écraser notre peuple ! Frères, nous devons nous battre !

Les visages étaient sceptiques. Un vieil esclave prit la parole :

– Tu parles beaucoup, frère ! Mais toi ou pas esclav enco' !

– Je suis libre, c'est vrai, mais je vois vos souffrances ! dit Jean-Baptiste avec force.

– Nous nous sommes déjà révoltés, reprit le vieux, et nous avons été massacrés...

– Je sais ! Mais je sais aussi que ce combat n'est pas fini ! La liberté n'a pas de prix !

Soudain, un bruissement de feuillages fit frémir les esclaves restés aux aguets, et ils s'enfuirent en courant. Jean-Baptiste restait seul, sans comprendre la raison de cette réaction soudaine.

– Hé ! Où allez-vous ? Attendez ! cria-t-il.

Jacquier, consterné par sa naïveté, surgit de derrière les arbres où il se cachait, accompagné de deux esclaves athlé-tiques.

– Prenez-le ! ordonna-t-il.

Les deux hommes empoignèrent Jean-Baptiste qui ne chercha même pas à s'enfuir, sûr d'être dans son bon droit. Cela faisait trois jours que Jacquier observait cet élégant haranguer les pauvres hères. La révolte et le massacre qui avaient eu lieu par la faute de Koyaba, Jacquier ne voulait les revivre sous aucun prétexte.

– Pourquoi tu es venu ici ? Ta mère ne t'a rien appris ?

– Vous connaissez ma mère ? Qui êtes-vous ?

Jacquier secoua la tête, l'air fâché :

– Tout le monde t'a vu sur l'habitation. Je ne peux rien pour toi.

Et il fit un signe aux deux esclaves, qui poussèrent Jean-Baptiste pour l'obliger à marcher.

403

– Je vous interdis de me toucher ! Lâchez-moi immédiatement ! Lâchez-moi !

Jean-Baptiste avait beau crier, il allait comprendre tout à
l'heure, pensa Jacquier. Ce n'était pas qu'il était fier de le
livrer à Théophile. C'était qu'il n'avait pas le choix. Il savait
bien comment les révoltes commençaient, il savait surtout
dans quels flots de sang elles se terminaient. Ce qui comptait
pour lui, c'était que l'ordre règne.

Quand ils arrivèrent à l'habitation, Théophile avait été
averti, et Jacquier désigna Jean-Baptiste :

– C'est lui. Il était près des potagers, dans la clairière.

– Encore un fouteur de merde venu de la ville ! Tu sais,
Jacquier, il faut reprendre les nègres en main ou ça va mal
finir... Donne-moi ton fouet.

Jacquier décrocha son fouet de sa ceinture et le tendit à
Théophile.

– Attachez-le au poteau, ordonna Théophile aux deux
esclaves.

Ils s'exécutèrent tandis que Jean-Baptiste se débattait en
hurlant :

– Vous n'avez pas le droit ! Je suis un homme libre ! Je
suis libre ! Lâchez-moi !

Mais les deux hommes avaient déjà arraché sa veste et sa
chemise, lui passaient les bras autour du poteau pour lier ses
mains devant lui, de façon à présenter son dos à Théophile.

Torse nu, terrifié, Jean-Baptiste comprit que le fouet allait
le lacérer. Tu es libre, pensa Théophile, mais tu vas apprendre
que sur l'habitation Bonaventure, c'est la loi du plus fort qui
prime. Ce jeune coq prétentieux allait connaître ce que des
centaines d'esclaves avaient connu.

Théophile asséna sans hésitation et violemment le premier
coup de fouet. Le cri déchira le silence. Des esclaves sortirent
aussitôt de leur case pour assister au supplice. Ils avancèrent
dans la cour, fixant avec effroi le jeune homme inconnu
attaché au poteau et qui tremblait déjà de douleur. Son corps

était secoué de soubresauts, il tournait la tête dans l'espoir de trouver de l'aide, et ses yeux implorants étaient animés d'une frayeur telle que les esclaves en étaient eux-mêmes terrorisés.

Les visages de ces derniers n'exprimaient que trop leur impuissance à venir à son secours. Alors Jean-Baptiste baissa la tête, serra les poings et ferma les yeux pour se préparer à supporter les coups à venir. Maintenant il paraissait prêt à tout endurer.

Théophile levait déjà le bras pour asséner le second coup quand un autre cri strident déchira à nouveau le silence.

– Arrêtez !

Tout le monde regardait Adèle accourir, couverte de poussière. Il y eut un moment de temps suspendu où seuls Adèle et Jean-Baptiste semblaient encore vivants. Elle vint se planter devant lui. Il desserra les poings et ouvrit les yeux, tandis que, hors d'haleine, elle paraissait prête à arracher les yeux du premier qui aurait l'audace d'approcher. Elle haletait de fureur, ne parvint pas à parler d'abord, reprit son souffle, parut se calmer puis planta ses yeux dans ceux de Théophile.

– Je t'interdis de le toucher !

Adèle se tourna ensuite vers les esclaves, les regarda les uns après les autres. Elle les connaissait bien, presque tous l'avaient vue grandir, elle avait ramassé la canne à leurs côtés, elle avait une confession à leur faire. Et ce fut Théophile qu'elle défia du regard, en annonçant à la cantonade :

– C'est mon fils !

Théophile la regardait, incrédule.

– Tu n'as pas de fils ! dit-il avec une assurance qui conjurait l'impensable.

– Ou pa ka songé. Celui que tu as voulu tuer...

– Saloperie !

Il leva le bras, le visage crispé, et Jean-Baptiste sursauta à l'idée que sa mère allait être frappée à son tour. Mais une main retint le geste de Théophile, et celui-ci, tournant la tête, découvrit un masque qui s'animait. C'était flou, bien sûr, mais en train d'apparaître sur un visage habituellement lisse, c'était sinon un sentiment nommable, du moins une expression inquiétante. Jacquier qui, en d'autres temps, aurait été honteux, lui, l'effacé volontaire, d'être un tel pôle d'attention...

Tous pensaient que le commandeur sans joie, sans peine, sans âme, était incapable d'émotion. Or l'homme aux yeux froids avait levé le bras, clairement, puissamment, pour arrêter le fouet.

Adèle sut que son sort était entre ses mains, Théophile devina que quelque chose bougeait sensiblement chez son commandeur. Sans qu'on entendît sa voix, Jacquier avait fait ce geste, à travers lequel les esclaves découvraient qu'il était vivant, comme eux.

Il se contenta de regarder Théophile, secoua la tête. Il faisait maintenant du duel entre le maître et Adèle un combat à trois, dont tous ressentaient la tension.

Les esclaves affichaient des visages fermés, leurs poings s'étaient serrés, comme si les corps, malgré leur immobilité, s'étaient rapprochés pour faire bloc autour d'Adèle.

Théophile eut le temps de mesurer que Jacquier lui aussi l'abandonnait. Il se tourna vers lui :

– De quel côté tu es, toi ?

Jacquier ne répondit pas, continuant de le regarder fixement.

Le silence régnait dans la cour, et tous avaient les yeux rivés sur Théophile, comme pour lui dire : c'est comme cela, tu n'y peux rien. Bonaventure prit le temps de les dévisager les uns après les autres : Man Josèph, Fanny, Byzance, Amédée, Adèle enfin. Il se rendait compte que tous connaissaient l'existence de Jean-Baptiste, et cela ne fit qu'accroître sa rage. Son clan ? Sa famille ? Il les maudissait !

– Tas de fumiers ! Je devrais tous vous abattre comme des chiens ! Après tout ce que j'ai fait pour vous...

Une ombre amère passa sur le visage d'Amédée. Théophile la ressentit comme un coup de poignard. Il recula comme pour mieux affirmer la distance qui le séparait de ces hommes et de ces femmes, mais le tableau lui parut alors plus sombre encore. Il eut conscience de sa solitude, et Adèle crut lire en lui une sorte de désespoir furieux. Mais le drame fut en un sens détourné par l'arrivée d'Olympe qui surgissait dans la cour, cherchant quelqu'un des yeux, indifférente à ce qui se jouait là subtilement.

— Où est Rosalie ? demanda-t-elle.

Elle se heurta à des visages tendus, et puis il y eut un autre geste, en réponse à celui de Jacquier, dont elle ne pouvait mesurer la portée : la main tremblante de Théophile lâcha le fouet et il tourna les talons.

CHAPITRE 21

Depuis l'aube, Rosalie croupissait dans une cellule de la prison de Saint-Pierre, une lourde bâtisse aux murs massifs percés d'ouvertures protégées par d'épais barreaux de fer, érigée au pied de la montagne Pelée.

Elle avait vu le juge très vite, n'avait pas nié avoir pratiqué un avortement. Un gardien l'avait ensuite conduite à la cellule, avait refermé sur elle la porte de fer ; elle s'était assise de façon à voir le jour à travers les barreaux, elle n'avait plus bougé. Elle ne pleurait pas, elle ne priait pas non plus, elle attendait. Elle n'aurait su dire pourquoi, elle sentait que c'était la fin. La fin de sa vie.

Se considérant comme déjà morte, elle ne parut pas étonnée quand, trois heures plus tard, le gardien ouvrit la porte pour lui annoncer qu'elle serait pendue le lendemain. Sans doute celui-ci fut-il surpris, sans le montrer, qu'elle accueille la nouvelle avec calme.

Rosalie ne se reprochait rien : ce qu'elle avait fait pour Constance, elle l'aurait fait pour sa propre fille. Elle l'avait protégée, elle devait en mourir ? Oui, on venait de le lui dire. Elle se réjouit de la lumière du jour, pensa qu'il était temps de rassembler ses souvenirs, et fit le compte de ses trésors. En réalité, elle avait eu peu de choses à elle – des peignes, des rubans de satin, un morceau de miroir cassé, un rasoir, des boucles d'oreilles, des bracelets, deux robes. Ce qui la

408

surprit davantage fut de se rendre compte que sa mémoire lui faisait défaut. Rosalie avait vécu dans des présents successifs. Elle se défiait des souvenirs, peut-être parce que la plupart n'auraient pas été bien beaux. Elle pensa à Constance, à Amédée, puis ferma les yeux. Une heure plus tard, elle les rouvrit en entendant qu'on l'appelait.

Elle avait dormi. Elle se dirigea vers l'ouverture ; c'était la voix d'Amédée. Elle cria son nom à son tour. Il était là, il était venu. Cela faisait une demi-heure qu'il arpentait la rue déserte en l'appelant.

Il s'approcha quand elle lui répondit. L'ouverture était haut placée, et il ne pouvait voir son visage.

– J'ai le mauvais œil. Le juge veut me faire pendre demain.

– Tu appartiens au maître, pas au juge. Le maître peut te reprendre jusqu'à la dernière minute.

Amédée ne vit pas non plus le triste sourire en réponse à son bel optimisme.

– Mais pourquoi il ferait ça ?

– Parce qu'on doit se marier tous les deux, dit-il.

Il mit un genou à terre et demanda gravement, le visage levé :

– Voulez-vous m'épouser, mademoiselle Rosalie ?

Malgré ses yeux pleins de larmes, Rosalie sourit encore. Pour toute réponse, elle passa sa main à travers les barreaux pour qu'Amédée tende la sienne, sa main unique que Rosalie saisit, s'y agrippant. Tout à coup, elle ne voulait pas mourir, elle avait peur. Amédée ne lui dit pas qu'Adèle avait promis de parler à Théophile : il craignait de lui donner un faux espoir, et à quoi servaient les mots ? Seules comptaient leurs mains jointes, ce signe de leur amour, et ils restèrent ainsi un long moment, immobiles et silencieux, bravant l'infamie, la prison et la mort.

*
**

409

Constance aussi chérissait Rosalie.

Après son avortement, la jeune fille avait été transportée dans sa chambre, encore brûlante de fièvre, et depuis elle pleurait toutes les larmes de son corps, sans cesser de demander des nouvelles de Rosalie. Man Josèph tentait tant bien que mal de l'apaiser et lui préparait des tisanes pour faire baisser sa fièvre. Olympe, assise à son chevet, lui tenait la main et lui caressait les cheveux, essayant de la rassurer, mal consciente de la gravité de la situation.

– Ne t'inquiète pas, ma chérie. Repose-toi. Je m'occupe de tout...

– Mais Rosalie ? Qu'est-ce qui va arriver à Rosalie, maman ? Il faut que papa aille la chercher...

– Il n'arrivera rien à Rosalie, ma chérie. Et tu sais pourquoi ?

Le visage d'Olympe eut un sourire ravi. Man Josèph et Constance étaient suspendues à ses lèvres. Constance, épuisée, fit non de la tête.

– Personne d'autre ne sait me coiffer.

Man Josèph et Constance, atterrées, se contentèrent de la regarder tandis que la doyenne frissonnait : les chances de salut étaient minces, si elle devait s'en remettre à la douleur de sa jambe qui ne s'était jamais fait ressentir aussi violemment. Elle savait surtout que l'incident provoqué par le fils de l'Africain était tombé très mal à propos. On n'avait pas besoin d'un tel scandale, le maître avait paru bouleversé comme jamais elle ne l'avait vu. Cela n'allait pas jouer en faveur de Rosalie.

Jacquier fit ce qu'il put pour parler à Théophile qui s'était enfermé dans son cabinet de travail. Il frappa, appela, la porte demeura close.

Quand Amédée fut de retour de Saint-Pierre, le visage de Jacquier suffit à lui faire comprendre que la cause était perdue. Jacquier le formula cependant avec des mots brefs, comme si l'homme peu bavard les trouvait utiles à ce moment. Aucune allusion au geste qu'il regrettait peut-être, puisque c'était lui qui avait prévenu Théophile, sans deviner que l'avortée était Constance. Mais pourquoi aussi lui cachait-on des choses ? Il avait pourtant été là, quand Adèle était venu le chercher pour assommer Jones. Elle lui faisait confiance, elle. Les autres se méfiaient trop de lui.

Quoi qu'il en soit, Amédée et Jacquier savaient que la seule qui avait encore le pouvoir de fléchir Théophile, c'était Adèle. Elle se trouvait chez Amédée, où elle finissait de soigner le dos de son fils, lavant les zébrures sanglantes que le fouet avait imprimées. Rien de grave, maugréait-elle, sans parvenir à dissimuler sa colère. Elle fulminait :

— Qu'est-ce qui t'a pris de venir ici ? Tu croyais que tu serais bien accueilli avec tes bonnes paroles ?

— Comment tu as su que j'étais là ? demanda Jean-Baptiste.

— Mais je ne savais pas ! C'est pour Rosalie que je suis venue, pas pour toi !

Ils s'interrompirent quand Amédée les rejoignit.

— Va parler au maître. Le temps passe, j'ai peur qu'on arrive trop tard.

Adèle prit l'air ennuyé.

— Demande à Dents serrées. Théophile est furieux contre moi à cause de ce grand couillon-là, dit-elle en désignant Jean-Baptiste.

— Dents serrées a déjà essayé mais le maître est comme fou.

— À cause de moi ? demanda Jean-Baptiste qui essayait de suivre leur échange.

Adèle lui jeta un regard furieux. Sa naïveté, son égoïsme juvénile l'exaspéraient, cette fois.

— Et qui d'autre ? Évidemment, c'est à cause de toi ! Tu n'écoutes rien, tu ne penses à personne !

— Le maître s'est enfermé dans son cabinet, dit Amédée. Vas-y, toi. Tu es la seule qu'il écoute.

Adèle acquiesça à contrecœur, tendit à Jean-Baptiste sa chemise et se leva pour suivre Amédée.

Quand elle emprunta le couloir qui menait au cabinet de travail, elle entendit la voix de Constance qui criait et implorait. Cela faisait plus d'une demi-heure qu'elle était là, à tambouriner contre la porte, suppliant son père de lui ouvrir. Rien n'y faisait. Elle se laissa finalement tomber à genoux, éclata en sanglots, continuant de répéter d'une voix plaintive :

– Papa ! Papa, ouvre ! Papa, je t'en supplie !

Elle se releva précipitamment en apercevant Adèle.

– Il ne veut pas m'écouter ! Demande-lui, toi !

Adèle allait essayer à son tour, mais pourquoi Théophile ouvrirait-il cette fichue porte s'il restait sourd aux supplications de sa propre fille ? Constance s'écarta pour lui céder la place, et Adèle se mit à frapper, doucement d'abord.

– Maître ! Cé mwen !

Elle haussa la voix :

– Ouvre ! Rosalie ne doit pas payer pour ça, maître. Cé pa fôt-li !

Comme le silence persistait, elle se mit à frapper plus fort.

Le cabinet de travail était plongé dans la pénombre, les persiennes closes laissant à peine filtrer le jour de l'après-midi.

Dans un fauteuil, une bouteille à la main, Théophile restait sourd aux coups frappés. En entendant la voix d'Adèle, il avait pourtant tourné les yeux. Le regard terrifié d'un enfant qu'on enferme dans le noir. Ses épouvantables frayeurs d'enfant qui l'assaillaient. Qui pouvait savoir ce qu'il avait vécu ? À l'orphelinat, deux heures avant de se coucher, il redoutait le moment où la sœur allait faire le tour du dortoir et souffler une à une les flammes vacillantes des bougies. Ce qu'il aurait donné alors pour qu'une seule bougie reste allumée, ce qu'il aurait donné pour que la sœur au visage sévère dépose un baiser sur son front en lui souhaitant une bonne nuit ! Le petit Théophile savait que deux heures durant, il allait rester enfoui sous ses draps à trembler de tous ses membres jusqu'à ce que le sommeil ait finalement raison de lui...

De l'autre côté de la porte, les coups ne cessaient pas, et Adèle se remit à parler. Que pouvait-elle bien lui dire quand tous, tout à l'heure, n'avaient fait que le renvoyer à ses terreurs éperdues et à sa solitude ?

– Elle a fait ça pour l'amour de Ti-Colibri. Elle l'aime comme sa fille. Il faut respecter l'amour, maître, c'est trop dur, la vie...

Il se leva, tourna la clé dans la serrure, ouvrit la porte.

– Comment peux-tu parler d'amour ? Tu aimes quelqu'un, toi ?

Elle regarda son visage défait, sentit les battements de son propre cœur s'accélérer dans sa poitrine, recula comme pour se protéger de son regard inquisiteur.

– J'aime... mon fils, dit-elle d'une voix sourde.

– Alors, va te faire foutre ! dit-il en lui claquant la porte au nez.

Elle entendit la clé dans la serrure, et elle resta là, plantée devant la porte, avec la certitude qu'il n'y avait plus rien à espérer. Puis elle s'éloigna dans le couloir, pâle, tandis que Constance reprenait sa place pour se remettre à implorer son père.

Le lendemain matin, Amédée se rendit de bonne heure à Saint-Pierre avec son âne, céda les boucles d'oreilles de Rosalie contre deux anneaux d'or. Le marchand l'avait volé, quelle importance ?

Il avait emporté un petit escabeau de façon à se trouver à la hauteur de l'ouverture, Rosalie de son côté était montée sur un seau. Ils purent se voir, se prendre les mains, se parler. Que lui importait que sa Rosalie habituellement si soignée soit aujourd'hui vêtue de sa gaule blanche salie, que lui importait que ses cheveux ne soient pas coiffés, que lui importait ce visage aux traits tirés qui disait trop bien qu'elle n'avait pu fermer l'œil de la nuit ? Il savait que le temps était compté et il ne laissait rien paraître de la terreur sourde qui avait envahi son cœur, ni du tremblement de ses jambes, ni de la crainte qu'il avait de tomber de l'escabeau, ni de son envie de pleurer. Combien plus grande devait être la terreur de la femme qu'il aimait et qui allait être pendue ! Il voulait qu'elle soit sa femme pour l'éternité.

– Rosalie, voulez-vous prendre pour époux Amédée, ici présent ?

Un sourire illumina son visage.

– Je le veux, dit-elle tandis qu'il lui prenait la main et lui passait un anneau à l'annulaire de sa main gauche.

À son tour elle lui demanda :

– Amédée, voulez-vous prendre pour épouse Rosalie qui vous aime tendrement ?

– Je le veux, dit-il, la gorge serrée par l'émotion.

Et il présenta sa main à Rosalie pour qu'elle passe elle-même le second anneau à son annulaire gauche. Ils se regardèrent en silence, aussi émus l'un que l'autre, puis approchèrent leurs visages, et leurs lèvres parvinrent à se toucher à travers les barreaux.

Ils étaient mariés, mais la clé grinçait dans la serrure. Rosalie sursauta, manqua tomber du seau ; l'heure était venue, elle s'accrocha à la main d'Amédée, elle ne voulait pas, elle ne voulait pas partir. Il vit alors l'angoisse ravager son beau visage, la lueur d'effroi dans ses yeux.

– Ne m'abandonne pas, mon cher époux, cria-t-elle d'une voix tremblante.

Derrière Rosalie, deux soldats entraient dans la cellule et s'approchaient pour l'emmener tandis qu'Amédée essayait de continuer à lui sourire.

– Tu m'as rendu très heureux, murmura-t-il dans un souffle.

– Toi aussi, dit-elle. Garde-moi dans ton cœur...

Il sentit une dernière pression de sa main dans la sienne, et puis on la lui arracha. Les soldats la tiraient brutalement en arrière pour l'obliger à lâcher les barreaux auxquels ses mains s'étaient maintenant agrippées. Amédée avait disparu. Il ne pouvait plus contenir ses larmes et ce n'était pas ce visage-là qu'il voulait que Rosalie emporte avec elle. Elle baissa enfin la tête, laissa les soldats lui lier les poignets avec une corde, puis parcourut d'un pas tranquille le chemin qui menait à la petite place où avaient lieu les exécutions.

L'angoisse de son visage avait disparu et avait laissé la place à une expression résolue. Elle ne jeta pas un regard à l'arbre desséché qui trônait au centre de la place, pas plus qu'au tabouret de bois et au nœud coulant qui suffisaient à l'affaire. Elle n'accorda aucune attention aux quelques badauds rassemblés pour assister à l'exécution.

Les soldats la firent avancer sous l'arbre, le bourreau lui passa la corde autour du cou sans croiser son regard. Elle cherchait des yeux Amédée, l'aperçut qui se tenait au premier rang des badauds, jeta un regard vers le ciel, le dernier fut pour lui. Elle lui adressa une grimace en forme de sourire, il lui envoya un dernier baiser. Sans le quitter des yeux, elle monta sur le tabouret. Le bourreau donna un coup de pied et le corps de Rosalie dansa dans le vide. Amédée ne détachait pas les yeux des pieds nus qui tressautèrent encore de longues secondes sous les volants de la jupe. Il fit le signe de la croix, et puis la vie lui parut se retirer de son corps d'un seul coup.

Deux heures plus tard, Amédée était de retour à l'habitation. Jeté en travers de son âne, il y avait le corps de Rosalie, la tête et les bras ballants d'un côté, les jambes de l'autre.

Amédée traversa la cour tranquillement, mais sa démarche était celle d'un automate : son visage absent, ses yeux vides et éteints lui donnaient l'apparence d'un spectre.

C'est ce qui frappa les esclaves, qui, un à un, firent leur apparition dans la cour : Man Josèph d'abord ; Fanny, Mabelle et Byzance ensuite ; des esclaves de jardin qui n'étaient pas aux champs sortirent de leur case et gagnèrent en silence le grand flamboyant dont les branches chargées de fleurs d'un rouge vif éclatant faisaient comme une rivière de sang. Adèle apparut à son tour, marcha à la rencontre de son père, saisie par son masque figé.

Les yeux qui suivaient Amédée voyaient trop que la mort venait de faucher une femme aimée, celle qui l'avait guéri de la perte de Manon. Il arrêta son âne sous le flamboyant.

– Aide-moi. On va la porter, dit-il à sa fille.

Lui-même voulut décharger le corps, mais la fatigue le fit chanceler. Alors Jacquier s'avança, les écarta doucement, lui et sa fille, et souleva délicatement la dépouille de Rosalie.

Un cri retentit et déchira le silence qui pesait sur la cour.

Constance arrivait en courant, pieds nus, en chemise de nuit, échevelée, blafarde. Elle s'arrêta, la poitrine bloquée. Elle crut que sa respiration s'arrêtait, sentit une sueur mouiller son front, sa vue se troubla ; les pulsations de son cœur lui paraissaient tour à tour s'accélérer et faiblir, elle allait mourir, c'était certain. Elle resta quelques secondes, les yeux exorbités, puis la douleur physique cessa et alors elle hurla :

– Rosalie !

Elle se remit en marche, trébucha, allait se jeter sur le corps de Rosalie quand Adèle l'arrêta avec douceur :

– Ti-Colibri, non... Va dans ma case, dit-elle à Jacquier.

Constance s'effondra en sanglots contre son épaule, le corps encore secoué de tremblements, tandis qu'Adèle, désemparée, la serrait gauchement dans ses bras.

Jacquier se dirigeait vers la case quand Olympe apparut à son tour. Elle se planta face à l'Indien.

– Porte-la chez moi. On va lui faire une belle veillée.

Elle fit volte-face et prit fièrement la tête du petit cortège qui se mit en marche derrière elle.

Tous, esclaves domestiques et esclaves de jardin, marchèrent jusqu'à la Grande Case, accompagnant la belle, la généreuse Rosalie, débordante de vitalité et coquette comme une dame, la fidèle et la dévouée qui avait aimé et élevé Constance comme si elle avait été sa propre fille.

On s'arrêta devant les portes du salon, qu'Olympe ouvrit en grand.

Jacquier resté sur le seuil cherchait des yeux un endroit où poser le corps, tandis qu'Olympe allait et venait dans la pièce, ouvrant ici le grand buffet pour en tirer une nappe de dentelle blanche, là un tiroir pour y dénicher des bougies.

– Attends une minute, je vais mettre ma nappe de dentelle. Je sais que ça lui ferait plaisir d'avoir un beau linceul. Hein, Constance ? Rosalie a toujours aimé le beau linge...

Mais Constance était incapable de répondre et de faire quoi que ce soit d'autre que de se tenir là, pleurant et regardant sa mère déployer la nappe sur la table, surprise, même, par son affairement volubile. Était-ce sa façon à elle de ne pas pleurer et de fuir une fois de plus, comme elle savait si bien le faire ? Ou bien simplement la mort de Rosalie n'avait-elle pas d'importance à ses yeux ? Elle eut le sentiment qu'elle ne le saurait jamais, et elle se tourna simplement vers les esclaves qui attendaient, recueillis.

Olympe en finit avec son va-et-vient, se tut, fit signe à Jacquier d'entrer. Il déposa le corps de Rosalie sur la table couverte de la nappe, dont la blancheur éclatante contrastait avec la gaule noircie.

Olympe s'approcha du corps et effleura le front de son esclave morte.

– Dors bien, Rosalie.

Elle baissa la voix :

– Dis bonjour à Christian pour moi.

Constance fut, malgré son chagrin, intriguée de nouveau : une ombre de tristesse avait-elle obscurci les yeux de sa mère, ou n'avait-ce été que le fruit de son imagination ? Elle lui poserait la question, demain, plus tard, mais il faudrait qu'elle sache. Elle se rendit compte qu'elle ne savait presque rien du cœur d'Olympe, et cette pensée lui parut insoutenable : elle ne connaissait pas cette femme au visage vieillissant, qui bavardait inutilement ou passait ses journées à boire et à jouer aux cartes.

Elle fut tirée de ses pensées par une main qu'on posait sur son épaule. C'était Man Josèph, qui arrivait en boitant avec des bougies, et qui la sollicitait pour l'aider à les disposer aux quatre coins de la table.

Sur la véranda, Adèle jetait des regards soucieux autour d'elle, car son père avait disparu. Elle demanda à Jacquier s'il avait vu Amédée. Il fit signe que non, et Adèle fut prise d'une angoisse soudaine à l'idée que son père avait pu mettre fin à ses jours. C'était trop, et elle se sentit sans courage.

Elle le trouva dans sa case, occupé à creuser le sol de terre battue. Il en sortit une noix de coco, en retira une lettre.

– Papa ? Qu'est-ce que tu fais ? On t'attend...

– Je vais tuer cet homme !

Adèle l'arrêta :

– Non ! Assez de sang ! Ça suffit, pas toi !

Mais il la repoussa, et elle fut effrayée par ses yeux et par son sourire inquiétant. Il brandit la lettre :

– Mon couteau, le voilà ! Je vais faire de lui un corps-cadavre.

Adèle connaissait le contenu de la lettre, et son père paraissait décidé. Elle dut courir pour le suivre.

Quand ils arrivèrent au salon, les esclaves de jardin étaient en train d'y pénétrer timidement, découvrant avec étonnement la demeure des maîtres. On y terminait les derniers préparatifs : aidée par Olympe, Constance recouvrait d'un drap blanc le grand miroir doré, Man Josèph avait allumé les bougies et passait les colliers rituels et les amulettes autour du cou de Rosalie.

À l'extérieur résonna bientôt le mugissement grave de la corne, accompagné de la voix du tambour. Toujours cette mélopée où les coups de corne se succèdent trois par trois avec une force variée.

On s'écarta pour laisser entrer Amédée. Adèle eut un regard vers Olympe, puis Amédée prit la parole d'une voix calme et sûre en désignant Rosalie.

– Cette femme que vous voyez là, cette femme qu'on a tuée, c'était ma femme...

Un murmure de surprise parcourut l'assemblée, auquel Amédée mit fin en levant sa main gauche pour montrer l'anneau à son doigt.

– Je l'ai épousée devant Dieu avant qu'on ne la pende. C'était une femme honnête et bonne. Ceux qu'elle aimait, elle les protégeait sans penser à la couleur de leur peau. Et ces gens, eh bien, ils ne l'ont pas protégée en retour... Alors mes amis, je vais vous raconter le grand secret de l'habitation Bonaventure, où Rosalie a vécu pour son malheur...

Il s'interrompit de nouveau. Des bruits de pas dans le couloir. C'était Théophile qui venait de se réveiller. Il apparut sur le seuil de la porte, hagard, sans comprendre ce qui se passait.

– C'est quoi, ce cirque ? demanda-t-il.

Amédée se tourna vers lui en désignant la lettre qu'il tenait à la main.

– Écoutez bien, maître. Cela va vous intéresser. Et il se mit à lire : « Ma chère Olympe, mon cher amour, ma bien-aimée... Je ne pense qu'à vous depuis que je suis arrivé en France, à vous et à notre enfant qui va naître... »

Constance avait froncé les sourcils, le visage de Théophile s'était décomposé. Olympe courut à Amédée et lui arracha la lettre.

– C'est à moi !

Elle serra la lettre contre son cœur, devant Théophile qui tendait la main.

– Donne-moi cette lettre.

– Jamais !

Il continua d'avancer, mais elle éclata alors d'un rire de défi.

– C'est une lettre de Christian ! Tu crois que tu es le seul à pouvoir baiser qui tu veux ? Mais moi, je n'ai pas seulement couché avec Christian de Chabot, j'ai aimé, j'ai adoré cet homme ! C'est le père de ta fille !

Elle se mit à rire plus fort.

– Comment tu as pu croire qu'elle était de toi ?

Un formidable coup l'atteignit en pleine face, et l'envoya s'écrouler. Sa tête heurta un des coins du buffet et elle ne bougea plus. Théophile se précipitait pour continuer à la frapper, tandis que Constance se mettait à supplier son père d'arrêter. Jacquier intervint à son tour et tira Théophile en arrière.

Adèle se laissa tomber à genoux devant le corps d'Olympe, écartant Constance. Elle souleva doucement la tête : le visage était pâle, un filet de sang coulait du crâne. Un œil était fermé, l'autre encore ouvert paraissait fixer Adèle sans la voir.

Adèle se retourna, les dévisagea un à un, Théophile, Constance, Man Josèph, Amédée enfin.

– Elle est morte, dit-elle, bouleversée.

Amédée regardait cette autre morte, impassible.

– Ainsi soit-il, dit-il simplement.

Théophile avait blêmi. Dans ses yeux, cette terreur qu'Adèle connaissait bien. Elle crut un instant que c'était la mort d'Olympe qui le mettait dans cet état, se ravisa. C'était Manon. Manon était là, qu'il était seul à voir.

Elle venait d'entrer, tenant dans ses mains décharnées une bougie allumée. Elle avança, se baissa pour la déposer au pied du corps, se releva et repartit en adressant à Théophile son affreux sourire.

Constance, accablée, regardait son père dont les yeux semblaient suivre un être invisible ; puis elle s'enfuit à toutes jambes, et elle atteignit son jardin secret, pleurant sur le destin qui s'acharnait, maudissant ce jour où elle venait de perdre deux mères et d'apprendre que Théophile n'était pas son père. Elle se laissa tomber à genoux sur l'herbe, passa ainsi le reste de la journée, à ressasser les questions non posées, les mots non dits. Maman, de quoi ton cœur était-il fait ? Trop tard, c'était trop tard pour tout, et qu'allait-elle devenir ? Maman, de quoi tes rêves étaient-ils faits ?

Rosalie eut donc sa veillée, et elle fut enterrée au matin dans le petit carré réservé aux esclaves, au côté de Manon.

L'enterrement d'Olympe eut lieu le surlendemain de son décès, un jour où le ciel s'était obscurci et où un vent furieux s'était levé sur la mer. On craignait qu'il ne gagne l'intérieur des terres, on se hâta. Constance avait insisté pour que sa mère repose à l'ombre du frangipanier, et François accepta que la tombe soit creusée au pied de l'arbre, bravant une fois de plus la loi, la coutume ayant été récemment interdite par mesure d'hygiène. Quelques planches firent un médiocre cercueil à la femme du monde qu'Olympe avait rêvé d'être. Elle reposerait là, privée d'amour à jamais, se disait François en conduisant la cérémonie.

Constance se tenait à l'écart, digne, sans larmes, les yeux fixés sur le cercueil. Théophile était absent, comme les esclaves de l'habitation. François finissait de dire l'absoute, et Constance releva la tête ; bien sûr, sa mère avait besoin d'être délivrée de ses péchés, cette prière évitait l'éloge funèbre dérisoire. Et Olympe n'était pas la seule à devoir être lavée de ses fautes : Constance considérait la petite assemblée, composée d'une dizaine de planteurs blancs et de leurs épouses, et elle se fit la remarque qu'elle ne les connaissait pas non plus, pas plus qu'eux ne connaissaient sa mère. Ils ne l'avaient vue que le jour de son mariage, à l'exception de Nicolas de La Rivière qui se tenait au premier rang avec sa femme, et de Hubert de Sainte-Colombe qu'elle avait rencontré quelquefois, vêtu aujourd'hui d'un vêtement d'un camaïeu allant du gris au noir. Constance ne se souvenait que trop bien du premier : c'était lui qui avait profité de l'absence de Théophile pour venir réclamer à Olympe le règlement de ses dettes de jeu. Elle n'était alors qu'une enfant, mais elle n'avait rien oublié de la scène au cours de laquelle il s'était pavané dans la cour en choisissant les hommes et les femmes qu'il allait emmener.

Les mots de la prière résonnèrent dans sa tête :

– ... *in civitatem sanctam Jerusalem. Chorus angelorum te suspiciat et cum Lazaro quondam paupere eternam habeas requiem.*

François marqua une pause, trop ému pour continuer. L'assemblée attendit en silence qu'il se reprenne, et poursuive d'une voix brisée :

– Seigneur, puisse ma pauvre sœur trouver enfin la paix dans votre royaume... Pardonnez à son assassin comme vous me pardonnerez de ne pas l'avoir protégée...

Il se tourna vers les planteurs :

– *De profundis clamavi ad te domine, domine exaudi vocem meam... Amen.*

Il bénit l'assemblée, les planteurs se signèrent, et Constance vint se placer à ses côtés. Il s'efforça de lui offrir un sourire de réconfort.

Un à un, les assistants défilèrent devant la tombe. Ils s'avancèrent ensuite pour présenter leurs condoléances à Constance et François. Il y eut de courtes phrases, toujours les mêmes. Les mots que prononça Sainte-Colombe eurent le mérite d'être différents :

– Votre mère était une femme exquise, mademoiselle. Je crains que nous n'ayons profité de sa gentillesse sans essayer de la comprendre.

Constance se contenta d'un signe de tête, tandis que Sainte-Colombe cédait sa place à contrecœur, pressé par les couples qui jetaient des regards inquiets vers le ciel, maintenant chargé de gros nuages noirs.

Après que la tombe fut refermée et les planteurs partis, François se rendit à la Grande Case.

Depuis l'avant-veille, Théophile était resté allongé sur la méridienne du salon, avait fermé les persiennes, ne s'était ni changé ni rasé et avait continué de boire comme en témoignait la bouteille de rhum aux trois quarts vide posée par terre.

Le bruit le fit sursauter. Il distingua une silhouette en robe dans l'obscurité du salon, se redressa brusquement.

– Manon ?

François avança vers lui :

– Manon ? Non, c'est moi.

Théophile se laissa retomber.

– Ah ! Qu'est-ce qu'il veut, le beau-frère ?

– Je veux entendre votre confession.

Théophile demeura un instant stupéfait, puis éclata d'un rire sinistre.

– Quel minable ! Tu n'as même pas le courage de me casser la gueule ! Eh bien, vas-y ! Venge-toi ! Si tu penses que je l'ai fait exprès, qu'est-ce que tu attends ?

– Ce n'est pas une vengeance personnelle que je recherche, expliqua François, c'est la justice...

– Tu sais très bien que je n'ai pas voulu la tuer ! C'était un accident !

– Vous l'avez frappée à mort ! C'est un crime.

– Elle m'a insulté devant mes esclaves, elle m'a trompé, elle m'a déshonoré ! dit Théophile en haussant le ton. Écoute, curé : je regrette sincèrement qu'elle soit morte, mais elle l'a bien cherché !

Il n'y avait rien à tirer de cet homme que ses regrets ne rendaient pas plus raisonnable, pensa François. Il était venu pour lui faire reconnaître ses péchés, et un mot aurait suffi, mais...

– Très bien. Puisque vous ne voulez pas admettre que vous êtes coupable, je vais vous faire condamner.

Et il quitta la pièce, suivi d'une sorte d'éclat de rire de Théophile, plus sinistre encore que le précédent.

Le lendemain, Constance se rendit à Saint-Pierre. Elle venait chercher du secours auprès de la femme susceptible de l'aider, mais elle ne s'attendait pas à entrer dans un salon propre et nu, dont les miroirs avaient été drapés de tissu noir. Byzance était en train de déménager la dernière table de jeu, Fanny vidait la pièce de la plupart des chaises. Adèle, vêtue d'une robe de deuil dont le large col dissimulait son collier, surveillait les opérations.

– Mademoiselle Constance, quelle surprise !

Les yeux de Constance s'attardèrent sur les miroirs.

– Tu as pensé à voiler les miroirs ? C'est gentil, merci... Je croyais que tu ne pensais qu'à t'amuser ici.

– Je suis une esclave, mademoiselle, je ne m'amuse pas, je travaille.

Constance eut un sourire embarrassé.

– Je crois que je t'ai mal jugée...

– C'est moi qui vous demande pardon. J'ai détesté votre mère. Je le regrette.

Constance continuait à examiner la pièce, et Adèle devina qu'elle était venue pour plus que cela.

– Vous avez quelque chose à me dire ?

Constance se laissa tomber sur une chaise et regarda Adèle avec détresse.

– Je veux partir ! Je ne peux pas rester à l'habitation avec papa ! Je ne supporte plus de le voir, de vivre avec lui !

Elle se mit à fondre en larmes.

– Je n'ai plus personne ! Qu'est-ce que je vais devenir ?

Adèle, sincèrement peinée, n'était nullement surprise. Elle approcha une chaise pour s'asseoir au côté de Constance, et se fit rassurante.

– Ne pleurez pas, Ti-Colibri. Il vous reste des amis...

– Qui ?

Adèle sourit.

– Moi, par exemple.

Leur échange fut interrompu par l'entrée d'Amédée, annonçant avec emphase la visite de monsieur de Sainte-Colombe. Adèle eut à peine le temps de se remettre de son trouble : elle savait la raison qui amenait le planteur ; elle l'avait laissé sans nouvelles du mariage qu'elle avait promis d'arranger. Il s'impatientait. Le moment était peut-être mal choisi. Elle se rassura à l'idée que ni Constance ni Sainte-Colombe ne connaissaient son projet de les unir.

Sainte-Colombe faisait déjà irruption dans la pièce. Il

s'arrêta en apercevant Constance, surpris de la trouver dans ces lieux, mais se ressaisit et s'inclina.

— Mademoiselle Bonaventure ! Vous ici ? Je suis si content de vous voir...

— Merci. Adèle me disait justement qu'il me restait quelques amis...

— Mademoiselle, je suis votre serviteur, et votre ami si vous le voulez. Si je puis vous être utile en quoi que ce soit, je vous en prie, n'hésitez pas...

Il n'aurait pas fait mieux s'il avait connu mon dessein, pensa Adèle qui s'applaudissait de la rencontre inattendue. Sainte-Colombe était à sa façon loyal : la situation de la jeune femme le touchait et la moindre des choses était de lui manifester sa compassion sincère.

Constance, sur le point de partir, lui tendit la main :

— Que vous êtes gentil ! Cela me réconforte. Adieu, monsieur.

Il s'inclina de nouveau et rectifia :

— Non, mademoiselle ! À bientôt.

Elle n'osa répondre. Adèle insistait pour la raccompagner. À la porte, Constance lui confia son étonnement :

— Il est très aimable, ce monsieur de Sainte-Colombe.

— Il semble penser la même chose de vous.

— C'est étrange, non ? dit Constance en fronçant les sourcils.

Adèle fit celle qui ne comprenait pas. Le visage de Constance s'était empourpré.

— Eh bien, vu ce qu'on raconte...

Elle baissa la voix :

— On dit qu'il aime les hommes, non ?

— Pourtant, il cherche à se marier... répondit Adèle en appuyant sur les mots. C'est un très bon parti...

Constance crut saisir ce qu'Adèle insinuait.

— Adèle ! Tu n'y penses pas ! s'exclama-t-elle.

Adèle lui fit signe de baisser la voix.

— Et pourquoi pas ? Il ne vous demanderait rien, vous pourriez quitter l'habitation la tête haute, avoir votre propre maison.

Constance ne protesta plus, et Adèle devina à son air songeur que l'idée faisait déjà son chemin. N'était-elle pas venue pour qu'on l'aide ? La solution était là, à portée de main. Restait à convaincre l'autre partie de se décider à cette union. La chose allait être beaucoup plus aisée.

Adèle rejoignit Sainte-Colombe qui, en habitué, s'était installé dans un fauteuil et avait allumé un cigare qu'il fumait d'un air pensif.

Elle lança sans préambule :

— Alors ? Elle est charmante, n'est-ce pas ?

— Pauvre petite... Elle paraît si fragile. Je la plains de tout mon cœur.

Adèle décida de brusquer les choses :

— Parfait. Nous allons raconter partout que vous êtes tombés amoureux et vous allez l'épouser.

Sainte-Colombe s'était levé. Il regarda Adèle, stupéfait. Mais il reprit son calme devant son air serein. Elle ajouta :

— C'est la chance de votre vie.

Il parut réfléchir, puis :

— Tu es le diable en personne, mais je crois que tu as raison.

François, de son côté, avait sollicité du gouverneur un entretien, qui lui fut accordé pour l'après-midi même. François l'en remercia quand il fut introduit dans le bureau de Gauty. Les deux hommes se serrèrent la main, puis le gouverneur invita le dominicain à s'asseoir. Il prit le temps de l'observer avec bienveillance, de ses yeux tour à tour perçants et las. Il connaissait assez bien l'homme, le dominicain et le prêtre, il se souvenait de l'avoir accueilli à son arrivée en Martinique, il avait eu vent de ses actions dans l'île, il savait qu'il était comme lui partisan de l'abolition. Hélas, trois fois hélas ! avait envie de lui dire Gauty, nous avons perdu. Plus que de la sympathie, Gauty éprouvait une bizarre admiration : François se sacrifiait à une idée sans craindre de parler et de se battre sur le terrain pour défendre une cause, quand lui-même n'avait fait que louvoyer, comme gouverneur de la Martinique. Après tout, il n'était pas tant un amoureux du pouvoir, se dit-il ; il s'était attaché à cette île plus qu'il ne s'y attendait, et il répugnait à la quitter, espérant en secret se trouver à la même place quand l'esclavage serait enfin aboli.

Mais Gauty savait que François n'était pas venu pour discuter de politique. Il avait entendu parler de la mort d'Olympe Bonaventure, et c'était certainement de cela que son frère voulait l'entretenir. Or Gauty connaissait bien le milieu des planteurs et il prit les devants :

— Mon père, je me doute que vous voulez me parler de cette douloureuse affaire...

— Je veux porter plainte.

— Je vous le déconseille. D'ailleurs, ce serait inutile.

— Pourquoi ?

— Parce que nos juges pensent qu'un mari a le droit de battre sa femme. Que c'est une affaire privée. Que cela ne regarde personne.

— Mais c'est un assassinat ! objecta François. Il l'a tuée de ses propres mains !

Il coûtait à Gauty de rappeler à François les règles floues qui s'appliquaient ici. À quoi bon une plainte et un jugement qui ne feraient que conforter les planteurs dans leurs usages ? Si cela ne tenait qu'à lui... Il eut un soupir de fatigue.

— Théophile n'aura aucun mal à convaincre les juges que c'était un accident. Les planteurs seront de son côté. C'est la loi du plus fort qui s'applique, vous le savez bien.

François ne trouva rien à répondre et se leva pour partir. Ce gouverneur qui s'était levé pour lui ouvrir courtoisement la porte n'était donc qu'un faible et un lâche.

Devant son trouble, Gauty eut des mots doucereux. François devait lui faire confiance : auprès des planteurs, il perdait sa peine.

– Croyez-moi, il vaut mieux attendre la justice de Dieu...

– Elle viendra, monsieur le gouverneur. Pour vous, pour lui, pour nous tous. Dieu n'oublie pas nos crimes.

Et il quitta la pièce, tandis que Gauty refermait lentement la porte. La bravoure de François rappelait au gouverneur ses propres faiblesses, dont la première était, pour satisfaire son désir égoïste de demeurer dans l'île, d'avoir abandonné femme et enfants en France. De cela aussi il aurait des comptes à rendre, sans doute. Il les avait revus, quand il avait été rappelé à Paris. Ses enfants étaient en âge d'entrer dans la société, sa femme avait vieilli. Il avait passé trois années à se morfondre dans cette France qui lui avait paru détestable et glaciale, n'attendant qu'une chose et faisant même pression pour l'obtenir : être rappelé en Martinique. Quand on lui avait appris qu'il pouvait enfin y retourner, Gauty n'avait pas eu le courage d'en parler à sa famille et l'avait quittée en s'enfuyant sans adieux, sachant qu'il ne la reverrait sans doute jamais.

Il revint s'asseoir à son bureau, prit une plume avec l'intention d'écrire à ses enfants : que leur dire pour justifier son geste ? Comment leur expliquer un attachement qu'ils ne comprendraient pas ? Il renonça et posa sa tête entre ses mains.

CHAPITRE 22

Théophile passa les mois qui suivirent dans la pénombre de son cabinet de travail, dormant et buvant, buvant et dormant, se nourrissant à peine, le rhum et le sirop de sucre faisant l'affaire pour apaiser son estomac. Il se levait parfois du fauteuil sur lequel il restait des heures durant pour s'approcher des fenêtres aux persiennes closes, écouter la litanie de la pluie qui n'en finissait pas. L'hivernage qui lavait la terre ne le lavait pas de ses tourments. Les grands vents de novembre s'étaient levés, Noël approchait. Cela ne lui importait guère. Il se souciait peu de sa fille qui filait le parfait amour avec ce bouffon de Sainte-Colombe, peu de l'habitation où tout partait à vau-l'eau, peu des esclaves qu'il avait pourtant le devoir de nourrir et de vêtir. Qu'ils aillent tous au diable, pensait-il avec le désir de se faire oublier et de s'oublier lui-même.

La Grande Case paraissait presque abandonnée : les persiennes étaient closes, l'herbe n'était plus fauchée, le hamac déchiré pendait contre l'arbre, la véranda était couverte de feuilles sèches. Le silence était brisé de temps à autre par le claquement d'un volet décroché que personne ne trouvait utile de remettre en place.

Le maître ne régnait plus. Du coup, il avait fallu aux esclaves s'organiser et Jacquier leur avait accordé plus de temps pour cultiver leurs potagers. Les jardinets se multipliaient derrière les cases, où poussaient des rangs de légumes. Les cochons avaient été mangés, mais une vie un peu étrange semblait avoir repris ses droits dans la cour. Des poules s'y ébattaient librement, un cabri était attaché au poteau qui servait jadis aux exécutions, des cordes à linge chargées d'habits misérables étaient suspendues entre les cases. On s'ingéniait à trouver de quoi se nourrir, et Amédée, qui partait chaque dimanche avec son âne au marché, avait désormais un rôle essentiel : on lui remettait les fruits et les légumes des jardins, et il était chargé de les vendre et de rapporter un peu de viande de bœuf ou de porc.

Chaque dimanche, c'était le même attroupement autour de son âne, et Amédée, pressé de toutes parts, chargeait ses paniers de ce qu'on lui confiait avec l'espoir qu'il en tire quelque prix.

Ce dimanche du début de novembre n'était pas un jour comme un autre. C'était la fête du maître et la coutume voulait qu'il distribue de l'argent aux esclaves pour leur permettre de fêter Noël un mois plus tard et de faire un vrai repas. On espérait pouvoir manger un ragoût traditionnel de cochon, comme avant chaque nouvelle année. Jacquier observait la bousculade autour d'Amédée.

– Tout doux ! Ne poussez pas ! Colombine, trois dachines, cinq ignames. Tu sais que je ne les vends pas bien en ce moment, les ignames, tout le monde en fait. Tu n'as plus de cacao ? Ça, on m'en demande souvent à Saint-Pierre.

Colombine secoua la tête, déçue. Ses vêtements étaient en loques, ses traits tirés par l'épuisement. Elle tira trois œufs de la poche de son tablier et les tendit à Amédée.

– Tiens, j'ai ça aussi.

Amédée la regarda, hésita. Il savait le prix de ce sacrifice.

– Et tes enfants ?

– Je n'ai plus rien, mon compè. Il me faut de l'argent pour acheter du cochon, Noël arrive...

Mabelle crut bon d'intervenir et vint se placer entre

Amédée et Colombine, repoussant la main de celle-ci d'un geste autoritaire.

– Garde tes œufs, Colombine ! Aujourd'hui, c'est la fête du maître. Il va nous donner de l'argent. Tiens, Amédée, j'ai deux beaux poulets, moi... ajouta-t-elle en lui tendant les volailles tuées qu'il enveloppa dans des feuilles de bananier.

– Cé révé ou ka révé, ché ! dit-il à Mabelle, loin de s'accorder à son bel optimisme. Le maître ne vous donne même plus à manger et tu crois qu'il va distribuer de l'argent ?

Oui, pensait Mabelle qui ne voulait pas désarmer, le maître y était obligé. Et comme Jacquier se rapprochait, elle le héla et vint se planter devant lui. Les esclaves se rassemblèrent aussitôt, visiblement intéressés par la question.

– Dents serrées, c'est la fête du maître aujourd'hui. Tu crois qu'il va sortir pour les bons vœux ?

– Les esclaves n'ont plus rien, renchérit Amédée. Le maître doit entendre les bons vœux et donner quelque chose...

– Le maître n'est obligé à rien, répondit Jacquier.

– Il nous laisse crever ! On ne peut pas manger la canne, s'habiller avec la canne ! Il faut un peu d'argent.

Jacquier savait que Mabelle disait vrai : Théophile ne pouvait laisser périr ses esclaves, hommes, femmes et enfants. La faim les tiraillait, leurs vêtements tombaient en lambeaux, lui-même avait droit à un peu de morue quand cela faisait des mois qu'eux ne se nourrissaient que de farine de manioc, de patates et d'ignames autour de bribes de viande.

Il craignait toujours une rébellion, et il serra instinctivement la main sur son fouet, parut perplexe. Les regards anxieux eurent raison de son hésitation. Il tourna brusquement les talons et se mit en marche vers la Grande Case.

Il entra dans le cabinet obscur, trouva Théophile endormi dans son fauteuil, ronflant bruyamment, avec sur ses genoux une bouteille de rhum vide que ses mains emprisonnaient encore comme si c'eût été un trésor. Il le considéra en silence : le fardeau de l'existence pesait sur ses traits défaits et bouffis par l'alcool, il avait pris dix ans en quelques mois. La barbe envahissait le bas de son visage, des poches noires cernaient ses paupières. Le maître, que Jacquier avait toujours connu d'aplomb, paraissait un homme brisé.

L'Indien toussota, gêné d'avoir à le réveiller. Théophile finit par ouvrir les yeux, regarda fixement Jacquier d'un air égaré, leva lourdement un bras et se passa la main sur le visage.

— Et qu'est-ce que tu fous là, toi ? demanda-t-il en balançant la bouteille de rhum sur le commandeur qui la rattrapa adroitement et la posa sur le secrétaire.

— C'est votre fête. Ils attendent pour les bons vœux.

Théophile eut toutes les difficultés du monde à se redresser, mais la lueur qui alluma le bleu de ses yeux montrait que l'homme avait encore un peu de ressort. Le ricanement qui le secoua aussi.

— Mais j'en ai rien à foutre, moi, de leurs bons vœux ! Je n'ai rien à leur donner, rien ! Je n'ai plus d'argent, plus de femme, plus d'enfant !

— Si, répondit Jacquier. Votre habitation, votre fille.

Théophile se leva, s'approcha des fenêtres, resta debout, vacillant légèrement, surpris par le silence soudain. La pluie avait cessé. Il se retourna brusquement.

— Ce n'est plus ma fille, je te dis ! De toute façon, elle ne veut plus me voir... Je suis foutu, Jacquier.

Un silence suivit, durant lequel les deux hommes ne bougèrent pas. Puis Jacquier insista :

— Alors ? Qu'est-ce qu'on donne aux esclaves ?

— Va chercher Amédée, répondit Théophile toujours à la fenêtre, comme pour s'assurer que l'hivernage touchait à sa fin, comme si le ciel pouvait venir à son secours.

Jacquier fut surpris de la requête : cela faisait des années que Théophile ne s'était plus adressé à Amédée, il craignait que la rencontre ne se passe mal.

Il s'exécuta cependant, revint avec Amédée que Théophile

entraîna jusqu'à la chambre d'Olympe. Là, le maître ouvrit l'armoire et désigna les robes qui s'y entassaient.

— Tiens, prends tout ça et vends-le. Si tu peux en tirer un peu d'argent, tu le distribueras aux esclaves.

— Et mademoiselle Constance ? demanda Amédée sur un ton neutre.

Théophile ricana de nouveau :

— Mademoiselle Constance va faire un beau mariage. Elle se fout pas mal des vieilles nippes de sa mère et moi je suis fini, Amédée ! Je n'ai plus rien ! Terminé !

Amédée n'était pas Jacquier. Ce n'était pas qu'il fût plus courageux, mais il n'éprouvait nulle sympathie pour l'homme qu'il connaissait assez pour le dévisager froidement :

— Donnez-moi l'argenterie. Ça, ça vaut de l'argent.

Théophile en resta un instant soufflé, puis son corps se redressa.

— Tu ne vas pas bien ? Mon argenterie pour vos étrennes ? Et puis quoi encore ? Tu veux mon pied au cul aussi ?

Amédée le dévisagea encore.

— Au fond, vous n'êtes pas vraiment fini.

Et il quitta la pièce, laissant Théophile sans voix.

Amédée venait de lui rappeler qu'il n'avait pas tout perdu de ce qui lui appartenait. Il lui restait l'habitation, vacillante peut-être mais pas encore tout à fait prête à rendre l'âme. Et ces esclaves qui attendaient de l'argent pour fêter Noël, c'étaient les siens, il les avait achetés. N'avait-il pas le devoir de ne pas les laisser crever de faim ? Après tout, qu'aurait-il fait sans eux ? Amédée et Jacquier avaient peut-être raison : l'habitation bâtie de ses propres mains valait peut-être la peine de se relever.

Il regagna son cabinet de travail d'un pas lent, en se rappelant que le mariage de sa fille devait avoir lieu dans deux jours, songeant à sa maison de Saint-Pierre où il n'avait pas remis les pieds depuis la mort d'Olympe.

*
**

Adèle s'y était définitivement installée avec Fanny et Byzance, pour ouvrir, avait-elle dit, un atelier et une boutique de couture. Théophile avait donné facilement son accord, elle pouvait bien faire ce qu'elle voulait, cela lui était égal. Depuis, elle n'était revenue à l'habitation qu'en de rares occasions pour rendre compte à Théophile de l'avancement du projet.

Ce qu'elle s'était gardée de lui dire, en revanche, c'était qu'elle hébergeait son fils, qui occupait sa chambre à l'étage. Elle recevait sa clientèle dans la boutique installée au rez-de-chaussée, dans l'ancien salon. Sa chambre, c'était la chambre d'Olympe autrefois, qu'Adèle avait aménagée à son goût et avec son sens de l'ordre. Elle avait acquis un chandelier d'argent et une psyché qui témoignaient de la prospérité de son entreprise. Elle ne savait pas à quoi son fils occupait ses journées, mais elle ne cherchait pas à le savoir. Elle était trop heureuse qu'il vive ici, sa présence au-dessus d'elle quand elle travaillait la comblait, elle avait le sentiment de rattraper le temps perdu.

Mais Jean-Baptiste ne se tenait pas aussi tranquille qu'il en avait l'air. Le jour il écrivait, la nuit il haranguait. Assis devant le petit secrétaire d'Olympe, il noircissait des pages d'une écriture fine et serrée. En manches de chemise, acharné à sa tâche, il ne s'interrompait que pour relire, puis raturer ou froisser une feuille avant de s'y remettre. Il avait choisi le titre de son opuscule : « Sur les gens de couleur libres à la Martinique ». Il y dénonçait les injustices dont les Noirs libres eux-mêmes étaient victimes.

Ce soir-là, satisfait de sa journée de travail, Jean-Baptiste se rendit à l'auberge où il avait l'habitude de retrouver quelques-uns de ses amis, les plus actifs du temps de la Laguia.

C'était une auberge pauvre sur une petite place de Saint-Pierre, tenu par un mulâtre affranchi, et c'était là qu'on avait décidé de poursuivre la lutte, d'exposer ses idées et de continuer à se battre. La salle était pratiquement déserte ? Quelle importance ! Un des garçons prit place devant la porte pour faire le guet, on déplaça quelques tables de façon à ménager une espèce de tribune, et Jean-Baptiste y grimpa avant de se lancer fièrement. Il annonça un discours aux hommes présents, puis se mit à lire une feuille avec exaltation.

– Frères ! La situation a assez duré ! La flétrissure que nous subissons à cause de notre couleur est ignoble. Même quand nous sommes libres, on nous interdit d'exercer les métiers auxquels notre niveau d'éducation nous permettrait de prétendre ! Nous sommes réduits à exercer des tâches subalternes, à mendier notre place dans la société !

Il illustra ses propos en rapportant l'anecdote de son entretien avec un notaire qui cherchait un clerc et lui avait tendu un balai. Ses amis sifflèrent en signe d'approbation, mais Jean-Baptiste n'eut pas le temps de savourer son succès. Un sifflement plus aigu retentit : c'était le signal de la ronde de la maréchaussée.

Il sauta prestement à terre, on n'eut que le temps de remettre les tables et les chaises en place, de s'asseoir, de sortir des jeux de dominos. Jean-Baptiste avait caché ses feuillets sous la table, le tenancier apportait des verres de rhum. Un soldat de la maréchaussée entra brusquement, fit un tour rapide de la salle, jeta un regard soupçonneux sur les groupes apparemment très concentrés sur leurs parties, puis tourna les talons sans un mot. Quelques minutes plus tard, Jean-Baptiste reprenait sa place et poursuivait son exposé, plus exalté que jamais.

Adèle ne soupçonnait rien de ces activités. Elle était trop occupée à s'acquitter des commandes qui avaient afflué après la publication des bans du mariage de Constance avec Hubert de Sainte-Colombe. On avait d'abord été généralement circonspect, voire choqué, dans le milieu des planteurs, l'union de deux êtres aussi dissemblables ayant de quoi surprendre : qu'est-ce qui incitait un planteur renommé, issu d'une des plus vieilles familles de Martinique, à épouser la fille d'un homme ruiné, de surcroît arriviste sans naissance ? Et qu'est-ce qui poussait Constance Bonaventure à épouser un homme dont il était de notoriété publique que ses mœurs étaient anormales ? On finissait par parler de sentiments dans un milieu où il en avait été peu question, où les uns et les autres s'étaient mariés en fonction de leur fortune et de leur nom. Peut-être vieillissait-on, et de façon obscure commençait-on à percevoir que l'amour sauvait de bien des lâchetés, pour se rassurer sur son propre compte. On parla donc d'un coup de foudre bizarre mais réciproque, de tendresse, de consolation. Et, malgré les soupçons d'un arrangement, ce mariage finit par réjouir une partie du beau monde pierrotin. Il soulagea en premier lieu la famille de Sainte-Colombe, en faisant taire les bruits qui couraient sur un rejeton encore célibataire à quarante ans passés. C'était là l'essentiel. Que la fiancée soit jolie et qu'elle cristallise les espoirs de voir naître un héritier s'ajoutaient à cette inestimable qualité qu'elle avait de sauver l'honneur d'une famille. Une sorte de solidarité se mit enfin en place à l'égard de Constance, que l'on plaignait pour les malheurs auxquels elle avait dû faire face.

Les épouses des planteurs se pressèrent à l'atelier de couture d'Adèle pour passer commande de ce qu'elles porteraient aux noces. Le talent d'Adèle lui valait ce succès, car elle travaillait sans relâche depuis des semaines pour confectionner des modèles uniques. Coupe impeccable, usage de matières nobles, associations de couleurs sobres et délicates, assemblages audacieux, finitions parfaites. Il n'en fallut pas plus pour enthousiasmer l'épouse d'un planteur, la première à avoir eu la curiosité et l'audace de pousser la porte de la boutique. Elle resta bouche bée devant une splendide robe de soie mauve, qu'Adèle termina de coudre pour elle sur mesure. Le lendemain soir, lors d'une représentation de *La Folle Journée* qu'on donnait au théâtre de Saint-Pierre, la dame fit étalage de la robe, brilla, s'enorgueillit d'avoir découvert un talent, « Si si, la négresse de Bonaventure est devenue couturière », répétait-elle sans se lasser d'être admirée. Adèle était lancée.

La veille du mariage fut un grand jour pour Constance : sa robe de mariée était prête, elle allait pouvoir l'essayer.

Elle poussa la porte de la boutique, accompagnée par madame de La Rivière qui l'avait prise sous sa protection et avait insisté pour se charger de l'organisation des noces. Cette pauvre enfant était une orpheline maintenant, il fallait que quelqu'un lui remonte le moral, tout de même, disait madame de La Rivière à gauche et à droite.

Constance aimait à entrer dans l'atelier de couture. Il y régnait une atmosphère calme et concentrée, en même temps qu'une activité fébrile depuis que les commandes affluaient. Adèle, débordée, avait été obligée de former Fanny et leurs quatre mains réalisaient des prodiges, bien qu'il ne fût pas rare qu'elles soient contraintes de travailler une partie de la nuit, pour couper, assembler, coudre, retoucher, orner, vérifier jusqu'à la perfection. Aucun droit à l'erreur, répétait Adèle à Fanny qui s'appliquait du mieux qu'elle pouvait. En retour, Adèle l'habillait, et Fanny portait maintenant des souliers, tout comme Byzance, chargé d'aller réceptionner la marchandise sur le port et de livrer les robes quand elles étaient prêtes. Eux qui n'avaient connu que les champs de canne recevaient un salaire et découvraient sinon un paradis, du moins les charmes de la ville, ses tentations, ses audaces, les espérances qu'elle laissait entrevoir.

Ils avaient aimé, l'un et l'autre, aider Adèle à transformer le grand salon en atelier. On avait rangé soigneusement les rouleaux de tissu sur des étagères, placé une immense table de bois au centre de la pièce sur laquelle s'étalaient des patrons, des paires de ciseaux, des textiles, des rubans et des boutons, acheté un paravent pour permettre à ces dames de se changer en toute discrétion et un mannequin de bois pour présenter les robes.

Constance aperçut immédiatement la merveille qui trônait au centre de la pièce. Elle était d'organdi blanc, la taille marquée sous la poitrine, avec un tombé droit et fluide rehaussé simplement de broderies fines, et des manches trois-quarts de dentelle transparente. Ce n'était pas tout, car Sainte-Colombe y avait insisté : rien n'était trop beau pour Constance, il n'était pas question de regarder à la dépense. Les accessoires assortis à la robe reposaient sur un coin de la table : un long voile avec sa traîne, une capeline, des gants et des escarpins de cuir nacré.

Constance, qui ne tenait plus en place, courut ôter ses vêtements de ville derrière le paravent et réapparut en jupons avant de s'immobiliser raide et bien droite, de façon à permettre à Fanny de procéder à l'ultime essayage.

Madame de La Rivière s'était assise dans un fauteuil et semblait suivre attentivement chacun des gestes de la petite main. En réalité, elle ne parvenait pas à détacher ses yeux d'Adèle, magnifique dans une robe de taffetas noir stricte, donnant des instructions que Fanny suivait à la lettre. Sa beauté, son aisance, le français parfait dans lequel elle s'exprimait, son œil expert et la justesse de ses interventions avaient de quoi intéresser.

Les dernières épingles furent enfin retirées.

– Voilà, je crois que le décolleté est bien, maintenant... Qu'en pensez-vous, madame de La Rivière ?

Les mots d'Adèle la tirèrent de ses réflexions ; elle se leva, tourna autour de Constance qui retenait sa respiration et jubilait intérieurement, chercha en vain un défaut à relever, une remarque à faire, un conseil à donner, ne put que constater que la robe tombait parfaitement.

– Vous faites des merveilles, Adèle. Mais j'ai peur que vous n'ayez pas le temps de terminer ma robe...

– Elle est prête, répondit Adèle. Je vous la ferai livrer en même temps que celle de madame Tibaud de Verpré.

– Elle aussi ! Tout le monde s'habille chez vous, on dirait !

Adèle se contenta d'un sourire poli, pas dupe d'un reste de venin dans cette remarque : une Noire qui avait un tel sens des affaires, cela avait de quoi surprendre. Adèle s'amusa davantage encore quand, Constance et Fanny ayant disparu derrière le paravent, madame de La Rivière s'approcha pour l'interroger à voix basse :

– Pensez-vous que monsieur Bonaventure conduira la pauvre enfant à l'autel ?

Mais Constance l'avait entendue et réapparaissait en jupons pour répondre elle-même à la question :

– Il ne viendra pas ! Je n'existe plus pour lui.

– C'est peut-être mieux ainsi, non ? demanda madame de La Rivière en prenant un air navré.

– Je ne sais pas. Malgré tout ce qui est arrivé, c'est encore mon père. Je voudrais pouvoir lui pardonner...

Une voix masculine les fit sursauter et se retourner :

– Beau sentiment chrétien, ma nièce !

C'était François. Constance lui sauta au cou.

– Mon oncle ! Quelle bonne surprise !

– Mademoiselle Constance ! gronda Adèle. Ce n'est pas une tenue pour une dame !

Mais Constance éclata de rire :

– D'abord, je ne suis pas encore une dame, ensuite c'est mon oncle chéri !

Elle disparut cependant de nouveau derrière le paravent pour se rhabiller, tandis que François s'approchait de madame de La Rivière et s'inclinait :

– Merci de vous occuper de ma nièce, madame.

Puis il se tourna vers Adèle.

– Il est en haut, je suppose ?

Adèle acquiesça et suivit avec des yeux inquiets François qui quittait la pièce pour monter à l'étage. Elle savait bien qu'il n'approuvait pas que Jean-Baptiste passe dans sa maison des journées à ne rien faire. Il avait sans doute raison, mais elle attachait tellement de prix, elle, à la présence de son fils. C'était comme une revanche sur le temps qu'il avait passé loin d'elle.

Quand François entra dans la chambre, Jean-Baptiste, occupé à écrire, posa sa plume et dissimula la feuille de papier qu'il venait de noircir, pour saluer, un peu embarrassé, le visiteur. Cela faisait des semaines qu'il ne lui avait pas donné de nouvelles, et François ne cacha pas son mécontentement :

– Tu n'as donc rien dans la tête ? Tu viens narguer Théophile ici ? Sous son toit ?

– Après ce qu'il a fait, il n'ose plus venir à Saint-Pierre...

– Et toi, tu te pavanes chez lui comme un jeune coq ! Tu me déçois, Jean-Baptiste... renchérit François sur le même ton de reproche.

Jean-Baptiste se contenta de le fixer sans baisser les yeux, ne sachant cependant que répondre. Le dominicain alla s'asseoir sur le bord du lit et soupira.

– J'ai l'impression que tu me fuis... Tu ne vas plus à la messe, tu vis aux crochets de ta mère...

– Mais quel travail voulez-vous que je fasse ? explosa Jean-Baptiste. Je ne peux être ni avocat, ni notaire, ni apothicaire, ni médecin ! Nous, les Noirs libres, nous n'avons aucun droit, à part celui de servir les Blancs ! Nous ne sommes même pas des citoyens français à part entière !

François savait que Jean-Baptiste disait une vérité douloureuse, et ces paroles ne faisaient que raviver le souvenir de l'entretien chez le notaire. Il hocha la tête, comme abattu par la conscience d'une bataille perdue par avance. Que d'années passées à lutter pour en arriver là ! Il demeura un instant immobile, les yeux baissés, puis se leva. Le découragement l'envahissait.

– Tu vois, j'ai toujours cru au triomphe du Bien sur le Mal, à la gloire de Dieu Notre Père, à son infinie bonté... Je n'ai jamais douté... Mais aujourd'hui...

Il s'interrompit, trop affecté pour poursuivre, tandis que Jean-Baptiste regardait avec tendresse ce prêtre qui semblait usé.

Il s'approcha de lui, et François eut un geste d'impuissance.

– J'ai peur pour toi, mon fils, dit-il d'une voix sourde.

Et ils tombèrent dans les bras l'un de l'autre.

À onze heures du matin le lendemain, Constance, vêtue de sa robe de mariée, coiffée, voilée, gantée et chaussée à la perfection, se tenait sur le parvis de l'église principale de Saint-Pierre, encadrée par Adèle et Nicolas de La Rivière, attendant que les invités soient installés et que madame de La Rivière revienne la chercher. C'était l'heure de son mariage, mais elle était émue aussi en songeant que dans cette même église, plus de vingt ans auparavant, ses parents s'étaient unis. Elle voulait imaginer qu'ils avaient été heureux, ce jour-là au moins. Elle profita de l'attente pour interroger brièvement La Rivière : est-ce que sa mère souriait, à ses noces ? La réponse lui fit venir les larmes aux yeux : Olympe de Rochant n'était pas seulement la plus ravissante des femmes, le jour de son mariage, elle était tout bonnement éblouissante. La Rivière parut troublé à son tour, comme si cette évocation lui rappelait que le temps avait passé très vite. Ils étaient tous jeunes alors, et le souvenir de la cérémonie demeurait présent dans son esprit comme si elle avait eu lieu la veille : il se rappelait l'harmonie et la grâce qui se dégageaient du couple aux cheveux de la même blondeur. Oui, ce jour-là, sans doute, ils avaient été heureux.

Adèle les écoutait et elle avait baissé la tête : elle aussi se souvenait combien Olympe lui avait paru belle quand elle avait quitté la Grande Case, resplendissante dans sa robe cousue d'or.

Ce moment de recueillement fut troublé par la réapparition de madame de La Rivière, fort excitée :

– Ça y est, il faut y aller ! Les gens attendent !

La Rivière regarda sa femme : elle aussi avait vieilli. Avaient-ils été jamais heureux et souriants, eux ? Constance se tourna vers Adèle qui lui adressa un sourire d'encouragement, tandis que La Rivière chassait de son esprit ses nostalgies et proposait son bras à la fiancée. Il avait en effet été décidé que ce serait lui qui la conduirait à l'autel.

– Ma chère... commença-t-il.

– Attendez !

On se retourna à ce cri énergique. Un cavalier dressé sur sa selle arrivait au galop.

C'était Théophile. Il fit halte devant l'église et sauta prestement à terre, vêtu d'un costume de taffetas noir, rasé, parfumé, impeccable.

Il se précipita vers Constance qui le regardait, les larmes aux yeux de nouveau.

– Je veux conduire Constance à l'autel si elle veut encore de moi comme père... Car elle est, et elle sera toujours ma fille chérie...

Ravalant ses larmes, Constance abandonna le bras de La Rivière et prit celui de son père, droite et digne.

Quand ils avancèrent dans la nef en direction de l'autel, vers Sainte-Colombe et François, Constance eut le sentiment qu'ils étaient seuls au monde, un instant, et que rien d'autre ne comptait que de sentir le bras de son père contre le sien. On pouvait bien lui avoir appris qu'elle n'était pas de lui, quelle importance ? Il était venu, lui qui ne l'avait pas seulement élevée. Il l'avait aimée, elle en était certaine. C'était bien son père, cet homme au caractère impétueux et violent qui lui avait donné goût à la vie. C'était cet homme qui la réveillait à l'aube quand elle était enfant pour lui faire découvrir le monde du petit matin, regarder le soleil se lever sur la mer, lui apprendre les secrets de la nature et l'amour des chevaux. C'était lui qui la prenait sur ses épaules et venait l'embrasser chaque soir avant qu'elle ne s'endorme en laissant la bougie allumée – « Ne souffle pas la bougie, papa, tu sais bien que j'ai peur dans ma chambre... ». Et il l'embrassait, il lui disait qu'il l'aimait, il avait l'air troublé et elle n'en comprenait pas la raison. C'était maintenant cet homme-là qui marchait à ses côtés, la tête haute, indifférent comme elle aux chuchotements sur leur passage.

Théophile abandonna sa fille aux côtés de Sainte-Colombe, avant d'aller s'asseoir, sans regarder quiconque, au premier rang.

François adressa un regard d'intelligence à Constance, on allait pouvoir commencer. Adèle avait rejoint Fanny et Byzance au fond de l'église, sur un banc écarté, et tous les trois, dans leur costume de ville, des chaussures neuves aux pieds, se tenaient debout, silencieux et recueillis.

Durant la cérémonie, Constance repensa à sa mère et à ce que venait de lui rapporter Nicolas de La Rivière. Et elle, Constance, était-elle heureuse d'épouser cet homme à ses côtés ? Il se montrait certes prévenant, plus délicat que les autres planteurs. Constance savait qu'elle épousait un homme généreux. De là à l'aimer, non, Constance n'était pas femme à se mentir. Le seul homme qu'elle eût jamais aimé était parti. Ambroise Jones, où êtes-vous ? Pourquoi m'avoir abandonnée ? Sera-t-il dit que je ne vous reverrai jamais ? Un jour, peut-être...

Après la célébration du mariage, Constance dut présider un grand déjeuner chez Sainte-Colombe, au cours duquel elle se sentit presque comme une étrangère dans une assemblée qui n'était composée que de Blancs. Mais elle y fit bonne figure, car elle allait devoir s'habituer à cette vie. Au fond, elle était bien accueillie, et il y avait même là un luxe et un calme qu'elle n'avait guère connus.

Plus tard dans l'après-midi, son époux l'accompagna à l'habitation pour qu'elle y fasse ses adieux.

Une fête battait son plein quand ils arrivèrent dans la cour, un cabri rôtissait sur une broche, on riait, on dansait, on chantait pour fêter le mariage de celle qu'on surnommait toujours ici « Ti-Colibri », la jeune femme que tous avaient vue grandir et qu'ils avaient aimée comme elle les avait aimés en retour. On se pressait autour d'elle pour des souhaits de bonheur, tandis qu'elle distribuait des pièces aux uns et aux autres.

Un peu en retrait, Sainte-Colombe observait la scène avec bienveillance.

Bel instant que celui où Man Josèph s'approcha à son tour pour embrasser Constance et la serrer dans ses bras. La doyenne était émue. Elle tendit à Constance un petit sachet de madras.

– Prends ça, Ti-Colibri ! Avec ça, le diable passera son chemin.

Constance la remercia et l'embrassa encore une fois, puis Man Josèph fit un pas en arrière pour céder la place aux suivants. Colombine, en recevant deux pièces, l'embrassa avec affection :

– Merci, Ti-Colibri, merci ! Que Dieu te protège !

– Tu as un bon mari maintenant, dit Mabelle, sois heureuse.

– Ki tan ou ké viré ? demanda Byzance qui s'était approché à son tour.

Tout le monde se tut, le joueur de tambour s'interrompit brusquement. Byzance avait osé la question que tous se posaient sans avoir le courage de la formuler. Constance regarda longuement autour d'elle, dévisageant les hommes et les femmes qui l'entouraient. Elle les aimait, eux. Mais ce lieu lui rappelait bien trop les malheurs qu'elle y avait vécus : la mort de Rosalie, celle de sa mère, la trahison d'Ambroise Jones.

Elle hésita, puis secoua la tête tristement :

– Non, je ne reviendrai pas. Mais je ne vous oublierai jamais, je vous le promets.

Il fallait partir. Constance eut du mal à s'y résoudre, continua d'adresser de grands signes d'adieu, reculant lentement, incapable de cacher sa tristesse.

Après le départ des mariés, Adèle profita de ce que Man Josèph était seule pour l'attirer à l'écart et lui chuchoter quelques mots à l'oreille. Man Josèph lui fit signe de la suivre dans sa case, et elles s'installèrent face à face sur deux tabourets de bois, de part et d'autre du brasero.

Adèle se décida :

– Je ne me sens pas bien, Man Josèph. Je crois qu'on m'empoisonne, dit-elle sur le ton de la confidence.

– Qui ? s'enquit Man Josèph en regardant Adèle avec des yeux perçants.

Adèle n'en savait rien. Peut-être qu'on la jalousait ; elle savait que sa réussite faisait jaser.

– Je travaille comme une libre, je gagne bien, je suis devenue riche.

– Dis-moi la vérité : tu as offensé quelqu'un ?

– Je ne sais pas. Cela dure depuis deux ou trois mois. J'ai vu un coq noir à la croisée des chemins, près de la maison. Un vilain coq qui me regardait avec des yeux rouges. Depuis, je me sens lourde, j'ai mal au ventre, mal à la poitrine, je vomis.

Adèle n'avait pas besoin d'en dire davantage.

– Tu as saigné depuis le coq noir ?

– Non.

– Et les hommes ? Combien dans ton lit depuis le coq noir ?

Adèle haussa les épaules, agacée.

– Seulement Théophile, tu le sais bien !

– Alors, c'est lui.

Adèle changea de visage.

– Jésus Marie ! Théophile veut m'empoisonner !

– Mais non, ababa ! se moqua Man Josèph. C'est le père de ton enfant ! Tu es enceinte, ma fille ! Après tous ces malheurs, c'est le ciel qui nous parle. Alléluia, dit-elle en se signant.

L'accueil que réservait Man Josèph à cette nouvelle contrastait avec la consternation d'Adèle, demeurée bouche bée, semblant refuser une évidence épouvantable. Man Josèph avait raison ! Elle finit par se lever, le souffle coupé.

– Pas question ! Je ne veux pas d'un enfant de cet homme ! J'achète les pousses d'ananas demain.

Man Josèph se leva à son tour et la retint par le bras d'un geste presque violent. Elle parla sur un ton sec :

– Ne fais pas ça ! Tu n'es pas jeune et lui, il n'a jamais

été père. Cet enfant, ce n'est pas un enfant, c'est un signe. Tu dois respecter les signes.

Sur ces mots, elle traça le signe de la croix sur le ventre d'Adèle.

Celle-ci éprouvait une sorte de stupeur à l'idée de garder cet enfant. Elle se résolut à n'en rien dire : on verrait bien si le Dieu dont lui parlait Man Josèph voulait qu'il voie le jour.

CHAPITRE 23

Trois jours plus tard, Jean-Baptiste entraînait Amédée dans une auberge de Saint-Pierre, où des francs-maçons poursuivaient de leur côté la lutte contre l'esclavage. Les francs-maçons faisaient beaucoup parler d'eux depuis quelque temps, et Jean-Baptiste avait assisté à quelques-unes de leurs réunions, s'était enthousiasmé, rêvait de leur soumettre son opuscule et d'en débattre avec eux, s'imaginait déjà en orateur applaudi. C'était cependant pour une raison plus précise qu'il avait pressé Amédée de l'accompagner : un événement exceptionnel devait avoir lieu. Une grande figure de la lutte pour l'abolition viendrait les honorer de sa présence et dialoguer avec eux. Pas question de rater ça, avait dit Jean-Baptiste. Il mettait son grand-père dans la confidence de ses activités, tant il voulait qu'on cesse de le considérer comme un bon à rien.

Quand ils se glissèrent dans la salle, celle-ci était déjà pleine d'hommes de toutes les couleurs de peau. Il y avait là des Noirs, des mulâtres, des métis, et aussi des Blancs. Les chemises, les costumes, les cravates témoignaient d'un certain niveau d'éducation.

Une chaise et une table sur laquelle était posés une carafe d'eau et un verre faisaient face aux bancs de la salle.

Amédée, intimidé par l'assistance, se laissait guider par un Jean-Baptiste assez à l'aise, retrouvant des camarades, serrant des mains à droite et à gauche, et qui trouva sans difficulté une place où s'asseoir. Fier de faire découvrir à son grand-père son « milieu », il s'amusait du visage roulant des yeux curieux, rassuré de constater que lui-même portait la manière d'uniforme qui semblait de mise ici.

Un Noir fit enfin son entrée et s'avança jusqu'à la petite table, son apparition faisant cesser les conversations. Jean-Baptiste chuchota à l'oreille d'Amédée qu'il présidait la loge, et son grand-père feignit d'avoir compris ce mot qui lui était inconnu. Quoi qu'il en soit, il s'agissait maintenant d'écouter.

Après avoir embrassé d'un regard la salle, visiblement satisfait de la voir bien remplie, l'arrivant fit un geste pour réclamer l'attention.

– Frères ! S'il vous plaît ! Notre loge « Concorde et Fraternité » accueille ce soir un homme dont le destin commença en Afrique. Après un bref séjour chez nous, en Martinique, il s'est battu pour la liberté en Guadeloupe aux côtés de nos frères. Puis il a rejoint à Haïti Toussaint Louverture et Dessalines. Ce combattant exceptionnel, cet homme de guerre et de paix, c'est monsieur... Koyaba Destinée !

Des applaudissements fusèrent, tandis qu'Amédée, entendant prononcer le nom de Koyaba, demeurait stupéfait. Il le fut plus encore lorsqu'il reconnut « son » Koyaba, le père de Jean-Baptiste, l'homme aux côtés de qui il s'était battu, prendre place à la table. Il avait changé, mais aucun doute possible. Tout de même : des épaules plus larges, un visage qui avait gagné en maturité ; il rayonnait dans un uniforme de l'armée haïtienne.

Jean-Baptiste applaudissait à tout rompre, étonné que son grand-père restât muet avec des yeux de poisson frit. Il lui donna un coup de coude, tandis qu'Amédée essayait de retrouver contenance et que ses yeux allaient de Koyaba à Jean-Baptiste, comme pour bien s'assurer qu'il ne se trompait pas.

Quand les applaudissements cessèrent, Koyaba s'assit. Il prit le temps de considérer l'assemblée.

– D'abord, laissez-moi vous dire que c'est un grand bonheur pour moi de me retrouver en Martinique, de vous voir réunis ici. Les choses changent, les choses ont déjà changé...

Une main se levait dans l'auditoire, celle d'un ami bavard de Jean-Baptiste. Koyaba ne montra rien de l'agacement qu'il ressentait d'être si tôt interrompu, et accorda courtoisement la parole au jeune homme :

– Monsieur ?

– Les armées du roi Christophe peuvent-elles venir nous aider à abolir l'esclavage ?

Quelques rires saluèrent cette intervention naïve et vaillante. Koyaba se contenta d'un sourire indulgent, et patienta jusqu'à ce que le silence fût revenu.

– Je vois que nous avons ici tous les jeunes lions de Martinique... Je vais peut-être vous décevoir, mais non, je ne vois pas assez de rage...

Jean-Baptiste se leva à son tour, mécontent de la réponse hautaine, jaloux aussi de l'admiration que la foule témoignait à un homme en uniforme qui pour beaucoup était presque un inconnu. Il prit la parole sans permission :

– Qu'en savez-vous, monsieur ? De toute façon, nous n'avons pas besoin de vous !

Et il se tourna vers l'assistance :

– Frères, nous n'avons pas besoin d'étrangers pour vaincre !

Cette fois, Koyaba s'était raidi. Il ne souriait plus. L'intervention de Jean-Baptiste avait jeté un froid. Amédée, en revanche, s'intéressait au face-à-face entre un père et son fils. Avant de répondre, Koyaba se leva, rigide dans son uniforme, toisa froidement Jean-Baptiste, et parcourut la salle d'un regard sans tendresse.

– En Haïti, nous avons su briser les chaînes de l'esclavage ! Nous avons arraché notre liberté à la France ! Nous en avons donné le goût à toute la Caraïbe ! Mais vous, jeune mâle, vous n'avez pas été esclave ? demanda-t-il en revenant à Jean-Baptiste.

Celui-ci eut un signe de tête négatif, furieux d'être ainsi mouché en public. Koyaba poursuivit alors d'une voix forte et ferme, sans se priver cependant de quelques effets ironiques. Jean-Baptiste dut supporter d'en être la cible.

– Je le vois à la façon dont vous vous tenez, dont vous êtes habillé... Vous rêvez de prendre les armes ? Votre vie a été douce et vous vous ennuyez auprès de votre maman ? Mais vous tous, jeunes lions de Martinique... serez plus utiles en devenant des juristes, ceux qui demain feront les lois de nos pays libérés ! Vous devez être des professeurs, des avocats, des médecins, des sénateurs !

Ces derniers mots furent salués par un tonnerre d'applaudissements. Jean-Baptiste enrageait. Ce n'était pas tout : il voyait ses rêves de meneur s'évanouir, et craignait de n'être jamais écouté ici. Tout ce qu'il avait écrit depuis des semaines était-il vain ? Il fit un signe de tête à son ami pour lui indiquer qu'il s'en allait. Amédée tenta en vain de les retenir. Les deux jeunes hommes traversèrent la salle sous des regards moqueurs.

À la tribune, Koyaba attendit qu'ils soient sortis pour poursuivre, avec l'espoir d'un dialogue plus sérieux.

Un nouvel incident allait retarder la reprise de son discours et le mettre décidément en colère.

Alors qu'il s'apprêtait à quitter la salle, Jean-Baptiste se heurta à Jacquier, debout près de la porte d'entrée. Il crut trouver sa revanche dans un geste qui le rachèterait aux yeux de la salle entière, aux yeux de l'homme qui l'avait discrédité, à ses propres yeux.

– Qu'est-ce que tu fais ici, espèce de chien ? hurla-t-il à Jacquier.

Et sans lui laisser le temps de répondre, il lui décocha un coup de poing que Jacquier accusa avant de se ruer sur le jeune homme. La bagarre s'engagea, les plus proches s'écartèrent, mais bientôt, Koyaba s'interposa, séparant d'une main les combattants, de l'autre attrapant Jean-Baptiste par le col de sa veste.

– Sors d'ici ! Tu es un provocateur payé par le Gouvernement pour m'empêcher de parler !

– Cet homme m'a fait fouetter ! cria Jean-Baptiste en voulant désigner Jacquier.

Jacquier n'était plus là. Koyaba avait cependant eu le temps de le reconnaître.

– Moi aussi, j'ai été fouetté ! Mais je n'ai pas le temps de régler ces comptes-là ! Il y a plus important ! Allez, assieds-toi et arrête de te comporter comme un gamin.

Pas question pour Jean-Baptiste de se laisser faire la morale en public plus longtemps. Il quitta l'auberge, humilié, tandis que Koyaba revenait à la tribune.

La réunion s'acheva dans l'enthousiasme une heure plus tard. Mais le gros de l'assistance se dispersa rapidement : on craignait les rondes de la maréchaussée, on avait pris l'habitude de ne jamais s'attarder.

Amédée était cependant devant l'auberge, guettant la sortie de Koyaba.

Il apparut bientôt en compagnie de l'homme qui l'avait présenté et qui lui exprimait ses regrets quant à l'incident qui avait troublé la réunion. Il espérait que Koyaba ne lui en tiendrait pas rigueur et reviendrait à Saint-Pierre.

– Koyaba ! appela Amédée.

Koyaba l'aperçut et alla à lui.

– Amédée ! Vieux frère !

Ils tombèrent dans les bras l'un de l'autre. Puis Koyaba changea de visage en découvrant qu'Amédée n'avait plus qu'une main ; il devina que c'était là une conséquence de cette révolte dont il avait été l'instigateur. Amédée le confirma :

– Quand ils m'ont rattrapé, oui. Mais c'est le passé. Je ne regrette rien, je t'assure. Je suis content de te voir !

Les deux hommes étaient émus, mais Koyaba finit par se jeter à l'eau, faussement désinvolte :

– Et... Adèle ? Elle va bien ?

– Oh oui ! C'est une matador, maintenant ! Si tu la vois, tu ne la reconnaîtras pas !

– Je n'aurais pas le temps d'aller à l'habitation. Je dois me déplacer dans toute la Martinique.

– Oh, elle ne vit plus à l'habitation ! Le maître l'a installée ici, à Saint-Pierre !

Que voulait donc dire Amédée ? Qu'il était fier de ce que sa fille était devenue, qu'elle avait réussi de son côté ? Que Koyaba les avait laissés sans nouvelles pendant des années ? Ou bien qu'elle habitait à Saint-Pierre et que Koyaba n'avait pas d'excuse pour ne pas lui rendre visite ?

Ce fut un autre point qu'il releva :

– Vous dites toujours le « maître » ?

– L'esclavage a continué ici.

Conscient de l'avoir blessé, Koyaba s'excusa. Mais le sourire figé d'Amédée exprimait plutôt son regret de ne pas avoir suivi l'homme qu'il avait devant lui, libre, alors que lui appartenait encore à un maître.

– Quand je te vois, je me dis que c'est toi qui avais raison.

Ce fut au tour de Koyaba de se confier :

– Mais je suis seul, vieux frère. Je n'ai ni femme, ni enfant, ni famille. À quoi bon ces combats, si c'est pour vieillir sans la douceur d'une femme ?

Amédée n'avait rien à répondre. Il avait dit ce qu'il avait à dire concernant Adèle. Elle vivait à Saint-Pierre, si son ancien amant voulait la voir, c'était facile. Quant à Jean-Baptiste, Amédée estimait que ce n'était pas à lui d'apprendre à Koyaba qu'il avait un fils de vingt ans, qui n'était autre que le jeune homme qui s'était montré si arrogant un peu plus tôt.

Koyaba demanda à Amédée de l'attendre un instant, retourna saluer le président de la loge, encore entouré de quelques participants. Amédée crut que Koyaba le planterait là ; il se trompait : il le rejoignit et ils s'éloignèrent ensemble.

*
* *

Le lendemain matin, Théophile et Jacquier, à cheval tous les deux, trottaient l'un à côté de l'autre sur la grande allée qui desservait les champs, surveillant de loin le travail des esclaves. Théophile avait repris courage, il paraissait heureux que les choses rentrent dans l'ordre. Il ne se lassait pas de contempler de nouveau les étendues de canne. C'était sa terre, une terre qui lui appartenait, une terre qu'il avait réussi à préserver malgré les déboires des dernières années. Sa fille était mariée, ils s'étaient réconciliés, Adèle semblait se plaire à Saint-Pierre dans sa boutique. Finalement, oui, se répétait-il, je reprends ma route. Il avait même le sentiment d'une nouvelle vie qui commençait, d'un nouveau départ. Mais dans le fond, pour un observateur extérieur, les choses avaient-elles jamais changé ici ? Jacquier avait fait tourner tant bien que mal la plantation durant ces derniers mois, et l'enfer de la canne n'avait pas de fin. C'était le même appel à l'aube, le même travail sous la chaleur du carême ou les pluies de l'hivernage, les mêmes distributions d'eau, les mêmes coutelas, les mêmes calebasses, les mêmes cauchemars. Et en un sens, Théophile en ressentait de la joie. À peine se rendait-il compte que ses esclaves avaient vieilli et qu'ils se fatiguaient plus vite. D'ailleurs, ayant eu vent des activités des francs-maçons, il était devenu plus vigilant au moindre signe de rébellion. C'était lui qui avait envoyé Jacquier la veille à Saint-Pierre pour assister à la réunion. Jacquier ne lui en avait encore rien dit. Pourquoi ? Théophile n'allait pas tarder à en comprendre la raison.

— Alors, ces francs-maçons, toujours les mêmes ?

— Oui, répondit Jacquier.

— C'était quoi le thème ? Comment ne pas attraper la chtouille avec ses esclaves ?

— L'abolition.

— Encore ! Ils n'ont pas fini de nous emmerder avec ça ! C'était qui l'orateur ?

— Koyaba.

Théophile arrêta brutalement son cheval et se tourna vers Jacquier comme s'il doutait d'avoir bien entendu.

*
**

Au même moment, Koyaba, dans son uniforme de l'armée du roi Christophe, se présentait à la maison de ville de Théophile dont Amédée lui avait indiqué l'adresse. Il ne pouvait se résoudre à quitter Saint-Pierre sans voir Adèle.

Devant la porte cependant, il hésita, puis rassembla son courage et finit par frapper au heurtoir.

La porte s'ouvrit sur le visage de Fanny, stupéfaite devant l'homme en uniforme qui demandait à voir Adèle. Elle introduisit Koyaba et courut annoncer à Adèle qu'un général voulait la voir.

– Un général ? Quel général ? demanda Adèle, campée devant le mannequin chargé d'une robe, des épingles plein les mains.

– Moi, dit Koyaba en entrant.

Adèle poussa un cri, se piqua le doigt et s'élança pour se jeter dans ses bras. Il la serra passionnément contre lui, sous les yeux de plus en plus ébahis de Fanny qui crut bon de s'éclipser en refermant la porte derrière elle.

Koyaba avait redouté de la froideur, de l'amertume ; il n'en était rien : elle était là, entre ses bras, plus belle qu'elle ne l'avait jamais été. « Une matador », avait dit Amédée. C'était la même femme, et cependant différente. Ils n'eurent d'abord pas besoin de se parler. Ils firent bientôt l'amour, avec une ardeur d'amants longtemps séparés. Et puis ils craignirent que les mots ne gâchent la magie de ce moment volé.

Ce fut Koyaba qui brisa le silence le premier, à mi-voix, tenant serrée contre lui la seule femme qu'il ait jamais aimée.

– J'ai toujours pensé à toi, Lousolo... Au plus fort des batailles, dans les forêts, sous le soleil, sous la pluie, je pensais à toi...

– Et tu regrettais d'avoir été aussi mauvais avec moi ?

Il sourit, mais il avait raison de penser que les mots pouvaient gâter leurs retrouvailles. Il perçut un mouvement d'éloignement chez Adèle. Plus forte, plus sereine aussi, elle n'était plus la jeune fille qu'il avait connue, elle était avisée, sûre d'elle, un brin dédaigneuse même.

– Non, au contraire. Ce n'était pas une vie pour une femme. Toute cette violence, ces horreurs. Mais en combattant, je me disais qu'un jour on se retrouverait, qu'un jour, tu viendrais vivre avec moi en Haïti...

L'assurance de Koyaba la choquait.

– Et tu n'avais pas peur que je tombe amoureuse de quelqu'un d'autre ?

– Je savais que tu m'attendrais.

Cette fois elle eut un petit rire et se leva, se détachant de lui. Cette odieuse certitude des hommes de savoir pour vous, mieux que vous, ce que vous devez faire, qui vous êtes, comment vous devez vous comporter. Ils croient qu'ils vont vous modeler, qu'ils vous possèdent, alors que vous n'appartenez qu'à vous-même, que vous mesurez chacun de vos gestes et que de vos sentiments ils ne sont pas les maîtres.

– Ah bon ? Et si tu étais mort ? Tu n'as pas pensé que je devais faire ma vie moi aussi ?

Elle commença à se rhabiller. Lui continuait à l'observer avec des yeux pleins d'amour, sans soupçonner les pensées qui l'envahissaient. Son regard s'attarda sur ses formes.

– Tu es devenue plus ronde, plus femme...

Adèle changea de visage, craignant subitement qu'il n'ait remarqué qu'elle attendait un enfant. Elle lui lança son uniforme, qu'il rattrapa adroitement.

– Plus vieille aussi.

Koyaba se leva pour la reprendre dans ses bras.

– Nous ne sommes pas vieux. Il est encore temps pour nous, Lousolo. Tu es ma femme. Viens avec moi. Tu te souviens de la belle maison que je t'avais promise ?

Adèle eut un sourire teinté d'amertume. Oui, elle se souvenait de l'orée de la forêt, près du cimetière où sa mère avait été enterrée... Elle se souvenait de l'avoir attendu des soirées entières et de l'avoir supplié de l'emmener avec lui. Elle se souvenait de lui avoir annoncé qu'elle attendait un enfant de lui, elle se souvenait qu'il n'avait pas accueilli la nouvelle comme elle l'aurait espéré. Son combat alors passait bien avant son amour. Voici qu'il revenait quand c'était à son tour à elle d'avoir d'autres soucis. La pensée l'effleura qu'elle devait lui parler de Jean-Baptiste. Elle se ravisa.

– La belle maison pleine d'enfants ?

– Pourquoi pas ? Viens avec moi. Je m'occuperai de toi.

Adèle réfléchissait. Ce retour était si soudain. La vérité, c'était qu'elle n'était plus certaine de ses sentiments à son égard. L'aimait-elle encore aussi pleinement ? Et puis, elle était enceinte d'un autre. Elle avait en somme avancé sans lui, et elle se demandait si elle était encore femme à perdre la tête. Combien de fois auparavant avait-elle rêvé de partir ! Or c'était lui qui l'avait alors raisonnée.

Cependant, elle parut attentive au projet.

– Comment feras-tu pour me faire quitter la Martinique ?

– Je vais faire ma tournée de conférences et le jour de mon départ, je ferai venir un bateau à la crique. Ce ne sera pas compliqué. Personne ne fera attention à moi. Je suis un étranger...

Adèle ressentait de la nostalgie, mais aussi, bien qu'elle en fût contrariée, une espèce de distance entre eux. Elle dit pourtant :

– Pas pour moi... Non, tu n'es pas un étranger.

Et elle se rapprocha pour l'embrasser. Son baiser était comme une prière d'hier : emmène-moi tout de suite, sans réfléchir, enfuyons-nous comme des voleurs, ayons vingt ans !

Ce qu'elle savait bien, c'était que la réflexion ne leur était pas favorable. Mieux valait être fou que sage, et tout de suite.

Il ne le comprit pas. Il la repoussa doucement pour se rha-biller à son tour, il devait y aller maintenant, il allait finir par rater le bateau, il avait un programme à respecter.

Elle baissa la tête. Est-ce qu'il n'était pas trop sage ? Il finit de boutonner son uniforme, lui prit le menton pour l'obliger à le regarder.

– Je serai de retour dans deux ou trois semaines. Nous partirons à ce moment-là.

Il allait l'embrasser, leurs visages étaient tout proches l'un de l'autre, quand la porte s'ouvrit brutalement en même temps que Théophile faisait irruption dans la pièce, éclatant d'un rire méprisant.

– J'en étais sûr ! Il n'a pas perdu de temps, le nègre !

Koyaba s'écarta et s'inclina avec urbanité :

– Monsieur Bonaventure.

– Alors ? Comment tu la trouves ? dit Théophile en s'approchant d'Adèle. Ça lui a pas mal réussi de coucher avec moi, non ? Je lui ai payé sa boutique, des bijoux, des robes...

Les traits d'Adèle s'étaient crispés. Elle se sentait mortifiée.

– Arrête, ce n'est pas vrai... s'écria-t-elle.

– Quoi ? Il n'y a pas de honte ! se défendit-il, narquois, en s'approchant davantage.

Il lui prit le menton, ce même geste que Koyaba venait de faire un instant plus tôt. Il adressa à celui-ci un clin d'œil salace :

– Elle a embelli, non ?

Il effleura ses fesses.

– Tu as vu ce cul ? On ne s'en lasse pas...

– Tais-toi ! cria-t-elle.

Il cherchait bien sûr l'affrontement, elle le connaissait, elle savait où il voulait en venir. Koyaba serrait les poings. Il fallait éviter cela à tout prix. Elle s'interposa :

– Non ! Ne fais pas ça !

Les deux hommes s'évaluèrent du regard. L'un affichait maintenant un visage de haine, l'autre demeurait provocateur. Théophile avait ici le dessus, il s'en amusait, il espérait même que Koyaba cède à ses pulsions.

– Eh bien, vas-y ! Frappe, le nègre ! Ça me donnera le plaisir de te voir au bout d'une corde... C'est pas Haïti, ici ! C'est encore les Blancs qui commandent !

– Pars ! Pars tout de suite ! ordonna Adèle.

Koyaba risquait gros en portant la main sur Théophile. Il fallait qu'il parte, maintenant ! Il hésita, croisa son regard implorant, se retourna encore une fois.

– À bientôt, Lousolo.

Adèle sursauta en entendant la porte se refermer.

– Lousolo ? C'est ton petit nom ? C'est comme ça qu'il te zaïlle, ce fumier ?

Elle suffoquait de rage et d'humiliation. Théophile marchait dans la pièce. Elle lui jeta un regard à la dérobée. Il était inquiet à son tour. C'était écrit malgré lui sur son visage assombri. Koyaba avait dit « à bientôt », il avait le projet de revenir. Il suggérait aussi qu'il était le vainqueur du face-à-face et qu'Adèle avait choisi.

Elle ne fut donc pas dupe de l'attitude désinvolte que Théophile adopta, quand il la questionna avec une intonation nouvelle dans la voix :

– Je suppose que tu comptes t'enfuir avec lui ?

Elle haussa les épaules. Lui aussi la connaissait. Ils avaient passé presque vingt ans l'un à côté de l'autre. Cela comptait. Et Adèle fut elle-même effrayée : sa vie de femme faite était attachée à cet homme, dont de ce point de vue elle était plus proche que de Koyaba, alors qu'elle le détestait du plus profond de son cœur. Théophile éclata d'un autre rire, un rire de défense et de soulagement qui masquait et dissipait à la fois la terreur qu'elle ne l'abandonne.

– Tu ne trompes personne, tu sais ! En tout cas, pas moi !

Mais son rire cessa, il planta ses yeux dans ceux d'Adèle.

– Qu'est-ce qu'il a de plus que moi, ce toquard ? Qu'est-ce qu'il t'a promis ?

Elle attendit quelques secondes avant de dire d'une voix rauque :

– La liberté.

Le mot le fit sourire. Ce qu'il avait redouté, c'était qu'elle lui parle de sentiments.

– La liberté ! Vous n'avez que ce mot à la bouche, vous, les Noirs ! Comme si nous les Blancs, nous étions libres de faire ce que nous voulons !

Adèle devint farouche.

– Et si c'était vrai ? Si je voulais m'enfuir pour être libre ? Qu'est-ce que tu ferais pour m'en empêcher ? Tu m'enfermerais à clé ? Tu me tuerais comme ta femme ?

Il se retourna, plein de défi à son tour :

– Tu crois que je n'en suis pas capable ?

– Tu es capable de tout !

Elle avait prononcé ces mots sur un ton méprisant, mais c'était la vérité. Oui, il était capable de tout, et il la tuerait plutôt que de la laisser partir. Mais elle ? Elle avait sa part de fautes, elle aussi : elle avait détesté Olympe, elle était l'instigatrice du mariage de Constance avec Sainte-Colombe, elle avait tenu un cabaret. Quel espoir de rédemption pour elle plus que pour lui ? Et Adèle luttait contre cette idée, l'idée qu'il y avait quelque chose de commun entre eux. Mais quoi ?

Il revint face à elle. La question qu'il allait lui poser était comme une façon de lui demander si elle avait de l'amour pour lui.

– Et si je te libère, tu le suivras quand même ?

Elle se contenta de répondre, avec un rire sans joie :

– Tu ne le feras jamais. Tu as trop peur ! Tu ne peux pas vivre sans moi.

Il eut soudain l'air très content de lui.

– Ah, mais je ne te laisserai pas partir ! Si je te libère, je t'épouse ! Tu passerais du Code Noir au code Napoléon, ma chère « doudou ». Tu ne pourrais plus quitter la colonie sans l'autorisation écrite de ton mari...

– Je ne te crois pas. Tu n'épouseras pas une Noire.

Il planta de nouveau ses yeux dans les siens.

– Comme tu le disais si bien, je suis capable de tout...

Réfléchis un peu. Te marier avec un Blanc, pas mal, non ? Mieux que de suivre un guignol déguisé en général !

Adèle le fixait, incrédule. Il partit alors d'un grand éclat de rire et quitta la pièce avec ce rire encore, qu'elle entendit retentir dans le couloir, avant que la porte ne se referme une seconde fois.

Adèle demeura pétrifiée : ou elle se trompait et ne connaissait pas Théophile, ou il allait effectivement l'épouser.

Le lendemain, à la tombée de la nuit, elle arrivait en charrette à l'habitation. Elle avait l'air de quelqu'un qui vient d'apprendre une nouvelle extraordinaire. Il l'avait fait ! Et il n'avait pas perdu de temps. La première personne à laquelle elle voulait en parler était son père ; elle fut soulagée de voir son âne attaché à un piquet devant sa case.

Elle le trouva occupé à préparer son dîner frugal à la lueur du brasero, et il l'écouta sans mot dire lui raconter la conversation qu'elle avait eue avec Théophile. Mais la nouvelle la plus récente, il l'accueillit avec un haussement d'épaule. Il connaissait les promesses du maître.

— T'affranchir ? Toi ? Ne l'écoute pas, il ment !

— Moi aussi, c'est ce que j'ai cru. Mais c'est sérieux. Il a fait publier les bans.

La veille, en sortant de la boutique, Théophile s'était rendu directement à la mairie pour annoncer son mariage avec Adèle.

Amédée n'en croyait pas ses oreilles, il secouait la tête, incrédule. C'était impossible, il y avait forcément un piège.

— Publier les bans ? Alors tout le monde va savoir qu'il épouse une Noire, lui, Théophile Bonaventure, plus blanc que blanc...

Ils savaient l'un comme l'autre ce que cela signifiait : la liberté pour elle et pour ses enfants, mais le scandale et l'opprobre pour lui. Et avec quel profit ?

– Je ne sais pas si je dois accepter, papa.

Amédée accusait le choc. Sa voix était altérée quand il reprit la parole :

– Alors, c'est vrai ? Jésus Marie, j'attends ce moment depuis si longtemps...

Il regarda sa fille, fébrile et dissimulant tant bien que mal son émotion :

– Tu n'as pas le droit de refuser, chérie-mwen ! Ta mère serait si fière de te voir libre !

– En Haïti, je n'aurais pas besoin de tout ça. Là-bas, les Noirs sont libres !

– Peu importe ce qu'ils font là-bas ! Il te faut le papier d'affranchissement, le papier, c'est le plus important !

Elle se sentait fatiguée, fatiguée d'avoir passé tout ce temps à ruser, fatiguée des combinaisons, de la débrouillardise, des mensonges et des manipulations.

– Non, ce n'est pas le plus important. Toute ma vie, j'ai calculé, j'ai pensé, j'ai pesé mes gestes, je me suis forcée à sourire. Je n'ai jamais fait ce que mon cœur me dictait. Alors pour une fois, j'ai envie de ne pas penser. Je veux partir, comme si j'avais vingt ans, partir et vivre...

Amédée soupira. Rien de plus légitime, et comme il la comprenait ! Il percevait cependant quelque chose de confus chez sa fille, qu'il ne parvenait pas à s'expliquer parce qu'elle refusait peut-être de se l'avouer à elle-même.

– Tu es sûre d'être heureuse avec Koyaba ?

Elle détourna les yeux.

– Bien sûr. Pourquoi pas ?

Il ne tarda pas à saisir d'où venait aussi son embarras :

– Tu ne lui as pas dit que tu étais enceinte ?

– Pas encore, répondit-elle d'une petite voix.

– Tu as peur ? Tu as peur qu'il ne veuille pas de l'enfant d'un Blanc ?

– Mais non, papa ! Il a changé ! Il n'est plus comme avant...

Elle ne convaincrait personne. Amédée savait aussi bien qu'elle la façon dont Koyaba accueillerait la nouvelle. Mal.

Elle gardait les yeux baissés, pour éviter de croiser ceux de son père. Elle avait en outre le sentiment d'une intrusion et d'une clairvoyance qui ne lui plaisaient pas. Que cherchait-il à savoir ? Si elle aimait encore Koyaba ? Que sous-entendait-il avec ses questions ?

Il s'approcha, lui prit les mains, l'obligea à le regarder en face.

— Tu peux écouter ton cœur, chérie-mwen. Mais écoute aussi celui de ton vieux père : marie-toi, prends le papier d'affranchissement. C'est le plus important.

— C'est dur, papa, murmura-t-elle, avant d'ajouter : mais si c'est le prix de ta liberté, ce n'est pas si dur.

Et elle se blottit contre lui. Il la serra contre son cœur. Oui, c'était le prix à payer pour son repos. Toute sa vie il n'avait été obsédé que par cela. Sa fille du moins allait être libre ! Lui était vieux maintenant, mais elle avait encore la vie devant elle. Un mot, un mot griffonné sur un papier, mais de quel prix ! Il songea au rêve qu'il avait fait et qu'il avait raconté à Manon avant sa mort : ils étaient tous les trois à Saint-Pierre, ils sortaient de la messe, bien vêtus. Manon portait de belles chaussures, une grande robe, Adèle une ombrelle. Les gens les enviaient. Ils étaient des gens libres. Son rêve pouvait devenir réalité, bien qu'on ne fût pas à l'abri d'un revirement de Théophile.

Amédée se trompait. Jamais Théophile ne s'était montré de si belle humeur, et la semaine qui précéda le mariage étonna tout le monde, aussi bien à l'habitation qu'à Saint-Pierre.

Il est vrai que Théophile se réjouissait de la bonne marche de la sucrerie — on avait pu faire réparer le toit du moulin et les ventes avaient repris. Cela n'expliquait pas tout. Il n'était pas tant un autre homme, n'ayant rien perdu de son caractère fougueux, arrogant et colérique, mais il paraissait heureux. Quelque chose semblait s'être apaisé en lui depuis l'annonce de ce mariage. On eût dit qu'il était enfin en accord avec lui-même. À l'habitation, cela n'échappait à personne : Amédée, Man Josèph, Jacquier, les esclaves. Il y avait un bouleversement ici : le maître qu'ils connaissaient allait épouser une femme noire, et il ne paraissait pas en craindre les conséquences dans l'île.

Théophile passa ainsi une semaine à l'habitation à attendre le jour du mariage.

Une fois seulement, il alla à l'atelier de Saint-Pierre où il trouva Adèle au travail. Ce jour-là, il lui dit en riant qu'elle ne serait plus libre de faire ce qu'elle voudrait après leur mariage. Il y avait réfléchi, il était probable qu'il passerait ses journées à l'habitation mais qu'il serait à Saint-Pierre tous les soirs pour dîner et dormir avec elle. Adèle fut inquiète : non seulement Jean-Baptiste allait devoir s'en aller, mais encore elle entendait Théophile planifier l'existence à ses côtés. Il avait présenté cela très directement, comme il en avait l'habitude, mais dans son rire, Adèle avait perçu quelque chose de rassurant. Et elle n'avait pu s'empêcher de penser à l'enfant qu'elle portait, un enfant qui allait naître libre, un enfant qui avait pour père un planteur blanc propriétaire, et pour mère une Noire libre tenant un magasin en ville.

Étonnée elle-même de se laisser aller à de telles pensées, Adèle s'était reprise rapidement : Koyaba allait revenir, elle repartirait avec lui. Puis elle se surprit à espérer qu'il ne revienne jamais, chassant ainsi les questions qui l'assaillaient jusque dans son sommeil : que lui dirait-elle ? Voulait-elle vraiment partir avec Koyaba ? Oui, elle le voulait. Mais cet enfant qu'elle portait ? Ne jamais en parler à Théophile ? Qui était vraiment cet homme dont son père disait qu'il semblait revivre ? Le papier, pensait-elle pour mettre fin à ses questions, le papier d'affranchissement ! Alors seulement elle partirait avec Koyaba, quand elle aurait le papier d'affranchissement.

CHAPITRE 24

La journée du 16 novembre 1810 arriva.

Il faisait encore nuit quand Adèle se leva. Théophile de son côté s'était réveillé à l'aube et était parti galoper jusqu'à la plage. Une pluie fine tombait, le ciel était chargé de gros nuages gris. Il avait chevauché longuement, regardé une fois de plus les premiers rayons du soleil sur la mer, avait arrêté son cheval, pensé à Constance, songé que Noël approchait et qu'il allait se remarier. Et cette fois c'était différent : bien qu'il fût trop orgueilleux pour se l'avouer, il aimait la femme qu'il allait épouser ; cette fois il l'avait choisie. Il avait beau avoir présenté la chose comme une bravade en réponse à un défi, maintenant qu'il était seul sur la plage déserte et silencieuse, il y avait cette chose inexprimable dont il était certain : Adèle était la seule qu'il eût jamais chérie. Ils avaient passé un pacte. N'avait-elle pas juré qu'elle l'aimerait ? L'aimait-elle ? Bien sûr que non, elle ne pouvait l'aimer. Et il pressa les flancs de sa monture pour rentrer à l'habitation. S'habiller. Oui, il le fallait. Il enfila le même costume qu'il portait pour le mariage de Constance, rentra son pantalon dans ses bottes lustrées, hésita puis repoussa la perruque. Déguisement inutile.

Quand il arriva à Saint-Pierre, Théophile fut surpris de voir qu'Adèle était déjà prête. Rien de commun avec ces femmes qui passent des journées entières à se parer. Mais elle était habillée avec soin, coiffée, plus belle qu'elle ne l'avait jamais été, dans une robe de soie d'un bleu profond.

Il l'observait qui se tenait bien droite, les yeux levés, la bouche légèrement entrouverte, frémissante sur place cependant, parce que Byzance, muni d'une grosse pince, mettait du temps à briser le mécanisme du collier immatriculé. Celui-ci tomba enfin sur le sol, roula puis s'immobilisa.

Adèle se penchait pour le ramasser, quand la voix de Théophile retentit derrière elle, persifleuse :

– Garde-le. Ça te fera un souvenir !

Elle se retourna et le regarda froidement.

– J'ai une bonne mémoire, dit-elle.

Puis, s'adressant à Byzance :

– Jette-moi ça.

Celui-ci s'éloigna avec le collier.

– Nous y allons ? demanda enfin Adèle à Théophile.

– J'espère que tu as assez d'argent...

Elle saisit sur un meuble une petite bourse qu'elle avait soigneusement remplie et la lui tendit. L'affranchissement avait un prix, et c'est elle qui allait racheter sa liberté. Puis elle prit son ombrelle et sortit.

Il la suivit et ils marchèrent jusqu'à la petite église de François, elle devant, lui un peu derrière, s'amusant de la voir avancer d'un si bon pas. Elle s'arrêta devant la porte pour l'attendre, et ils pénétrèrent ensemble dans l'église.

Les esclaves de l'habitation étaient déjà là, groupés devant l'autel, la plupart la tête baissée. Man Josèph et Mabelle au premier rang, avec Byzance, Fanny et Amédée qui se distinguaient par leur costume de ville et leurs souliers.

Adèle marcha jusqu'à l'autel sans être accompagnée de quiconque, tandis que Théophile rejoignait Jacquier qui se tenait un peu à l'écart, attentif au moindre mouvement, aux yeux qui se relevaient pour regarder le crucifix, aux mains que les uns tordaient, que les autres joignaient maladroitement.

La porte de la sacristie s'ouvrit et François fit son apparition, avec son étole de prêtre sur sa robe. Il était accompagné par un homme de petite taille et de forte corpulence, au visage rouge et trempé de sueur et au regard fuyant. C'était un officier d'état civil dont la présence était déjà nécessaire ici, et qui n'avait pas caché son mécontentement d'être désigné pour procéder à l'affranchissement d'une esclave qui allait se marier avec un Blanc. Lui n'avait encore jamais vu cela à Saint-Pierre, et il n'en ressentait aucune satisfaction, pour ne pas dire qu'il avait le sentiment de participer à un sacrilège.

François, conscient de son malaise, prit heureusement les devants. Pour lui, ce mariage était au contraire une sorte de revanche sur son découragement. Il fit face à l'assistance avec le regard franc qui le caractérisait, sans dissimuler sa joie d'accueillir dans sa paroisse des hommes et des femmes dont il savait qu'ils avaient rarement l'occasion de se rendre en ville et encore moins dans une église.

Il attendit que l'officier ait essuyé la sueur à son front et rangé son mouchoir pour commencer.

– Mes bien chers frères, monsieur l'officier d'état civil va procéder à la cérémonie d'affranchissement d'Adèle.

L'homme se racla la gorge, et ne put faire autrement que de considérer la beauté noire qui se trouvait devant lui.

– Êtes-vous esclave de monsieur Théophile Bonaventure, demeurant à l'habitation du même nom ?

– Oui, dit Adèle calmement.

– Je vais demander aux témoins libres de s'approcher, dit-il en se tournant vers Jacquier et Théophile.

Ceux-ci avancèrent et vinrent se placer de chaque côté d'Adèle, les mains croisées derrière le dos, la tête haute.

L'officier déroula une feuille de papier, celle qui portait le décret d'affranchissement, et se mit à lire :

– Aujourd'hui, le 16 novembre 1810, est comparu par devant nous monsieur Théophile Bonaventure, cinquante et un ans, Habitant, demeurant à Sainte-Marie, qui a déclaré affranchir son esclave Adèle, trente-huit ans, pour cause de mariage avec son maître.

Il suffoquait et s'interrompit pour tirer de nouveau son mouchoir de sa poche. Il semblait accablé du poids de chacun de ses gestes dans la minuscule église éclairée de quelques bougies et où régnait un recueillement rare, qui renforçait son propre sentiment de commettre un acte dangereux. Il y avait heureusement un prêtre à ses côtés, dont la présence le rassurait un peu : lui ne semblait pas complètement fou et ne paraissait guère embarrassé. Il tendait justement une Bible afin qu'Adèle puisse prêter serment.

L'officier reprit :

– Adèle, vous allez jurer sur l'Évangile maintenant. Répétez après moi : « Je jure devant Dieu »...

– Je jure devant Dieu...

– ... d'être soumise, fidèle, respectueuse... disait l'officier en lisant machinalement.

– ... d'être soumise, fidèle, respectueuse... répéta la voix basse d'Adèle, manquant de s'étrangler à chaque mot qu'elle prononçait.

– ... dévouée aux Blancs mes seigneurs et patrons.

– ... dévouée aux Blancs mes seigneurs et patrons, articula Adèle en s'étranglant pour de bon.

Il y eut une courte pause, qui parut interminable à Amédée. L'officier avait encore une fois tiré son mouchoir, pour se moucher bruyamment cette fois. Amédée sentit un frisson le parcourir des pieds à la tête, puis l'officier prononça la phrase tant attendue :

– En récompense de ta fidélité, le peuple te déclare libre, dit-il sur un ton solennel.

Amédée eut un sourire, et son unique poing se serra comme s'il venait de remporter la grande victoire de sa vie. Les mains des esclaves se rejoignirent discrètement. Ils étaient émus et fiers. Seule Man Josèph paraissait troublée : c'était un grand jour aujourd'hui, alors pourquoi sa jambe la faisait-elle souffrir si cruellement ? Elle se mit à prier, se dit que pour une fois son corps la trompait. Adèle se retourna vers son père : c'était avec lui qu'elle voulait partager ce moment.

Voilà une chose de faite, pensa l'officier ; mais le pire restait à venir, à la mairie. Il eut l'envie d'en finir au plus vite, ici comme là-bas...

– Quel nom dois-je inscrire sur le registre ?

– Victoire. Adèle Victoire.

Adèle n'avait pas hésité. Elle y avait réfléchi durant la nuit. Elle prononça d'une voix sûre le nom choisi, et à ce moment son visage afficha une expression triomphante.

L'officier notait, Amédée songeait qu'il n'aurait pas trouvé mieux. Mais Théophile bondit, arracha le registre et la plume des mains de l'officier, et biffa le nom qu'il venait d'inscrire.

– Certainement pas ! Elle s'appelle Bonaventure ! Adèle Bonaventure ! dit-il en inscrivant rageusement le nom au bas de la feuille.

Puis il tendit le registre à Jacquier :

– Tiens, signe ! Qu'on en finisse avec ces simagrées !

Il avait déjà tourné les talons pour s'en aller quand la voix de l'officier d'état civil retentit :

– Et la taxe d'affranchissement, monsieur ?

Théophile se retourna, sortit de sa poche la bourse qu'Adèle lui avait remise et la lança à l'officier.

– Et en plus, il faut payer !

Adèle demeurait pétrifiée, considérant le registre fixement, les larmes aux yeux. Pourquoi lui refusait-il cela ? Théophile eut conscience de la mortification et crut bon d'expliquer :

– Tu n'as pas besoin de nom. Tu vas être ma femme pour le restant de tes jours !

Il quitta l'église à grands pas, laissant l'assistance glacée.

L'officier referma d'une main mal assurée le registre et chercha auprès de François un visage rassurant. Quelqu'un pouvait-il lui expliquer l'exaspération du planteur ? Mais François ne souriait pas, et la perspective du mariage à la mairie parut à l'officier plus terrifiante encore.

Amédée s'approcha d'Adèle, absorbée dans ses pensées, pour lui dire qu'elle devait y aller maintenant. Elle parut se réveiller d'un rêve et fit volte-face pour sortir. À l'extérieur, Théophile l'attendait.

L'officier adressa un petit salut à François puis quitta l'église à pas rapides, songeant qu'on ne l'y reprendrait plus, à devoir unir un homme blanc et une femme noire qui n'en paraissaient contents ni l'un ni l'autre.

Devant la mairie, un petit attroupement s'était formé. Il y avait là des hommes et des femmes, blancs et de couleur, attirés par l'affiche placardée au mur et par l'union étonnante que cette journée allait célébrer. On pouvait lire en grosses lettres la publication du mariage de Théophile Bonaventure avec son esclave Adèle.

– Ça alors ! Monsieur Bonaventure va épouser sa négresse ! dit un homme en s'adressant à son voisin.

– Non ?

– Regarde ! C'est marqué là !

Les exclamations attirèrent de plus en plus de passants, et la foule grossit. Les rires se mêlaient à des murmures d'indignation.

On se tut quand Théophile Bonaventure et Adèle firent leur apparition au bout de la rue. L'officier d'état civil les précédait, son registre sous le bras, la tête baissée, comme honteux d'être flanqué de quatre hommes blancs habillés de frusques déchirées, des inconnus qu'on venait de recruter dans la rue et qui avaient consenti, contre une pièce d'or, à servir de témoins.

La foule muette observait le petit groupe qui accéléra le pas en arrivant devant la mairie. Les curieux se poussaient du coude sur leur passage.

Il fallut patienter dans le hall. Théophile fit les cent pas, Adèle était assise sur une chaise, pensive. Leur attente fut plus longue que le mariage, expédié en une demi-heure.

L'officier lisait l'acte mécaniquement, en évitant de regarder le couple. Il n'avait qu'une hâte : en finir au plus vite. Aussi parut-il soulagé quand enfin il put dire :

– Veuillez échanger les anneaux...

Théophile tira du fond de sa poche deux alliances sur lesquelles Adèle jeta un regard perplexe, se demandant d'où elles venaient. La pensée l'effleura qu'il s'agissait de celles de Théophile et Olympe, mais elle se ravisa en songeant qu'Olympe avait sans doute été enterrée avec la sienne.

Ils se passèrent les anneaux rapidement, tandis que l'officier déclarait enfin, d'une voix peu audible :

– Je vous déclare mari et femme.

Restait à signer le registre. Théophile et Adèle s'exécutèrent, les témoins aussi. Ils avaient ce même sentiment de commettre quelque chose de honteux. Théophile s'acquitta du pourboire convenu auprès des témoins qui s'en allèrent sans saluer. L'officier tendit à Théophile l'acte, que celui-ci plia et rangea dans une poche intérieure de sa veste. Puis il tourna les talons.

Adèle et Théophile savaient ce qui les attendait au dehors. Ni félicitations ni vivats.

Il se tourna vers elle en lui offrant son bras :

– Madame Bonaventure, je suis à vous.

Elle parut choquée, refusa son bras.

– Eh bien quoi ? J'ai une très belle femme, je ne vois pas pourquoi j'en aurais honte !

Il y avait quelque chose de tout simple dans le sourire qu'il lui adressa. Oui, il était sincère. Elle prit son bras.

Ils quittèrent la salle des mariages ainsi, marchant lentement. Il semblait à Adèle qu'ils étaient seuls au monde quand ils traversèrent ensuite le hall désert de la mairie.

Mais à l'extérieur, la foule les attendait devant la grille.

Lorsqu'ils descendirent les marches du perron, Théophile sentit le bras d'Adèle presser un peu plus fortement le sien – une légère appréhension sans doute, pensa-t-il. Ils s'immobilisèrent un instant au bas des marches, tous les regards fixés sur eux. Et cette fois Théophile perçut chez elle un mouvement qui la fit se redresser comme pour mieux se préparer à un affrontement.

Maintenant ! C'était une question de rythme, tout est une question de rythme, pensa-t-elle. C'est cela que nous avons en commun, notre rythme. Leurs pieds s'élancèrent du même pas. Théophile souriait à la ronde, narguant les passants qui s'écartaient.

Un crachat vint s'écraser près d'une des chaussures d'Adèle, qu'elle ignora, continuant de marcher au bras de son mari avec le port d'une reine.

L'hostilité monta, ils entendirent des insultes, d'abord prononcées à mi-voix. Puis il y eut des huées.

La situation menaçait de dégénérer, quand un cheval arriva au galop et fit halte devant eux. C'était Jacquier, l'air bouleversé.

– Il faut venir tout de suite !

Théophile fronça les sourcils, contrarié d'avoir à abandonner Adèle. Elle sentit un frisson la parcourir, mais affirma qu'elle pouvait rentrer seule à la boutique. Et sur ces mots, elle s'éloigna calmement, en soulevant le bas de sa robe. Théophile la suivit des yeux, petite silhouette bleue qui disparut au coin de la rue. Alors seulement elle allongea le pas pour fuir cette foule malveillante. Théophile, lui, alla récupérer son cheval, et comme il s'enquérait de ce qui s'était passé, Jacquier expliqua que c'était la purgerie. Elle était dévastée.

– Qui a fait ça ?

– Les planteurs. Ils sont venus pendant votre mariage. Ils avaient des fusils. On n'a pas pu les empêcher...

Une heure plus tard, Théophile arrivait à l'habitation et faisait son entrée dans la purgerie. Jacquier et quelques esclaves le suivaient.

Il s'arrêta net, le désespoir dans les yeux : les cuves avaient été éventrées, le sirop s'écoulait sur le sol en longues coulées brunâtres. C'était une année de récolte anéantie. Ce n'était pas tout : le sol était couvert de purin et de boue, et les esclaves promenaient autour d'eux des regards navrés en se bouchant le nez. Théophile mesurait les raisons de cette exaction. Ainsi, il n'y avait pas moyen d'être en paix !

Sur le visage de Théophile se peignit une expression de haine que Jacquier ne lui avait jamais vue. Puis il fit volte-face, quitta l'endroit en courant, enfourcha sa monture et la lança au grand galop. Jacquier le suivit des yeux jusqu'à ce qu'il disparût. Son visage eut une crispation. Il savait parfaitement lui aussi ce que les planteurs faisaient payer à Théophile. Mais était-ce une bonne idée d'aller là-bas ? Il retourna dans la purgerie ; il était urgent d'entreprendre le nettoyage.

Elle arrivait chez elle, épuisée, elle allait s'y mettre à l'abri ! Voilà ce qui en coûtait de se marier avec son maître ! Des huées et des insultes. Mais cela lui était assez égal, puisqu'elle retrouvait sa maison.

Elle tourna le coin de sa rue, et ralentit le pas en l'apercevant : Koyaba attendait devant sa porte. Elle s'arrêta, hésita, se remit à marcher à sa rencontre. Si seulement il pouvait l'accueillir avec des mots réconfortants !

— Eh bien, tu en as mis du temps !

Premiers reproches. Koyaba regardait sa robe.

— Quelle élégance ! J'espère que tu ne comptes pas voyager dans cette tenue. D'où viens-tu ?

Elle fut surprise par la brutalité du ton, mais trop fatiguée pour se mettre en colère, et d'ailleurs, à quoi cela servirait-il ?

— D'un mariage, dit-elle.

Et, après un silence :

— Le mien.

Il la prit aux épaules.

— Tu plaisantes ?

Elle se libéra d'un geste agacé, baissa la tête.

— Je suis enceinte, Koyaba ! De... lui.

Il la regardait maintenant, si horrifié qu'elle ne put s'empêcher d'ajouter :

– Tu te souviens, quand je t'ai annoncé la naissance de notre fils ? Tu as fait à peu près la même tête...

– Ce n'était pas la même chose ! J'étais poursuivi, je ne pouvais pas m'occuper de toi et de l'enfant...

– Maintenant, tu peux...

Elle le regardait à son tour, qui arpentait la rue de long en large, hors de lui. Il se retrouva face à elle.

– Mais ce n'est pas mon fils ! Et puis un mulâtre... Tu sais, en Haïti, les mulâtres n'ont pas bonne réputation. On ne les aime pas, on les tue, même.

Elle le fixa.

– Tu veux m'emmener dans un pays où on tue les enfants ?

– Évidemment non ! Je le protégerai, s'il le faut.

Il haussa les épaules et éclata d'un rire forcé.

– On peut dire que tu ne me facilites pas les choses, Lousolo ! Je suis général et je vais revenir avec une femme enceinte d'un Blanc !

C'était vrai. Elle ne lui facilitait pas les choses. Elle n'y pouvait rien, pas plus qu'à sa blessure d'orgueil.

– Quand est-ce que tu pars ? finit-elle par demander.

Il hésita, puis :

– Ce soir. Le bateau t'attendra à la crique à la lune montante.

Elle évita son regard.

– Bien. Pars vite. Je suis fatiguée.

Mais avant qu'elle n'ouvre la porte, il l'attira contre lui pour l'obliger à le regarder dans les yeux.

– Mais tu viendras ?

Il y avait dans les yeux de Koyaba une angoisse soudaine.

– Oui, je viendrai.

Elle se dégagea, ouvrit sa porte et la referma en la claquant sur elle, avant de s'y adosser, chancelante, ne songeant qu'à être seule. Et elle resta un long moment immobile.

Quand elle se fut un peu calmée, elle entra dans l'atelier, et entreprit de se mettre au travail comme si de rien n'était. Elle qui œuvrait si rapidement d'habitude s'appliquait avec des gestes lents. Elle songeait que si elle avait eu vraiment l'intention de partir, elle devrait déjà être en train de se changer et d'emballer quelques vêtements. Alors elle s'interrompit et se mit à regarder les meubles, l'étagère chargée des rouleaux de tissu, le mannequin, tout ce qu'elle avait bâti de ses mains et qu'elle allait devoir quitter. Quelle vie l'attendait en Haïti ? Devait-elle être sans mémoire ?

Elle entendit des coups à la porte, et presque aussitôt Fanny fit irruption dans l'atelier, tremblante, en criant des « Madame, Madame ! » affolés. Elle était accompagnée par un officier de la maréchaussée flanqué de quatre gendarmes.

Adèle s'était levée. L'officier repoussait Fanny pour s'adresser à elle :

– Nous venons chercher le nègre Jean-Baptiste. Il paraît qu'il loge ici !

Adèle n'eut pas le temps de prononcer un mot que déjà les hommes envahissaient l'atelier, soulevaient des tissus du bout de leurs baïonnettes, cherchaient derrière le paravent, sous la table.

Adèle avait changé de visage et son cœur s'était mis à battre précipitamment en entendant prononcer le nom de son fils.

– Mais... non, vous vous trompez ! se défendit-elle.

– Tu sais où il est ?

– Non ! Je le vois rarement ! Je ne sais même pas où il habite... Pourquoi ? Il a fait quelque chose ?

L'officier lui tendit une feuille de papier. Elle secoua la tête en prenant l'air navré et mentit :

– Je ne sais pas lire, monsieur...

Elle se fit cependant la remarque qu'elle n'avait pas vu son fils depuis plusieurs jours. Et même auparavant, elle ne l'avait aperçu qu'en coup de vent.

– Il se permet de dénoncer les conditions de vie des

hommes de couleur libres. Ce n'est pas signé mais tout le monde sait que c'est ce Jean-Baptiste qui l'a écrite !

Il s'agissait de dissimuler sa peur et de retrouver au plus vite contenance. Adèle se força à sourire en prenant un air désinvolte, un brin offusqué :

– Fouillez, monsieur l'officier, fouillez ! Nous n'avons rien à cacher ! C'est une maison honnête, ici...

L'officier lui jeta un regard sceptique, fit signe à ses hommes de monter à l'étage pour visiter le reste de la maison. Il parut hésiter, observa Adèle puis suivit ses hommes dans l'escalier.

Elle fit aussitôt signe à Fanny d'approcher.

– Sers-leur à boire. Moi je sors.

Dans la rue, elle se mit à marcher vite, en soulevant le bas de sa robe. Quelle sottise de ne pas s'être changée ! Les pensées se bousculaient dans sa tête : ainsi, son fils écrivait ! Comment avait-elle pu être assez stupide pour croire qu'il restait enfermé des heures dans une chambre à ne rien faire ? Maintenant il était recherché, et elle savait bien ce qu'il risquait s'il était pris ! Elle se reprochait de n'avoir rien vu, elle s'en voulait affreusement, elle n'avait pensé qu'à elle et c'était maintenant la vie de son fils qui était en danger. Elle se mit à courir plus vite, comme saisie par une idée subite qui la soulageait. Elle ne pouvait partir avec Koyaba enceinte de l'enfant d'un autre. Encore fallait-il trouver Jean-Baptiste ! François était la seule personne qui puisse savoir où il s'était réfugié.

À quelques rues de là, sur le port, au Cercle des planteurs, l'ambiance était des plus animées. Tous trinquaient en levant leurs verres en direction du portrait de Napoléon, à la même place sur le mur. Certes, l'Empereur, qui avait repris la guerre contre les Anglais, ne favorisait pas les exportations de sucre de canne, mais il avait rétabli l'esclavage, et de cela on lui était reconnaissant. Et puis il y avait ce fou de Bonaventure à qui on avait donné une bonne leçon. Passait encore qu'il installe sa négresse en ville, mais de là à l'épouser ! Cette fois, il avait fait un pas de trop. On s'assit après le toast, on alluma des cigares, on se prépara à jouer.

Un bruit les fit sursauter : c'était la porte d'entrée comme fracassée, et Théophile qui faisait irruption. Il parut chercher quelqu'un des yeux, aperçut La Rivière assis à une table face à Sainte-Colombe, fonça droit sur lui.

– Sale fumier ! C'est toi qui as détruit ma récolte ?

Quelques hommes tentèrent de s'interposer mais Théophile les repoussa avec une telle violence que le silence s'établit dans la salle. On connaissait ses accès de colère, on savait de quoi il était capable, jamais on ne l'avait vu avec un visage si plein de rage. Cependant, La Rivière ne paraissait pas trop impressionné, il tirait si calmement sur son cigare que les planteurs se sentirent rassurés.

La Rivière, assis, se contenta de toiser Théophile.

– Tu t'es marié avec une de tes sales négresses et tu oses encore te présenter devant nous ? Fous le camp ! Tu n'es plus des nôtres !

– Je n'ai jamais été des vôtres ! hurla Théophile. Vous m'avez toujours traité comme de la merde !

– C'est pour ça qu'on a mis du purin dans ton sucre ! Pour te montrer ce qu'on pense de toi !

La remarque provoqua des rires. Seul Sainte-Colombe, mal à l'aise, avait baissé la tête.

Théophile se retourna vers ceux qui riaient dans son dos et les dévisagea les uns après les autres : comme ils se ressemblaient, ces hommes qu'il avait toujours détestés et méprisés. Et comme La Rivière avait raison : il était, il avait toujours été un étranger parmi eux, qu'avait-il de commun avec des dégénérés et des lâches ? Qu'importaient même leurs mauvais regards, leurs rires excités, et l'avantage du nombre ?

– Bande de minables ! J'ai toujours été plus malin que vous ! Plus fort que vous !

La Rivière se leva.

– Tu es un nègre maintenant ! Fous le camp, le nègre !

Il lut alors dans les yeux de Théophile une expression folle, et il porta la main au pistolet à sa ceinture. Mais Théophile avait bondi avec un rugissement et le visage de La Rivière se décomposa. Celui-ci recula, brusquement effrayé.

– Arrête ! cria-t-il.

On entendit une détonation. Théophile eut un sursaut, recula, s'agrippa à une chaise puis s'écroula, la poitrine en sang. Il vivait encore, il redressa la tête et ses yeux s'agrandirent d'étonnement : devant lui, ce n'était pas La Rivière qui tenait le pistolet, c'était Manon qui lui adressait un sourire horrible, le dernier. Puis sa tête retomba en arrière et il ferma les yeux.

*
**

Adèle avait trouvé François qui l'entraîna dans son église.

– Il est là. J'ai préparé ses affaires. Il ne doit pas rester en Martinique...

En entendant la voix familière, Jean-Baptiste sortit de derrière l'autel et accourut vers sa mère. Elle le regardait avec un regard de reproche et d'admiration :

– Pourquoi tu as fait ça ?

– On ne peut pas toujours se taire, maman. Nous, les nègres, nous faisons ce que nous pouvons.

Adèle lui caressa le front, les larmes aux yeux.

– Mon fils chéri...

François savait qu'il n'y avait pas une minute à perdre.

– Allez, dépêche-toi. Ils vont débarquer d'une minute à l'autre...

Il s'approcha de Jean-Baptiste et l'étreignit brièvement.

– Adieu, mon fils.

Mais Jean-Baptiste le regardait avec émotion.

– Adieu, mon père.

Puis il lui sauta au cou. François les suivit des yeux qui

s'en allaient à grands pas. Alors il vint s'agenouiller devant l'autel et se mit à prier.

La nuit était tombée quand ils arrivèrent sur la plage où Adèle devait retrouver Koyaba. Une barque attendait, à la limite du sable et de l'eau. La mer était faiblement éclairée par une lune embrumée.

Koyaba, qui faisait les cent pas, aperçut enfin les deux silhouettes qui accouraient. Qui donc accompagnait Adèle ? Ce qui comptait, c'était qu'elle fût venue, ils allaient pouvoir partir. Il se précipita et la prit dans ses bras.

– Enfin, tu es là ! J'ai vraiment cru que tu ne viendrais pas !

– Je ne viens pas, dit-elle en se dégageant.

Elle lui adressa un sourire d'excuse :

– Je n'ai plus vingt ans. Je ne crois plus que l'amour puisse vaincre tous les obstacles. Pardonne-moi.

Elle désigna alors Jean-Baptiste.

– C'est lui qui part.

Koyaba eut l'air de remarquer seulement alors la présence du jeune homme.

– Lui ? C'est qui, lui ?

Adèle avala sa salive.

– C'est ton fils, dit-elle. Jean-Baptiste, tu m'as souvent demandé de te parler de ton père... eh bien, le voilà ! C'est cet homme que j'ai aimé plus que tout...

Les deux hommes se dévisagèrent, sur la défensive. Puis ils se reconnurent. Jean-Baptiste découvrait que le révolutionnaire à qui il avait tenu tête était son père, Koyaba que le jeune coq de la réunion des francs-maçons était son fils. Adèle les trouvaient bien froids l'un envers l'autre, et elle fronça les sourcils. Mais le temps pressait, et Jean-Baptiste prit sur lui de faire le premier un pas. Il tendit la main à Koyaba, avec une certaine raideur encore :

– Bonjour.

Koyaba prit cette main, mais il se tourna vers Adèle, la gorge nouée.

– Viens, je t'en supplie.

– Ce n'est pas moi qui ai choisi, c'est le destin. Il distribue les cartes et nous devons jouer la partie le mieux possible. Ma partie, c'est ici, en Martinique. La tienne est en Haïti. On n'y peut rien...

Elle lui toucha la joue sans se rapprocher, croisa le regard de son fils, sentit les larmes lui monter aux yeux et s'éloigna sans se retourner.

Adèle. Elle accélère son pas, il ne faut pas s'arrêter, sa vie est devant elle, elle est libre maintenant. Comme sa robe la gêne pour marcher, elle en saisit le bas et le passe à sa ceinture. Elle se met même à courir en traversant la mangrove. Son fils est parti, Koyaba aussi. Il n'y a plus que son père. Il n'y a plus que cet homme à qui elle est mariée. Elle et lui, lui et elle. Il est là-bas, à l'habitation, là où elle a grandi, là où sa mère est enterrée. Mais que s'est-il passé ? Pourquoi ce visage bouleversé de Jacquier tout à l'heure ? Elle court de plus belle. Il l'attend, forcément. Elle dormira à l'habitation ce soir, elle ne veut pas être seule. Minuit, bientôt. C'est l'heure des zombis encore. Y croit-elle toujours ? Elle ralentit le pas, elle est fatiguée, sa robe s'est accrochée à une branche. Elle retire ses chaussures, elle est mieux pieds nus pour avancer. Et voici qu'elle s'arrête brusquement : elle a senti un coup. L'enfant a bougé. Elle a les larmes aux yeux. Elle répond par une caresse de sa main sur son ventre. Puis elle se remet en route. Ce soir, elle dira à Théophile qu'elle attend un enfant de lui. Elle a ses chaussures à la main, elle ne voit pas grand-chose dans la nuit noire, mais elle ne s'arrête plus, elle se sent plus forte avec cet enfant qui l'habite. Elle court mieux à présent, Adèle.

Direction littéraire
Huguette Maure

assistée de
Édouard Boulon-Cluzel

Composition PCA
44400 – Rezé

*Impression réalisée sur Variquik par
Corlet Imprimeur
14 Condé-sur-Noireau
pour le compte des Éditions Michel Lafon*

Imprimé en France
Dépôt légal : avril 2007
ISBN : 978-2-7499-0645-4
LAF 914